Olga van der Meer

WIJ SAMEN?

Onderbroken geluk

Single Shirley

Alsnog de hoofdprijs

Westfriesland

Eerste druk in deze uitgave 2008

www.kok.nl

NUR 340
ISBN 978 90 205 2915 9

© 2008 Uitgeverij Westfriesland, Hoorn/Kampen
Omslagillustratie Arcangel Images/Imagestore
Omslagontwerp Julie Bergen

Oorspronkelijke uitgave *Onderbroken geluk*, © 2000
Oorspronkelijke uitgave *Single Shirley*, © 2001
Oorspronkelijke uitgave *Alsnog de hoofdprijs*, © 2002

Onderbroken geluk

De deur viel hard achter Yvet Westra in het slot en met een onverschillig gebaar gooide ze haar tas en sleutels op de antieke dekenkist die in de hal stond.

„Niets geworden?" informeerde haar moeder. Het was een overbodige vraag gezien de gemoedstoestand van haar dochter.

„Nee," antwoordde Yvet desondanks. Ze schudde moedeloos haar hoofd en plofte zonder te kijken op de comfortabele leren bank. „Ze willen iemand met ervaring. Hoe kan ik nou aan ervaring komen als ik nergens aangenomen word? Het is overal hetzelfde liedje. Ik heb mijn papieren en goede getuigschriften van mijn stageplaatsen, maar het is nooit genoeg."

„Toch raar," peinsde mevrouw Westra, terwijl ze koffie inschonk en een beker voor Yvet neerzette. „Je hoort en leest niet anders dan dat er een tekort is aan goede kinderopvang, maar werk voor kinderleidsters is moeilijk te vinden."

„Er zijn gewoon te weinig opvangcentra. Er komen tientallen sollicitanten op één vacature af. Daarbij had ik natuurlijk ook pech dat het centrum waar ik stage liep gesloten is, anders hadden ze me daar waarschijnlijk wel aangenomen. Ze waren tenminste erg tevreden over me."

„Jij bent ook iemand met hart voor je werk en daar komen ze heus nog wel achter," troostte mevrouw Westra. „Jouw kans komt nog wel en diegene die je uiteindelijk aanneemt, mag zijn handjes dichtknijpen met jou als werkneemster."

„Lief gezegd van je." Yvet glimlachte warm naar haar moeder. „Was ik daar zelf ook maar van overtuigd."

„Je bent te onzeker, misschien is dat het probleem wel bij je sollicitaties. Jij bent geen type dat snel voor zichzelf opkomt. Heb je bijvoorbeeld verteld dat je tijdelijk in een hotel werkt tot je een baan hebt gevonden die aansluit bij je opleiding?"

„Nee, waarom zou ik? Tenslotte heeft dat niets te maken met mijn opleiding of met mij als persoon."

„Juist wel. Het toont in ieder geval aan dat je niet te lui bent om te werken en bereid bent om alles aan te pakken," meende mevrouw Westra.

„Nou, ik zie er het nut niet van in." Yvet stond op en schudde haar lange, blonde haren naar achteren. „Over hotelwerk gesproken: ik ga weer naar mijn post. Mevrouw De Man was zo aardig om me de hele ochtend vrij te geven voor deze sollicitatie, maar daar wil ik geen misbruik van maken. Tot vanavond."

„Eet je thuis?" vroeg haar moeder nog, voor Yvet haar helm opzette en de brommer uit de voortuin reed.

„Ja, ik werk tot vijf uur vandaag. Een lekker kort dagje dus." Ze zwaaide ten afscheid, terwijl ze behendig het smalle straatje uitreed.

Mevrouw Westra keek Yvet na tot ze uit het zicht verdwenen was. Er lag een bezorgde blik in haar ogen. Ze wist dat haar dochter een hekel had aan het werken in het hotel. Het enige dat het voor haar nog de moeite waard maakte, was het contact met de hotelgasten. Maar ja, ze moest toch wat. Na talloze mislukte sollicitaties was ze allang blij dat ze iets had wat haar dagen vulde en ervoor zorgde dat ze haar hand niet op hoefde te houden voor een uitkering. Ze was nu al een half jaar bezig met werk zoeken als leidster in een kinderopvangcentrum, tot nu toe zonder resultaat.

Het hotel was eigendom van de ouders van Yvets vriendin Manuela. Manuela was zelf ook werkzaam in het familiebedrijf en toen zij twee maanden geleden een fikse longontsteking opliep, waarvan ze nog steeds bezig was te herstellen, nam Yvet zolang haar plaats in. Ze bleef echter hopen op een baan in haar eigen vakgebied. Ze was dol op kinderen en vond het heerlijk om met ze bezig te zijn, ze te begeleiden en ze dingen te leren. Ze verlangde dan ook hevig naar een baan waarin ze haar vaardigheden kwijt kon en waar ze met plezier iedere dag naartoe zou gaan. Als die vervelende sollicitatiegesprekken maar niet nodig waren. Zodra ze tegenover iemand zat die informeerde naar haar opleiding en haar motivatie begon ze te stotteren en klapte ze uiteindelijk helemaal dicht. Ze kon zichzelf niet verkopen en begon er inmiddels zelfs al aan te denken om een speciale sollicitatietraining te gaan volgen. Een jaar geleden stond zoiets haar nog enorm tegen, maar alles was beter dan de situatie waar ze zich nu in bevond.

Yvet parkeerde haar brommer in de daarvoor bestemde ruimte en keek met tegenzin naar het fris wit geschilderde gebouw met de donkerrode raamlijsten. Vroeger kwam ze hier graag en vaak met Manuela, maar nu ging het hotel haar steeds meer tegenstaan. Niet door de mensen die er werkten of de sfeer die er heerste, maar wel door het vervelende schoonmaakwerk en het serveren van drankjes en maaltijden. Ze was op diverse afdelingen inzetbaar en die afwisseling maakte wel iets, maar niet alles goed.

Mevrouw De Man begroette haar, zoals altijd, met een opgewekt gezicht. „Blij dat je er bent, er zijn onverwachts vier nieuwe gasten gekomen. Hoe ging je sollicitatie?"

„Afgewezen, dus ik blijf hier nog even." Yvet glimlachte om niet te laten merken hoe ze zich voelde, maar dat begreep mevrouw De Man toch wel. Yvet was niet voor niets al jarenlang de beste vriendin van haar enige dochter en ze had menig uurtje bij hen doorgebracht.

„Jammer voor jou, maar fijn voor ons," zei ze hartelijk voor ze weer aan het werk toog.

Yvet ging de keuken in waar ze hielp met de voorbereidingen van het diner. De dag kroop voorbij en ze was blij toen ze om kwart over vijf haar schort af kon doen en weer naar huis kon gaan. De rest van de week was ze ingeroosterd bij de schoonmaakploeg omdat één van de kamermeisjes een paar vrije dagen had. Bah! Ze rilde bij het inademen van de koude januarilucht. Niet te geloven dat Manuela zoveel plezier in dit werk had! Maar ja, op haar beurt kon die weer niet begrijpen dat Yvet zo graag hele dagen tussen de kinderen door wilde brengen. En zo had ieder mens zijn eigen kwaliteiten, filosofeerde Yvet op weg naar huis. Ze was ervan overtuigd dat zij een hele goede kinderleidster zou zijn, het enige probleem was om haar eventuele werkgever daarvan te overtuigen.

Ze arriveerde gelijk met haar vader bij hun huis en voor de derde keer die dag moest ze vertellen hoe haar sollicitatiegesprek verlopen was. In de huiskamer, waar haar oudste broer Geert in de krant zat te bladeren, ging het gesprek verder.

„Je moet jezelf beter presenteren," meende hij.

„Ja, makkelijk gezegd. Ik weet zelf ook wel dat ik een ramp ben op dat gebied, maar hoe pak je zoiets aan?"

„Informeer eens bij het arbeidsbureau voor een speciale training of zo," adviseerde hij, terwijl ze aan tafel gingen.

Mevrouw Westra zette de dekschalen neer en wierp een onge-
duldige blik op de klok. „Waar blijft Francis nou weer? We gaan
beginnen, hoor, anders wordt alles koud. Dat kind maakt het
steeds bonter tegenwoordig."

„Ach, wees blij dat ze alleen uiterlijk het evenbeeld van Yvet is,"
grinnikte Geert.

Francis en Yvet waren een tweeling, maar hun gelijkenis stopte
bij het uiterlijk. Waar Yvet gevoelig, onzeker en rustig was, was
Francis hard, berekenend en blakend van zelfvertrouwen. Ze
bezat een dure smaak en had haar zinnen gezet op het verover-
en van een rijke man, zodat ze een ongestoord luxe leventje kon
gaan leiden in de toekomst. De baan die ze had, bij een bank,
diende alleen haar doel om een rijke, liefst jonge, man te vinden.
Ze trok zich niets aan van de mening van haar familie en deed
precies wat ze zelf wilde.

„Je zou een kruiwagen moeten hebben," hernam Geert even
later het gesprek. „Iemand die je kent, weet hoe je werkt en die
iets te zeggen heeft over het aantrekken van nieuw personeel.
Ken je niemand van je opleiding die ergens een beetje invloed
heeft?"

„Ik zou niet weten wie," zei Yvet moedeloos. Ze at met lange tanden van het smakelijk bereide voedsel. Bah, ze had nergens
meer plezier in de laatste tijd. Als ze niet oppaste, zakte ze regel-
recht weg in een depressie. Bij iedere afwijzing, die ze persoonlijk opvatte, werd ze een beetje somberder. „Met de meesten
heb ik geen contact meer en diegenen die inmiddels een baan
hebben gevonden zijn nog niet in de positie dat ze daar iets over
te vertellen hebben."

„Waarom begin je zelf niet een kinderdagverblijf?" opperde
mevrouw Westra onverwachts. Drie verbaasde gezichten draaiden zich naar haar toe.

„Ja, waarom niet?" vroeg haar echtgenoot droog. „Lieve schat,
heb je enig idee wat daar allemaal bij komt kijken en wat het
gaat kosten om zoiets op te starten?"

„Nee, maar het schijnt niet onoverkomelijk te zijn, anders zouden er geen particuliere kinderopvangcentra bestaan," meende
mevrouw Westra praktisch.

„Daar zit wat in, pa," grinnikte Geert. „Misschien moet je daar inderdaad eens aan denken, Yvet. Er is een schreeuwend tekort aan goede opvang, dus je hoeft niet bang te zijn dat de beschikbare plaatsen niet ingevuld worden."

„Weet waar je aan begint," waarschuwde hun vader. „We zijn op de zaak bezig een bedrijfscrèche op te zetten, maar er zit een enorme voorbereiding aan vast, om nog maar niet te spreken van alle bepalingen en veiligheidsvoorschriften waar je aan moet voldoen. Reken maar dat dat tegenwoordig streng gecontroleerd wordt."

„Ik denk niet dat dat iets voor mij zou zijn," zei Yvet. „Dan zijn er ook meteen zoveel andere zaken die je moet regelen en die je aandacht vragen. Ik wil gewoon lekker met de kinderen bezig kunnen zijn."

„Denk er in ieder geval eens rustig over na, vraag desnoods wat informatie aan. Er is tegenwoordig heel wat hulp en steun voor startende ondernemers," adviseerde mevrouw Westra, terwijl ze de tafel begon af te ruimen.

Op dat moment kwam Francis binnen. Ze was inderdaad het evenbeeld van Yvet, maar haar stralende groene ogen vormden op dat moment een schril contrast met de sombere blik van haar tweelingzus. „Sorry dat ik zo laat ben," zong ze vrolijk. „Is er nog iets te eten over voor me, mamsie?"

„Alleen als je genoegen wilt nemen met een afgekoelde maaltijd. Zo niet, dan zul je het zelf op moeten warmen," antwoordde haar moeder rustig.

„Nee, dit is wel goed zo." Francis ging zitten en schepte een minimale hoeveelheid eten op haar bord.

„Dat is de moeite van het opwarmen inderdaad niet waard," zei Geert op een spottende toon. „Ben je weer eens aan de lijn, zusje?"

„Ik let constant op mijn figuur, dus hoef ik nooit te lijnen," wees Francis hem kalm terecht. „Ik moet er niet aan denken om zo'n uitgezakt lijf met vetrolletjes te krijgen."

„Ach, persoonlijk hou ik meer van vrouwen met een beetje vlees op hun botten." Geert monsterde zijn twee zussen en met een blik op de allerminst mollige Yvet vervolgde hij plagend: „Zoals Yvet."

„Je wordt bedankt," reageerde die. „Voor straf mag jij vanavond afdrogen, ik was wel af."

Elkaar goedmoedig plagend verdwenen ze in de keuken, waar Francis zich even later bij hen voegde. Ze liet haar bord en bestek in het sop glijden en begon het inmiddels schone serviesgoed op te ruimen.

„Waarom was jij zo laat?" informeerde Yvet.

Francis lachte breeduit. „Ik ben iets wezen drinken met een fantastische man," vertelde ze enthousiast. „Hij stond me op te wachten toen ik de bank uitkwam en dan kan ik moeilijk zeggen dat ik meteen naar huis moet omdat mijn moeder met het eten zit te wachten."

„Nee zeg, stel je voor. Wat zou hij dan wel niet dénken van je," zei Geert op een gemaakte, aanstellerige toon, terwijl hij knipoogde naar Yvet. Iets serieuzer voegde hij eraan toe: „Waarom ga je eigenlijk niet op jezelf wonen als je toch niet van plan bent om rekening met je gezinsleden te houden? Dit was de zoveelste keer al dat je zoiets doet, ma houdt geen hotel."

„Veel te duur," verklaarde Francis eerlijk. „Als ik al die vaste lasten zelf moet betalen, plus de kosten voor het eten en zo, hou ik bijna niets meer over."

„En dat gaat natuurlijk ten koste van je garderobe." Geert liet een cynisch lachje horen. „Ik vind dit misselijk gedrag, Fran, ik meen het. Het minste wat je kunt doen is even de moeite nemen om te bellen als je later komt."

„Bemoei je met je eigen zaken," snibde Francis. Van het stralende, knappe meisje was ineens weinig meer over nu er een ontevreden trek op haar gezicht verscheen en er een koele blik in haar ogen kwam. Ze verliet de keuken en liet de deur met een klap achter zich dichtvallen.

„Egoïstisch kreng!" mopperde Geert.

„Maak je niet zo druk, die verandert toch nooit," raadde Yvet hem aan, terwijl ze het aanrecht droogwreef en de afwasbak wegzette. „En ergens heeft ze natuurlijk wel gelijk dat je je er niet mee moet bemoeien. Zolang ma er zelf niets van zegt…"

„Ma is veel te goed voor die modepop," schold hij lekker verder. „Als ik later dochters krijg, weet ik het wel."

Yvet lachte hem hartelijk uit. „Man, jouw eventuele dochters worden tot in de afgrond verwend door je. Kijk maar naar dat kindje van die vriend van je. Zo klein als ze is, weet ze je helemaal in te pakken."

„Dat is anders, die is niet van mezelf. Nee, bij mij thuis gaat later de zweep erover. Tucht en discipline," beweerde Geert met een stalen gezicht.

„Ik spreek je tegen die tijd nog wel."

Lachend liep Yvet naar haar kamer, waar ze een aantal tijdschriften voor Manuela uitzocht. Ze ging trouw bij haar zieke vriendin op bezoek en was dat ook deze avond van plan. Na een blik naar buiten, waar het ondanks voorspelde regen nog steeds droog was, besloot ze met de brommer te gaan. Onderweg dacht ze met een warm gevoel aan haar ouderlijk huis. Ze vormden nog een echt gezin met ouders die altijd voor ze klaarstonden en hun kinderen een gelukkige, veilige jeugd hadden gegeven. Geert was vierentwintig en zij en Francis eenentwintig, maar geen van drieën hadden ze plannen om in de nabije toekomst het ouderlijk huis te verlaten. Waar zag je dat tegenwoordig nog? In deze tijd, waar iedereen alleen nog voor zichzelf scheen te leven, hoorde je niet anders dan vreselijke dingen die mensen in hun jeugd meemaakten. Incest, mishandelingen, alcoholmisbruik door de ouders, ouders die hun kind overlaadden met materiële zaken, maar geen tijd hadden om ook liefde en aandacht te geven, gebroken gezinnen waar de ouders de onvrede van het mislukken van hun huwelijk uitvochten ten koste van de kinderen. Voorbeelden te over van hoe het niet moest, maar helaas steeds vaker de realiteit van alledag. Yvet kreeg wel eens te horen dat hun gezin ouderwets was, maar daar was ze alleen maar blij om. Tijdens haar stageperiodes had ze genoeg meegemaakt met kinderen die een levenslange beschadiging op hadden gelopen door gedrag van de ouders. Natuurlijk was het bij hen thuis ook niet alleen rozengeur en maneschijn, maar ze hadden een stevige en veilige basis.

Manuela lag op bed tv te kijken, maar die zette ze onmiddellijk uit bij Yvets binnenkomst. „Fijn dat je er bent, ik verveel me te pletter."

„Ik heb wat te lezen meegenomen voor je." Yvet legde de tijdschriften op het nachtkastje en schoof een stoel bij het bed.

„Hoe voel je je nu? Gaat het al beter?"

„Nee, maak je geen illusies. Voorlopig zit je nog wel aan je baantje in het hotel vast," plaagde Manuela. Er lag echter een sombere klank in haar stem. „De dokter is vanmiddag nog geweest en hij was niet echt over me te spreken. De koorts komt steeds weer terug en al die medicijnen zijn natuurlijk niet bevorderlijk voor mijn weerstand," vertelde ze verder. „Nu heb ik weer een nieuwe kuur, een paardenmiddel volgens hem. Als dat ook niet aanslaat, ga ik het ziekenhuis in voor observatie, maar daar moet ik toch echt niet aan denken."

„Doe dat dan ook niet," adviseerde Yvet nuchter. „Ik heb natuurlijk makkelijk praten, maar probeer een beetje positief te blijven, meid. Anders maak je het alleen maar nog erger."

„Inderdaad makkelijk gezegd ja." Manuela staarde broeierig voor zich uit.

„Heb je soms problemen? Pieker je ergens over, behalve dan je ziekte?" vroeg Yvet zacht. „Ik heb de laatste tijd vaker het idee dat je ergens mee zit."

„Ach, wie heeft er geen problemen?" antwoordde Manuela luchtig. „Iedereen heeft wel iets om zich zorgen over te maken. Zoals jij bijvoorbeeld. Ik hoorde van mijn moeder dat je sollicitatie vandaag op niets is uitgelopen," veranderde ze handig van onderwerp.

„Zoals gewoonlijk." Yvet ging erop in en begon niet meer over Manuela's problemen. Als ze erover wilde praten zou ze er zelf wel over beginnen, oordeelde ze. „Ik vrees dat ik nog jarenlang als manusje-van-alles bij jullie werk."

„Gezellig toch?" Manuela grijnsde op haar eigen, vertrouwde manier. „Er is genoeg te doen voor ons tweeën, dus wat mij betreft hoef je niet weg als ik weer op de been ben."

„Ik ben bang dat de gasten gillend weglopen als ze ons een dagje samen hebben meegemaakt," lachte Yvet.

Ze wist uit ervaring dat zij en Manuela helemaal slap van het lachen konden zijn om de kleinste dingen. Wat dat betrof hadden ze een slechte invloed op elkaar, zei mevrouw De Man altijd. Yvet kon zich dan ook niet voorstellen dat Manuela's ouders het een goed idee zouden vinden om hun dochter en haar vriendin te laten samenwerken. Maar ach, ze zou het niet willen ook. Ze verlangde nu al naar de tijd dat Manuela weer op haar post zou zijn en zij, Yvet, het hotel met zijn vervelende klusjes gedag kon zeggen.

Maar dan? Als ze dan nog steeds geen werk had dat haar beviel, wat moest ze dan doen? Toch het idee van haar moeder opvolgen en een eigen kinderdagverblijf beginnen? Gezien de huidige tekorten aan kinderopvang was het een ondernemingsplan met weinig risico's, maar er kwam zoveel meer bij kijken.

Voor Yvet die avond naar bed ging, bladerde ze haar mappen van de opleiding nog eens door. De eisen die aan een kinderdagverblijf werden gesteld waren enorm. Er moesten in ieder geval al twee gediplomeerde leidsters en een hulp zijn op twaalf kinderen, ze moest een ruimte hebben met aparte slaapkamer, keuken en badgelegenheid, er moest buitenspeelruimte zijn. En dan waren er nog de eisen aan het interieur en de veiligheid, zoals een vluchtroute, gekeurd speelgoed en brandveilige materialen. Het zou een kapitaal kosten om zoiets op te starten, besefte Yvet. Waarschijnlijk moest ze zulke hoge bedragen aan de ouders rekenen dat niemand het in zijn hoofd zou halen zijn kind bij haar te brengen. Of ze moest subsidie zien te krijgen van de gemeente. Onbewust begon ze toch met het idee te spelen. Het was niet echt haar grote wens om zelf een dagverblijf op te starten en te runnen, maar als het haar in staat stelde om haar geliefde vak te beoefenen moest ze toch maar eens informatie in gaan winnen.

Ze kon de slaap niet vatten en woelde rusteloos in bed heen en weer, van de ene zij op de andere. Zou het financieel wel haalbaar zijn? Dat was natuurlijk het eerste wat ze uit moest zoeken, anders hoefde ze er niet eens aan te beginnen. Misschien was het een goed idee om plaatsen te reserveren voor bedrijven. Dat had het kindercentrum waar ze stage had gelopen ook gedaan. Bedrijven die zelf geen crèche bezaten, kochten dan plaatsen in bestaande dagverblijven voor de kinderen van hun personeel, zodat die de ellenlange wachtlijsten konden ontlopen.

Plotseling schoot Yvet recht overeind. Ze herinnerde zich ineens de woorden van haar vader weer. Bij hem op het werk waren ze bezig met het opstarten van een bedrijfscrèche, had hij gezegd. Misschien lag daar een kans voor haar! Als ze nog bezig waren met de voorbereidingen hadden ze vast nog geen leidsters aangetrokken. Met een beetje geluk kon ze solliciteren voordat er een advertentie in de kranten zou komen, dat vergrootte haar kansen. Opgewonden besloot ze er de volgende dag meteen met haar vader over te praten en eindelijk sliep ze in.

Nog voor Aad Westra de volgende dag kans zag om de badkamer in te gaan, werd hij al belaagd door Yvet.

„Die crèche die jullie bedrijf aan het opzetten is, zijn daar al medewerkers voor aangetrokken?" vroeg ze gespannen.

„Kind, ik heb geen flauw idee. Ik weet niet eens hoever ze met de plannen zijn en of alles al snel gerealiseerd wordt. Toevallig kwam het gesprek er van de week tijdens de lunch op, maar ik weet er echt niets vanaf." Hij wreef de slaap uit zijn ogen en verzocht zijn dochter opzij te gaan, zodat hij eindelijk de badkamer in kon.

„Even nog. Kun jij het voor me navragen en een goed woordje voor me doen als ze nog niemand hebben?" Verwachtingsvol keek Yvet haar vader aan, maar hij schudde zijn hoofd.

„O nee, ik heb een gigantische hekel aan dat soort vriendjespolitiek. Als jij daar wilt gaan werken zul je het zelf moeten regelen, net als ieder ander."

„Maar bij wie moet ik zijn dan?" hield Yvet vol.

Aad zuchtte. Hij was niet zo'n ochtendmens en wilde altijd eerst een half uurtje bijkomen zonder geklets aan zijn hoofd, maar hij kende Yvet goed genoeg om te weten dat ze zich niet zonder meer af zou laten schepen. „Ik schrijf zijn naam en doorkiesnummer zo voor je op," beloofde hij geeuwend. „Mag ik er dan nu alsjeblieft door?"

Met het bewuste papiertje in haar zak reed Yvet later naar haar werk, waar ze om halftien zenuwachtig het nummer draaide.

„Met Van Wissem," klonk het kort aan de andere kant.

„Goedemorgen, u spreekt met Yvet Westra." Ze speelde nerveus met het snoer van de telefoon en moest haar best doen om niet te stotteren of te snel te gaan spreken. De bekende onzekerheid nam alweer bezit van haar. „Ik heb gehoord dat u bezig bent met het opstarten van een bedrijfscrèche en eh… ik ben…" Ze sloot even haar ogen en concentreerde zich. Verknal het nu niet, dit is belangrijk, hield ze zichzelf voor. „Ik heb de MDGO-opleiding gedaan en zoek werk als leidster in een kinderdagverblijf," gooide ze er toen uit. Gespannen wachtte ze op een reactie, half en half verwachtend dat de man haar beleefd zou afwijzen.

„Ik begrijp hieruit dat u wilt solliciteren. Dat kan," zei hij echter vriendelijk. „We hebben via via al wat mensen aangenomen, maar er staat nog een vacature open. Even kijken, kunt u vanmiddag om halfvijf langskomen voor een persoonlijk gesprek?" Yvet dacht razendsnel na. Ze moest tot vier uur werken, maar mevrouw De Man, die over het dienstrooster ging, zou haar vast wel een uurtje eerder vrij willen geven om te douchen en zich om te kleden. Ze wist hoe belangrijk het voor Yvet was en bovendien was ze zo blij met Yvets hulp tijdens Manuela's ziekte dat ze erg flexibel was op dit gebied. „Dat is prima," antwoordde ze dan ook. „Tot vanmiddag dan."

Ze verbrak de verbinding en zuchtte diep. Daar ging ze dus weer, voor de zoveelste maal de laatste maanden. Yvet had het gevoel dat dit haar laatste kans was. Als het weer niet lukt, ga ik als bejaardenverzorgster werken, dacht ze opstandig. De zenuwen gierden alweer door haar keel toen ze die middag thuiskwam om zich op te knappen.

Francis lag lui op de bank met een tijdschrift. „Je bent vroeg vandaag," begroette ze haar zus.

„Ik moet straks solliciteren. En jij? Moet jij niet werken vandaag?"

„Ik heb een vrije middag genomen, het was toch rustig. Vanavond ga ik uit eten en daar lag ik me psychisch op voor te bereiden," grijnsde Francis. Ze wees naar het tijdschrift vol schoonheids- en kledingtips. „Dit wordt een belangrijke avond voor me en ik wil er tiptop uitzien. Wat trek jij aan naar dat gesprek?" vroeg ze met een kritische blik op Yvets oude spijkerbroek en trui.

Die haalde haar schouders op. „Weet ik nog niet. Iets makkelijks."

„Leen een jurk of rok van mij," bood Francis aan. „Het is altijd belangrijk om er goed uit te zien bij een sollicitatie, al is het maar voor je zelfvertrouwen."

„Nee, dank je. Onze smaken verschillen nu eenmaal sterk en ik blijf liever mezelf," wimpelde Yvet dit aanbod af. Ze zag zich daar nog niet als een opgedirkte modepop binnenkomen, maar Francis was vastberaden.

„Onzin. Kom mee, ik heb precies datgene wat jij nodig hebt."

Ze liep naar haar kamer en pakte een zwarte broek met een bijpassende blazer. Het geheel zag er sportief, maar ook heel mooi uit, mede door de prachtige, soepel vallende stof waar het van gemaakt was. Het was een perfect pak voor alle gelegenheden, moest Yvet toegeven toen ze het, na een snelle douche, had aangetrokken. Het roze truitje dat ze eronder droeg, fleurde het geheel op en zorgde ervoor dat het niet te chique was. Het was totaal anders dan de nonchalante kleding die ze gewoonlijk het liefst droeg, maar het pak zat lekker en stond haar uitstekend.

„Zie je wel, dure kleding van een goede kwaliteit is niet per definitie tuttig of opgedirkt," zei Francis belerend, terwijl ze Yvet hielp met het droogföhnen van het lange, blonde haar en een lichte make-up bij haar aanbracht. „Er zijn vele manieren om er sportief en nonchalant uit te zien, daarvoor hoef je je niet per se in een versleten spijkerbroek te hijsen."

„Dat vind ik meestal het makkelijkste. Kleding interesseert me niet genoeg om er veel geld aan uit te geven, maar dit is inderdaad een prachtig pak. Zoiets zou ik zelf ook wel willen hebben." Ze gingen samen voor Francis' passpiegel staan en Yvet kon haar ogen niet geloven. „Wauw! We zijn altijd al elkaars evenbeeld geweest, maar zo lijken we meer op elkaar dan ooit. Zelfs ma zou ons door elkaar halen nu." Ze deed nog een stap naar voren en bekeek zichzelf aandachtig. Door een paar simpele handelingen was Francis erin geslaagd om Yvet er heel verzorgd uit te laten zien zonder dat het leek of ze uren met haar uiterlijk bezig was geweest. Zoals Francis al gezegd had, was dit enorm stimulerend voor haar zelfvertrouwen. Yvet voelde zich alsof ze groeide in deze outfit en onwillekeurig ging ze rechter op lopen, met haar schouders naar achteren. „Je hebt hier talent voor. Waarom ga je niet iets doen in deze richting? Een opleiding schoonheidsspecialiste of zo?"

Francis wuifde dit advies lachend weg. „Mij niet gezien, dan heb ik de hele dag alleen maar vrouwen om me heen, nu heb ik tenminste de kans om een leuke, jonge, rijke ondernemer tegen te komen."

„Zoals je afspraakje van vanavond?" begreep Yvet.

„Precies, zusje. Trouwens, waarom zou ik energie besteden aan het mooi maken van andere vrouwen? Dat betekent alleen maar extra concurrentie."

„Als je er zo over denkt, ben ik je dubbel dankbaar voor je hulp," zei Yvet, terwijl ze haar jas aantrok en haar tas pakte. „Duim maar voor me en veel plezier straks."

Yvet besloot lopend naar haar afspraak te gaan. Het was niet ver, ze had tijd genoeg en het winterzonnetje, dat al iets van het naderende voorjaar in zich had, lokte uitnodigend. Bovendien zou het zonde van Francis' werk zijn om het licht krullende kapsel in haar helm te stoppen. Veel zekerder dan ze zich voelde, meldde Yvet zich een paar minuten voor halfvijf bij de receptie van het betreffende bedrijf. Ze had besloten om er helemaal voor te gaan en zich niet te laten intimideren door degene in wiens macht het lag om haar wel of niet aan te nemen. Haar verzorgde uiterlijk gaf haar net dat extra duwtje in de rug dat ze nodig had.

Meneer Van Wissem stelde haar direct op haar gemak en Yvet voelde de nervositeit van zich afglijden. Het was een al wat oudere, gemoedelijke man, die haar persoonlijk bij de receptie kwam afhalen en haar een stoel wees in zijn kantoor.

„Zo, mevrouw Westra. Of mag ik Yvet zeggen?" vroeg hij.

„Graag zelfs," antwoordde ze haastig.

„Fijn. Je wilt dus solliciteren als kinderleidster in onze personeelscrèche? Hoe wist je daar trouwens van?"

Hij keek haar vol aan en Yvet slikte even. Zelfverzekerd overkomen was nu eenmaal iets dat haar niet makkelijk afging, zeker niet bij dit soort situaties. „Van mijn vader," vertelde ze. „Hij werkt bij dit bedrijf en had het er thuis over."

„Westra... Ja, die naam zegt me wel iets. Werkt hij niet op de boekhouding?"

Yvet knikte. „Al jaren," voegde ze eraan toe.

Meneer Van Wissem begon te lachen en zo deed hij Yvet sterk aan haar pas overleden grootvader denken. Ze voelde zich meteen een stuk prettiger en ging op haar gemak wat meer achterover zitten, terwijl ze vertelde welke opleiding ze gedaan had en waarom ze dit werk graag wilde doen. De man tegenover haar luisterde aandachtig en onderbrak haar niet één keer.

„Zoals ik door de telefoon al zei, hebben we nog een vacature open," zei hij na afloop van haar verhaal. „Op de crèche zal plaats zijn voor zo'n achttien kinderen, wat inhoudt dat er drie leidsters komen en dat we een stageplek hebben. Daarnaast hebben we twee gediplomeerde krachten als oproephulp. Zij hebben een nul-uren-contract en vallen in bij ziekte en vakanties. De plaats die nog vrij is, is die van hoofdleidster." Hij stopte even met praten en tikte met zijn pen op het bureau. Yvet voelde de moed alweer in haar schoenen zakken. Ze wist dat ze voldoende papieren had voor die baan en dat ze zo'n functie zeker aan zou kunnen. De ervaring had haar echter geleerd dat de meeste bedrijven liever een ouder iemand aannamen, iemand die al langer werkzaam was. Tot haar grote verrassing was meneer Van Wissem echter bereid om haar een kans te geven. „Om verschillende redenen," voegde hij aan zijn woorden toe. „Je bent duidelijk niet te lui om hard te werken, je hebt aanvullende cursussen gevolgd naast je opleiding en je toont initiatief door hier te solliciteren zonder te weten of er een vacature was. Zo'n aanpak bevalt me wel, het bewijst dat je graag wilt werken. Dus als je de baan wilt hebben is hij voor jou." Hij keek haar vragend aan.

„Dolgraag," accepteerde Yvet meteen enthousiast. „Wanneer kan ik beginnen?"

Weer lachte meneer Van Wissem; de lachrimpeltjes om zijn ogen en bij zijn mondhoeken verraadden dat dit geen zeldzaam verschijnsel was. „Zodra de crèche klaar is," grinnikte hij. Met een blik op zijn horloge vervolgde hij: „Het is bijna vijf uur. Voel je er iets voor om je toekomstige werkplek te bekijken? Dan maken we een nieuwe afspraak voor het doornemen van de arbeidsvoorwaarden en het bespreken van je salaris."

Hij stond op en Yvet volgde hem de lange gangen door naar een ruimte waar overduidelijk hard aan gewerkt werd.

„Het is een voormalige opslagruimte," vertelde meneer Van Wissem, terwijl hij Yvet aanwees hoe de verdeling van speel-, slaap- en badgelegenheid zou worden. „En daar komt jouw kantoor, met een kamertje voor de leidsters waar jullie koffie kunnen drinken en, als je dat wilt, je lunchpauze door kunnen brengen."

Yvet luisterde geïnteresseerd en nam aandachtig de grote ruimte in zich op. Het was nog een kale bedoening, maar ze kon zich voorstellen hoe het zou worden en ze werd steeds enthousiaster. Het voelde als een langgekoesterde droom die werkelijkheid werd. Hoofdleidster op een gloednieuwe crèche, mooier kon ze het niet treffen. Dit was al die zenuwslopende sollicitatiegesprekken en vernederende afwijzingen uit het verleden dubbel en dwars waard. Ze overstelpte haar nieuwe werkgever met vragen, die hij geduldig beantwoordde, hoewel zijn officiële werktijd voor die dag inmiddels verstreken was. Hij was blij dat ze zich zo enthousiast toonde en uit de gestelde vragen kon hij opmaken dat ze verstand van zaken had en intelligent was.

„Krijgt de crèche nog een aparte naam?" informeerde Yvet voor ze naar huis ging.

„Daar is eigenlijk nog niet over gesproken. Officieel krijgt hij natuurlijk de naam van het bedrijf, maar laat je gedachten er maar eens over gaan. Een fris bord met vrolijke kleuren en daarop de naam zou beslist niet misstaan op de toegangsdeur." Meneer Van Wissem drukte zijn nieuwste personeelslid hartelijk de hand. „Yvet, ik zie je over twee dagen terug voor de zakelijke kant. Wel thuis en doe je vader de groeten van me."

„Doe ik. Tot ziens."

Met haar hoofd in de wolken liep Yvet terug naar huis. Ze kon het nog maar amper bevatten. Eindelijk had ze dan de zo felbegeerde baan. En wat voor één! De toekomst lachte haar ineens tegemoet. Zingend liep ze naar binnen. Haar ouders en broer, die nog niets van haar sollicitatie afwisten, keken haar verbaasd aan.

„Het is lang geleden dat jij zo vrolijk uit je werk bent thuisgekomen," vertolkte Geert hun aller gedachten. „Is er soms een jonge, knappe hotelgast wiens bed je mocht opmaken?"

„Wat heb je daar nou aan? Nee, liefste familie, ik heb eindelijk een echte baan!" Ze streek plagerig door haar vaders haren. „Zo, collega van me. Je moet de groeten hebben van meneer Van Wissem."

Hij begreep het onmiddellijk. „Je hebt bij onze bedrijfscrèche gesolliciteerd." Het was geen vraag, maar de constatering van een feit.

„En ik ben aangenomen," knikte Yvet overbodig. „Ik word zelfs hoofdleidster."

Gelukkig nam ze de felicitaties van haar familie in ontvangst, nog steeds in de zevende hemel verkerend. Het was zo'n gigantisch goed gevoel dat haar dromen uitkwamen, ze bruiste meteen weer van de energie. Het duurde nog ongeveer een maand voor de crèche zijn deuren zou openen, maar ze verlangde er nu al naar. De weken konden haar niet snel genoeg voorbijgaan.

Na het eten toog ze weer naar Manuela, ze kon niet wachten om haar vriendin het goede nieuws te vertellen. Manuela was oprecht blij voor haar.

„Eindelijk eens positief nieuws," juichte ze. „Dubbel zelfs, want ik heb vandaag mijn eerste koortsvrije dag sinds weken beleefd."

„Fantastisch." Yvet hief even haar koffiekopje op bij wijze van toast. „Op je gezondheid, Maan."

„En op jouw werk. Het komt trouwens prima uit, hè? Net nu jij werk gevonden hebt, begin ik op te knappen. Zo kan ik jou straks weer mooi vervangen."

„Loop nou niet ineens te hard van stapel," waarschuwde Yvet haar. „Hou er rekening mee dat je lichaam een behoorlijke klap heeft moeten incasseren, dat is echt niet ineens over."

„Goed dokter." Manuela lachte. „Maar ik heb er voor het eerst weer vertrouwen in. Er waren echt momenten dat ik bijna zeker wist dat ik nooit meer beter zou worden."

„Piekerde je daar zo over?" wilde Yvet weten. Ze keek Manuela, die met een bleek gezicht in de kussens lag, onderzoekend aan. Die aarzelde even, schudde toen toch haar hoofd. „Nee. Niet alleen tenminste. Er is inderdaad iets, maar eh… Ik ben er zelf nog niet helemaal uit, ik praat er liever nog niet over."

„Oké, je weet me te vinden als je daar behoefte aan hebt," zei Yvet laconiek. Om van onderwerp te veranderen pakte ze een kleurige vakantiefolder die op het nachtkastje lag. „Ben je van plan om op stap te gaan?"

„Ja, en jij gaat mee." Manuela veerde overeind. „Cadeautje van ma en pa. Ze willen dat ik er een weekje op uit ga om helemaal bij te komen, maar zelf kunnen ze natuurlijk het hotel niet op stel en sprong sluiten. Voor mijn gezelligheid en omdat ze je zo dankbaar zijn voor het invallen mag jij met me mee. Voel je er iets voor?"

„Altijd natuurlijk, het ligt er alleen aan wanneer het is. Volgende maand ga ik aan de slag en ik kan moeilijk meteen beginnen met een week vrij te vragen."

„Ja, dat is lastig," vond Manuela ook. „In principe is het over een week of zes, we hebben nog niet geboekt omdat we natuurlijk eerst even af moeten wachten of de koorts echt wegblijft. Is er niet iets te regelen?"

„Overmorgen krijg ik nog een gesprek over de zakelijke kant, dan vraag ik het gewoon. Hij kan hooguit nee zeggen, dan heb ik pech gehad," besloot Yvet.

„Dan laat je Francis een weekje voor je invallen, niemand ziet het verschil," bedacht Manuela lachend.

„Zien niet, maar merken wel," grinnikte Yvet. „Nee, dat kan ik die arme schaapjes niet aandoen. Als er iemand is die niets van kinderen moet hebben dan is het Francis wel."

„Gek eigenlijk, dat jullie zo enorm verschillen terwijl jullie uiterlijk identiek is," zei Manuela, terwijl ze haar vriendin peinzend bekeek.

„Dat is wel vaker zo bij tweelingen, hoor. We kunnen toch wel redelijk met elkaar overweg, al hebben wij dan niet die innige verbondenheid waar je zo vaak over hoort. Maar joh, ik heb heel veel zin in een weekje vakantie, zelf kom je er niet snel toe om zoiets te bespreken. Hoewel ik natuurlijk voornamelijk meega, als het lukt tenminste, om jou een plezier te doen," voegde Yvet er met een uitgestreken gezicht aan toe.

„Dank u, dank u." Manuela boog alsof er een zaal vol publiek naar haar zat te kijken. „Ik zal je eeuwig dankbaar zijn voor deze opoffering. Laat het me alsjeblieft weten als ik ooit iets terug kan doen."

„Nou, nu bijvoorbeeld. Ik zoek een leuke naam voor de crèche. Verzin eens iets, dan maak ik meteen een goede beurt bij mijn aanstaande baas overmorgen."

„Verzin eens wat? Makkelijk gezegd," protesteerde Manuela. „Hou je er rekening mee dat ik herstellende ben? Laat zelf je grijze celletjes eens werken."

Nadenkend keken ze elkaar aan en schoten toen eensgezind in de lach. „Moet je ons nou zien zitten, we lijken zelf wel een stel peuters," zei Manuela.

„Even serieus nu. Wat denk je van Calimero?" stelde Yvet voor.
„Niet erg origineel, ik geloof dat de helft van de peuterspeelzalen zo heet. Je moet een naam hebben die op de kinderen slaat. Wat vind je van… eh… de Wurmpies?"

Schaterend liet Yvet zich achterover vallen, waarbij ze gevoelig haar hoofd stootte tegen de leuning van de stoel. „Ja, houtwurmpies!" zei ze, de gekwetste plek wrijvend. „Niet erg toepasselijk in zo'n gloednieuwe ruimte."

„Nou ja, het was zomaar een inval. Dan doe je iets met kuikens of zo."

„De Piepkuikens!" riep Yvet uit. „Ja, dat klinkt wel. Wat vind jij?"
„Een beetje pieperig. Verwacht je soms veel huilende kinderen?"

„Het is niet te hopen. Ik kan veel van kinderen verdragen, maar er zijn grenzen. Maar dat vind ik een leuke naam. Ik zie het al voor me: een groot bord met de naam en daaromheen wat gras en kuikentjes. Op de achtergrond misschien een volwassen kip."

„Als peuterjuf, een prima voorstelling van jezelf," grinnikte Manuela.

Ze praatten er nog wat over na en Manuela verzon de gekste namen, maar Yvet bleef bij haar besluit. Het zou De Piepkuikens worden, als meneer Van Wissem het ermee eens was.

In een heel wat betere stemming dan de dag ervoor kroop Yvet die avond haar bed in. Weer kon ze de slaap slecht vatten, maar nu was het van puur geluk. Ze had een baan, haar beste vriendin werd weer beter en als het een beetje meezat, ging ze een week gratis op vakantie. Samen met Manuela, in wiens gezelschap ze altijd weer veranderde in de vrolijke, zorgeloze tiener van vroeger. Wat kon een mens zich nog meer wensen? Het leven lachte Yvet Westra weer toe.

HOOFDSTUK 3

De weken voor de crèche zijn deuren zou openen, kropen om voor Yvet. Ze nam al het lesmateriaal dat ze bezat nog eens door om zich goed voor te bereiden en verzon spelletjes en knutselwerkjes voor de wat grotere kinderen. Het dagverblijf zou gaan werken met een horizontale groep, wat inhield dat kinderen vanaf zes weken tot vier jaar bij elkaar geplaatst zouden worden en niet per leeftijd in verschillende groepjes werden ingedeeld. Ze vond dat veel prettiger en natuurlijker. De kleintjes werden op deze manier gestimuleerd door de groteren en de wat oudere kinderen leerden rekening te houden met de kleintjes en ze te helpen. Tenslotte werden in een gezin de kinderen ook niet naar leeftijd gescheiden, dus dit paste veel beter bij een normale thuissituatie.

Yvet ging regelmatig naar de vorderingen van de verbouwing kijken en ze werd steeds enthousiaster. De eerst zo kale opslagruimte veranderde langzaam maar zeker in een frisse speelruimte met alle benodigde voorzieningen. Meneer Van Wissem had Yvets voorstel wat betreft de naam overgenomen en toen ze weer een keer kwam kijken hoever ze inmiddels waren, overhandigde hij haar plechtig het bord dat op de toegangsdeur zou komen.

„O, wat is het leuk geworden!" Verrast keek ze naar de vrolijke afbeelding van gele kuikens in groen gras en de witte kip die waakzaam een oogje in het zeil hield. Eronder stond in vuurrode letters: De Piepkuikens. „Precies zoals ik me voorgesteld had. Dit maakt het helemaal af," zei ze tevreden.

„Ik dacht wel dat het je goedkeuring zou wegdragen." Meneer Van Wissem keek Yvet onderzoekend aan. „Je hebt er geloof ik wel zin in, hè? Ik zie je hier zo vaak rondwandelen."

„O." Ze bloosde en sloeg verschrikt haar hand voor haar mond. „Loop ik in de weg? Als u het vervelend vindt, moet u het zeggen, hoor."

„Welnee, ik ben blij dat je hart voor je werk hebt. Ik geloof dat ik een hele goede keus heb gemaakt door jou aan te nemen, ondanks je gebrek aan ervaring. Ik heb er alle vertrouwen in dat je deze functie aankunt."

„Ik hoop dat vertrouwen niet te beschamen," zei Yvet simpel.

Hij lachte en klopte haar even joviaal op haar schouder. „Kind, ik ben nog nooit ergens zo zeker van geweest. Weet je wel zeker dat je straks die week op vakantie wilt? Je bent hier nu al niet meer weg te slaan en nu zijn er nog niet eens kinderen."

„Daarom juist," grinnikte Yvet.

Meneer Van Wissem had geen enkel bezwaar gemaakt tegen een weekje vrijaf, mits het niet samen zou vallen met de opening. De vakantie was nu geboekt voor half maart, nog net voor de paasdrukte. De opening van het kinderdagverblijf stond gepland op twaalf februari, dus Yvet kon zich nog een maand inwerken voor ze weggingen.

„Loop even met me mee, dan geef ik je meteen de gegevens van de kinderen die ingeschreven zijn," verzocht de personeelschef. Ze liepen samen naar zijn kantoor en hij vertelde dat de beschikbare achttien plaatsen al bezet waren. „Het personeel heeft enthousiast gereageerd op deze nieuwe ontwikkeling binnen het bedrijf, de aanmeldingen stroomden meteen binnen."

„Dat zal best, het is niet makkelijk om goede kinderopvang te vinden. De overheid stimuleert vrouwen om én carrière te maken én jong kinderen te krijgen, maar ze vergeten daarbij dat die twee zaken slecht samengaan. Niet iedereen heeft liefhebbende familieleden die bereid zijn om op te passen, en de wachtlijsten voor de bestaande centra zijn enorm. Als vrouw kom je dan al snel in de positie dat je moet kiezen tussen je baan en je kind. Wat dat betreft is het voor mannen nog steeds een stuk simpeler, het gebeurt maar zelden dat die hun baan opgeven om voor de kinderen te zorgen," meende Yvet.

„Oei, jij zit nu geloof ik op je stokpaardje." Meneer Van Wissem opende de deur van zijn kantoor, wees Yvet een stoel en schonk ongevraagd een kop koffie voor haar in. Hij vond dit wel een interessant gspreksonderwerp en wilde altijd graag de mening van zijn medewerkers weten.

„Ik beschouw mezelf niet direct als feministe, maar ik vind wel dat vrouwen dezelfde rechten moeten hebben als mannen. Het is al zo moeilijk om kinderen, baan en huishouding te combineren en dan ook nog eens een sociaal leven op te bouwen. Het minste wat je dan nodig hebt, is de zekerheid dat je kinderen goed verzorgd worden, anders lukt de rest zeker niet."

„Vaak ligt het natuurlijk ook aan de vrouwen zelf," merkte hij bedachtzaam op. „Iedereen moet tegenwoordig zo nodig van alles. Persoonlijk vind ik de situatie van vroeger zo slecht nog niet. Eén ouder die zorgt voor het inkomen en één voor de thuishaven. Wie van de twee dan wat doet, maakt verder niet uit."

„Maar degene die thuiszit, vaak noodgedwongen, heeft daar meestal niet genoeg voldoening van, zeker niet als het geen bewuste keuze is geweest. Bovendien worden kinderen groter en vliegen ze op een gegeven moment uit. De verzorgende ouder, in verreweg de meeste gevallen de moeder, blijft dan met lege handen achter. Het zou nog wat anders zijn als herintredende vrouwen van middelbare leeftijd makkelijk aan werk konden komen, maar dat is er nu eenmaal niet meer bij. Ik denk dat een heleboel jonge moeders hun baan aanhouden met het oog op later, zelfs al zijn ze nu iedere avond doodmoe van hun dubbele taak." Yvet was steeds strijdlustiger gaan praten. Dit was inderdaad één van haar stokpaardjes. Ze vond dat iedere moeder daar de vrije keus in moest hebben zonder veroordelingen van derden.

„Dus jij vindt niet dat het gezinsleven vervlakt doordat beide ouders fulltime werken en nog maar weinig tijd overhouden voor de opvoeding van de kinderen?" vroeg meneer Van Wissem haar recht op de man af.

„Vaak natuurlijk wel," antwoordde Yvet na enig nadenken. „Er zijn genoeg mensen die kinderen op de wereld zetten als een soort statussymbool en er niets voor op willen geven, en dat wordt natuurlijk in de hand gewerkt tegenwoordig. Maar ik geloof niet dat dit ineens gelukkige gezinnen met goed opgevoede kinderen worden, als je één van de ouders dwingt om thuis te blijven. Daarom is goede kinderopvang zo belangrijk, zodat die kinderen begeleid worden en niet het gevoel krijgen dat ze te veel zijn. Het mes snijdt aan twee kanten. Diezelfde ouders die u nu als voorbeeld neemt, kunnen dan met een gerust hart blijven werken, waardoor de thuissituatie stabieler wordt en er meer rust en harmonie is dan wanneer ze steeds andere oplossingen en oppas moeten zoeken."

„Je hebt wel een goed gefundeerde mening." Hij zette zijn lege kopje neer en leunde gemakkelijk achterover in zijn bureau-stoel. „Meestal als je iemand vraagt waarom ze dit werk willen doen, krijg je als antwoord dat ze het leuk vinden om met kinderen te werken, maar bij jou gaat dat dus een stuk dieper."

„Ik veroordeel niemand op zijn keuze om te blijven werken of om juist thuis te blijven, maar voor diegenen die voor het eerste kiezen, moet de mogelijkheid er zijn, ja. Om nog maar niet te spreken van alle éénoudergezinnen, die hebben het nog moeilijker. Zulke ouders hebben de keus tussen werken of leven van de bijstand."

Meneer Van Wissem knikte. „Daar zijn wij als directie van dit bedrijf ons ook van bewust, daarom hebben we gekozen voor een bedrijfscrèche. Van alle aanmeldingen die we binnenkregen, hebben we de meest dringende gevallen voor laten gaan."

„Is dat wel helemaal eerlijk?" informeerde Yvet voorzichtig. Ze was niet van plan om met haar werkgever mee te praten als ze het niet met hem eens was, maar ze wilde ook niet overal dwars tegenin gaan en betweterig overkomen. „Voor iedereen die op zoek is naar opvang is het even belangrijk."

„Dat klopt, maar wij hebben bewust een afweging gemaakt. Op de eerste dag kwamen er al vijfentwintig aanmeldingen binnen, dus het principe van wie het eerst komt, het eerst maalt ging al niet meer op, vandaar onze beslissing. De alleenstaande ouders hebben dus voorrang gekregen uit praktisch en zakelijk oogpunt. Het gebeurt regelmatig dat die een dag vrij nemen omdat de oppas ziek is geworden of zo en er geen partner is die dat op kan vangen. Tenslotte is de doelstelling van deze crèche het terugbrengen van verzuim door privéomstandigheden. Als mens heb ik er begrip voor dat personeel verlof opneemt in het belang van de kinderen, maar als werkgever baal ik daar soms enorm van. Zullen we de lijst even doornemen?"

Hij overhandigde Yvet een vel papier en samen bogen ze zich over de namen en verdere gegevens. Het waren achttien kinderen, variërend in leeftijd van drie maanden tot ruim drie jaar.

„Er zijn vier kinderen bij uit een gebroken gezin, waaronder een tweeling van drie jaar. Hun vader is vorig jaar overleden en sinds die tijd tobt hun moeder met goede opvang. Hij was namelijk huisman en zij kostwinner, dus haar baan opzeggen was geen optie," vertelde hij. „En dan hebben we Daniëlle. Een triest geval. Haar moeder is verongelukt, twee weken na de bevalling, nu ruim vier maanden geleden. De vader is toen de ziektewet ingegaan en zit nog steeds thuis. Hij wil dolgraag weer werken, maar heeft geen oplossing voor de baby. Hij was dan ook de eerste die voor plaatsing in aanmerking kwam."

„Wat vreselijk," zei Yvet, diep onder de indruk van dit trieste verhaal. Ze nam zich meteen voor dit kleintje wat extra te vertroetelen.

Ze namen nog enkele bijzondere gevallen door, zoals baby Beatrice van zes maanden die heel veel huilde. De oma, die eigenlijk drie dagen per week op zou passen, kon het niet aan, waardoor de moeder van het kind nu met onbetaald verlof thuiszat en de uren aftelde tot de crèche opening. En de eenjarige Viola, wiens achttienjarige moeder er alleen voorstond omdat haar vriend haar in de steek had gelaten toen bleek dat ze zwanger was.

De namen op het onpersoonlijke stuk papier begonnen te leven voor Yvet bij het luisteren naar de verhalen. Ze vond dit een groot voordeel van een bedrijfscrèche ten opzichte van andere kindercentra. De verhalen achter de kinderen waren bekend en dat maakte de opvang vaak wat makkelijker. Yvets hart ging nu al naar de kinderen uit. Ze hoopte wat te kunnen betekenen voor hen en hun ouders. In ieder geval zou het niet aan haar liggen als de kleintjes niet met plezier naar de crèche zouden komen. Zij, Yvet, zou ervoor zorgen dat alle kinderen het naar hun zin hadden en dat de ouders, onder welke omstandigheden dan ook, met een gerust hart aan het werk konden. Ze voelde zich opgewassen tegen deze zware, verantwoordelijke taak en wist dat ze hier op haar plaats zou zijn.

Een paar dagen later, één week voor Yvet officieel in haar nieuwe baan zou beginnen, nam ze afscheid in het hotel. Manuela's ouders hadden al het personeel dat even gemist kon worden bij elkaar getrommeld voor een gezellig uurtje in de lounge.

„We zullen je missen," sprak mevrouw De Man tijdens een korte, hartelijke speech.

Ik jullie niet, dacht Yvet, maar ze hield die woorden wijselijk voor zich. Ze kon goed met iedereen opschieten, maar in de maanden dat ze hier gewerkt had, was ze nog geen één dag met plezier aan de slag gegaan. Ze trok dan ook zonder enig gevoel van spijt die avond voor de laatste maal de deur achter zich dicht. Eindelijk vrij, zo voelde het. Vrij om haar leven in te richten zoals ze dat zelf wilde en met werk waar ze van hield.

Uitgezwaaid door haar tijdelijke werkgevers en Manuela, die redelijk herstelde, reed Yvet de straat uit. Thuisgekomen zette ze de gekregen bloemen in een grote vaas en plantte die in de huiskamer op tafel.

„Ziezo, weer een periode afgesloten," sprak ze voldaan. „Op naar mijn volgende levensfase." Ze strekte theatraal haar armen bij deze woorden en haar moeder schoot in de lach. „Je had naar de toneelschool moeten gaan, je bent je roeping misgelopen," grapte ze.

Yvet ging serieus op het grapje in. „Juist niet," antwoordde ze. „ik heb nu mijn roeping pas echt gevonden. Ik verlang er zo enorm naar om aan de slag te gaan in mijn eigen vak, dat is voor een ander niet voor te stellen."

„O jawel. Niets is zo erg als met tegenzin naar je werk gaan en ik heb je altijd bewonderd om de manier waarop je dat volhield."

„Gelukkig is dat nu verleden tijd."

Yvet gaf haar moeder een zoen en vertrok zingend naar haar eigen kamer. Ze kon zich nu niet meer voorstellen dat ze een maand geleden zo somber en depressief was geweest.

Ze had nog een week vrij voor ze in haar nieuwe baan zou beginnen en die tijd benutte Yvet door haar kamer leeg te halen, schoon te maken en al haar spullen en kleding uit te zoeken. Ze had het gevoel dat ze op alle fronten met een schone lei moest beginnen. Ook bereidde ze zich voor op haar werk door de gegevens en de namen van de kinderen uit haar hoofd te leren en ze trok een dag met Manuela de stad in om hun garderobe wat aan te vullen voor de komende vakantie. Manuela zag nog wat bleek en was kilo's afgevallen in de voorbij periode, maar ze ging zich steeds beter voelen en genoot volop van een leven buiten haar bed.

Ze begonnen hun winkeldagje in een lunchroom, waar ze uitgebreid genoten van koffie met gebak.

„Tenslotte moet ik nog wat aansterken," grinnikte Manuela, terwijl ze haar tanden in een grote slagroomsoes zette.

„Je kunt het hebben," meende Yvet met een blik op haar vriendin. Manuela bezat sinds kort het modellenfiguur waar vele vrouwen van dromen, maar Yvet was daar niet bepaald jaloers op. Ze was liever wat gevulder en gezond, oordeelde ze.

Gezellig kletsend, zoals ze dat al jaren deden, liepen ze winkel in, winkel uit.

„Ik ben van plan om veel te kopen," genoot Manuela al bij voorbaat. „Ik heb heel wat in te halen. Jij ook?"

„Nou, de bodem van mijn portemonnee is aardig in zicht, dus ik zal het rustig aan moeten doen. Maar ik geniet wel met jou mee," beloofde Yvet. „Waar gaan we nu heen?"

Manuela noemde de naam van een groot warenhuis en rustig bekeken ze even later de uitgestalde artikelen.

„O, wat een mooie tas," verzuchtte Yvet. „Kijk, die suède."

„Hij zal wel niet goedkoop zijn," meende Manuela, terwijl ze naar het prijskaartje zocht. „O hier. Hé, dat valt mee. Naar de prijs te oordelen is het geen echt suède, maar dan is hij nog niet duur. Ik neem hem."

„Goed idee, dan kan ik hem nog eens lenen van je," grinnikte Yvet.

Zoals altijd in Manuela's gezelschap was ze in een onbekommerde, vrolijke stemming. Ze konden nog net als in hun tienerjaren giechelen om niets en ze verheugde zich dan ook op de komende vakantie. Het zou ongetwijfeld een gezellige week worden.

Ze eindigden hun strooptocht door het warenhuis op de sportafdeling, waar ze allebei op zoek gingen naar een nieuw badpak.

„Hoe vind je deze?" Manuela hield lachend een minuscuul kleine bikini omhoog.

„Dan kun je net zo goed niets aantrekken," was Yvets droge commentaar. „Nee hoor, ik hou het op een badpak, tenslotte moet er nog iets te raden overblijven."

„Daar hebben ze anders ook hele gewaagde modellen in. Ik ben niet preuts, maar hier zou ik niet in durven lopen." Ze liet een vuurrood badpak zien, dat op het eerste gezicht alleen bestond uit enkele dunne bandjes.

„Het lijkt wel een tuigje," gierde Yvet. „Je weet wel, zo één waar je kleine kinderen mee vastzet in een kinder-stoel."

Verschillende mensen keken geërgerd op bij het horen van deze niet zo zacht uitgesproken woorden, maar Manuela knikte iedereen minzaam toe. „Neem het haar maar niet kwalijk, dat is beroepsdeformatie," zei ze met een uitgestreken gezicht.

„Hou op," protesteerde Yvet nog steeds lachend. „Je praat alsof je psychiater bent en ik je zieligste patiënt. Kijk, hier hangen badpakken die er meer op lijken."

Uiteindelijk slaagden ze toch allebei. Yvet zag dat Manuela flink moe geworden was en troonde haar mee naar het restaurant.

„Kom op, ik ben toe aan lafenis."

„En ik aan een stoel." Met een pijnlijk gezicht ging Manuela zit-ten. „Ik heb de verkeerde schoenen aangetrokken voor een dagje winkelen. De blaren staan op mijn hielen."

„Dat is heel erg dom van je," zei een passerende man. Manuela wierp hem een vernietigende blik toe, maar hij knipoogde en liep lachend verder.

„Leuke vent," zei Yvet goedkeurend. „En niet verlegen ook. Ik hou wel van die spontane types."

„Laat je niets wijsmaken door één opmerking. Die vent logeert bij vrienden van mijn ouders, buren van ons, tot zijn eigen huis opgeleverd wordt en het is een kwal."

„Hm." Yvet keek naar het tafeltje waar hij was gaan zitten en ving een belangstellende blik uit twee grijze ogen. Ze bloosde en vervolgde tegen Manuela: „Gelukkig hebben jij en ik nooit dezelfde smaak gehad wat mannen betreft. Ik vind hem leuk."

„Waarschijnlijk zie je hem toch nooit meer," zei Manuela, terwijl ze haar schouders ophaalde. „En anders merk je vanzelf wat voor engerd het is."

Ze dronken hun koffie op en verlieten het restaurant. Yvet keek niet om, maar ze voelde de grijze ogen in haar rug branden.

HOOFDSTUK 4

Zenuwachtig borstelde Yvet haar lange, blonde haren. Vandaag was het dan eindelijk zover; kinderdagverblijf De Piepkuikens zou zijn deuren openen voor zijn kleine gasten. Nu het moment eindelijk aangebroken was, voelde Yvet de oude onzekerheid weer opkomen. Zou ze het wel aankunnen? Zouden de ouders wel vertrouwen hebben in zo'n jonge hoofdleidster zonder ervaring? Voor de zoveelste keer keek ze op haar horloge. De wijzers leken wel vastgekleefd te zitten, zo langzaam gingen ze vooruit. Het was nog vroeg, kwart voor zeven pas. Het dagverblijf zou om halfnegen opengaan, maar voor de eerste dag was afgesproken dat alle leidsters, ook de invalkrachten, om acht uur zouden komen om rustig kennis met elkaar te maken. Nog minstens een uur voor ze de deur uit moest en ze was al helemaal klaar.

In plaats van haar vertrouwde spijkerbroek had Yvet een zwarte terlenka broek aangetrokken met een mooie trui, in een poging er wat waardiger uit te zien en haar zelfvertrouwen op te vijzelen. Bij haar sollicitatiegesprek was dat gelukt, maar nu leek deze truc te falen. Ze liep naar Francis' kamer en vond haar zus voor haar toilettafel bezig het lange haar in model te föhnen.

„Kan ik er zo mee door?" vroeg Yvet kinderlijk.

„Dat ligt eraan voor welk doel het bestemd is." Francis bekeek haar van top tot teen. „In aanmerking genomen dat je vandaag omringd wordt door kleine kinderen met snotneuzen en plakkerige handjes lijkt je gewone spijkerbroek me praktischer, maar dit staat beter."

Yvet schoot onwillekeurig in de lach bij Francis' plastische beschrijving. „Het is bedoeld om wat meer indruk te maken op de ouders," bekende ze. „Ik ben vreselijk zenuwachtig."

„Waarom?" Francis was klaar met haar kapsel en begon nu de huid van haar gezicht en nek te masseren met een crème.

„Ik vraag me af of de ouders me wel zullen accepteren en of ze me niet te jong en te onervaren zullen vinden om eventuele problemen met de kinderen mee te bespreken."

Francis staakte haar bezigheden en draaide zich om. „Je moet die onzekere houding eens van je afzetten. Je bent in het bezit van alle benodigde papieren, je hebt daarnaast nog aanvullende cursussen gevolgd en je bent gek op kinderen. Jij bent typisch iemand die zich met hart en ziel inzet. Mens, ze kunnen nooit een betere treffen dan jij."

Dit klonk zo ongewoon uit de mond van de altijd kritische Francis dat Yvet haar verbluft aan bleef staren. "Dank je," bracht ze er met moeite uit. Als Francis zoiets zei, dan moest het wel echt waar zijn, want ze was nooit zo scheutig met complimentjes.

Francis ging weer verder met haar uitgebreide ochtendritueel en Yvet zag met verbazing wat ze allemaal op haar gezicht smeerde. Dat moest haar iedere dag uren kosten, zowel voor het erop doen als voor het er 's avonds weer afhalen! "Voor wie doe jij al die moeite?" informeerde ze plagerig.

"Voor mezelf," was het nietszeggende antwoord. "Ik hou er nu eenmaal van om er goed verzorgd uit te zien."

"Dus er is geen speciale man in je leven? Hoe is het met die man waar je pas zo vaak mee uitging? Ik hoor je daar helemaal niet meer over."

"Dat is uit. Hij is getrouwd," zei Francis kalm. "Jammer, maar helaas. Op dat ene kleine detail na was het een perfecte huwelijkskandidaat geweest. Jong, rijk en knap, een combinatie die je niet vaak treft."

"Ik ben toch blij dat jouw ambities op dat vlak niet zo ver reiken dat je bereid bent huwelijken ervoor te verstoren."

Francis, die net mascara op haar wimpers aan wilde brengen, stopte met deze handeling en keek Yvet via de spiegel spottend aan. "Denk je nou echt dat dat me tegen zou houden?" vroeg ze. "Doe niet zo naïef. Als een huwelijk goed is, krijg ik echt geen kans om ertussen te komen. Hij benaderde mij, dus zo best zal de relatie met zijn vrouw niet zijn. Nee hoor, met dat morele gedoe hou ik me niet bezig."

"Makkelijk gedacht. Heb jij enig idee wat je zo'n echtgenote aandoet met een dergelijke houding?" vroeg Yvet kwaad.

Francis haalde met een onverschillig gebaar haar schouders op. "Wat ik net al zei: in een goed huwelijk valt niet te stoken. Trouwens, ik loop geen mannen achterna als ik weet dat ze bezet zijn, maar als ze liever mij hebben dan hun wettige partner, dan kan ik daar ook niets aan doen. Als hij zelf bereid is om te scheiden en vervolgens met mij verder te gaan zal ik daar echt niet tegen protesteren."

„En dat was hij dus niet," begreep Yvet.

„Nee, hij wilde mij er wel bij hebben, maar niet in plaats van en daar investeer ik niet in, dat is me te onzeker. Nee hoor, als ik de voor mij ideale man tegenkom, sleep ik hem meteen mee naar het stadhuis."

„Om vervolgens een lang, lui en luxe leventje te leiden," zei Yvet op een spottende toon.

Francis knikte. „Zo is het maar net. Dat is nu eenmaal mijn ambitie in het leven, daar schaam ik me helemaal niet voor."

„Persoonlijk bereik ik liever iets op eigen kracht. Ik zou niet kunnen leven als de vrouw van zonder eigen inbreng," meende Yvet.

„Nou, ik denk niet dat ik er veel moeite mee zal hebben," grinnikte Francis. „Ik vind het een prima idee dat mijn man het geld binnenbrengt en ik het uitgeef. Mooie verdeling toch? Ga je mee naar beneden? Ik begin honger te krijgen."

Yvet zag dat het inmiddels tegen halfacht liep. Dat was tenminste een voordeel van dit vroege gesprek met haar zus, de tijd was ineens een flink stuk opgeschoten. De ergernis die haar beweringen veroorzaakt hadden, nam Yvet dan maar op de koop toe. Francis had nooit onder stoelen of banken gestoken dat ze geld het belangrijkste vond in het leven en dat ze tot veel bereid was om het te krijgen. Yvet schudde even haar hoofd, alsof ze Francis' woorden van zich af wilde zetten. Wat kon het haar eigenlijk schelen? Francis was volwassen en moest zelf bepalen wat ze met haar leven wilde doen. Zij had nu wel wat anders aan haar hoofd dan zich daar druk om te maken.

Vijf voor acht arriveerde ze bij haar nieuwe werkterrein. Meneer Van Wissem stond met een brede glimlach op zijn gezicht midden in de speelruimte.

„Wat ben je laat," zei hij op een plagerige toon. „Gezien je toewijding de afgelopen weken had ik je minstens een half uur eerder verwacht."

„Ik heb me verslapen, want ik was vergeten dat ik vandaag

moest werken," lachte Yvet terug. Ze maakte kennis met Marleen en Rosa, de gediplomeerde leidsters en Sylvana, de groepshulp. De oproepkrachten Carolien en Wilma arriveerden tegelijkertijd en even later zaten ze met zijn zevenen onwennig in de leidstersruimte annex kantoor.

„Vandaag gaat het dus beginnen," zei Rosa niet erg origineel. Ze nam de omgeving aandachtig in zich op. „Het ziet er schitterend uit allemaal, moet ik zeggen."

„Ja, ik kan haast niet wachten tot er iemand uitvalt en ik mag gaan werken," viel Carolien haar bij.

„Over een maand," beloofde Yvet. „Als ik met vakantie ga."

„Wat een luizenleven, zeg. Net aan het werk en dan al een week vrij," plaagde Marleen, terwijl ze een kop koffie van Sylvana aannam.

„Ja, goed hè? Ik ben van plan om dat standaard in te voeren, vier weken op, één week af," gaf Yvet terug.

„Van mij mag je," riep Carolien meteen.

Door deze luchtige toon en het gezamenlijke enthousiasme was het ijs gebroken en ze hadden een gezellig halfuurtje. Het leek Yvet een leuke ploeg om mee te werken, voorzover ze zich daar al een mening over kon vormen. Nog voor halfnegen hoorden ze de eerste kinderen al aankomen, de tweeling Lies en Rob.

„Sorry dat ik zo vroeg ben," verontschuldigde hun moeder zich. „Lies en Rob waren niet meer te houden, zo nieuwsgierig waren ze naar hun nieuwe school. Ze vinden het reuze interessant allemaal."

„Dag juf," zei Rob meteen spontaan, terwijl hij alle volwassenen netjes een hand gaf, gevolgd door zijn al even vrijmoedige zus.

„Mogen we hier ook hollen?" Vier dezelfde blauwe ogen werden verwachtingsvol naar Yvet opgeslagen en op haar bevestigende antwoord begonnen ze allebei te juichen.

„Het zijn een paar druktemakers," waarschuwde de moeder. „Zolang ze kunnen ravotten vinden ze alles best, maar stilzitten geeft nog weleens problemen."

„Het zal wel lukken met ze," meende Yvet. „Ze hoeven van mij echt niet rustig aan te doen, behalve met het eten dan."

Er kwamen nu meer ouders met kinderen binnen en Yvet was in haar element. Alle zenuwen waren van haar afgegleden, daarvoor in de plaats kwam blijdschap over het feit dat haar droom uitgekomen was. Eindelijk kon ze het werk doen dat haar na aan het hart lag en ze genoot nu al met volle teugen van de drukte om haar heen. Meneer Van Wissem liet het dagverblijf met een gerust hart aan Yvets leiding over.

De volgende moeder vroeg haar aandacht: Daphne Zomer met haar zes maanden jonge dochtertje Beatrice. De baby huilde hartverscheurend en er lag een wanhopige uitdrukking in de ogen van Daphne.

„Zo gaat het de hele dag door," zei ze moedeloos. „Met uitzondering van af en toe een uurtje wanneer ze slaapt. Volgens de doktoren mankeert ze niets, maar ik word er langzamerhand stapelgek van. Het is zo slopend."

„We zullen goed voor haar zorgen," beloofde Yvet, terwijl ze het kleine hoopje mens in haar armen nam en trachtte te sussen. „Wees maar niet bang dat we haar zonder meer laten huilen. Desnoods neem ik haar in de draagzak bij me, dat wil ook nog weleens helpen."

„Bij haar helpt niets."

Na een kort afscheid verliet Daphne snel de crèche om aan het werk te gaan, wat Yvet zich levendig kon voorstellen. Zes maanden lang constant gehuil aan moeten horen was niet makkelijk, het moest voor die moeder een opluchting zijn om die zorg even over te kunnen dragen. Stiekem was Yvet nu al blij dat Beatrice drie dagen ingeschreven was en geen vijf. Ze gaf de baby over aan Marleen en begroette een binnenkomende vader, eveneens met een kleine baby. Daniëlle, die haar moeder al zo jong op tragische wijze moest missen. Bij het zien van de grote, blauwe ogen die haar strak aankeken, sloot Yvet dit kindje meteen in haar hart. De vader, die zich voorstelde als Rik Heuvelrug, maakte een nerveuze indruk.

„Over een half uur moet ze weer een flesje," vertelde hij met drukke gebaren. „En 's middags eet ze al een beetje fruit. Dit is haar lievelingsknuffel, wilt u die in haar bedje zetten als ze gaat slapen? Huilen doet Daantje niet veel en als ze het wel doet, vindt ze het prettig om over haar ruggetje gestreeld te worden."

Yvet luisterde geduldig naar alle instructies en aanwijzingen en beloofde alles zo te doen als de man graag wilde. Ze begreep hoe belangrijk het voor hem moest zijn om zijn dochter goed verzorgd achter te laten. Na de zware klap die deze man had moeten incasseren was Daniëlle het enige wat hij nog had. Het was ook wel heel triest als je je samen verheugde op de komst van een baby en je bleef dan plotseling alleen achter met zo'n zware verantwoordelijkheid.

„Wat een zeur van een man, zeg," merkte Rosa op, nadat Rik, na een uitgebreid afscheidsritueel, eindelijk vertrokken was.

„Hij is bezorgd en zo vreemd is dat niet als je zijn achtergrond kent," zei Yvet scherp. „Laat dit soort opmerkingen liever achterwege, ze dienen nergens toe."

„O, sorry hoor," mompelde Rosa, terwijl ze wegliep.

Om negen uur waren alle achttien kinderen aanwezig en ging het kinderdagverblijf pas echt van start. Marleen en Sylvana verzorgden de baby's, Rosa was druk bezig met de kleinste peuters in de speelhoek en Yvet hield met de oudste kinderen een kringgesprek. Ze nodigde de kinderen om de beurt uit om iets over zichzelf te vertellen, te beginnen bij Robbie.

„Ik ben Rob," zei hij kort en bondig. Blijkbaar ging hij ervanuit dat de anderen dan genoeg wisten.

Zijn tweelingzus nam haar taak een stuk grondiger op. Na haar naam vertelde ze in rap tempo haar leeftijd, adres, de naam van haar poes en het feit dat haar tante een baby had. Ze eindigde met haar wijsvingertje gestrekt naar Rob en de woorden: „Ik ben hem zijn broertje."

„Nietes!" schreeuwde Rob meteen. „Jij bent mijn zusje, ik ben een broertje!"

„Dat zei ik toch," meende Lies verontwaardigd.

„Nee, hè juf? Ze zei het fout, hè?"

Yvet lachte om zijn hoogst verontwaardigde snoet. „Dat geeft toch niet? Lies weet het best wel. Nietwaar Lies?"

„Tuurlijk." Dit zelfverzekerde antwoord ging gepaard met een triomfantelijke blik naar haar broer en Yvet kon een glimlach niet onderdrukken. Wat een stel heerlijke kwajongens, bedacht ze geamuseerd. Ze waren net drie geworden, maar in gedrag en manier van praten leken ze wel vijf.

Ook de driejarige Wendy vertelde op zachte toon enkele belangrijke feiten uit haar leventje, leeftijdgenoot Sjoerd hield echter stijf zijn mond dicht. Hij vond dat gepraat maar niks en keek met verlangende ogen naar het speelgoed. Yvet kwam er al snel achter dat er grote verschillen waren tussen de kinderen onderling en dat ze allemaal een eigen aanpak nodig hadden. Natuurlijk hanteerden ze standaardregels waar ieder kind zich aan moest houden, maar daarnaast wilde ze ieder kind naar het eigen karakter behandelen. Zoals tweejarige Leonie, die lang niet zo ver in haar ontwikkeling was als je gezien haar leeftijd mocht verwachten. Praten deed ze amper, drinken ging alleen uit een flesje met een speen en het speelgoed bekeek ze zonder er echt iets mee te doen. Yvet besloot dit meisje wat extra aandacht te geven en haar te stimuleren zonder te pushen. Tenslotte ontwikkelde ieder kind zich in een eigen tempo en het contact met de andere kinderen was waarschijnlijk ook al een prima stimulans.

De eerste ochtend verliep prima, zonder noemenswaardige incidenten. De tweeling was erg druk, maar niet vervelend en ze luisterden redelijk. Bovendien had Lies een plotselinge, hevige affectie voor de rustige, zachtmoedige Wendy ontwikkeld en die twee speelden lief met een stel poppen. Beatrice huilde. Zij was echt het tegenovergestelde van Daniëlle, die de vreemde omgeving met grote ogen bekeek en nog geen kik gegeven had. Ten einde raad zette Yvet ze met zijn tweeën op een speelkleed en dat leek even te helpen. Beatrice keek verbaasd naar Daniëlle en hield zowaar even haar mond dicht.

„Wat een rust," verzuchtte Sylvana, terwijl ze de tafel dekte voor de lunch.

„Het went wel," zei Yvet bemoedigend. „Zowel voor ons als voor haar. Vaak zie je dat huilbaby's een stuk rustiger worden als ze eenmaal gaan kruipen en lopen."

„Dan is het te hopen voor ons dat ze zich snel ontwikkelt," wenste Marleen.

Na de lunch werden de meeste kinderen in bed gelegd voor een middagslaapje, inclusief de tweeling. Ondanks hun leeftijd en hun eigen bewering dat ze al groot waren, had hun moeder uitdrukkelijk verzocht om dit dutje, omdat ze anders tegen het einde van de dag niet meer te genieten waren van moeheid. Yvet trok zich terug in haar kantoortje, terwijl haar medewerksters de speelzaal opruimden en schoonmaakten. Dat was een groot voordeel van haar taak als hoofdleidster, bedacht ze in zichzelf lachend. Die vervelende klusjes bleven haar grotendeels bespaard. Ze zat liever de administratie te doen dan dat ze liep te soppen.

Ze pakte de schriften van de kinderen, waarin de ouders in het kort iets over het karakter en de ontwikkeling van hun kind geschreven hadden. Alle bijzonderheden, van beide kanten, zouden daarin vermeld worden, omdat de tijd ontbrak om iedere dag de ouders persoonlijk op de hoogte te houden van de belevenissen van hun kinderen. Wat Yvet in de schriften las, kwam grotendeels overeen met wat ze zelf al geconstateerd had. Het schrift van Daniëlle bevatte een lijst met instructies over de verzorging. Triest en roerend tegelijk. Die man deed echt zijn uiterste best om vader en moeder tegelijk te zijn voor zijn dochter en niets was hem daarbij te veel. De ouders van Leonie hadden niet de moeite genomen om iets te schrijven en Yvet besloot dit extra in de gaten te houden. Natuurlijk was het voor de ouders geen verplichting, maar het kon een teken zijn dat er niet veel aandacht aan Leonie werd geschonken, iets wat haar langzame ontwikkeling ook al aangaf.

Een licht gerucht bij de deur deed haar van haar werk opkijken. Het was Lies, die naar binnen wandelde alsof ze hier helemaal thuishoorde.

„Juf, ik moet een plas," zei ze met een benauwd gezicht.

Yvet nam haar mee naar het toiletgedeelte, waar ze haar hielp. „Heb je lekker geslapen?" informeerde ze.

„Ja, maar nu wil ik niet meer, hoor. Ik is hartstikke wakker."

„Ik bén wakker," verbeterde Yvet haar.

„Heb jij ook geslapen dan?" vroeg Lies verbaasd.

Yvet schoot in de lach. „Nee lieverd. Jij zei het een beetje verkeerd en ik zei het zoals het wel moet, om het jou te leren."

Lies haalde haar schouders op en nam het verder voor kennisgeving aan. Soms snapte ze niets van grote mensen, maar dit was toch wel een lief exemplaar. Met een spontaan gebaar sloeg ze haar armpjes om Yvet heen en gaf haar een zoen. „Jij bent heel lief," zei ze tevreden voor ze de speelzaal weer inhuppelde. Het werd Yvet warm om het hart, een gevoel dat haar de rest van de dag bijbleef en dat ze 's avonds onder woorden probeerde te brengen tegen haar familie. „Ik heb echt het gevoel dat ik mijn bestemming gevonden heb," beëindigde ze haar enthousiaste verhaal.

„Fijn voor je," knikte haar moeder hartelijk. „Het is altijd belangrijk om plezier in je werk te hebben."

Francis trok haar wenkbrauwen hoog op. „Er zijn meerdere doelen in het leven. Persoonlijk heb ik liever een leuke man dan een leuke baan. Zie jij jezelf nu echt oud worden in dit werk, ongeacht het plezier dat je er nu aan beleeft?"

„Dat weet ik nog niet, op dit moment heb ik het prima naar mijn zin, de toekomst komt vanzelf wel op me af, daar maak ik me echt nog niet druk om."

„Maar zou je niet graag een leuke man willen hebben?" hield Francis vol.

„Daar zeg ik geen nee tegen, maar het is geen hoofdzaak in mijn leven. Een man moet een aanvulling zijn op wat je al hebt, geen doel op zich," antwoordde Yvet bedachtzaam.

Vreemd genoeg zag ze bij die woorden een paar grijze ogen voor zich. Ogen van de man die ze pasgeleden met Manuela in de stad had gezien. Verward vroeg ze zich af wat dat te betekenen had. Ze was toch niet op stel en sprong verliefd geworden op een wildvreemde, alleen maar door een doordringende oogopslag? Dat was niets voor haar, dat soort dingen liet ze liever aan de oppervlakkige Francis over.

Neuriënd ruimde Yvet haar papieren op, ondertussen een oogje houdend op de kleine Leonie, die in een hoek van het kantoor met een pop en een auto zat te spelen. Ze brabbelde onverstaanbaar tijdens haar spel en Yvet bedacht voor de zoveelste keer de laatste weken hoe lief dit kind was. Ze ging stilletjes haar eigen gang, vroeg niet om aandacht en vermaakte zich schijnbaar prima in haar eentje. Haar ontwikkeling lag echter stukken achter bij die van leeftijdgenootjes. Yvet maakte zich zorgen om dit in zichzelf gekeerde meisje, vooral omdat de ouders nog steeds niets in het schrift hadden geschreven. Ze betwijfelde zelfs of ze haar aantekeningen, die ze trouw maakte, wel lazen.

Vandaag zag ze haar kans schoon om eens met mevrouw Schoonhoven, Leonies moeder, te praten. Er was een uur geleden vanaf haar afdeling gebeld dat ze haar dochter iets later op kwam halen in verband met een spoedklus die af moest. Yvet had van tevoren geweten dat iets dergelijks weleens voor kon komen en had dan ook geen enkel bezwaar gemaakt. Ze vond dit zelfs een mooie gelegenheid om te proberen iets van Leonies achtergrond te weten te komen zonder dat er iemand bij was die mee kon luisteren. Alle andere kinderen waren al opgehaald en ook Marleen, Rosa en Sylvana waren al naar huis.

Nog steeds met haar blik op Leonie gericht droomde Yvet weg. Dit was haar laatste dag voor haar vakantie en de tijd was omgevlogen. Vijf weken, die aanvoelden als vijf uur. Haar aanvankelijke onzekerheid of ze haar taak wel aan zou kunnen, was omgeslagen in zelfvertrouwen. Ze voelde zich als een vis in het water binnen de muren van het kinderdagverblijf. De kinderen waren zonder uitzondering dol op haar en Yvet kon ook goed overweg met haar medewerksters.

edere ochtend stond ze met plezier op om naar haar werk te gaan en als 's avonds de deur achter het laatste kind was dichtgevallen had ze een vaag gevoel van spijt dat de dag alweer om was. Yvet kon zich niet voorstellen dat dat ooit nog eens zou veranderen. Dit was haar plek, hier voelde ze zich thuis. Natuurlijk verheugde ze zich op de komende vakantie, maar ze wist zeker dat ze daarna weer zonder spijt aan de slag zou gaan. Ze werd uit haar gedachten gehaald doordat mevrouw Schoonhoven haastig binnen kwam lopen.

„Is al het werk af?" begroette Yvet haar vrolijk.

„Ja, gelukkig wel. Kom Leonie, we gaan naar huis." De vrouw pakte haar dochter op en begon haar haar jasje aan te trekken. Leonie protesteerde niet over het feit dat ze uit haar spel werd gehaald, ze liet zich zonder commentaar meevoeren.

„Mag ik u iets vragen?" begon Yvet aarzelend. Het was toch moeilijker dan ze had verwacht om dit ter sprake te brengen. Op dit soort momenten merkte ze dat ze weinig ervaring had. Mevrouw Schoonhoven keek haar wantrouwend aan en knikte onwillig. „Ik vraag me af waarom u nooit iets in Leonies schrift schrijft. Ik geef regelmatig een verslag over haar, maar vind nooit iets terug. Ik heb geen enkel idee hoe het thuis met haar gaat."

„Dat gaat u ook niets aan," was het kalme antwoord waar Yvet niet op gerekend had. Ze had een uitleg, een smoes of excuses verwacht, maar niet deze rustig uitgesproken terechtwijzing.

Zoekend naar woorden probeerde ze zich te herstellen. „Neem me niet kwalijk, maar…" begon ze.

De vrouw tegenover haar viel haar abrupt in de rede. „Moet u luisteren, mevrouw Westra, Leonie is hier alleen maar omdat ik een volledige baan heb. Met ons leven thuis heeft u niets te maken. Als ze straks op school zit, wordt er ook niet gevraagd hoe het er thuis aan toegaat en dat verwacht ik van u ook niet. Leonie is hier van negen tot vijf en niet langer. 's Avonds heb ik de zorg over haar en dat kan ik prima alleen af."

„Daar twijfel ik ook niet aan," zei Yvet. „Maar ik wil mijn werk zo goed mogelijk doen en dat houdt ook in dat ik in wil spelen op gebeurtenissen van thuis of dat ik bepaalde gewoonten van u wat betreft de opvoeding handhaaf. Dat kan ik niet doen als ik nergens van afweet."

„Ik heb geen tijd voor en geen zin in al dat gedoe. Het gaat trouwens prima zo. Leonie is zowel hier als thuis niet vervelend, dus u hoeft haar niet anders aan te pakken dan zoals u nu doet. Er is overigens niet veel te vermelden over de avonden. We eten en dan gaat ze naar bed, dat is alles."

„O, maar wat mist u dan veel van haar, wat jammer!" riep Yvet spontaan uit.

Met een merkwaardige blik in haar ogen keek mevrouw Schoonhoven haar aan, daarna draaide ze zich om en met Leonie op haar arm liep ze zonder te groeten weg. Haar blik had Yvet aan het denken gezet. Er had iets hulpeloos in gelegen en tegelijkertijd iets angstigs. Die ogen lieten Yvet niet los, ook niet tijdens het inpakken van haar koffer die avond. Er zat iets scheef binnen dat gezin, daar was ze van overtuigd.

De volgende dag bracht Manuela's vader hen naar het bungalowpark en achter in de comfortabele wagen begon Yvet erover tegen haar vriendin. Ze kon de gedachten aan het gesprek niet zonder meer van zich afzetten, ook al was ze nu niet aan het werk.

„Overdrijf je niet een beetje?" vroeg Manuela. „Misschien was ze alleen maar kwaad omdat je je met haar zaken bemoeide."

Yvet schudde haar hoofd. „Nee, er is meer aan de hand, dat voel ik. Volgens mij heeft die vrouw hulp nodig."

„Die jij haar natuurlijk wilt geven. Nee, kijk maar niet zo boos naar me, het was slechts het vaststellen van een feit, geen verwijt aan jouw adres. Maar voor je kunt helpen zul je toch eerst moeten weten wat er aan de hand is en het lijkt me niet dat ze van plan is om dat te vertellen."

„Daar ben ik ook bang voor," gaf Yvet zuchtend toe. „Toch ga ik nog eens proberen om met haar te praten."

„Succes ermee," wenste Manuela. „Het lijkt me geen makkelijke tante, als ik jou zo hoor."

„Dat valt wel mee, ze zit volgens mij gewoon ergens mee in de knoop. Trouwens, nu we het daar toch over hebben, hoe is het nu met jou? Jij piekerde ook ergens over, kun je daar al over praten? Dat lucht op, dat weet ik uit ervaring."

„Niet nu," zei Manuela met een blik naar haar vader. Met in een plotseling baldadig gebaar gaf ze Yvet een por in haar zij. „Jippie, we gaan op vakantie!" gilde ze. Ze negeerde het commentaar dat zowel van de voorstoel als van de plaats naast haar kwam en grinnikte om het gebaar waarmee Yvet over haar pijnlijke ribben streek.

„Als je nog eens zo'n aanvechting krijgt, waarschuw dan even," mopperde Yvet.

In een giechelige stemming arriveerden ze in het bewuste park en nadat ze zich bij de receptie gemeld hadden, reed meneer De Man langzaam het terrein op, onderwijl speurend naar de juiste bungalow.

„Het ziet er gezellig uit," zei Yvet, terwijl ze goedkeurend om zich heen keek.

In het midden van het park lag een groot meer en daaromheen waren de huisjes gebouwd. Zwembad, receptie, winkels en diverse eetgelegenheden bevonden zich bij elkaar bij de ingang van het park. Ze arriveerden bij hun huisje en met een plechtig gebaar overhandigde Manuela de sleutel aan haar vader.

„Mag ik u verzoeken deze nederige stulp voor ons te openen?" vroeg ze.

„Graag," antwoordde hij lachend. „Tenslotte betekent dit huisje een week rust voor je moeder en mij."

„Poe, wacht maar tot we weer terug zijn, dan zal ik je zoveel rust bezorgen dat je me smeekt of ik af en toe eens thuis wil blijven," dreigde Manuela.

„Nooit!" plaagde haar vader en lachend opende hij de deur van hun huisje. Het interieur en de praktische manier waarop alles ingericht was, beviel hen direct.

„Geweldig, hier houden we het wel een paar maanden uit," meende Yvet tevreden.

„Nou, als dat zou kunnen." Manuela ontdekte op de eettafel een dienblad met kopjes, een potje oploskoffie, suiker en poeder-melk en maakte snel een kop koffie klaar. Meteen daarna stond meneer De Man op om te vertrekken, hij had nog een aardig eindje rijden voor de boeg.

„Heel veel plezier, kinders," wenste hij hen toe. „Volgende week kom ik jullie weer halen. Pas een beetje op elkaar." Hij knip-oogde naar Yvet en vervolgde toen ernstig tegen Manuela: „Zorg dat je een beetje aansterkt, meisje. Goed eten en veel de bui-tenlucht in."

Gezamenlijk zwaaiden ze hem na voordat ze snel hun koffers uitpakten en in de folders keken wat er allemaal te doen was.

„Zullen we eerst maar boodschappen gaan doen?" stelde Manuela voor. „Dan kunnen we daarna het park bekijken en ergens gaan eten, want ik heb geen zin om te koken vandaag."

„Prima. Weet jij waar de supermarkt is?"

„Naast de receptie bij de ingang van het park."

„Goeiendag, dat is een knap eind lopen," schrok Yvet.

Manuela zwaaide met de plattegrond die op de salontafel lag. „Je moet beter lezen, suffie. Er rijdt ieder half uur een treintje om het hele meer heen en we hebben een opstapplaats vlak voor de deur. Ik trek even iets makkelijkers aan en dan gaan we."

Terwijl Manuela in haar slaapkamer rommelde, keek Yvet uit over het meer. Ze hadden een prachtig uitzicht over het water en aan de overkant kon ze nog net de koepel van het zwembad onderscheiden. Een waterig zonnetje bescheen de omgeving. Yvet genoot van het uitzicht en van het domweg naar buiten staren zonder iets te hoeven doen. Heerlijk, ze kwam nu al bij van het enerverende jaar dat ze achter de rug had. Het gedwongen werkeloos zijn, de talloze mislukte sollicitaties, het werken in het hotel en ten slotte het vinden van de juiste baan met alle bijbehorende spanningen die iedere nieuwe periode met zich meebracht. Maar het was het allemaal waard geweest, dacht ze tevreden. Haar leven liep nu op rolletjes en ze genoot met volle teugen van de dagelijkse omgang met haar kinderen.

Gekleed in spijkerbroeken en dikke truien, zodat ze geen lastige jassen aan hoefden te doen, stapten ze even later in het parktreintje, zodat ze op een comfortabele manier het centrum van het park bereikten.

Manuela wees op een eilandje in het meer, dat via een steiger te bereiken was. „Kijk, daar liggen de midgetgolfbanen, midden op het eiland," wees ze enthousiast.

„Dan mag je wel oppassen dat je balletje niet constant in het water ligt," grinnikte Yvet. Ze was beslist geen ster in deze sport.

„Je kunt daar trouwens ook waterfietsen en roeibootjes huren, dat doen we ook een keer," nam ze zich voor.

„Ja, en bowlen en tennissen. We zullen ons beslist niet vervelen hier."

„Zeg, ik kom hier voor mijn rust, hoor," lachte Yvet.

„Ik niet," gaf Manuela meteen terug. „Ik heb maandenlang gerust en ben nu veel te blij dat ik alles weer kan doen. Trouwens, ze hebben hier een videokanaal dat de hele dag films uitzendt

op de tv in het huisje, dus uitrusten kun je genoeg voor de buis."
„Zonde van onze tijd," meende Yvet, terwijl ze de supermarkt inliepen.
„Waarom? Lekker tussen de middag tijdens het eten een goede film kijken vind ik helemaal geen slecht idee. Overigens sluit alles 's avonds om twaalf uur, dus de nachtfilm kunnen we altijd zien."
„Oké, ik geef me over," zei Yvet. Bij die woorden stak ze haar armen in de lucht en een passerende man kon haar niet meer ontwijken. Yvets vlakke hand raakte hem vol op zijn neus. Ze werd vuurrood en stamelde verschrikt een verontschuldiging, terwijl ze vanuit haar ooghoeken zag dat Manuela krom stond van het lachen.
„Het geeft niet," verzekerde de ongeveer dertigjarige man haar, maar ondertussen wreef hij wel met een pijnlijk gezicht over zijn reukorgaan. Dat maakte de zaak er beslist niet beter op, want ook Yvet voelde nu de lachkriebels opkomen.
„Hé Marco, waar blijf je nou?" hoorden ze iemand roepen en een andere man kwam met een volgeladen karretje hun pad inlopen.
„Kon je het weer niet laten om vrouwelijk gezelschap op te zoeken? Hé, nog bekende vrouwen ook," eindigde hij langgerekt, terwijl hij ze om beurten aankeek. Met een schok herkende Yvet zijn doordringende grijze ogen en ze kon wel door de grond zakken van schaamte. Dat hij haar nu juist in zo'n situatie moest terugzien!
Manuela had minder last van verlegenheid. Met vlammende ogen draaide ze zich naar hem toe. „Verdorie, struikel ik nou overal over jou? Ik kan niet in de straat lopen of ik kom je tegen, we zien elkaar in de stad en nu hier weer. Het lijkt wel of je me volgt!" viel ze uit.
„Beslist niet," verzekerde hij haar met een sarcastische ondertoon in zijn stem. „Ga je mee, Marco? Deze dame schijnt niet op ons gezelschap gesteld te zijn. Jammer, ik hou wel van vrouwen met een beetje temperament."
Met die woorden liep hij weg en Yvet en Manuela hoorden hoe Marco zijn vriend uithoorde over hun relatie tot elkaar.
„De kwal!" zei Manuela verachtelijk.
Yvet keek de twee mannen na en merkte peinzend op: „Ik weet

niet, maar volgens mij ziet hij wat in jou. En ondanks jouw beweringen geloof ik dat het nog wederzijds is ook."

„Wat?!" Perplex staarde Manuela Yvet aan, maar die declameerde onverstoorbaar: „Echte liefde begint met haat."

„Gestoord," concludeerde Manuela.

Ze tikte met een veelbetekenend gebaar tegen haar voorhoofd. Er verscheen een bittere trek op haar gezicht en Yvet, die alweer een plagend weerwoord wilde geven, hield verschrikt haar mond. Zo kende ze haar vrolijke, luchthartige vriendin niet en eens te meer besefte ze dat Manuela ergens mee worstelde. Gezien haar reactie vermoedde Yvet dat ze problemen op liefdesgebied had. Maar wat dan? Yvet had nog nooit gemerkt dat Manuela belangstelling voor een man had. Zelfs in hun puberteit, toen Yvet naar hartelust experimenteerde met jongens, had Manuela zich op dat gebied afzijdig gehouden.

Ze veranderden van onderwerp en gezellig kletsend deden ze hun boodschappen. Ze sloten aan bij de kortste rij bij de kassa's en zagen nog net de twee mannen de winkel verlaten.

„Die Marco lijkt me ook een leuke man," meende Yvet.

„Pas maar op, voor je het weet, ga je met een gebroken hart naar huis," waarschuwde Manuela.

„Nooit. Ik heb me altijd voorgenomen om eventuele vakantieliefdes thuis meteen weer te vergeten. Tijdens vakanties ben je allemaal zo anders dat dat in het gewone leven meestal zwaar tegenvalt."

„Ach, waarom? Er zijn een heleboel vakantieliefdes die uitgroeien tot stabiele relaties en huwelijken."

„Niet voor mij," zei Yvet beslist. „Ik geloof daar gewoon niet in. Kom, we moeten opschieten als we het treintje niet willen missen."

In plaats van de geplande wandeling besloten ze voor het eten eerst te gaan zwemmen. Het was inmiddels kwart voor vijf, maar dat vonden ze geen van beiden een bezwaar. Tenslotte was er niemand die om halfzes met een gedekte tafel zat te wachten, ze hadden de tijd aan zichzelf. Yvet, die niet zo'n waterrat was en sinds haar verplichte zwemlessen vroeger op school amper een zwembad vanbinnen had gezien, was onmiddellijk verkocht toen ze het gebouw binnenliepen. De verschillende zwembaden, glijbanen, bar en ligstoelen waren omgeven door uitbundig bloeiende, exotische planten. Ze waande zich ergens op een tropisch eiland, terwijl ze zich voort liet drijven op de golven.

„Heerlijk, ik ben niet zo'n fanatieke zwemmer, maar hier zou je het wel worden," zei ze op de terugweg naar het huisje. Ze hingen het natte zwemgoed op en installeerden zich met een drankje op de brede bank.

„Wat een leventje zo," genoot Manuela en ze leunde lui achterover.

„Zeg dat wel," beaamde Yvet. „Ik vind het heerlijk om de hele dag met kinderen op te trekken, maar dit is toch ook niet te versmaden."

„O, daar heb je haar weer met haar kinderen," verzuchtte Manuela, terwijl ze overdreven met haar ogen rolde. „Je hebt nu vakantie en dan is het verboden om aan je werk te denken."

Yvet lachte stil voor zich heen. Zij beschouwde de omgang met de kinderen niet zomaar gewoon als haar werk. Ze had het kinderdagverblijf opgebouwd zien worden en hoewel ze er pas vijf weken in dienst was, was het al echt een stuk van haar leven geworden. Ze ging echter niet op Manuela's opmerking in. Niemand begreep hoe het voelde. Iedereen was blij dat ze na een vervelende periode eindelijk een baan had gevonden, maar niemand besefte dat het haar helemaal opeiste en dat ze nergens anders meer aan dacht. Ook niet in de weekenden of, zoals nu, op vakantie.

Ze hoeven het ook niet te weten, als ik er maar gelukkig mee ben, dacht ze. Er lag een warme glimlach op haar gezicht bij deze overpeinzing.

Nadat ze wat bij waren gekomen van hun zwempartij besloten ze in het pannenkoekhuis te gaan eten. Omdat het al vrij laat was, verwachtten ze dat het er rustig zou zijn, maar dat viel tegen. Het kleine restaurant was volop bezet.

„Geen enkel vrij tafeltje meer," constateerde Yvet teleurgesteld. „Jammer, we zijn niet de enigen die trek hadden in een pannen-koek."

Manuela keek rond in de volle ruimte en zag Marco en zijn vriend aan een half leeg tafeltje zitten. Tot haar ontzetting stond hij op en kwam naar hen toe.

„Mag ik jullie een plekje aanbieden aan onze tafel?" vroeg hij. „Voor de rest is alles bezet en het zou jammer zijn als jullie weg moeten, terwijl wij nog twee lege stoelen hebben."

„Nee, dank je wel," antwoordde Manuela ijskoud en ze draaide met een hooghartig gebaar haar hoofd weg. „Wij kwamen hier voor de gezelligheid."

„Hè Maan, nu doe je wel erg onbeleefd," schrok Yvet.

„Inderdaad, ik hoop niet dat dat persoonlijk bedoeld was." Marco keek Manuela vorsend aan.

„Nou ja… Sorry hoor, maar eh…" stamelde Manuela. Ze was toch wel geschrokken van haar eigen uitval, maar dat ook toe-geven was weer een andere zaak. Ze had het er zonder naden-ken uitgeflapt, omdat ze kriegel werd van het feit dat ze die man steeds tegenkwam.

„Kom op, we gaan er gewoon bijzitten," hakte Yvet nu resoluut de knoop door. „Wie weet hoe gezellig het is en zo niet, dan kun-nen we altijd nog opstappen."

Ze liepen gedrieën naar het bewuste tafeltje en de vriend van Marco was gelukkig zo fijngevoelig dat hij niet zinspeelde op hun eerdere, niet zo geslaagde, ontmoetingen. „Ha, daar is mijn tijdelijke buurvrouw," zei hij hartelijk, terwijl hij hen allebei de hand schudde. „Ik ben Huib van Teyl."

„Marco Groen," voegde zijn vriend daaraan toe.

Yvet en Manuela stelden zich ook voor en gingen wat onwennig zitten, vooral Manuela. Het was toch een vreemde ge-waarwording als de man waar je een spontane antipathie tegen had, plotseling mee bleek te vallen. In het begin was de sfeer nogal gespannen, maar al snel raakten ze in een geanimeerd gesprek verwikkeld.

„Jij woont bij Manuela in de straat?" vroeg Yvet aan Huib.

„Tijdelijk," antwoordde hij. „Met ingang van volgende maand ga ik in het oosten van het land werken en wonen. Mijn huis hier kon ik voor een goede prijs verkopen, mits ik er meteen uit zou gaan, vandaar dat ik bij vrienden logeer tot mijn nieuwe huis opgeleverd wordt. Het is niet de meest ideale situatie, maar ik wilde het risico niet lopen om straks met een onverkoopbare woning te blijven zitten."

„Ach, het is maar tijdelijk," zei Yvet.

„Ja, het grootste gedeelte zit er trouwens op. Over vier weken verhuis ik. Dan ben je eindelijk van me verlost," wendde Huib zich plagend tot Manuela. „Wij zijn niet echt een succes als buren, hè? Ik geloof dat je vanaf het eerste moment een hekel aan me had."

Manuela werd vuurrood bij deze directe benadering. „Het lag niet zozeer aan jou, maar meer aan mijn ouders en die mensen waar je logeert. Die hebben je zo enorm opgehemeld dat je bij voorbaat al niets goed kon doen bij me. Ik dacht echt dat er een heilige in de straat kwam wonen."

„Nou, dan hebben ze geen woord overdreven," zei Huib met een verwaand gezicht. Ze schoten eensgezind in de lach.

„Dat is nou net waar ik bang voor was. Joh, zoals iedereen zijn best deed jou bij me aan te prijzen had ik het idee dat ik me onmiddellijk met je moest verloven of zo."

„En dat schrikte je af," begreep Huib. „Vandaar je vijandige houding. Nou, maak je maar niet ongerust, want ik heb absoluut geen aspiraties in die richting. Voorlopig ga ik me voor twee-honderd procent aan mijn werk wijden, dus er is geen plaats voor een vrouw in mijn leven."

„Mooi zo. Dan kunnen we hiervandaan dus als vrienden verder?" Manuela hief haar glas naar hem op en hij beantwoordde dat gebaar.

„Vrienden. Als je ouders maar niet te teleurgesteld zijn."

„Daar zullen ze aan moeten wennen. Zoals aan meerdere dingen trouwens." Er trok een schaduw over Manuela's gezicht, maar ze weigerde er verder op in te gaan en begon hem uit te horen over zijn werk als kinderarts.

„Heb je eigenlijk nog last van je neus?" informeerde Yvet inmiddels bij Marco.

Hij schoot in de lach bij de gedachte aan het incident in de supermarkt en plaagde: „Het begint langzaam af te zakken, dus het ergste is voorbij. Overigens heb ik er niets op tegen om door zo'n charmante vrouw geslagen te worden."

Hij keek haar doordringend aan en Yvet draaide verward haar gezicht af. Lieve help, hij liep wel hard van stapel! Ondanks dat moest ze aan zichzelf toegeven dat ze hem heel aantrekkelijk vond, eigenlijk meer dan Huib.

„Voel jij er ook iets voor?" haalde Manuela haar uit haar gedachten.

„Waarvoor? Sorry, ik was er niet helemaal bij."

Yvet ontmoette Marco's plagende ogen en bloosde. Hij denkt nu zeker dat ik verlegen werd door zijn opmerking, dacht ze. Nou ja, laat maar denken ook. Ze wendde zich weer tot Manuela, die geduldig herhaalde: „Of we zin hebben om straks te bowlen. Huib en Marco hebben een baan besproken van tien tot twaalf."

„Ja, leuk," stemde Yvet meteen toe. Ze bowlde graag en het vooruitzicht om de rest van de avond in Marco's gezelschap door te brengen, stond haar wel aan.

Na het eten liepen ze op hun gemak richting bowlingcentrum.

„Ben je goed in deze sport?" vroeg Marco aan Yvet.

„Nou en of," knikte ze. „Wacht maar af. Ik ben van plan om je van de baan te vegen, mannetje."

Marco sloeg zijn ogen op en riep: „O nee, daar gaat mijn reputatie! Verslagen door een vrouw!"

„Als je daar niet tegen kunt, moet je niet met vrouwen bowlen," meende Yvet terecht, terwijl ze een paar bowlingschoenen in haar maat uitzocht en aantrok. Ze keek even opzij naar Manuela en Huib, die zo te zien in een serieus gesprek verwikkeld waren.

„Ze kunnen het ineens nogal goed vinden samen."

Marco lachte. „Ja, als ik het zo bekijk, heeft ze haar mening over Huib grondig herzien. Nou ja, beter zo dan andersom. Tenslotte is het wel zo gezellig met zijn vieren."

„Ach, dat ligt eraan," zei Yvet vlak. Ze wilde zich niet meteen in de kaart laten kijken. „Met zijn tweeën vermaken Manuela en ik ons ook altijd prima."

Om tien uur liepen ze hun baan op. Yvet gooide goed, zoals ze net al beweerd had, maar ze werd toch glansrijk verslagen door Huib en Marco.

„O ja, had ik je niet verteld dat wij al jarenlang elke week bowlen voor de competitie?" vroeg Marco met een onschuldig gezicht. „Sorry hoor, dan ben ik dat vergeten."

„Wacht maar, ik krijg jou nog wel," dreigde Yvet. „Je wist heel goed dat ik geen kans maakte, maar je liet me rustig opscheppen."

Manuela was de grote verliezer met nog geen tachtig punten per game, maar ze had in haar leven dan ook amper een bowlingbal in haar handen gehad, zoals ze zelf beweerde. „Het valt me nog mee. De laatste keer dat ik dit speelde, haalde ik de zestig niet eens," zei ze laconiek.

„Als troost krijg je nog wat te drinken van me," zei Huib. Hij sloeg met een vriendschappelijk gebaar zijn arm om haar schouder.

„Nee, dank je," sloeg Manuela dat aanbod echter af. „Ik ben doodmoe en wil nu graag terug naar het huisje."

Yvet wierp een bezorgde blik op haar vriendin. Waarschijnlijk waren ze wat te hard van stapel gelopen vandaag. Ze waren hier nog maar net tien uur, al leek het veel langer, en ze hadden al heel wat gedaan. Ze moesten niet vergeten dat ze hier vooral waren om Manuela weer wat aan te laten sterken. Gevieren liepen ze de weg langs het meer op, want het treintje reed op dit uur niet meer.

„Jammer dat het zo donker is, dit moet heel mooi zijn," zei Yvet. „Vanmiddag hebben we het verharde pad genomen, aan de buitenkant van de huisjes."

„Dan maken we deze wandeling morgen overdag nog een keer," stelde Huib voor.

„Goed idee," viel Marco hem meteen bij. „Ik wilde net vragen wat we morgen zullen doen, maar dat is dan geregeld. Oké?"

Manuela en Yvet keken elkaar even aan. Het zag ernaar uit dat ze deze vakantie met zijn vieren door gingen brengen, maar daar hadden ze geen van beiden bezwaar tegen. Ze werden bij de deur van het huisje afgezet en spraken af voor de volgende morgen halfelf.

„Droom maar van me," zei Marco en Yvet voelde een vlinderlichte kus op haar wang. Of had ze zich dat maar verbeeld omdat ze het zo graag wilde? Ze wist het zelf niet, feit was in ieder geval dat een warm gevoel haar lichaam doorstroomde.

In plaats van meteen naar bed te gaan schonk Manuela nog wat te drinken in. Yvet knipte een klein lampje aan en ze gingen zitten op de brede, leren bank. Het schemerige licht noodde uit tot een vertrouwelijk gesprek.

„Jammer dat de open haard niet brandt," zei Manuela met een dromerige blik. „Ik vind het altijd zo heerlijk om in die bewegende vlammen te staren."

„Dan gaan we morgen van die blokken halen. We hebben nog een hele week de tijd."

„Ja, niet te geloven dat dit onze eerste dag pas is, hè? We hebben al zoveel gezien en gedaan."

„Ben je niet te moe?" vroeg Yvet bezorgd, maar Manuela schudde haar hoofd.

„Wel moe, maar niet op een vervelende manier. Gewoon lekker loom. Ik vind het wel prettig om samen nog wat te praten." Ze zweeg en Yvet wachtte rustig af tot Manuela verder zou praten. Ze vroeg zich af of ze nu eindelijk te horen zou krijgen waar haar vriendin de laatste tijd zo over piekerde.

In plaats daarvan begon Manuela over de ontmoeting met Huib en Marco. „Je vindt hem leuk, hè?" vroeg ze, doelend op de laatste.

„Ja," gaf Yvet direct toe. Het had geen zin om het te ontkennen, daar kende Manuela haar te goed voor. „Maar ik maak me echt geen illusies. Ten eerste weet je hoe ik denk over vakantieliefdes, ten tweede lijkt hij me niet zo serieus op dat gebied."

„Hoezo?" Op Manuela had hij een heel andere indruk gemaakt.

„Hij loopt nogal hard van stapel," antwoordde Yvet nadenkend. „Met echt van die versierderige opmerkingen."

„Dat kan ook zijn omdat hij op slag voor je is gevallen. Die man is, schat ik, zo'n tien jaar ouder dan wij, die is natuurlijk op zoek naar een huwelijkskandidaat."

„Zeg, hou eens even op." Yvet lachte en gooide een kussentje naar Manuela's hoofd. „Hou jij je nou maar bij Huib, wie weet wat die van plan is met jou."

„Heel weinig, dat kan ik je voor honderd procent verzekeren. We hebben afgesproken dat we het bij vriendschap houden."

„Dat hebben jullie al snel bekeken dan."

Manuela knikte. „Huib start na deze vakantie een praktijk als kinderarts, die heeft nu wel wat anders aan zijn hoofd dan een nieuwe relatie. En ik…" Ze aarzelde nog even, maar gooide toen eindelijk de reden van haar gepieker op tafel. „Ik ben verliefd op een gast van ons hotel, iemand die regelmatig bij ons logeert."

„Nee!" Yvet schoot rechtop en ging in gedachten alle regelmatig terugkomende gasten na, zich afvragend wie het kon zijn. „Wie is het? Ken ik hem?"

„Het is geen man, maar een vrouw." Het klonk volkomen rustig, maar inwendig was Manuela zo gespannen als een te strak aangedraaide veer, bang voor Yvets reactie op deze onverwachte mededeling.

„Een vrouw? Bedoel je…?" De strekking van deze bekentenis drong niet onmiddellijk tot Yvet door.

Manuela, blij dat het hoge woord er eindelijk uit was, zei hard: „Ja, ik ben lesbisch. Zeg het maar meteen als je nu niets meer met me te maken wilt hebben."

„Zég, ben jij niet tof?" schoot Yvet uit. „Ik geef toe dat dit me overvalt, maar je hoeft niet meteen te denken dat je nu minder waard bent voor me."

Er viel een diepe stilte tussen de twee vriendinnen. Manuela vocht om haar tranen, die haar al zo lang hoog zaten, binnen te houden en Yvet deed haar best haar verwarde gedachten op een rijtje te zetten. Manuela die van vrouwen hield. Deze gedachte was nog nooit bij haar opgekomen, ondanks hun jarenlange vriendschap. Ze had nooit vriendjes gehad en ook niet meegedaan aan de bakvissenverering van bekende filmsterren en zangers, maar dat dit de reden daarvan was, had Yvet nooit vermoed.

„Hoe lang weet je het al?" vroeg ze eindelijk.

„Nog maar kort, een paar maanden. Sinds Sabrina deze gevoelens bij me losmaakte."

„Sabrina is de vrouw waar je verliefd op bent." Yvet zei het langzaam, het klonk vreemd en onwennig. „Maar vroeger… Je had nooit vriendjes, zoals ik."

Manuela knikte ernstig. „Ik voelde me niet aangetrokken tot jongens, maar gek genoeg ook niet tot vrouwen. Jarenlang heb ik gedacht dat ik seksloos was, dat ik niet in staat was liefde te geven, tot Sabrina in mijn leven kwam."

Er verscheen een zachte, warme glimlach om Manuela's mond en Yvet keek geboeid naar de verandering die haar gezicht ineens onderging. Het werd haar plotseling duidelijk dat dit serieus was en geen fase waar meer mensen doorheen gaan.

„Hebben jullie…? Ik bedoel, was je dan niet liever met haar op vakantie gegaan?"

„Zover zijn we nog niet. We hebben wel veel gepraat en we voelen allebei dat er meer is tussen ons, maar Sabrina wilde dat ik zeker was van mezelf voor we echt verder zouden gaan. Het is voor het eerst dat ik zulke gevoelens heb, ik werd er onzeker van."

„En nu? Ben je nu achter je ware gevoelens?"

De zachte glimlach brak open tot een stralende lach toen Manuela bevestigend antwoordde. „Ja, voor honderd procent. Tijdens mijn ziekte had ik niet veel anders te doen dan nadenken en ik weet nu zeker dat Sabrina de enige is voor me. We hebben een afspraak voor volgende week, dan kunnen we alles rustig bepraten."

„Zonde van je tijd," meende Yvet nuchter, nu ze Manuela's bekentenis verwerkt had. „Als je toch zeker van je zaak bent, heb je toch wel wat beters te doen dan praten alleen."

„Dat komt ook nog wel," zei Manuela met glanzende ogen. Alle spanning was van haar afgegleden, nu ze Yvet deelgenoot had gemaakt van datgene wat haar leven de laatste tijd beheerste. „Ik ben zo blij dat je het normaal opvat en me niet veroordeelt."

„Wat had je dan verwacht van me? We zijn al jarenlang vriendinnen, Maan, daar verandert dit niets aan. Je bent nog steeds dezelfde persoon als voordat je het vertelde, onze vriendschap zou geen klap waard zijn als ik je hierom liet vallen. Ik weet dat wij ons altijd gedragen als giechelende tieners als we samen zijn, maar dat neemt niet weg dat we ook heel goed serieus kunnen zijn. Trouwens," voegde ze eraan toe in een poging de toch wat gespannen sfeer te doorbreken met een grapje, „deze vakantie wordt door jouw ouders betaald, dus ik kan je het huis-je niet uitzetten en zelf heb ik geen zin om weg te gaan."

„O, dus je wacht met het opzeggen van onze vriendschap tot we weer thuis zijn?" begreep Manuela lachend.

„Precies." Met een vertrouwd gebaar sloeg Yvet haar op haar schouder. „Hoe kom je eigenlijk aan die achterhaalde waan-ideeën?" wilde ze toen weten. „Heb je soms negatieve reacties gehad?"

„Jij bent de eerste die het weet," bekende Manuela. „Zelfs mijn ouders heb ik het nog niet durven vertellen."

„Je hebt al die tijd in je eentje lopen worstelen hiermee? Geen wonder dat je zulke rare dingen in je hoofd haalt. Doe niet zo moeilijk, Maan, en vertel het ze gewoon. Je ouders zijn er de mensen niet naar om er problemen over te maken, die willen je alleen gelukkig zien."

„Direct als we thuis zijn," beloofde Manuela. „Nu het er eenmaal uit is, is het net of er een barrière weggevallen is. Ik heb het nu voor het eerst openlijk toegegeven, de volgende keer zal het makkelijker zijn."

„Welja, voor je het weet, bazuin je het over het hele park rond," plaagde Yvet. Ze rekte zich ongegeneerd uit en zette de glazen in de keuken. „Ik weet niet wat jij doet, maar ik ga naar bed."

„Ik ga met je mee," zei Manuela gedachteloos.

Yvet schoot in een heldere lach. „Als je het maar laat, daar heb je Sabrina straks voor."

Manuela keek haar verbluft aan, het duurde even voor ze begreep waar Yvet op zinspeelde. „Jij bent ook helemaal gek, weet je dat?" Ze liep op Yvet toe en sloeg haar armen om haar heen. Het kwam maar zelden voor dat ze elkaar op deze manier vasthielden, maar op dat moment leek het heel vanzelfspre-kend. „Bedankt Yvet," zei Manuela schor. „Je hebt me meer geholpen dan je zelf beseft. Je bent een vriendin uit duizenden."

„Als je maar niet verliefd op me wordt," grapte Yvet luchtig om de ontroering die bezit van haar wilde nemen op de vlucht te jagen. Het lukte. Manuela lachte weer door haar tranen heen.

„Ik zal je nog wel een keer haarfijn uitleggen hoe dat werkt bij lesbische vrouwen. Het is in ieder geval niet zo dat we verliefd worden op iedere vrouw die we tegenkomen."

„Maar ik hoor tot een bijzonder soort. Ik ben knap, lief, intelligent, zorgzaam…" somde Yvet op. Ze had daarmee het laatste woord van die avond, want Manuela verdween in haar slaapkamer.

Yvet deed het schemerlampje uit en volgde haar voorbeeld. Ondanks het late uur en de drukke dag die achter haar lag, duurde het lang voor ze in slaap viel. Manuela en Sabrina; het kostte Yvet toch moeite om die twee namen aan elkaar te koppelen. Ze had de vrouw weleens ontmoet in het hotel en haar aardig gevonden, maar het was vreemd om aan haar te denken in combinatie met Manuela. Ze hoopte dat ze samen gelukkig zouden worden. Als er iemand was wie ze het geluk gunde, dan was het Manuela wel.

Yvets gedachten gingen naar het kinderdagverblijf en ze glimlachte in het donker. Het leek erop dat Manuela en zij allebei tegelijk een nieuwe richting hadden gegeven aan hun leven, al was het dan ieder op een ander vlak. Het beeld van Marco dat op haar netvlies verscheen, negeerde ze bij deze overpeinzing bewust.

De volgende morgen kwam Yvet met een slaperig gezicht om halftien de zitkamer binnen, waar Manuela al aangekleed en met een kop koffie op de bank zat. Met de afstandsbediening in haar hand bekeek ze de parkreclame op de tv.

„Zo, slaapkop," begroette ze haar vriendin luchtig. „Ik wilde je net komen roepen."

„Niet nodig. Ik ben al wakker. Hoewel…"

„Vast niet uit overtuiging," grinnikte Manuela, terwijl ze voor Yvet ook een kop koffie inschonk. „Kijk nou, weer wat nieuws. Een trimbingo," ontdekte ze op het beeldscherm.

„Hm, ik weet niet wat dat is, maar het klinkt alsof je er veel bij moet lopen," bromde Yvet.

Ondanks de aangename temperatuur die de centrale verwarming verspreidde, zat ze ineengedoken op de bank, haar handen kouwelijk om de hete beker gevouwen. Ze keek naar Manuela, die verdiept scheen te zijn in wat zich op het scherm afspeelde. Hun nachtelijke gesprek kwam haar nu onwerkelijk voor. Hadden ze echt Manuela's liefdesleven besproken of had ze het gedroomd? Yvet had slecht geslapen en iedere keer als ze wegdommelde, schoot ze weer wakker uit een nare droom, die ze slechts in flarden onthouden had. Nu, in het felle ochtendlicht, wist ze niet meer precies wat nou realiteit en verbeelding was. Op dat moment keek Manuela op en ontmoetten hun ogen elkaar.

„Je kijkt alsof ik een vreemde voor je ben," zei Manuela geschrokken.

Yvet schudde haar hoofd. „Dat is het niet. Ik heb slecht geslapen en raar gedroomd en vroeg me nu af wat er allemaal besproken is. Het kwam me ineens zo onwerkelijk voor. Ik dacht even dat ik me alles verbeeld had."

„Dat is dus niet zo. Ik hou van een vrouw, dat zul je moeten accepteren." Het klonk hard, maar Yvet begreep dat Manuela zich alleen uit zelfverdediging zo opstelde.

„Dat doe ik ook en dat weet je," zei ze daarom rustig. „Maar mag ik even de tijd om eraan te wennen? Jij bent er al maanden mee bezig en groeide langzaam naar dat besef toe, ik krijg alleen het voldongen feit te horen."

„Sorry, je hebt gelijk. Ik heb constant het gevoel dat ik me moet verdedigen voor wie ik ben."

„Dat is helemaal niet nodig. De mensen die jouw keuzes eventueel niet kunnen accepteren, hebben een probleem, niet jij. Manuela, het kan me niets schelen hoe jij op dat gebied in elkaar steekt, je blijft dezelfde persoon, maar ik moet eerlijk toegeven dat ik het een vreemd idee vind, jij met Sabrina."

„Iedereen heeft tegenwoordig zo zijn mond vol over tolerantie, maar vaak verandert dat op het moment dat het dichtbij komt, dat zie je nu wel weer," zei Manuela bitter.

Yvet zuchtte. „Hou nou eens op met jezelf zielig te vinden omdat je anders bent," zei ze scherp. „Het ligt voor een groot deel aan je eigen houding hoe je benaderd wordt en dat geldt voor iedereen, niet alleen voor lesbische vrouwen. Ik heb er geen enkele moeite mee, maar daarom is het wel wennen. Je mag me gerust burgerlijk noemen, maar als ik aan onze toekomst dacht, stelde ik me voor dat we allebei getrouwd zouden zijn en kinderen zouden krijgen. Ik heb nooit, zelfs niet in de verste verte, gedacht dat jij een andere aard had."

„Ik heb anders nog nooit een vriendje gehad."

„Nou en? Dat zegt toch niets? Kijk, als je nou rondgesjouwd had in zo'n spijkerpak met ultrakort haar en een rond brilletje, dan was er misschien een lampje gaan branden."

„Yvet, hou op! Dat beeld is toch allang achterhaald," protesteerde Manuela lachend.

„Vast wel, maar dat is nu eenmaal het prototype, een soort herkenningsteken, zeg maar. Echt Maan, geen haar op mijn hoofd die jou daarmee in verband bracht. Nogmaals: voor mij verandert er niets, maar het is even wennen. En als jij iedereen daar de gelegenheid voor geeft in plaats van meteen boven op de kast te springen, zul je zien dat je veel minder negatieve reacties krijgt dan je nu denkt."

„Er blijven toch altijd mensen die je veroordelen."

„Niets van aantrekken, met dat soort mensen wil je toch niet omgaan," meende Yvet beslist. „Nou, wat denk je, zullen we die trimbingo gaan doen?"

Ze veranderde zo snel van onderwerp dat Manuela haar even wazig aanstaarde voor ze antwoord gaf. „Ja, ik vind het prima," stemde ze toe. „Ga je gauw wassen en aankleden dan, over een kwartier staan Huib en Marco voor de deur."

„Denk je dat ze meedoen?"

„Die moeten gewoon," lachte Manuela. „Ze denken toch niet dat ze iets te vertellen hebben bij ons?"

Onwillekeurig moest Yvet aan die woorden denken toen ze een klein half uur later met het treintje naar de receptie reden. Nee, ze waren erg leuk en aardig, maar beslist geen mannen die zich door een vrouw op hun kop zouden laten zitten. Gelukkig niet. Yvet had nooit naar een dergelijke relatie verlangd. Zij ging van het standpunt uit dat een relatie gebaseerd moest zijn op wederzijds respect en gelijkwaardigheid. Daarbij mocht een man best een echte man blijven, zonder meteen een macho te zijn die heer en meester speelde binnen het gezin.

Zou Marco aan deze criteria voldoen? Ze gluurde voorzichtig opzij en ving daarbij zijn blik. Hij knikte haar even hartelijk toe en weer voelde Yvet die warmte door zich heen stromen. Het begon erop te lijken dat ze als een blok voor hem gevallen was. Ze moest al haar verstand bij elkaar rapen om zich te realiseren dat ze op vakantie waren en dat alles dan heel anders was dan in het dagelijkse leven. Natuurlijk hield dat niet automatisch in dat een relatie buiten de vakantie geen stand kon houden, maar vaak bleek dat toch het geval te zijn. Yvet wilde op voorhand een dergelijke teleurstelling vermijden door zich niet te veel illusies te maken.

Bij de receptie kregen ze allemaal een bingokaart en een route, die door het hele park liep. Aangezien ze toch al van plan waren om een uitgebreide wandeltocht te maken, vonden ze het alle vier leuk om dat zo te combineren. De spelregels waren simpel: gewoon alle nummers die ze op de route tegenkwamen, noteren op hun kaart, net als bij een gewone bingo.

„Eens even kijken," mompelde Huib met een blik op de plattegrond. „Dan moeten we hier het bruggetje over, het centrum door en dan het hele meer langs om aan de andere kant van het centrum weer uit te komen. Dat wordt een flinke wandeling, mensen," waarschuwde hij.

„Dat waren we toch al van plan, nu kunnen we er nog wat mee winnen ook," zei Yvet onbekommerd.

Huib trok Manuela aan haar hand mee. „Wij lopen voorop,"
besloot hij. „Marco en Yvet zien alleen elkaar maar, die missen
de helft van de nummers."

Yvet werd vuurrood en Marco fluisterde plagend in haar oor:
„Hij zou best weleens gelijk kunnen hebben."

„Ik dacht dat we gingen wandelen om de natuur te bewonderen," kaatste Yvet terug.

„Nou, dat doe ik toch?" zei hij, haar van top tot teen bekijkend.
Yvet gaf geen antwoord meer en liep stug door, automatisch de
nummertjes aankruisend die vanaf de voorhoede geroepen werden. „Ben je kwaad?" wilde Marco weten. „Het was maar een
grapje, Yvet."

„Dat is het nu juist." Met een peinzende blik bekeek Yvet het
mooi aangelegde park, zonder dat het echt tot haar doordrong
wat ze zag. Ze voelde de blik van Marco op zich rusten, maar
durfde hem niet aan te kijken. „Ik weet niet goed hoe ik op
zoiets moet reageren, omdat ik niet weet hoe je het bedoelt.
Gisteren maakte je ook al een paar keer zulk soort opmerkingen."

„Is daar iets op tegen dan? Ik vind je erg leuk en aantrekkelijk."
„Is dat alles?" vroeg Yvet met de moed der wanhoop. „Begrijp
me niet verkeerd. Ik wil je heus niet tot een plotselinge, vurige
liefdesverklaring dwingen, maar dat zorgeloze geflirt zonder
diepere achtergrond is niets voor mij. Als ik er steeds vrolijk op
inga, ben ik bang dat je een heel verkeerd beeld van me krijgt,
maar ik vind het ook niet gezellig om iedere keer stug of beledigd te reageren, alsof ik er helemaal niet van gediend ben."

„Je vindt het dus wel leuk om complimentjes te krijgen," concludeerde Marco snel. „Niet blozen en niet boos worden, Yvetje,
het was geen aanval, maar de constatering van een feit." Hij
pakte haar hand en drukte die met een warm gebaar. „Vanaf het
moment dat je me bijna knock-out sloeg in die supermarkt voelde ik me al tot je aangetrokken en ik prees mijn geluk een paar
uur later in dat pannenkoekenrestaurant. Ik weet best wel dat
ik flirterig overkom en goed kan overdrijven, maar niet alles wat
ik zeg, zijn holle frases."

„Ga me nou niet vertellen dat je zo doet om je verlegenheid te
verbergen," zei Yvet op een spottende toon.

„Gedeeltelijk wel," gaf Marco kalm toe. „De andere helft zeg ik omdat ik het meen. Ik wil je heel graag beter leren kennen, Yvet." Hij pakte haar bij haar schouders en dwong haar zo om stil te blijven staan op het smalle pad. Yvets hart bonsde luid en ze durfde hem nog steeds niet aan te kijken. Haar ogen bleven steken ter hoogte van zijn schouders. „Zeg eens wat," klonk zijn stem boven haar hoofd. „Want als jij er anders over denkt, hoeven we niet eens verder te praten, dan houden we het hierbij."

„Nee," zei ze haastig. „Ik denk er precies hetzelfde over, alleen…"

Ze kreeg de kans niet om haar mening verder onder woorden te brengen. Marco tilde haar gezicht omhoog en drukte zijn lippen vol op de hare. Het was geen lange zoen, maar ze had het gevoel of haar hele leven veranderde. De zon scheen warmer, het gras leek groener en de vogels zongen hun lied uitbundiger dan enkele minuten geleden.

„Sorry, ik kon het niet laten," zei Marco met een warme klank in zijn stem. „Wat wilde je verder nog zeggen?"

„Laat maar." Yvet lachte gelukkig. Haar mening over vakantieliefdes deed er plotseling niet meer toe. Het enige dat nu telde, was het moment op zich, daar wilde ze van genieten zonder zinloos gepieker over de toekomst. „Praten kunnen we altijd nog." Met een uitnodigend gebaar hief ze haar gezicht voor de tweede maal naar hem op en de zoen die daarop volgde, was heel wat steviger van constructie dan de eerste. Ze belandden weer met beide voeten op de grond door een bulderend gelach achter hen.

„Zei ik het niet?" riep Huib uit. „We zijn bezig met een bingo, hoor. We kwamen net tot de ontdekking dat jullie al minstens vier nummers gemist hebben."

„We zullen beter opletten," beloofde Marco schuldbewust, maar zijn ogen lachten. Zijn dag kon niet meer stuk, al zag hij geen enkel nummer meer. „Overigens kwamen jullie dan ook niet bepaald snel tot de conclusie dat we niet meer achter jullie aanliepen," zei hij met een veelbetekenende blik van Huib naar Manuela.

„Daar hoef je echt niets achter te zoeken," zei de laatste kalm. „Niet iedereen hier is met de liefde bezig."

„Daar ben ik helemaal niet zeker van," plaagde Marco verder.

Yvet gaf hem een welgemikte schop tegen zijn scheenbeen, in de hoop dat hij deze hint zou begrijpen en verder zijn mond zou houden. Dit moest voor Manuela niet zo'n prettig gespreksonderwerp zijn.

Die bleek echter sterker dan Yvet verwacht had. Uiterlijk volkomen rustig, slechts het trillen van haar mondhoeken verraadde haar spanning, verklaarde ze: „Maak je geen illusies, ik hou niet van mannen. Ik heb thuis een vriendin." Huib en Marco namen deze mededeling voor kennisgeving aan. Marco verontschuldigde zich alleen voor het feit dat hij haar wellicht in verlegenheid had gebracht, maar dat wuifde Manuela weg. „Dat geeft niet, je kon het niet weten," zei ze kort.

Ze was blij dat ze het zo rustig opvatten en geen verder commentaar gaven. Ze lieten zelfs niet blijken het vreemd te vinden dat ze met Yvet op vakantie was, terwijl ze blijkbaar een vaste relatie met een ander had.

Manuela zond Yvet een dankbare blik, blij met haar advies van die ochtend. Yvet had gelijk gekregen: hoe normaler zij, Manuela, erover deed, hoe normaler het aanvaard werd. Ze voelde zich steeds meer bevrijd van de last die de laatste maanden op haar gedrukt had en die zeker haar genezing in de weg had gestaan. Nu ze het zelf geaccepteerd had en ervoor uit durfde te komen, voelde ze zich steeds beter, zowel in lichamelijk als in emotioneel opzicht.

„Kom, laten we verder gaan," zei Huib. „We moeten nog een heel eind en ik heb zin om die hoofdprijs te winnen."

„Wat is dat eigenlijk?" vroeg Yvet.

„Een etentje voor vier personen in het restaurant op het park," wist Huib te vertellen. „Dus die hebben we hard nodig als we met zijn vieren uit eten willen."

„Ach, ik heb sinds kort een baan, dus ik trakteer anders wel," riep Yvet overmoedig.

Lachend en kletsend liepen ze weer verder. Voor het oudere echtpaar dat ze passeerden, leken ze twee jonge, onbezorgde stelletjes, die niets anders aan hun hoofd hadden dan zo veel mogelijk te genieten van hun vakantie.

„Nog maar twee dagen," verzuchtte Manuela, terwijl ze wee-moedig over het meer staarde.

„Ja, vakanties hebben de onhebbelijke eigenschap om vlug voorbij te gaan," zei Yvet nuchter en ze nam nog een hap van haar boterham. Ze hadden fantastisch weer getroffen deze week. Het was al een aantal keren voorgekomen, zoals nu, dat ze buiten konden zitten, in de beschutting van hun terrasje.

„Die bofferds van een Huib en een Marco blijven nog een hele week," vervolgde Manuela alsof Yvet niets gezegd had. „Dan zijn wij al lang en breed weer aan het werk. Bah. Nou ja, in ieder geval heb jij een tastbare herinnering overgehouden aan deze week. Marco."

„Afwachten maar, je weet hoe ik over vakantieliefdes denk."

„O, daar heb je haar weer. Kind, Marco is stapelgek op je, dat heeft niets te maken met een vakantieromance."

„Daar gaat het niet om," weerlegde Yvet ongeduldig. „Ik heb er alleen niet zoveel vertrouwen in dat wat in een vakantie begint, in het dagelijkse leven uit kan groeien tot iets blijvends. Tijdens vakanties gedraagt iedereen zich nu eenmaal anders dan nor-maal en de werkelijkheid kan dan bitter tegenvallen."

„Dat zul je af moeten wachten, daar kun je nu nog niets van zeg-gen."

„Dat was ik ook niet van plan. Ik ben ook stapelgek op Marco, maar ik kan er niets aan doen dat ik er nu eenmaal sceptisch tegenover sta."

„Daar moet je niet te veel over nadenken," adviseerde Manuela. „Neem het leven toch zoals het komt. Zoals ik het nu bekijk, denk ik dat jullie relatie wel standhoudt en zo niet, dan heb je een leuke tijd gehad met hem."

„Zo denk jij er misschien over, maar ik ben niet zo gemakkelijk," antwoordde Yvet strak.

Manuela zuchtte diep. Yvet kon af en toe erg zwaar op de hand zijn. „Ik ben ook niet zo makkelijk wat relaties betreft, van alle mensen zou jij dat toch zeker moeten weten. Maar je moet een relatie wel de kans geven te groeien zonder al die bedenkingen vooraf. Tenslotte heb je tijd nodig om uit te vinden of je bij elkaar past en dat geldt niet alleen voor iemand die je in je vakantie ontmoet, maar voor iedereen, in welke situatie dan ook. Als je in een café zit, gedraag je je ook anders dan op je werk tenslotte."

„Ach ja, misschien heb je wel gelijk. Nee, je hebt zeker gelijk, maar dat wil niet zeggen dat ik er ook direct naar kan handelen. Ik denk er nu eenmaal zo over en dat verander je niet één, twee, drie. In ieder geval zal ik proberen jouw raad op te volgen en alles aan de toekomst over te laten. Zo goed, juf?" eindigde Yvet met een kinderstemmetje.

Manuela lachte alweer. „Gek," zei ze, om daarna weer ernstig te vervolgen: „Ik weet dat het mijn zaken niet zijn, maar ik zou het verschrikkelijk vinden als jullie relatie stuk zou lopen op je vooroordelen."

„Ik ook. Ik voel heel erg veel voor Marco, maar dan zoals hij nu is en in het dagelijkse leven is dat misschien heel anders."

„Wat kun jij toch zeuren!" riep Manuela uit. „Nog één zo'n opmerking en je gaat met kleren en al het meer in."

„Wat een gewelddadigheid hier," klonk een stem achter hen. Manuela draaide zich om en zag de lachende gezichten van Huib en Marco. „Waar ging dit verhitte gesprek over?" wilde Huib weten.

„Over de gevolgen van een vakantieliefde in het dagelijkse leven," declameerde Manuela met pathos. Ze keek daarbij oplettend naar Marco, die bliksemsnel reageerde.

„Wat mij betreft duurt die mijn hele leven," zei hij.

Yvet keek met een gelukkige lach naar hem op. Op dat moment waren haar eigen twijfels ook verdwenen. Dat was iedere keer zo als Marco in haar buurt was, maar zodra hij uit haar gezichtsveld verdween, begon het gepieker weer.

„Kom dames, we gaan zwemmen," zei Huib nu. „Tenslotte moeten we van jullie laatste dagen profiteren."

„Ik weiger er beslist aan te denken dat we nog maar twee dagen hebben," beweerde Manuela resoluut. Ze keek strijdlustig om zich heen. „Iedereen die daar nog over begint…"

„…gaat met kleren en al het meer in," vulde Huib aan. „Dat weten we nu wel, agressieveling. Gaan we lopen of nemen we het treintje?"

„Lopen," besliste Yvet meteen.

Met een klein lachje keek Manuela haar aan. Yvet was over het algemeen niet zo'n fanatieke wandelaar, maar hand in hand met Marco door het park lopen scheen een speciale aantrekkingskracht voor haar te hebben.

Twee aan twee, zoals de laatste dagen zo vaak het geval was geweest, liepen ze de weg langs het uitgestrekte meer. Marco hield bewust zijn pas wat in, zodat er al snel een flinke afstand tussen hen en de andere twee ontstond.

„Ik wil even met je praten," zei hij na een opmerking van Yvet daarover. „Dacht jij soms dat ik je alleen beschouwde als een vakantievriendinnetje en dat ik daarna niets meer van me zou laten horen?"

„O nee," antwoordde Yvet meteen en ze keek hem verschrikt aan. „Dat heb ik geen moment gedacht, echt niet. Alleen…" Ze zweeg even. Zo makkelijk als ze er altijd met Manuela over praatte zo moeilijk leek dat nu tegenover Marco.

„Alleen wat?" vroeg hij zacht. „Heb je geen vertrouwen in me?"

„Natuurlijk wel." Yvet zag zijn liefde voor haar weerspiegeld in zijn warme, eerlijke ogen en vertelde hem wat haar bezighield.

„Tja," verzuchtte hij nadat ze uitgesproken was. „Daar kan ik geen pasklare oplossing voor geven, hoe graag ik dat ook zou willen. Hoewel ik het niet geloof, zou het inderdaad zo kunnen zijn dat we elkaar tegen gaan vallen, dat is nu eenmaal iets wat je in iedere relatie af moet wachten. De tijd zal het leren."

„Dat zei Manuela ook al." Eigenlijk voelde Yvet zich lichtelijk teleurgesteld. Diep in haar hart had ze gehoopt dat Marco iets zou zeggen dat haar twijfels wegnam. Maar hij had gelijk, moest ze aan zichzelf eerlijk toegeven. Zoiets ook hardop zeggen, viel niet altijd mee, dus vroeg ze een beetje schamper: „Alles vrijblijvend dus?"

„Nee eigenwijs. Niets vrijblijvends. Ik hou van je en hoop dat we altijd samen blijven, maar we kennen elkaar nu eenmaal te kort om dat zeker te weten. Beslissingen voor het leven moet je nooit te haastig nemen, hoewel ik voor mezelf vrij zeker ben."

Beschaamd boog Yvet haar hoofd. „Je hebt gelijk," bekende ze nu wel ronduit. „We forceren niets. Laten we van elkaar genieten en afwachten wat de toekomst brengt."

Marco lachte opgelucht. „Fijn dat je er zo over kunt denken. Ik hou van je."

„En ik hou van jou," kon Yvet nu voor het eerst met heel haar hart zeggen.

Uitgelaten, hand in hand, renden ze de rest van de weg naar het zwembad, waar Huib en Manuela al op hen stonden te wachten. Na zich vlug omgekleed te hebben doken ze het warme water in.

„Kom mee," riep Marco uitgelaten, terwijl hij Yvet met zich meetrok. „We gaan de waterglijbaan af."

„Nee, niet doen," sputterde ze tegen. Ze had een beetje hoogtevrees en was de hele week de glijbaan nog niet af geweest, maar Marco kende geen genade.

„Je moet alles een keer proberen," meende hij en zonder verder commentaar duwde hij haar de steile trap op.

„Ik vind het doodeng. Als kind durfde ik al nooit de glijbaan van de speeltuin af en deze is zo verschrikkelijk hoog."

„We gaan samen en ik weet zeker dat je het leuk vindt."

Ze waren op het platform aangekomen, maar moesten nog even wachten tot het hun beurt was. In de veilige beschutting van Marco's armen durfde Yvet voorzichtig om zich heen te kijken. Ondanks haar angst fascineerde het uitzicht haar. Van hieruit kon je het hele zwembad overzien en dat was een schitterend gezicht.

Eindelijk was het hun beurt. Yvet voelde zich trillerig worden en voorzichtig liet ze zich op de glijbaan zakken, krampachtig vasthoudend aan de stang. Ze voelde dat Marco achter haar kwam zitten en zijn armen om haar heen sloeg.

„Daar gaan we," zei hij en met een ruk zette hij zich af.

Eerst gleden ze vrij rustig, maar na de eerste bocht kwam de vaart er goed in en Yvet hield zich stevig aan Marco vast. Na verschillende bochten, die hun vaart alleen maar versnelden, doken ze met een plons in het water. Hijgend kwam Yvet weer boven, met stralende ogen keek ze Marco aan.

„Het ging eigenlijk fantastisch," bekende ze. „Nooit geweten dat een glijbaan zo leuk kon zijn."

„Zei ik toch? Neem nu maar van mij aan dat ik altijd gelijk heb."

„Opschepper," hoonde Yvet. „Kom op, dan gaan we nog een keer."

Met een lach op zijn gezicht keek Marco hoe ze uitgelaten weer naar de trap rende. Yvet was een fantastische vrouw, bedacht hij. Nooit zeurderig of vervelend en met een groot gevoel voor humor. Hij was volkomen zeker van zijn gevoelens voor haar en bedacht voldaan dat hij het getroffen had. Yvet was voor hem de vrouw van zijn leven.

HOOFDSTUK 8

De laatste avond voor Yvet en Manuela was aangebroken. Huib en Marco hadden hen uitgenodigd voor een etentje in een stad vlak bij het park.

„Aangezien we die hoofdprijs in de trimbingo niet hebben gewonnen, moet het maar zo," had Marco slachtofferig gezegd. Zoals inmiddels gewoonte was geworden liepen ze twee aan twee naar het parkeerterrein, voorbij de receptie.

„Van zo'n auto droom ik nou al jaren," verzuchtte Manuela en ze wees naar een grote, beige wagen in sportmodel. Ze liep ernaar toe om uitvoerig de binnenkant te bewonderen. Yvet ging naast haar staan en ze wezen elkaar op de luxe bekleding en het fraai ogende dashboard.

„Die vrouwen zijn allemaal hetzelfde," mopperde Marco, terwijl hij Huib een knipoog zond.

„Precies," stemde die met hem in. „Als ze een sportwagen zien, zijn ze verloren. Wij zijn meteen niet meer in tel."

Yvet stak haar arm door die van Marco en zei troostend, alsof ze een kind toesprak: „Zoet maar, ik vind jou ook lief. Maar zo'n auto is natuurlijk niet te versmaden," voegde ze daaraan toe.

„Nou, stap dan maar in," reageerde Marco laconiek, terwijl hij een sleutelbos uit zijn zak haalde.

Verbluft staarden Yvet en Manuela hem aan, Huib stond alles op de achtergrond lachend te bekijken.

„Slecht geslaagd grapje," mompelde Yvet ten slotte, maar ze keek toch met een steelse blik naar de auto. Zou hij inderdaad?

Marco nam haar twijfels weg door het portier te openen. „Hij is echt van mij, stap maar in," verzekerde hij nogmaals. Ze lieten het zich niet voor de derde maal zeggen, vlug schoven Yvet en Manuela de auto in.

„Ik ben gewoon beduusd," bekende Yvet. „Dat je dit de hele week voor je hebt kunnen houden. Als ik zo'n wagen bezat, zou ik het van de daken schreeuwen."

Marco verslikte zich van het lachen en op Yvets verontwaardigde blik verklaarde hij: „Ik denk dat je raar had staan kijken. Stel je voor dat ik bij onze kennismaking had gezegd: Hallo, ik ben

Marco Groen en ik heb een sportwagen. Wat zou je dan gedacht hebben?"

„Dat je een onuitstaanbare snob bent," gaf Yvet toe. „Waarschijnlijk hadden we elkaar dan nooit beter leren kennen."

„Dan ben ik blij dat ik niets gezegd heb, hoewel ik best wel trots ben op mijn auto."

„Logisch, je zult er hard genoeg voor gewerkt hebben."

Ineens realiseerde Yvet zich dat ze nog nooit over Marco's werk gesproken hadden. Hij moest toch wel een goede baan of rijke ouders hebben om zich een dergelijke luxe te kunnen veroorloven.

„Allebei," vertelde hij toen ze haar gedachten onder woorden bracht. „Deze auto was een cadeau van mijn niet bepaald onbemiddelde ouders, maar zelf verdien ik ook goed. Ik ben computerprogrammeur en heb een eigen bedrijf. Ik ga het hele land door om bedrijven te helpen met hun systemen en om nieuwe programma's te maken. Omdat ik dus erg veel op de weg zit, wilde ik een goede wagen hebben. Ik moet ook vaak naar het buitenland en dan zit ik uren achter elkaar in de auto, dat lijkt me in een lelijk eendje niet zo comfortabel."

„Dat is geen vergelijking," protesteerde Manuela vanaf de achterbank. „En je hoeft echt geen argumenten aan te voeren, want we begrijpen het zo ook wel."

Marco parkeerde de wagen bij het restaurant en zorgzaam hielp hij Yvet met uitstappen. Met zijn arm om haar heen fluisterde hij: „Zeg eens eerlijk, raak jij nu geïmponeerd door zo'n statussymbool?"

Peinzend keek Yvet nog eens naar het luxe vervoermiddel. „Ik ben er wel een beetje van onder de indruk, zo'n bezit is tenslotte niet niks, maar echt geïmponeerd ben ik niet. Mijn gevoelens voor jou stonden toch al vast, al was je lorrenboer of putjesschepper met een brommer geweest."

Marco's schaterende lach, die Yvet al zo vertrouwd in de oren klonk, daverde over het parkeerterrein. „Lieve schat, wat kun jij de dingen toch heerlijk plastisch uitdrukken."

Ze genoten van het eten en het gezellige samenzijn, al drukte het komende afscheid zwaar op alle vier. Huib en Marco verklaarden allebei dat hun tweede week vakantie vast een stuk minder leuk zou worden dan de eerste en Yvet zag nu al op tegen een week zonder Marco.

De enige die blij was om weer naar huis te gaan was Manuela, hoezeer ze ook genoten had van de vrije dagen. Ze verlangde ernaar Sabrina weer te zien en samen met haar plannen te maken voor de toekomst. Ze was nu volkomen zeker van haar gevoelens en keek vol verwachting uit naar het geluk dat op haar wachtte. Wel vond ze het jammer dat de vriendschap met Huib van zo korte duur was. Hij ging driehonderd kilometer verderop wonen en veel contact zou er niet meer zijn, al had hij beloofd haar op te komen zoeken zodra hij weer in de stad was.

Het was Marco die na het dessert, terwijl ze nog nagenoten van koffie met likeur, zijn glas ophief. „Laten we proosten op de toekomst," stelde hij voor. „We gaan alle vier een andere weg in na deze vakantie. Yvet en ik met elkaar, Manuela met Sabrina en Huib als praktiserend kinderarts. Laten we hopen dat de toekomst datgene brengt wat we nu allemaal verwachten."

Ze beantwoordden alle drie zijn gebaar door ook hun glazen te heffen. Over de tafel heen vonden Yvets ogen die van Marco. Ze wist niet hoe hun relatie zich zou ontwikkelen, maar dat ze van deze man was gaan houden stond voor haar vast.

En nu liep Yvet weer in het gareel. Ondanks het tijdelijke afscheid van Marco was ze dolblij om haar kinderen weer terug te zien. Eens temeer besefte ze dat ze hier thuishoorde, dat het kinderdagverblijf een belangrijk deel van haar leven vertegenwoordigde. De liefde die ze voor Marco voelde, stond daarnaast en niet in de plaats van. Op het moment dat Yvet na haar week afwezigheid weer binnenstapte en de oudere kinderen zich vol enthousiasme op haar stortten, voelde ze zich zielsgelukkig. Zomaar ineens had haar leven een andere wending gekregen. Eerst haar baan, nu Marco. Alles werd haar plotseling in de schoot geworpen, het leek erop dat haar vette jaren waren aangebroken.

Zacht neuriënd bekeek ze de schriften van de kinderen tijdens hun middagslaapje. Er was nog niets veranderd, besefte ze. Beatrice huilde nog steeds, de tweeling Rob en Lies was even druk als voor haar vertrek en Leonies ouders leverden nog steeds een onbeschreven schrift in. Plotseling moest Yvet lachen om haar eigen gedachten. Ze deed nu net of ze twee maanden weg was geweest in plaats van een week. Natuurlijk was alles nog hetzelfde, wat had ze anders verwacht? Alleen haar eigen kijk op het leven was veranderd. Haar werk was nog net zo belangrijk, maar er was iets, of in dit geval iemand, die een minstens even grote plaats in haar leven innam en dat had alles omgegooid. Yvet voelde zich een totaal ander mens door de wending die haar leven plotseling genomen had. En dat terwijl ze Marco pas een week kende. Het was ongelooflijk wat een impact zo'n ontmoeting kon hebben.

Thuis had ze nog niet over Marco gesproken. Yvet vond het een moeilijk onderwerp om ter sprake te brengen. Hun relatie was nog in een te pril stadium om er iets concreets over te zeggen, bovendien liet ze nooit snel het achterste van haar tong zien. Pas na drie dagen kwam ze met haar nieuws op de proppen, tijdens de avondmaaltijd. Geert vertelde dat hij een meisje had leren kennen met wie het klikte en dat vond ze een prima aanleiding om haar mededeling op te laten volgen.

„Ik heb ook iemand leren kennen, tijdens mijn vakantie. Waarschijnlijk komt hij volgende week een keertje langs," zei ze. Dat die afspraak allang vaststond, verzweeg ze. Dat zou haar familie vanzelf wel merken. Eerst maar afwachten of hij inderdaad kwam. Nu Marco niet meer dagelijks in haar buurt was, begon Yvet alweer te twijfelen en ze wilde voor geen prijs nu te enthousiast overkomen om daarna te moeten vertellen dat het toch niets geworden was. Om al deze redenen vertelde ze dan ook alleen het hoogstnodige, op een achteloze toon.

„Te achteloos," plaagde Geert meteen. „Volgens mij betekent die man erg veel voor je." Yvet haalde haar schouders op en wendde haar blozende wangen van hem af, maar even later voelde ze zijn hand op haar schouder. Hartelijk zei hij: „Ik vind het fijn voor je, zus. Misschien kunnen we weleens met zijn vieren uitgaan."

„Als hun relatie tijd van leven heeft," zei Francis daarop hatelijk. „Een vakantieliefde, wat stelt dat nou helemaal voor? Hooguit nog drie ontmoetingen, daarna af en toe een kaartje of een telefoontje en dan is het over."

Haar woorden raakten Yvet pijnlijk. Zie je wel, ze was niet de enige met dergelijke ideeën over dit onderwerp. Ging het in negen van de tien gevallen niet zo? Marco kon wel zo stellig beweren dat hij van haar hield, maar Yvet was er nog helemaal niet van overtuigd dat hun relatie voort zou blijven duren in het dagelijkse leven, zeker niet nu ze hem een aantal dagen niet had gezien. Aan haar gevoelens twijfelde ze niet, het was haar gezonde verstand dat zei dat dergelijke relaties meestal gedoemd zijn te mislukken. Geen werk, geen verplichtingen aan je hoofd, een zorgeloze sfeer, ongewone bezigheden, allemaal ingrediënten die het verliefde gevoel snel aanwakkerden. Maar waren die gevoelens bestand tegen de realiteit?

Yvet reageerde niet op Francis' opmerking, maar haar woorden hadden haar wel, voor de zoveelste maal, aan het denken gezet over dit onderwerp.

Na het avondeten toog Geert naar zijn nieuwe vriendin, Aad en Ellie hadden hun wekelijkse klaverjasavond en Francis ging met een stel collega's naar de bioscoop, zodat Yvet het rijk alleen had. Landerig strekte ze zich languit uit op de bank, onderwijl de tv van het ene naar het andere kanaal overschakelend. Zoveel zenders en niets behoorlijks te zien, mopperde ze in gedachten.

Uiteindelijk bleef ze hangen bij een soapserie, maar haar gedachten gingen alle kanten op behalve naar de personages op het scherm. Geërgerd zette ze het toestel uit. Hè bah, wat was ze in een vervelende, landerige stemming. Kwam dat nou alleen maar door die ongelukkige opmerking van Francis? Ze had een hele gevoelige snaar geraakt, dat wel, maar diep in haar hart wist Yvet wel dat dat niet alles was. Ze had een onbestemd, vaag, angstig voorgevoel. Alsof het pas gevonden geluk ieder moment weer uiteen kon spatten als een zeepbel. Het ene moment was ze zielsgelukkig als ze aan Marco dacht, twee minuten later kreeg ze neigingen om met het servies te gooien. Wat was dat toch, dat rusteloze?

Ze dwong zichzelf aan haar werk en de kinderen te denken. Baby Beatrice huilde nog steeds urenlang hartverscheurend, daar hadden ze nog geen doeltreffende remedie tegen gevonden. En Leonie, dat was een kind waar ze extra aandacht aan moest geven. Ze zou toch nog eens met die moeder proberen te praten.

Op dat punt van haar overpeinzingen ging de telefoon. Zuchtend en mopperend hees Yvet zich overeind, maar haar stemming verbeterde aanzienlijk toen ze Marco's stem herkende. Bij het horen van dat vertrouwde geluid was ze op slag haar gepieker vergeten en veranderde ze weer in een gelukkige, jonge vrouw. „Wat enig dat je belt!" riep ze spontaan uit. In stilte prees ze het feit dat haar familieleden niet thuis waren, zodat ze ongestoord kon praten. „Hoe is het in ons park?"

„Stil en saai zonder jullie. Eigenlijk is er niet veel meer aan," antwoordde Marco.

„Hoe is het mogelijk?" vroeg Yvet zich af. „Ik zou er heel wat voor overhebben om er nog te zijn."

„Zonder mij zou jij je hier ook niet vermaken," meende hij verwaand.

„Zeker weten van wel," kaatste Yvet echter schaamteloos terug. „O Marco, wat hebben we een heerlijke week gehad, hè? En wat jammer dat het voorbij is."

„Er komen nog veel meer heerlijke weken voor ons samen," beloofde hij haar.

Zeker tien minuten lang kletsten ze met elkaar zoals alleen verliefde mensen dat kunnen, daarna kwam Marco met de eigenlijke reden van zijn telefoontje.

„Het spijt me, maar ik heb niet zo'n leuk bericht. Ik kreeg net een dringend telefoontje van één van mijn medewerkers, ik moet vrijdag meteen op pad voor een spoedopdracht. Het gaat om een klant die ik al heel lang probeer binnen te halen en ik kan het me niet veroorloven om ze te laten wachten. Het is in Duitsland en ik ben er, denk ik, een week of twee mee bezig."

„Wat jammer," zei Yvet teleurgesteld. Dit betekende dus dat hun afspraak niet door zou gaan.

„Zodra ik terug ben, kom ik in ieder geval onmiddellijk naar je toe," beloofde Marco. „Geen tien spoedopdrachten kunnen me daar dan nog van weerhouden."

„We zien wel. Ik vind het erg vervelend, maar het zal wel vaker gebeuren dat we elkaar een tijdje niet zien door jouw werk."

„Hè Yvet, doe niet zo akelig koel. Ik vind het ook erg vervelend, dat geloof je toch wel? Het is echt geen smoes van me om je niet te hoeven zien. Ik weet hoe gevoelig je op dit punt bent, maar je moet een beetje meer vertrouwen in me hebben."

Yvet luisterde stil naar hem. Ze wist dat hij gelijk had, maar haar stemmingen waren momenteel erg aan verandering onderhevig. De blijdschap die ze gevoeld had op het moment dat ze Marco's stem hoorde, had plaatsgemaakt voor een doffe teleurstelling. Een klein, irritant stemmetje in haar hoofd dreunde: „Zie je wel. Maak je nu niet te veel illusies. Hij belt nu al af." Ze probeerde er niet aan toe te geven, maar hun gesprek bloedde langzaam dood. Na nog een keer de verzekering gegeven te hebben dat hij van haar hield, verbrak Marco de verbinding.

Landerig liet Yvet zich weer op de bank zakken en ze zat nog net zo toen Francis twintig minuten later binnenkwam.

„Tjonge, je lijkt wel een zoutzak zoals je daar op die bank hangt," was haar begroeting. „Is er iets aan de hand of heb je zomaar een acute aanval van verveling?"

Yvet haalde haar schouders op. „Marco heeft net gebeld dat onze afspraak van volgende week niet door kan gaan."

„Is dat alles? Moet je je daar nu echt zo druk om maken?" Francis schopte haar hooggehakte schoenen uit en wreef met een pijnlijk gezicht over haar enkels. „Ze zijn prachtig, maar mijn voeten worden langzaam om zeep geholpen," mopperde ze. „Meid, meer mannen dan kerken in dit land, hoor. Maak er geen probleem van en ga op zoek naar een ander."

Yvet tikte met haar wijsvinger tegen haar voorhoofd, een veelzeggend gebaar. „Doe niet zo stom. Hij komt wel, alleen een paar weken later. Hij moet weg voor zijn werk."

„Wat doet hij dan voor zijn brood?"

„Hij bezit een eigen computeradviesbedrijf en maakt programma's voor bedrijven."

Yvet vond het prettig om eens ongestoord over Marco te kunnen praten en vertelde uitgebreid alles wat ze van hem wist. De lauwe houding van Francis veranderde in oprechte belangstelling, vooral toen ze hoorde in wat voor auto hij reed. Plotseling wilde ze alles van hem weten en Yvet gaf overal graag antwoord op, blij dat haar zus zo belangstellend reageerde. Over het algemeen toonde Francis niet zoveel interesse in andermans leven, daarvoor had ze het altijd te druk met zichzelf.

„Ben je erg verliefd op hem?" vroeg ze op een gegeven moment achteloos.

Yvet, die nooit snel het achterste van haar tong liet zien en bovendien nog steeds worstelde met de vraag of er een toekomst voor haar en Marco samen was, antwoordde neutraal: „Ach, verliefd... Tijdens de vakantie was het leuk om met hem om te gaan, maar waarschijnlijk valt hij in het echte leven tegen. Je weet dat ik niet zo licht ontvlambaar ben, ik word niet snel verliefd."

Francis zag er bij dit antwoord uit als een poes die een muis te pakken had. Zo te horen zat het niet diep bij Yvet, dus misschien kon zij een kansje wagen als die Marco eens langskwam. Een man met een eigen bedrijf, een riant inkomen en een slagschip van een wagen was precies wat ze zocht. En als Yvet toch niet veel om hem gaf, zou ze haar er niet mee kwetsen als ze al haar charmes in de strijd gooide. In een opperbest humeur liep Francis naar boven, terwijl Yvet nog even bleef zitten. Om kwart over elf kwamen haar ouders thuis.

„Heb je nog wat leuks gedaan vanavond?" informeerde mevrouw Westra.

Voor de tweede maal vertelde Yvet over Marco's telefoontje en het feit dat hun afspraak uitgesteld was.

„Jammer voor je, kind," zei haar moeder welgemeend. „Ik weet hoe je ernaar uitkeek."

„Hoe weet je dat nou? Ik heb er haast niets over gezegd," verwonderde Yvet zich.

„Daarom juist," zei Aad Westra. „Je zei te weinig. Volgens mij heb je het hevig te pakken van die man."

„Verdorie, wat lopen jullie toch allemaal te zeuren vanavond," viel Yvet kribbig uit. „Francis vroeg daar ook al naar. Kan ik niet gewoon met een man omgaan zonder dat iedereen toespelingen maakt op een aanstaande bruiloft?"

Geamuseerd bekeek Aad zijn opstandige dochter. „Wilde je dan beweren dat het niet zo is?"

Kwaad stond Yvet op en met de woorden: „Ik ben op niemand verliefd en ook niet van plan om het te worden!" liep ze de kamer uit, de deur met een klap achter zich dichtgooiend.

„Wat heeft die nu opeens?" vroeg mevrouw Westra verbaasd.

„Ze is verliefd," zei haar man nog eens laconiek. „En ze heeft nu een rothumeur omdat die man volgende week niet komt."

„Het kan natuurlijk aan mij liggen, maar erg verliefderig klonken haar woorden niet."

„Ellie toch," zei Aad bestraffend en hij trok haar liefdevol tegen zich aan. „Ben je je eigen tijd soms vergeten? Natuurlijk wil ze haar gevoelens niet laten blijken. Ik denk dat ze eerst wat zekerder van hem en van zichzelf wil zijn, tenslotte kennen ze elkaar nog maar net. We zullen het vanzelf wel horen als er plannen voor de toekomst zijn."

„Je zult wel gelijk hebben," peinsde Ellie. „Ik vind het anders wel een opgave, hoor, drie kinderen op het liefdespad. Geert heeft nu een vriendin en hem kennende zal dat best serieus zijn, over Yvet maak ik me ook niet al te veel zorgen, maar Francis… Die hang naar luxe van haar kan ik niet begrijpen. Ik ben bang dat zij zich door de verkeerde dingen laat leiden als ze beslissingen voor het leven moet nemen."

„Francis komt er heus wel. Je moet wat meer vertrouwen hebben in onze opvoeding. Bovendien denk ik dat ze in de grond van haar hart toch te verstandig is om al te rare dingen te doen."

Op het moment dat hij die woorden uitsprak, zat Francis in haar eigen kamer toekomstplannen te maken. Die Marco klonk te mooi om waar te zijn, meende ze. Jong, knap en rijk, als ze Yvet mocht geloven. En niet alleen rijk wat betreft zijn eigen bedrijf, maar ook nog eens met een vermogende familie achter zich. Zekerheid voor de toekomst dus, want met een eigen bedrijf wist je het nooit. De kranten stonden af en toe bol van de faillissementen. Nee, deze Marco zou de perfecte kandidaat zijn voor haar, beter dan voor Yvet. Wat heeft zo'n man tenslotte aan al zijn geld als hij geen vrouw naast zich heeft om het uit te geven, bedacht Francis glimlachend in het donker.

Ook Yvet lag nog wakker en haar gedachten cirkelden om dezelfde man. Wat is er met me aan de hand, vroeg ze zich af. Ik hou van Marco en Marco houdt van mij, ik zou de hele dag moeten juichen in plaats van die wisselende stemmingen te hebben. Waarom reageer ik zo raar en zo kribbig op gewone opmerkingen?

Diep in haar hart wist ze het antwoord echter wel. Ze was niet helemaal zeker van die wederzijdse gevoelens. Ze had te lang in de overtuiging geleefd dat een vakantieliefde geen stand kon houden om die mening nu in één keer overboord te zetten. Natuurlijk hielden ze van elkaar, maar voor hoe lang? Tijdens de vakantie was alles zorgeloos, vrolijk en gezellig geweest en zo was ze verliefd op hem geworden. Op een losse, ontspannen manier. Yvet vroeg zich nog steeds af, vooral nu ze Marco een aantal dagen niet had gezien, hoe hun relatie zich in het dagelijkse leven zou ontwikkelen. Marco zou ook weleens chagrijnig zijn of kwaad worden om niets, net zoals zij, maar ze wist niet hoe ze in dergelijke situaties op elkaar zouden reageren, omdat dat in de vakantie nog niet voor was gekomen. Aan de andere kant was Yvet nuchter genoeg om te beseffen dat iedere relatie begon met rozengeur en maneschijn en dat het altijd afwachten was. Het waren vooral haar eigen ideeën over vakantieliefdes die haar dwarszaten.

„De tijd zal het leren," had Marco hierover gezegd en Yvet kon niet anders doen dan deze woorden ter harte nemen. Ze moest in ieder geval proberen die negatieve gedachten niet te laten overheersen. Als ze Marco weer terugzag, moest het met een blij gezicht zijn en niet afgetobd van het piekeren.

Yvet besloot haar beste beentje voor te zetten, niet wetende dat een kamer verderop Francis hetzelfde voornemen had.

Beatrice huilde. Yvet droeg haar regelmatig bij zich in de draag-zak, maar het hielp niets. De baby bleef ontroostbaar, wat ze ook probeerden. Het enige wat nog weleens lukte was haar samen met de even oude Daniëlle op het speelkleed leggen, maar ze konden moeilijk Daniëlle de hele dag wakker houden om Beatrice een plezier te doen. Yvet ging steeds beter begrij-pen dat Daphne, Beatrices moeder, verlangde naar de dagen dat ze moest werken, zodat ze de zorg even uit handen kon geven. Zij, Yvet, werd af en toe ook al wanhopig van het voortdurende gesnik en ze kon toch heel wat verdragen.

Er waren dagen dat het een stuk beter leek te gaan en Beatrice tevreden speelde of sliep, maar vandaag was het weer hopeloos. En het was al drukker dan normaal, omdat één van de peuters, David, vandaag zijn derde verjaardag vierde. De speelzaal was versierd en de mand met snoep stond te wachten op het moment dat er uitgedeeld mocht worden. David maakte de blits met zijn nieuwe, vuurrode brandweerwagen.

Misschien kwam het juist door die extra drukte, peinsde Yvet, terwijl ze de tafels in orde maakte voor het gezamenlijke melk drinken. Baby's voelden stemmingen feilloos aan en Beatrice was misschien zo'n kindje dat bij iedere verandering meteen van slag was. Nou, dan kon ze vandaag haar lol op, want het leek wel of er storm op komst was, gezien het gedrag van de kin-deren. De verjaardag scheen een slechte invloed op ze te heb-ben, ze renden en gilden dat het een lieve lust was.

Nadat de allerkleinsten verzorgd waren en in hun ledikantjes lagen te slapen, zelfs Beatrice, nam iedereen plaats aan tafel voor de verplichte beker melk. David, met feestmuts op, ging trots rond met zijn mand vol kleine reepjes chocola. Een trak-tatie voor de kinderen, want normaal gesproken kwam er geen snoep binnen de muren van het dagverblijf. Alleen met verjaar-dagen werd van die regel afgeweken.

Toen iedereen van het nodige voorzien was, ging ook David zit-ten. Zijn nieuwe brandweerwagen stond pontificaal naast zijn beker en Rob wierp er jaloerse blikken op. Hij had al een paar keer geprobeerd ermee te spelen, maar David bewaakte zijn bezit alsof het een gouden schat betrof. Yvet vroeg zich af hoe dit zou aflopen, want Robbie gaf nooit zo snel op. Algauw begon hij weer.

„Mag ik straks even met jouw wagen spelen?" vroeg hij zeker voor de vijfde keer die dag.

David keek bedenkelijk van het speelgoed naar Yvet, alsof hij hulp van haar kant verwachtte. Het was iedereen duidelijk dat hij dit eigenlijk niet wilde, maar samen spelen en speelgoed delen waren ook vaste regels. „Als ik een stuk van jouw chocola krijg," startte hij de onderhandelingen.

Rob vond deze keus erg moeilijk, zijn blik gleed van de felbegeerde wagen naar de lekkere, zoete reep voor zijn neus. Onverwachts kreeg hij hulp van zijn zusje Lies.

„Is niet eerlijk!" zei ze fel. „Robbie mag daar best mee spelen."

„Maar misschien maakt hij hem wel kapot," voerde David aan, terwijl hij beschermend zijn arm om de brandweerwagen heenlegde.

Rob wachtte gelaten af wie de discussie zou winnen, maar veiligheidshalve liet hij het stukje chocola nog maar even op tafel liggen.

Lies zei pinnig terug: „Als jij Robs snoep opeet, maakt hij hem misschien ook kapot."

Prima argument, bedacht Yvet geamuseerd. Ze zond een knipoog naar Marleen, benieuwd wie er aan het langste eind zou trekken.

David leek even verslagen te zijn, maar niet lang. Terwijl zijn ogen eerst naar het speelgoed dwaalden, daarna naar Lies en toen naar het snoep, riep hij triomfantelijk: „Maar dan heb ik chocola als troost!"

Marleen draaide haar gezicht af, Rosa had plotseling iets op de grond te zoeken en Yvet beet op haar lip om niet in lachen uit te barsten. Het was Leonie die op overtuigende wijze een einde aan de discussie maakte. Ze nam een duik over de tafel, griste het stukje chocola weg en stopte het vliegensvlug in haar mondje. Daarna stak ze tien vingers de lucht in en sprak voldaan: „Da, gloeg gurre," wat Yvet voor zichzelf vertaalde als: „Zo, dat is opgelost."

De reactie op haar daad was oorverdovend. Lies prees haar om haar kordate optreden, Rob brulde om zijn chocola en David deed even hard met hem mee omdat hij zijn onderhandelingen de mist in zag gaan. Gelukkig liet de rust zich vrij snel herstellen door Rob te troosten met een extra mandarijn en het voorlezen van een spannend verhaal.

De hele dag door bleven de kinderen druk en onrustig, wat de leidsters er ook aan deden. Het liep gewoon niet lekker die dag. Voor het eerst sinds ze hier werkte, was Yvet blij toen de klok vijf uur sloeg en de ouders binnen kwamen druppelen om hun kroost op te halen.

„Wat een heksenketel is het hier," zei de eerste moeder die binnenkwam. Het was de jonge Marieke Schaafsma, die alleen voor de opvoeding van dochter Viola stond sinds haar vriend haar in de steek had gelaten vanwege haar zwangerschap.

„Storm op komst," zei Yvet. Ze streek met een vermoeid gebaar over haar voorhoofd.

„Slap excuus," mompelde Marieke zachtjes, terwijl ze de weerstrevende Viola in haar jasje probeerde te hijsen. „Sta nu eens stil, joh, wat heb je vandaag toch? Is er soms iets gebeurd? Vanmorgen was ze niet zo baldadig." Plotseling bezorgd keek ze Yvet aan.

„Nee hoor, het was gewoon druk. We hadden een verjaardag, één van de baby's huilde constant en alles liep niet zoals het hoort. Het was gewoon één van die dagen waarop we eigenlijk allemaal in bed hadden moeten blijven," antwoordde Yvet luchtig. Ze wist hoe overbezorgd deze jonge moeder kon zijn en maakte zich met een smoesje snel uit de voeten. Marieke deed haar uiterste best om een perfecte moeder voor Viola te zijn, juist vanwege alle vooroordelen die er bestaan over jonge en werkende moeders. Ze kon ellenlange discussies voeren over dingen die in haar ogen niet goed waren en Yvet had daar nu geen moed meer voor. Natuurlijk liep niet altijd alles even vlekkeloos en volgens de regels van de theorie, maar dat was nu eenmaal nergens zo. Kinderen waren onvoorspelbaar en konden niet gedrild worden als militairen in oorlogstijd, al probeerde Marieke dat nog zo hard. Ze hield thuis strak de hand aan haar regels, waardoor Viola op het dagverblijf nog weleens uit de band wilde springen.

Yvet hield rekening met de achtergronden van de kinderen en hun ouders en was altijd bereid om over de wederzijdse aanpak te praten, maar niet nu. Niet vandaag, na al die drukte. Bovendien had ze een afspraak met Manuela, die Sabrina officieel aan haar voor wilde stellen en ze had al een week niets van Marco gehoord. Zijn telefoontje waarin hij vertelde dat hij naar Duitsland moest, was het laatste wat ze van hem vernomen had en ze werd steeds onzekerder over hun relatie. Mede daardoor had ze weinig zin in de afspraak met Manuela en Sabrina. Ze kende de vrouw natuurlijk al als gaste van het hotel waar ze gewerkt had, maar niet als partner van haar beste vriendin. Ze zag ertegen op een deel van de avond door te moeten brengen met een verliefd, gelukkig stel, vooral omdat ze Manuela nog steeds niet met een andere vrouw in verband kon brengen. Ze had er meer moeite mee dan ze verwacht had om dit feit te accepteren. In principe had ze niets tegen homoseksualiteit, maar nu het haar vriendin betrof, vond ze het erg vreemd.

Door het raam van het kantoortje zag ze de laatste ouders binnenkomen. Ook de moeder van Leonie, waar ze nog steeds eens mee wilde praten. Het ging niet goed met Leonie. De omgang met andere kinderen deed haar wel goed, maar ze bleef ver achter in ontwikkeling. Volgens Yvet werd er thuis erg weinig aandacht aan het meisje besteed, al knuffelde mevrouw Schoonhoven haar dochter altijd oprecht liefdevol bij het halen en brengen. Yvet waagde zich echter niet meer in de speelruimte tot het laatste kind vertrokken was. Voor een dergelijk gesprek moest ze de tijd hebben en die ontbrak haar op dit moment.

Zodra iedereen vertrokken was, sloot ze af en op haar gemak wandelde ze naar het restaurant waar ze met Manuela had afgesproken. Bij binnenkomst zag ze de twee vrouwen al zitten en een beetje zenuwachtig liep ze ernaartoe.

Manuela stond onmiddellijk op. „Ha Yvet, fijn dat je er bent. Nou eh, dit is dus Sabrina. Jullie hebben elkaar natuurlijk weleens gezien," zei ze schutterig.

„Sterker nog, ik heb haar nog eens laten struikelen in de eetzaal," lachte Sabrina spontaan. Ze schudde Yvet hartelijk de hand. „Nogmaals mijn excuses daarvoor, het ging echt per ongeluk."

„Daar twijfelde ik niet aan, anders had ik Manuela wel voor je gewaarschuwd," lachte Yvet terug.

Het ijs was meteen gebroken en even later zaten ze gezellig te kletsen. Yvet kon merken dat deze twee vrouwen veel om elkaar gaven, al was ze blij dat ze geen openlijke demonstratie van hun liefde tentoonspreidden. Het was vooral merkbaar aan kleine dingen. Manuela's glanzende ogen als ze naar Sabrina keek, een warme glimlach die ze wisselden, enkele subtiele opmerkingen. Dit was echte liefde, wist Yvet. Zo hoorde het te zijn in een relatie, ongeacht of het nu een man en een vrouw, twee mannen of twee vrouwen betrof. Ze had Manuela nog nooit zo zien stralen. Het was voor iedereen duidelijk dat ze gelukkig was en dat was het belangrijkste.

Vanaf dat moment kon Yvet zich ook oprecht verheugen in het geluk van haar vriendin, al kon ze een licht gevoel van jaloezie niet onderdrukken. Manuela had haar bestemming gevonden, daar hoefde ze niet aan te twijfelen. Voortaan zou Sabrina nummer één in haar leven zijn en zij, Yvet, kwam op het tweede plan. Dat was een logische gang van zaken en Yvet zou het ook niet anders gewild hebben, maar toch deed het pijn. Ze waren al zo lang goede vriendinnen, ze hoopte dat hun beider liefdesleven dat niet zou verstoren. Dat was toch altijd maar afwachten. Vrijwel niemand koos er bewust voor om vriendschappen te verbreken bij een nieuwe levensfase, maar in de praktijk gebeurde dat toch vaak. Als zij met Marco verderging, zou ze toch ook minder tijd aan Manuela besteden.

Toen ze anderhalf uur later aanstalten maakte om te vertrekken was ze in ieder geval volkomen verzoend met Manuela's keus. Sabrina was een hartelijke, gezellige vrouw en zij en Manuela pasten goed bij elkaar, voorzover ze dat na zo'n korte tijd kon beoordelen.

„Ga je al?" vroeg Sabrina teleurgesteld. „Het was net zo gezellig."

„Mijn broer komt vanavond zijn nieuwe vriendin thuis voorstellen," vertelde Yvet. „Hem kennende is het serieus en ik wil natuurlijk wel graag weten wie ik als schoonzus krijg."

„Dan hoop ik voor je dat ze meevalt. Tot ziens, Yvet. Ik ben blij dat we elkaar nu hebben leren kennen."

„Ik vond het ook fijn je te ontmoeten, nu kan ik tenminste met Manuela meepraten als ze weer eens haar mond vol heeft over jou," lachte Yvet.

„Poe, alsof ik zoveel klets." Manuela stond eveneens op. „Ik loop even met je mee." In de garderobe keek ze Yvet gespannen aan. „En? Hoe vind je haar?"

„Heel aardig," antwoordde Yvet naar waarheid. „Jullie vormen een leuk stel samen."

„Ik ben blij dat je dat zegt. Onbewust ben ik toch al die tijd bang geweest dat mijn andere geaardheid een wig tussen ons zou drijven. Ik zag erg tegen jullie ontmoeting op."

„Ik zelf ook," bekende Yvet eerlijk. „Maar ik vind haar echt aardig. Het maakt ook helemaal niet uit hoe jij je leven inricht. Je bent gelukkig en daar gaat het om."

„Dat ben ik zeker." In een warm, vriendschappelijk gebaar omhelsde Manuela haar. „Als jij en Marco half zo gelukkig worden als Sabrina en ik, dan mag je al niet klagen."

Yvets gezicht versomberde. „Had ik voorlopig maar zekerheid voor de helft. Sinds hij in Duitsland zit, heb ik niets meer van hem gehoord."

„Twijfel je aan je gevoelens?" vroeg Manuela zacht.

„Aan de mijne niet, wel aan die van hem. Ik weet niet. Ik geloof best dat hij van me houdt, maar ergens heb ik het gevoel dat het niet lang duurt. Er is iets dat me beklemt, iets…" Ze vocht ineens tegen haar tranen en kon zelf niet verklaren waarom. Ze had constant zo'n angstig voorgevoel als ze aan Marco dacht.

„Waarom maak je je nou zo druk? Voorgevoelens of niet, je moet het toch op zijn beloop laten en afwachten wat ervan komt. Je zit je nu zenuwachtig te maken voor iets wat misschien nooit of pas in de verre toekomst gaat gebeuren. Daar help je niemand mee, het kost je alleen je eigen gezondheid. Leef bij de dag en pieker niet te veel, daar word je alleen maar bleek en rimpelig van." Manuela ratelde expres een beetje door om Yvet de gelegenheid te geven weer wat tot zichzelf te komen en die schonk haar nu een waterig glimlachje.

„Ik weet het, dat vertel ik mezelf ook steeds. Meestal lukt het ook wel, maar op sommige momenten vliegt het me ineens aan, zoals nu. Ik denk dat het komt omdat ik jou en Sabrina samen heb gezien. Ik ben gewoon jaloers op jullie geluk," bekende Yvet.

„Ik ben er zeker van dat dat voor jou ook is weggelegd," zei Manuela beslist. „Als Marco maar eenmaal weer bij je is, zul je zien dat je er heel anders over gaat denken."

„Ik hoop het. Nou meid, ik ga er vandoor, op naar de volgende ontmoeting. Het is wel raak vanavond. Ga jij nou gauw terug naar Sabrina, want die weet niet waar je blijft. Dadelijk denkt ze nog dat je er met mij vandoor bent gegaan."

„Ach, een beetje jaloezie houdt de relatie levendig," grinnikte Manuela.

Het begon zachtjes te regenen toen Yvet diep in gedachten naar huis liep, maar ze merkte het niet eens. Af en toe begreep ze niets van zichzelf. Al dat gepieker de laatste tijd maakte haar er in ieder geval niet vrolijker op. En waarom eigenlijk? Ze had een baan waar ze met hart en ziel bij betrokken was, een liefhebbende familie, fijne vrienden en last but not least had ze de man van haar dromen gevonden. En in plaats van doorlopend te juichen van geluk, maakte ze zichzelf gek met zinloos gepieker, alleen maar vanwege een paar vage voorgevoelens. Er was geen enkele concrete aanwijzing dat de relatie tussen Marco en haar gedoemd was te mislukken.

Het werd hoog tijd dat hij terugkwam, bedacht ze. In zijn aanwezigheid zouden die spookgedachten waarschijnlijk wel verdwijnen. Het kwam gewoon omdat Marco nog geen realiteit was in haar dagelijkse leven. Hij wist niet hoe ze woonde, hoe haar kamer eruitzag, hoe haar familie in elkaar stak en meer van dat soort dingen. Ze kende hem alleen van de vakantie en daarna had ze haar gewone leven weer opgepakt zonder dat hij in de buurt was. Eigenlijk was het niet zo vreemd dat ze twijfelde, ze hinkte tussen twee werelden heen en weer. Als hij terug was uit Duitsland en deel uit ging maken van haar leven hier, en andersom zij ook van zijn leven, zou ze deze periode zo vergeten zijn. Even doorbijten, over een maand ziet alles er heel anders uit, niet meer zo onwerkelijk, sprak Yvet zichzelf in gedachten moed in. Aldus gesterkt arriveerde ze even later bij haar ouderlijk huis, waar het volgende verliefde paar zat te wachten. Het leek wel een virus, dacht ze met een vleug wrange humor.

Manuela en Sabrina, Geert met zijn meisje, Marleen liep ook al te stralen van verliefdheid en zij... Had zij Marco? Ja, zij had Marco, ze hield van hem en ze was er gelukkig mee dat ze hem had leren kennen. En nu verder geen gezeur, hield ze zichzelf voor.

Met haar hoofd omhoog en een innemende glimlach op haar gezicht liep Yvet de huiskamer in, op weg naar de volgende confrontatie met twee verliefde mensen.

Anderhalve week was hij nu al weg en nog steeds geen enkel levensteken. Was Marco echt van plan niets te laten horen tot hij weer terug in Nederland was? Yvet zou dat op zich niet eens zo heel erg vinden, als ze het dan van tevoren maar geweten had. Eerlijk gezegd had ze niet zoveel behoefte aan liefdevolle telefoontjes met een meeluisterende familie op de achtergrond en Marco had dat waarschijnlijk wel begrepen, maar een brief of een kaartje was toch wel het minste wat ze verwacht had. Misschien was hij zo druk met die opdracht bezig dat hij helemaal niet meer aan Nederland en de mensen daar dacht. Je had van die mensen. Die waren zo vol van hun werk dat er geen ruimte meer in hun hoofd was voor iets anders. Er waren tientallen redenen te bedenken waarom ze niets van Marco hoorde en Yvet somde ze in gedachten allemaal op, behalve de ene reden die ze vreesde: dat Marco haar niet meer wilde zien. Ze wilde niet denken dat ze alleen maar een vluchtig vakantievriendinnetje was geweest en verder niets, er gingen al te veel negatieve gedachten door haar hoofd.

Ondanks haar afwisselende baan, waar Yvet zich vol overgave op stortte, kropen de dagen momenteel om. Ze leefde in voortdurende onzekerheid, al deed ze nog zo haar best de moed erin te houden. Nog een dag of vier, vijf en dan wist ze tenminste iets. Marco had tenslotte beloofd om direct naar haar toe te komen, dus als die termijn van twee weken om was en hij kwam niet, dan wist ze waar ze aan toe was. Maar natuurlijk zou hij wel komen.

Yvets gedachten gingen terug naar de vakantie. Die heerlijke zorgeloze dagen waarin ze in sneltreinvaart verliefd op elkaar geworden waren. Zoals ze Marco daar had leren kennen, kon ze zich niet voorstellen dat hij hun relatie zonder meer zou laten doodbloeden door simpelweg niets meer te laten horen. Waarom dan toch dat knagende angstgevoel?

Het gerinkel van de telefoon haalde haar uit haar gedachten en met wild bonzend hart strekte Yvet haar hand naar het toestel uit. Zou het? Het was inderdaad Marco die zich meldde. Ondanks dat de lijn ontzettend kraakte en piepte en ze hem amper kon verstaan, kon Yvet een juichkreet niet onderdrukken.

„Wat fijn dat je belt!" riep ze hard in de hoorn, alsof dat zou helpen. „Ik vroeg me al af waarom ik niets van je hoorde."

„Ik wou niet te vaak bellen, want ik weet niet wat je je familie verteld hebt," antwoordde Marco. Een hevig gekraak onderbrak zijn verhaal en geschrokken hield Yvet de hoorn wat van haar hoofd af. Op deze manier zou het niet bepaald een romantisch gesprek worden, dacht ze met haar oude, vertrouwde gevoel voor humor. Marco vertelde nog meer, maar ze verstond alleen de woorden: „Brief, maandag en thuis," duidelijk.

Ze hield het er maar op dat hij geschreven had en dat hij maandag thuiskwam. Ondanks het teleurstellende van de slechte verbinding, voelde ze zich toch meteen een stuk beter. Maandag kwam hij thuis. Nu was het donderdag, dus nog drie dagen en dan zag ze hem weer. Nou ja, waarschijnlijk vier, want hij moest natuurlijk ook nog naar zijn eigen huis.

Zingend liep ze naar haar eigen kamer, de vragende gezichten van haar ouders, die niets van het onsamenhangende telefoontje hadden begrepen, negerend. Ze had nu geen zin om tekst en uitleg te geven en gelukkig waren haar ouders mensen die daar begrip voor op konden brengen. Ze respecteerden de privacy van hun volwassen kinderen. Het was maar goed dat Geert en Francis niet thuis waren, want die waren niet zo bescheiden. Yvet wist zeker dat die haar met vragen zouden hebben bestookt als ze het telefoontje hadden gehoord.

Met een gelukzalig gevoel strekte Yvet zich languit op haar bed. Marco had gebeld! Op slag had ze weer vertrouwen in de toekomst en ze maakte plannen over van alles wat ze konden gaan doen na zijn thuiskomst. Allereerst zou hij natuurlijk langskomen om haar familie te leren kennen. In het park had hij al gezegd dat hij erg benieuwd naar ze was.

Het drong tot Yvet door dat Marco nog niet op de hoogte was van Francis' bestaan. Tenminste, ze had wel gesproken over 'mijn broer en mijn zus' maar niet verteld dat ze de helft van een identieke tweeling was. Hij zou er wel van opkijken dat er een dubbel exemplaar van zijn uitverkorene rondliep!

Met een glimlach om haar lippen viel Yvet in slaap.

Met een harde klap gooide Marco Groen het portier van zijn auto dicht. Eindelijk, hij was weer thuis. Hij had een zenuwslopende rit achter de rug om toch maar zo snel mogelijk zijn woonplaats te bereiken, maar met een spijtige blik op zijn horloge constateerde hij dat hij zich de moeite had kunnen besparen. Het was nu toch al te laat om naar Yvet toe te gaan of om haar te bellen. Hij veronderstelde terecht dat de familie Westra zou schrikken als 's avonds om tien voor twaalf de telefoon ging, al was het dan zaterdagavond en zouden ze waarschijnlijk nog wel wakker zijn.

Enfin, morgen zou hij haar weerzien, toch een dag eerder dan gepland. Marco had hard gewerkt om zo snel mogelijk terug te kunnen keren, in de hoop het weekend nog met Yvet door te brengen voor er weer een lange werkweek zou beginnen.

Yvet... Wat verlangde hij naar haar! Hij had op slag zijn hart verloren aan de eenvoudige, jonge vrouw die zo vol vuur over haar werk kon vertellen. Dat waren eigenschappen die hij altijd gezocht had in een vrouw. Uiterlijk kwam voor hem op de laatste plaats, al was het meegenomen dat Yvet er leuk uitzag. Niet bijzonder knap en gelukkig ook niet behangen met dure sieraden of volgesmeerd met dikke lagen make-up, maar gewoon leuk met haar losse, lange blonde haar en sprekende, groene ogen. Marco hield van sportieve types die zich goed verzorgden zonder zich druk te maken om een haar die verkeerd zat of een glimmende neus en daarmee had hij in Yvet precies de goede persoon gevonden. In gedachten zag hij steeds haar lieve gezicht voor zich en de warme blik waarmee ze hem aan kon kijken.

Het liefst zou hij de volgende ochtend om zeven uur al op haar stoep staan, maar dat kon hij natuurlijk niet maken. Met moeite bedwong hij de neiging om te bellen, want nu hij toch hier was, wilde hij er een complete verrassing van maken door onverwachts voor de deur te staan. In tegenstelling tot Yvet werd Marco totaal niet gekweld door tegenstrijdige gevoelens of angst voor de toekomst. Integendeel, hij verlangde er alleen maar naar om Yvet in zijn armen te nemen en samen met haar aan de rest van hun leven te beginnen. Yvet was dé vrouw voor hem, daar was hij van overtuigd.

Hij hypnotiseerde de klok gewoon en eindelijk werd het tien uur, de tijd die hij zichzelf gesteld had. Op zondag kon hij met goed fatsoen niet eerder aankomen. Het was rustig in de stad en klokslag halfelf parkeerde Marco de auto voor de deur. Verwachtingsvol belde hij aan, in de hoop dat Yvet zelf de deur open zou doen. Hij wilde zo graag de verbazing en de blijdschap op haar gezicht zien.

„Wij gaan er zo vandoor," had Ellie Westra een uur eerder aangekondigd. „Zullen jullie geen ruzie maken?" voegde ze plagend aan haar woorden toe. Het was haar standaardzin van vroeger, toen de tweeling in de puberteit was en ze weleens met zijn tweeën thuisbleven.

„Nee mammie," beloofde Yvet zoet. Ze gaf haar ouders allebei een zoen. „Doe tante Mia en oom Wim de groeten van me en geniet maar van jullie dagje uit."

„Halve dag," verbeterde haar vader. „We zijn om een uur of drie terug en eten gewoon thuis. Hebben jullie nog plannen?"

„Ik in ieder geval niet," antwoordde Yvet.

Francis haalde haar schouders op. „Misschien. Ik heb met niemand wat afgesproken, maar je weet nooit. Ik zie wel."

„Nou, dan merken we wel of je wel of niet thuis bent. Als jullie je vervelen, mogen jullie de zolder voor me opruimen," lachte Ellie.

Yvet ging meteen serieus op dit grapje in. „Hè ja. Ik liep me toch al af te vragen wat ik eens zou gaan doen en ik heb echt zin in zo'n uitdagende klus. Moeten er ook spullen weg of moet hij alleen opgeruimd en schoongemaakt worden?"

„Alles wat bruikbaar is maar waar we niets meer mee doen kun je apart zetten voor Geerts volgende rommelmarkt. Hij zou het zelf uitzoeken, maar nu hij Gerda heeft leren kennen heeft hij natuurlijk wel wat beters te doen."

„En geef hem eens ongelijk," grinnikte Yvet. Ze zag niet tegen de klus op, maar als ze de keus had, zat ze ook liever met Marco in een hotel in de Ardennen, net zoals Geert en Gerda dit weekend. Vol goede moed beklom ze de twee trappen, beladen met een emmer en sopdoeken. Heerlijk, zo'n karwei waarbij ze haar handen moest gebruiken en haar gedachten haar gang kon laten gaan. Dit was precies wat ze nodig had de laatste dag voor Marco's thuiskomst. Ze voelde een vage hoop dat hij eerder klaar zou zijn met zijn werk en misschien straks al voor de deur zou staan, daarom wilde ze vandaag het liefst thuisblijven. Om doelloos uit het raam te gaan zitten staren omdat ze zich toch nergens op kon concentreren, was echter ook niet zo aanlokkelijk, dus dit was een welkome afleiding.

Francis was met een kop koffie en een tijdschrift lui op de bank gekropen en ze stond een beetje geïrriteerd op toen om halfelf de bel klonk. Ze opende de deur en keek verbaasd naar de lange, knappe man die haar zo verwachtingsvol aankeek. Op hetzelfde moment viel haar oog op de sportwagen die langs de stoeprand stond en ze begreep meteen wie dit moest zijn.

„Marco?" vroeg ze aarzelend.

„Inderdaad. Vind je dit geen heerlijke verrassing?" zei hij stralend. Hij had een spontanere en enthousiastere reactie verwacht, maar begreep dat ze overrompeld was door zijn onverwachte komst.

„Ja eh… zeker. Ik, we hadden je nog niet verwacht," stotterde Francis.

Ze wilde zich omdraaien om Yvet te roepen, maar voor ze daar de kans voor kreeg, had Marco zijn armen al om haar heengeslagen en drukte hij zijn lippen vol op die van haar. Francis wilde protesteren en zich losrukken, maar plotseling begreep ze wat er aan de hand was. Marco wist blijkbaar niets van hun identieke uiterlijk af en dacht dat hij Yvet voor zich had. Bliksemsnel dacht Francis na. Tenslotte had Yvet gezegd dat ze niet verliefd op Marco was, dus waarom zou ze niet? De kans was gewoon te mooi om te laten lopen. In enkele seconden raasden de gedachten door haar hoofd. Na een paar dagen in haar gezelschap zou hij misschien tot de ontdekking komen dat hij liever deze zus had dan de andere. Het was in ieder geval de moeite van het proberen waard.

Zogenaamd spontaan sloeg Francis haar armen om Marco's hals en fluisterde: „O Marco, wat heerlijk dat je er al bent. Ik dacht net even dat ik droomde toen ik je zo plotseling zag staan. Maar

wat een goed idee van jou om onaangekondigd te komen."
Eindelijk dan de reactie waarop Marco gehoopt had. Het werd hem warm om het hart en zijn armen sloten zich nog wat vaster om haar heen.

„Geef me gauw nog een zoen voor we naar binnen gaan om je familie te ontmoeten," stelde hij lachend voor.

„Mijn familie? O… eh, die zijn er niet. Ik ga liever ergens anders heen met je voor ze terugkomen. Ik wil je voor mezelf alleen hebben, je kunt ze altijd nog ontmoeten. Even een jas pakken."

Haastig liep Francis naar binnen om haar jas en handtas te pakken en met gemengde gevoelens keek Marco haar na. Wat was er met zijn Yvet aan de hand? Dat ze hem niet meteen de eerste seconde om de nek was gevallen kon hij nog wel begrijpen, maar toch… Ze was anders dan hij zich haar herinnerde. Alleen de kleren die ze droeg al. Hoewel, zo vreemd was dat natuurlijk niet. Het chique pakje met hooggehakte schoenen dat ze vandaag droeg, was niet bepaald een geschikte vakantie-outfit, zeker niet als je veel wandelde en sportte. Het was niet gek dat ze dit soort kleding niet bij zich had gehad, hij droeg die dagen tenslotte ook geen nette broeken, colberts en stropdassen.

Toch kwam haar hele verschijning hem vreemd voor. Hij vond Yvet helemaal geen type voor dit soort kleren, maar dat zei natuurlijk ook niet alles. Zo goed kenden ze elkaar tenslotte nog niet.

Op dat moment kwam Francis weer aanlopen en ze schonk hem een stralende lach, die al zijn twijfels deed verdwijnen. Galant hielp hij haar met instappen en Francis slaakte een diepe zucht toen ze de straat uitreden. Gelukkig, het gevaar dat Yvet plotseling naar beneden zou komen was geweken. Ze stond er liever nog maar niet bij stil hoe dit verder moest. Op een gegeven moment moesten Marco en Yvet er natuurlijk wel achterkomen, maar ze hoopte dat Marco dan zo van haar onder de indruk zou zijn dat hij haar niet meer wilde laten gaan. Ze had haar besluit in een opwelling genomen, nu wilde ze niet opeens terugkrabbelen. Ze had haar zinnen gezet op een interessante, jonge man met een hoog inkomen en zo'n persoon zat nu naast haar, het was zaak om dit door te zetten zonder te diep na te denken.

„Waar ben je met je gedachten?" vroeg Marco met een zijdelingse blik op haar gezicht.

„Bij jou," antwoordde Francis onmiddellijk. „Ik kan gewoon nog niet geloven dat je bij me bent en naast me zit. Waar gaan we eigenlijk heen?"

„Dat weet ik niet. Ik heb nog geen kans gehad om daarover na te denken. Heb je zin om een stuk te wandelen? Hoewel, met de schoenen die je aan hebt, is dat niet zo'n goed idee," corrigeerde Marco zichzelf. „Ik weet wel ergens een leuk en rustig restaurant, dan kunnen we wat drinken en een beetje bijpraten. Oké?"

„Prima. Als ze een beschut terras hebben, kunnen we misschien buiten zitten."

Francis zakte nog wat dieper in de kussens weg en genoot van het ritje in deze luxe wagen. Ze had wijselijk niets over het model of het interieur gezegd, hoewel ze diep onder de indruk was. Maar ze moest nu eenmaal voor Yvet doorgaan en die wist allang wat voor auto hij had. Bovendien was Yvet niet iemand die een dergelijke luxe belangrijk vond of erdoor geïmponeerd raakte.

Marco had echter een begerige blik in Francis' ogen gezien en die zette hem aan het denken. Verbeeldde hij het zich of was Yvet anders dan tijdens de vakantie? Of, wat natuurlijk meer voor de hand lag, was zij zo iemand die zich tijdens vakanties heel anders gedroeg dan in het gewone leven? Er waren meer mensen die van persoonlijkheid wisselden als van een stel kleren op het moment dat de vrije dagen aanbraken. Marco kwam er niet uit, maar hij had het gevoel of er een vreemde naast hem zat. Verstandelijk was het niet te beredeneren, maar gevoelsmatig wist hij dat er iets niet klopte. Er was af en toe een leemte in het gesprek, een zoeken naar woorden dat tussen hen nog niet eerder voorgekomen was. In de korte tijd die ze elkaar kenden, hadden ze vlot en makkelijk met elkaar kunnen praten en als ze niets zeiden, was het een ontspannen stilte geweest met een gevoel van saamhorigheid. Een gevoel dat Marco nu miste.

Hij merkte dat de vrouw naast hem erg gespannen was en plotseling werd hij bang. Haar vreemde reactie toen ze hem onverwachts zag, het feit dat ze hem niet binnenvroeg op zo'n manier dat het leek of ze ergens bang voor was en nu die gespannen houding weer, alles bij elkaar deed het hem denken dat ze helemaal niet blij was met hun weerzien. Hij begon zelfs te vermoeden dat er een andere man in het spel was. Waarom deed ze anders zo schichtig bij haar thuis? Het leek een logische verklaring, toch wilde hij er niet aan. Als het zo was, had ze toch niet ingestemd met een vervolg van hun relatie, dacht hij zo. Of zou ze een ander ontmoet hebben tijdens zijn verblijf in Duitsland? Het was niet waarschijnlijk in die korte periode, maar de mogelijkheid was ook niet uit te sluiten. Yvet kon natuurlijk ook nog tot de ontdekking gekomen zijn dat hij niet meer voor haar betekende dan een voorbijgaande vakantieliefde. Tenslotte had ze zoiets al gezegd in dat bungalowpark, maar hij meende dat hun gevoelens sterker waren. Die van hem in ieder geval wel.

De angst voor haar antwoord sloeg Marco om het hart, maar hij moest weten waar hij aan toe was, dus besloot hij het haar recht op de man af te vragen. Zodra ze op het rustige terras geïnstalleerd waren, begon hij erover.

„Misschien vergis ik me," zei hij, naar de juiste woorden zoekend, „maar eigenlijk heb ik de indruk dat je niet zo blij bent om me te zien. Als je soms van gedachten bent veranderd wat betreft onze relatie, dan heb ik liever dat je het meteen eerlijk zegt. Ik kan wel tegen een stootje, beter dan tegen onzekerheid."

Hij vond het zelf nogal cru klinken, maar hij wilde het liever meteen uitpraten. Zijn gevoel bedroog hem zelden en hij wilde haar niet dwingen de dag in zijn gezelschap door te brengen als ze liever bij iemand anders was. Hoe moeilijk ook, als Yvet inderdaad een punt achter hun relatie wilde zetten kon hij niet anders doen dan dat respecteren.

Er viel een korte stilte tussen hen, die opgevuld werd omdat een serveerster kwam vragen wat ze wilden gebruiken. Francis was blij met deze onderbreking, het gaf haar de kans om haar antwoord te formuleren. Uit Marco's woorden begreep ze dat er wel degelijk veel meer speelde tussen hem en Yvet dan alleen vriendschap, maar ze was te ver gegaan om nu ineens met de waarheid boven tafel te komen. Dat wilde ze ook niet, deze kans was haar zomaar in de schoot geworpen en nu zou ze hem benutten ook. Ze zou de waarheid pas vertellen als Marco ervan overtuigd was dat hij niet meer zonder haar verder wilde. Als ze zich nu terugtrok, zou alles al bij voorbaat verkeken zijn, wist Francis. Ze dacht koortsachtig na en gaf hem pas antwoord nadat de serveerster de twee koppen koffie die hij besteld had, op hun tafeltje had gezet.

„Het spijt me," zei ze zacht. „Ik voel me niet zo goed vandaag, waarschijnlijk heb ik een griepje onder de leden. Het is een ontzettend drukke week geweest en dat voel je pas echt goed op je vrije dagen."

„Dat vind ik vervelend voor je, maar het verklaart niet alles." Marco boog zich voorover en keek haar dringend aan, hopend een sprankje van de oude Yvet in haar ogen te zien.

„Er… eh, er zijn problemen thuis," vertelde Francis moeizaam. „Ik praat er liever niet over, maar één van mijn familieleden zit nogal in de narigheid en daardoor zijn we allemaal van slag. Sorry, ik wil je er niet mee belasten en zal proberen wat gezelliger te doen, voordat je spijt krijgt dat je meteen naar me toegekomen bent."

Ze schonk hem een moedige glimlach en Marco voelde zich schuldig om zijn gedachten van even daarvoor. Hoe had hij zoiets kunnen denken van Yvet? Ze zat thuis in de zorgen, deed haar best om het voor hem desondanks toch gezellig te maken en hij dacht zoiets!

„Wil je er niet over praten?" stelde hij voor. „Je hoeft het niet te laten omwille van mij, je weet dat je me kunt vertrouwen en misschien lucht het je op."

Francis schudde haar hoofd. „Ik ben juist blij dat ik er even uit ben en afleiding heb. Trouwens, al zou ik het willen vertellen, dan kan ik dat nog niet doen. Het is een privézaak. De persoon waar het om gaat, wil liever niet dat anderen het te weten komen."

Marco zweeg. Hij wist niet goed wat hij hiermee aan moest, dat was duidelijk van zijn gezicht af te lezen. Hij hield van Yvet, dat maakte hem toch de aangewezen persoon om haar moeilijkheden mee te bespreken? Aan de andere kant, ze had niet het recht om zonder meer uit de school te klappen als diegene waar het om ging dat niet goedvond, moest hij na even rustig nadenken toegeven. Dat nam niet weg dat hij er danig mee in zijn maag zat.

„Heeft het niets met jou persoonlijk te maken?" wilde hij weten.

„Echt niet," antwoordde Francis vol overtuiging. Ze kreeg ineens een geweldig idee. „Alleen staat wel ons hele gezin op zijn kop en daarom wil ik je om een gunst vragen." Ze legde haar hand op zijn arm en boog zich over het tafeltje heen naar hem toe. „We hebben nu allemaal zoveel aan ons hoofd, daar kan eigenlijk niets meer bij. Als jij het niet erg vindt, wil ik onze relatie voorlopig graag geheim houden."

Ze vond dit een slimme zet van zichzelf. Ieder trekje in haar gedrag dat Marco vreemd voorkwam, kon ze verklaren door haar zogenaamde problemen en door geheimhouding af te dwingen hoefde ze geen smoesjes te verzinnen om hem niet thuis uit te nodigen.

Marco voelde er in eerste instantie niets voor, maar hij zwichtte bij het zien van het verdrietige gezicht tegenover hem. Hij was benieuwd naar wat er allemaal aan de hand was, maar wilde Yvet niet in verlegenheid brengen door er rechtstreeks naar te vragen. Hij wilde niets liever dan haar helpen en als dat alleen op deze manier kon, dan moest dat maar, hoewel het hem tegen de borst stuitte. Hij hield nu eenmaal niet van geheimzinnig gedoe, bovendien mocht wat hem betreft de hele wereld weten hoe het met zijn gevoelens gesteld was. Maar Yvets belangen gingen nu voor, ongeacht van welke aard haar moeilijkheden waren.

„Oké dan," gaf hij toe. „Maar niet langer dan strikt noodzakelijk."

Francis schonk hem een dankbare glimlach en dat verzoende hem alweer met heel deze vreemde toestand. Wat maakte het ook eigenlijk uit, als ze maar samen konden zijn. Hij had te lang en te hevig naar deze dag verlangd om hem te laten verpesten. Als Yvet nog maar van hem hield, dan kwam uiteindelijk alles wel goed.

„Hoe is je opdracht verlopen?" vroeg Francis. Eigenlijk had ze daar totaal geen belangstelling voor, maar het was zaak om het gesprek nu in veiliger banen te leiden. Marco dacht dat ze liever niet meer over haar problemen wilde praten en ging direct op haar vraag in.

Al met al werd het geen ongezellige middag, maar hij had een onbevredigd gevoel toen hij haar, op Francis' uitdrukkelijke verzoek, een paar straten van haar huis vandaan afzette. Oorspronkelijk was Marco van plan geweest om Yvet mee uit eten te nemen en de dag zo lang mogelijk te rekken, maar daar was de lust hem toe vergaan. De dag was in ieder geval niet zo verlopen als hij zich voorgesteld had en met een bitter smaakje in zijn mond zette hij koers richting zijn eigen huis.

Wat was er met Yvet aan de hand?

Zo, dat was klaar. Met een voldaan gevoel keek Yvet rond op de nu schone en opgeruimde zolder. Ze had haar dag in ieder geval goed besteed, al was hij dan anders gelopen dan ze stiekem gehoopt had. Marco was niet onverwachts op komen dagen en hij had ook niet gebeld, dus haar voorgevoelens hadden haar bedrogen. Eigenlijk vond ze dat niet eens zo erg, want het betekende dat haar negatieve voorgevoelens van de afgelopen weken ook onzin waren. Ze moest maar gewoon leven bij de realiteit van alledag, dat was het beste. Morgen of overmorgen zag ze Marco weer, het begon lekker op te schieten.

Ze liep de huiskamer in, waar haar ouders over een legpuzzel gebogen zaten en drentelde een beetje onrustig heen en weer.

„Wil je thee?" vroeg haar moeder, terwijl ze de theewagen naar zich toetrok.

Yvet nam het kopje aan en ging er bijzitten. „Wat is dit voor puzzel?" Zonder veel belangstelling bekeek ze de afbeelding op het deksel van de doos. Het bleek een puzzel te zijn van twee enorme tijgerkoppen en ze vroeg zich af waar haar ouders het geduld vandaan haalden. Voor haar waren al die tweeduizend stukjes hetzelfde. Niettemin probeerde ze zonder resultaat een aantal stukjes aan te leggen. Daarna pakte ze een tijdschrift, bladerde het lusteloos door en ten slotte stond ze op om voor het raam naar buiten te kijken.

„Kind, wat ben je rusteloos vandaag. Is er soms iets?" vroeg haar moeder.

„Ach, nee, ik weet het zelf eigenlijk niet. Ik kan mijn ei niet kwijt vandaag. Waar is Francis heen?"

„Geen idee." Aad Westra bekeek aandachtig een paar stukjes van de puzzel en vervolgde: „Toen wij thuiskwamen, was ze weg, maar er lag geen briefje. Heeft ze tegen jou niets gezegd dan?"

„Nee. Ik kwam op een gegeven moment naar beneden voor een kop koffie en toen was de vogel gevlogen."

„Dan zal ze zo wel komen of bellen."

„Wat eten we eigenlijk?"

„Nou, het was de bedoeling dat ik macaroni zou maken." Ellie keek haar man aan en ze schoten samen in de lach. „Maar je weet hoe dat gaat als we eenmaal aan een puzzel zitten, dan kunnen we er niet meer mee ophouden."

„Ik haal straks wel wat bij de Chinees, dan kun je nog even doorgaan," beloofde Aad.

Yvet veerde op. „Laat mij die macaroni maar klaarmaken, dan heb ik wat te doen." In de beslotenheid van de keuken sprak ze zichzelf eens streng toe. „Doe gewoon en jaag je familie niet op stang door dat rusteloze gedrag, dat lost niets op. Als Marco thuis is, belt hij vanzelf wel."

Toch wat opgeknapt door deze alleenspraak pakte ze de champignons, de uien, het vlees en alle andere ingrediënten voor de avondmaaltijd. De familie Westra hield van een goed gevulde macaronischotel, dus het was een hele uitstalling. Opgewekt toog Yvet aan de slag, blij dat ze wat om handen had. Op dat moment kwam Francis de voordeur in en ze stak haar hoofd om de keukendeur in de verwachting haar moeder daar aan te treffen.

„O, ben jij het?" schrok ze. „Waar is mam?"

„In de kamer, aan het puzzelen," vertelde Yvet. „Daarom heb ik me maar op het klaarmaken van het avondeten gestort, want je weet hoe…"

Francis gooide de deur echter alweer dicht voor Yvet haar zin af kon maken. Nou ja, dan niet. Laconiek haalde Yvet haar schouders op, ondertussen toch piekerend over het gedrag van haar zus. Het leek wel of ze geschrokken was toen ze haar hier aantrof in plaats van hun moeder. En ze had er beslist schuldig uitgezien.

Door dit kleine voorval was haar humeur gelijk weer enkele graden gedaald en zonder veel animo maakte Yvet de macaroni af. De maaltijd verliep stilletjes. Yvet en Francis zaten allebei met hun gedachten bij Marco, zonder het van elkaar te weten.

Francis worstelde met een mengeling van gevoelens. Aan de ene kant voelde ze zich voldaan over de afgelopen middag, aan de andere kant was er het schuldgevoel tegenover Yvet. Ze had eerlijk niet geweten dat hun relatie al zo ver gevorderd was, anders had deze ingewikkelde situatie waarschijnlijk niet bestaan. Nu de zaken echter toch zo lagen, besloot Francis het voorlopig zo te houden, al zou het haar misschien meer moeite kosten dan ze had verwacht. Vanmiddag had alles zo simpel geleken, maar nu ze met Yvet in één kamer vertoefde, werd het moeilijker.

Yvet was teleurgesteld over de zondag, die al bijna voorbij was. Meer om de stilte te verbreken dan uit belangstelling vroeg ze aan Francis: „Hoe was jouw uitstapje vandaag? Ben je met een leuke man weggeweest?"

Verschrikt keek Francis op. „Hoe weet jij dat ik met iemand uit was?" viel ze uit. „Heb je me soms bespioneerd?"

„Nou, rustig aan, zeg. Dat zal een gezellige vent geweest zijn als ik je zo eens bekijk." Yvet monsterde Francis' rood aangelopen gezicht en kwade ogen. Onwillekeurig schoot ze in de lach. „Je hebt vast een hele leuke dag gehad," plaagde ze.

„Bemoei je er niet mee. Ik mag toch zelf wel weten wat ik op mijn vrije zondag doe!"

Aad sloeg met zijn vlakke hand op tafel en sprak gebiedend: „Afgelopen nu! Als je je niet normaal kunt gedragen heb ik liever dat je van tafel verdwijnt, want je bederft mijn eetlust."

„Mij best." Met een hooghartig gebaar stond Francis op en waardig liep ze de kamer uit.

„Nou breekt mijn klomp," verbaasde Yvet zich. „Waarom reageert die zo raar als ik gewoon naar haar dag vraag?"

Aad gaf hetzelfde antwoord als twee weken geleden bij het gesprek met zijn vrouw over Yvet. „Ze is verliefd, maar wil het zelf nog niet weten."

„Dan heeft de liefde niet bepaald een veredelende invloed op haar. Wat ging die tekeer, zeg."

Plagend keek Aad zijn dochter aan en Yvet kleurde tot achter haar oren. „Ik weet wat je wilt zeggen, ik reageerde laatst ook zo. Daar zijn we dan ook een tweeling voor," liet ze er lachend op volgen.

„Ik ben er anders niet echt blij mee dat jullie tegelijkertijd verliefd zijn," zuchtte Ellie. „De stemming in huis slaat op deze manier wel om."

„Dan zijn we er tenminste ook in één keer vanaf," troostte haar echtgenoot. Hij zag het allemaal niet zo somber in. Die buien zouden vanzelf wel overwaaien als Yvet en Francis eenmaal

zeker waren van hun gevoelens, meende hij optimistisch. „Het lijkt wel de titel van een boek," grinnikte hij. „Tweeling op vrijersvoeten."
Het was maar goed dat hij niet wist hoe gecompliceerd de zaken werkelijk in elkaar staken.

„Lies, laat dat!" gebood Yvet streng.
Verbaasd keek het kind haar aan. Sinds wanneer mochten ze van juf Yvet geen rommel meer maken? Verongelijkt gooide ze het speelgoed terug in de zojuist omgekieperde doos en stiekem keek ze nog even naar Yvet om te zien of het geen grapje van haar was. Nee, toch niet, constateerde ze spijtig. Juf Yvet meende het wel degelijk!
Met een vermoeid gebaar streek Yvet over haar ogen. Diep in haar hart had ze alweer spijt van haar uitval. De kinderen konden er tenslotte ook niets aan doen dat Marco... Nee, niet meer aan denken!
Yvet schudde haar hoofd, sprong overeind en riep geforceerd vrolijk: „Kom op jongens, dan doen we een spelletje." Juichend en luidruchtig deden de kinderen mee met Jan Huygen in de ton, maar ondanks de herrie dwaalden Yvets gedachten toch steeds weer af.
Marco's telefoontje waarin hij vertelde dat hij twee weken naar Duitsland moest, was nu al meer dan vier weken geleden en behalve dat ene gesprek met die slechte lijn had ze daarna niets meer van hem vernomen. Hij zou toch allang terug moeten zijn? Waarom kwam, belde of schreef hij niet? Hoe hard het ook was, ze moest langzamerhand toch aan zichzelf toegeven dat ze niet meer was geweest dan slechts een vluchtig vakantievriendinnetje, ondanks al zijn lieve woordjes en beloften. Een andere verklaring kon ze niet bedenken.
Vier dagen geleden had ze de onzekerheid niet meer uit kunnen houden en had ze naar zijn ouderlijk huis gebeld, waar Marco een aparte vleugel van bewoonde. Tenslotte kon hem wat overkomen zijn in Duitsland en ze wist niet of zijn ouders op de hoogte waren van haar bestaan. Ze rilde bij het idee dat hij ten gevolge van een ongeluk wellicht bewusteloos, of nog erger, was en niemand wist dat zij op een berichtje zat te wachten. Zijn

moeder scheen het echter heel gewoon te vinden dat ze belde en ze zou aan Marco vragen of hij haar terug wilde bellen. Yvet begreep daaruit dat hij inderdaad al terug was, anders had zijn moeder dat wel gezegd. Het verwachte telefoontje was echter niet gekomen en ze vertikte het om zelf nog een keer te bellen, daarvoor bezat ze toch echt te veel trots.

Geen fractie van een seconde kwam de waarheid in haar hoofd op. Marco had wel degelijk teruggebeld, maar niet naar hun huis. Francis had hem het telefoonnummer van haar werk gegeven, omdat ze iets dergelijks allang voorzien had. Op het moment dat hij belde, had ze haar smoesje dan ook al klaar gehad, zich gelukkig prijzend dat Marco niet thuis was geweest op het tijdstip van Yvets telefoontje naar zijn huis.

Yvet zocht de verklaring van Marco's stilzwijgen in een hele andere richting. Onwillekeurig moest ze steeds terugdenken aan de woorden die Huib gesproken had bij hun eerste ontmoeting in die supermarkt: „Kun je weer niet zonder vrouwengezelschap?" En omdat zijn moeder het totaal niet vreemd scheen te vinden dat een wildvreemd meisje voor haar zoon opbelde, lag de conclusie voor de hand dat Marco een rokkenjager moest zijn. Ze was gewoon één van de velen, was haar bittere constatering. Gezien zijn twee telefoontjes na hun vakantie was hij waarschijnlijk nog wel van plan geweest om hun relatie voort te zetten, maar omdat ze daarna niets meer gehoord had, ging Yvet ervan uit dat hij in Duitsland een ander slachtoffer had gevonden. Met de beste wil van de wereld kon ze geen andere verklaring bedenken.

Hij had alleen de meest onelegante manier gekozen om van haar af te komen en dat nam ze hem hoogst kwalijk. Het minste waar ze recht op had, was toch een verklaring of desnoods alleen de mededeling dat hij haar niet meer wilde zien.

Enfin, zoals hij zich nu gedroeg, waarbij hij zijn ware, laffe karakter toonde, moest ze blij zijn dat ze van hem af was, hield Yvet zichzelf voor. Maar zoiets bedenken en het ook zo voelen waren twee verschillende dingen. Ondanks alles kon ze hem niet zonder meer uit haar hoofd en haar hart bannen. Nog steeds sprong ze hoopvol op als de telefoon rinkelde, al had ze op die momenten een hekel aan zichzelf.

Vanmorgen had Yvet besloten haar aandacht en energie aan haar werk te wijden in plaats van aan zo'n waardeloze versierder, maar ondanks dat was ze blij toen de dag erop zat. Er kwam een intern telefoontje met de mededeling dat mevrouw Schoonhoven, Leonies moeder, een half uurtje later zou komen om haar dochter op te halen. Het afsluiten van het dagverblijf was Yvets verantwoording, dus zij was ook de aangewezen persoon om op de vrouw te wachten.

Net als een aantal weken geleden, herinnerde ze zich. Toen had ze geprobeerd om met Leonies moeder te praten over de thuissituatie van het kind, maar dat gesprek was uitgelopen op een fiasco. Zou ze nu weer een poging wagen? Ze had zich al die tijd voorgenomen om het nog een keer te proberen, maar er was nooit meer een goede gelegenheid geweest. Eigenlijk stond haar hoofd er nu niet naar, maar aan de andere kant kon het wel een hele tijd duren voor ze weer zo'n kans kreeg. Trouwens, had ze zich niet juist vandaag voorgenomen om meer aandacht aan haar werk te besteden?

Dat gepieker over Marco had zijn weerslag op haar gedrag en daardoor ook op de kinderen. Ze moest oppassen dat ze haar werk niet ging verslonzen, dat was hij niet waard. Tenslotte was deze baan zes weken geleden nog het belangrijkste in haar leven geweest. Het belang van Leonie moest zwaarder wegen dan de problemen in haar privéleven, anders was ze niet geschikt voor deze functie.

Op het moment dat mevrouw Schoonhoven binnenkwam, zette Yvet zich schrap, vast van plan zich niet weer te laten overbluffen. Het gesprek verliep echter heel anders dan ze verwacht had.

„Kan ik even met u praten?" vroeg ze met een onverbiddelijke klank in haar stem.

„Gaat het over Leonies schrift?" Mevrouw Schoonhoven had haar dochtertje opgetild en kuste haar uitbundig. „Maakt u zich geen zorgen, voortaan zal ik er precies inschrijven wat nodig is. Vanaf vandaag kan dat allemaal." De vrouw lachte overmoedig en Yvet zweeg verbluft. Dit was wel het laatste waar ze op gerekend had! „Ik zie u denken," zei Leonies moeder, terwijl ze het meisje op de grond zette. „U had gelijk, de vorige keer.

Leonie kwam ook heel wat aandacht tekort. Maar dat had een reden."

„Wilt u die vertellen?" vroeg Yvet zacht. Buiten het feit dat ze doodgewoon en menselijk nieuwsgierig was, had ze het idee dat deze vrouw haar verhaal graag aan iemand kwijt wilde.

„Als u het niet vervelend vindt. Ik wil u niet te lang ophouden," aarzelde mevrouw Schoonhoven.

Als enige antwoord schoof Yvet een extra stoel bij haar bureau en nadat de vrouw plaatsgenomen had, kwam het hele trieste verhaal eruit.

„Vandaag is officieel mijn echtscheiding uitgesproken en het is tevens de dag dat mijn man, ex-man moet ik nu zeggen, het huis moest verlaten. Mijn ouders zijn vanmiddag wezen kijken en hij is inderdaad vertrokken, met al zijn spullen. Mijn vader heeft onmiddellijk een ander slot in de deur laten zetten, zodat hij niet onverwachts binnen kan komen. Hij wilde geen enkel recht laten gelden op Leonie en dat is ook allemaal wettelijk geregeld. Eindelijk kan hij me niks meer maken en kunnen Leonie en ik ons eigen leven leiden. En eindelijk kan ik nu van mijn dochtertje genieten in plaats van haar meteen bij thuiskomst uit angst in bed te stoppen," zei ze, met een zachte blik op Leonie.

Verbijsterd had Yvet dit aangehoord. „Wat moet u veel ellende in uw huwelijk hebben meegemaakt om er zo over te praten," begreep ze.

Mevrouw Schoonhoven knikte. „Het was een hel, een eindeloze put vol leed en vernederingen," zei ze geëmotioneerd. „Hij dronk, hij gokte en hij sloeg ons. Ik had absoluut niets in te brengen bij hem, want ieder spoortje verzet ramde hij eruit. Daarbij ontzag hij Leonie ook niet, hoe klein ze ook is. Sinds de eerste keer dat hij haar sloeg, heb ik mijn mond niet meer opengedaan, zo bang was ik dat hij haar iets onherstelbaars aan zou doen. Die grote, ruwe handen op dat kleine lijfje." Ze rilde bij de herinnering en Yvet kon een kreet van afschuw niet onderdrukken.

„De schoft!" zei ze verbeten.

„Zeg dat wel. Gelukkig ben ik nu van hem af. Ik durfde zelf niets te ondernemen, hij had me monddood gemaakt, maar ineens besloot hij tot een scheiding. Waarschijnlijk was voor hem de prikkel eraf toen ik mijn verzet opgaf. Zijn kick was weg."

„Wat een ellendig verhaal," zei Yvet geschrokken. Ze had al die tijd geweten dat er iets aan schortte in dit gezin, maar dit had ze niet verwacht.

„Gelukkig wel eentje met een happy end. Nu zijn we vrij. Reken er maar op dat Leonie morgen slaperig uit haar oogjes kijkt, want ze gaat voorlopig nog niet naar bed." Mevrouw Schoonhoven lachte alweer, alsof ze de emoties op de vlucht wilde jagen. Ze stond op en schudde Yvet hartelijk de hand. „Ontzettend bedankt. Het heeft me goedgedaan om alles eens te vertellen aan iemand die erbuiten staat."

„Graag gedaan," antwoordde Yvet ontroerd en gemeend. „Als u vaker wilt praten of ergens mee zit, dan bent u altijd welkom."

Nog lang nadat Leonie en haar moeder vertrokken waren, bleef Yvet achter haar bureau zitten. Dat zoiets bestond! Ze was blij dat Leonie nu als een gewoon meisje verder op kon groeien, al was het dan zonder vader. Maar beter geen vader dan zo iemand. Hoe haalde die man het in zijn hoofd om zo'n klein kind te mishandelen? Hoe kon hij? Yvet rilde. Bij deze ellende vergeleken stelde haar gepieker niets voor. Af en toe leek het wel of gewone, attente en zorgzame mannen als haar vader en Geert steeds zeldzamer werden. Tegenwoordig werd je doodgegooid met verhalen over drankmisbruik, mishandelingen en incest. Hoe kwamen mensen zo?

De telefoon rinkelde schel in het stille kantoor en Yvet schrok op. Ondanks alles noemde ze haar naam met vage hoop in haar hart. Het was echter weer niet Marco's stem die ze hoorde, maar die van Manuela.

„Zo, werkezel," schold ze vrolijk. „Ik heb net naar je huis gebeld, maar je was er nog niet. Is het niet de bedoeling dat die fabriek om vijf uur sluit?"

„Eén van de moeders had overwerk," vertelde Yvet summier. Ze was nog te zeer onder de indruk om Manuela meteen deelgenoot te maken van haar gedachten. Ze moest het eerst zelf verwerken.

„Ik belde eigenlijk om te vragen of je al iets van Marco had gehoord."

„Helemaal niets. Ik heb me er al bij neergelegd dat ik één van zijn vele avontuurtjes was."

„Dat heb je natuurlijk niet," constateerde Manuela rustig. „Dat kan ook niet in een paar weken tijd. Liefde ban je nu eenmaal niet zo makkelijk uit je hart, ook al blijkt de betreffende persoon het niet waard te zijn."

„Nee, was het maar waar," zuchtte Yvet. Ondanks haar stoere woorden van daarnet sprongen de tranen in haar ogen. „Ik voel me toch zo'n idioot. Als ik eraan denk dat hij me nu achter mijn rug uitlacht, schaam ik me zo, vooral omdat ik hem ook nog opgebeld heb. Wat zal hij blij geweest zijn dat hij op dat moment niet thuis was."

„Denk je echt dat hij zo is?" vroeg Manuela peinzend. „Ach ja," antwoordde ze toen zelf al, „anders zou hij op zijn minst wel geschreven of gebeld hebben dat hij je niet meer wilde zien. Gek hè, ik kan me niet voorstellen dat we ons zo in hem vergist hebben. Dit lijkt me helemaal niets voor Marco, hij kwam zo eerlijk en spontaan over."

„Vooral eerlijk, ja," zei Yvet spottend. „Ik vraag me af of Huib hier iets van afweet. Heb jij nog iets van hem gehoord?"

Manuela moest daar ontkennend op antwoorden. „Maar wij hadden ook niet afgesproken om contact te houden," voegde ze eraan toe. „Via die buren van ons waar hij een tijdje heeft gewoond kan ik natuurlijk wel aan zijn adres en telefoonnummer komen. Zal ik hem bellen en ernaar vragen?"

„Als je het maar laat!" viel Yvet fel uit. „Marco heeft voldoende getoond hoe hij over onze relatie denkt en ik ben niet van plan om via zijn vriend het zielige, verlaten meisje te gaan spelen."

„Oké, dat begrijp ik, maar je vroeg er zelf naar."

„Natuurlijk, als je hem spreekt en hij zegt er iets over, dan wil ik het wel weten. Maar ga hem niet speciaal uithoren, Maan. Beloof het me," eiste Yvet.

Ze kende haar vriendin langer dan vandaag en wist waar ze toe in staat was. Manuela vond het jammer, maar beloofde het toch. Ze beëindigden het gesprek en Yvet stond resoluut op. Ze wilde er niet meer aan denken, het werd tijd dat ze Marco uit haar hoofd zette. Als ze maar zou begrijpen waarom hij zo handelde,

dan was het waarschijnlijk een stuk makkelijker. Die onzekerheid brak haar op. Als hij eerlijk toegaf dat hij niet meer van
haar hield, zou ze het moeten en kunnen accepteren. Nu was het
zo onaf.

„Hè hè, eindelijk een avond thuis." Behaaglijk rekte Huib zich uit en accepteerde een sigaret van Marco, die tegenover hem op de bank zat. „Het was enorm druk in het ziekenhuis de laatste weken. Door die griepepidemie was de halve staf geveld."

„Is het nu wat rustiger?" informeerde Marco.

„Gelukkig wel, al kan ik nog wel opgeroepen worden. Ik heb een vierjarig jongetje dat er erg slecht aan toe is. Ik heb gezegd dat ze me moeten bellen als zijn toestand verslechtert, ook al heb ik geen dienst." Huib haalde zijn schouders op en keek even somber voor zich uit. „Sommige patiënten wil je gewoon niet aan je collega's overlaten en dit knulletje is er één van. Enfin, hij zal het me wel niet aandoen om vanavond slechter te worden, net nu jij er bent."

„Dat is het voordeel van mijn werk," grijnsde Marco. „Ik kom in alle uithoeken van het land, dus ook in dit gehucht. Al verhuis je nog zo ver weg, je kunt niet aan me ontsnappen, begrijp dat nou eens."

„Blij toe." Huib stond op om een paar pilsjes te pakken en sloeg in het voorbijlopen Marco op zijn schouder. „Vindt Yvet het niet vervelend dat je vaak zo ver weg zit? Ik kan me voorstellen dat ze 's avonds na haar werk graag in jouw gezelschap is en dat komt er natuurlijk niet zo vaak van."

Marco's gezicht versomberde. „Zo'n ramp vind ik het niet om een avond zonder haar door te brengen. Eerlijk gezegd begint onze relatie me knap te benauwen."

„Dat meen je niet!" Huib schrok oprecht van Marco's woorden. Tijdens de vakantie had hij hen juist zo'n leuk stel gevonden. Dat vertelde hij ook en Marco lachte bitter.

„Dat vond ik zelf ook, maar de zaken liggen nu wel even anders. Niet om kwaad te spreken, hoor, maar Yvet is enorm veranderd sinds die vakantie."

„Overdrijf je niet een beetje?" wilde Huib weten. „We gedragen ons in de vakantie allemaal anders dan in het dagelijkse, gewone leven, dat lijkt me logisch. In zo'n park is de sfeer nu eenmaal veel losser en je gaat wat makkelijker uit je bol omdat er geen verplichtingen zijn."

„Dat zei Yvet zelf ook altijd, weet je nog?" hielp Marco hem herinneren. „Ze was altijd bang dat we elkaar na de vakantie tegen zouden vallen en dat dat dan het einde van onze relatie zou zijn. Ik heb het altijd tegengesproken, maar het begint erop te lijken dat ze toch gelijk gaat krijgen. Ik denk er hard over om een punt achter onze relatie te zetten."

„Dat meen je niet!" riep Huib voor de tweede keer in een paar minuten tijd uit.

„Jawel. Yvet is Yvet niet meer. Ik heb een hekel aan roddelen, maar heb echt behoefte om erover te praten. Vind je het niet erg?"

„Zeg, maak het even. Waar zijn we anders vrienden voor? Stort jij je hart maar uit."

Huib pakte nog twee flesjes bier en aarzelend begon Marco zijn verhaal.

„De eerste keer dat ik haar terugzag, vond ik haar al vreemd overkomen en dat gevoel is de laatste weken alleen nog maar sterker geworden. Ze draagt hele dure, chique pakjes, schoenen met naaldhakken en wil alleen naar dure gelegenheden. Als ik voorstel om te wandelen of te zwemmen, heeft ze altijd een smoesje klaar. Bovendien, en dat is nog de meest opzienbarende verandering, reageert ze amper op vragen over haar werk en de kinderen. Ze vertelt er uit zichzelf ook niets over, terwijl ze er in de vakantie zo enthousiast over was."

Huib viel van de ene verbazing in de andere. Dit klonk inderdaad niet als de Yvet die ze in het bungalowpark hadden leren kennen. Dat was een vrolijke, spontane en lieve meid geweest, zonder opsmuk of maniertjes en vol van haar werk en haar kinderen. „Hoe is het mogelijk dat iemand zo kan veranderen?" vroeg Huib zich hardop af. „Zeker wat haar werk betreft. Tijdens de vakantie kon ze er zo enthousiast over vertellen dat we haar gewoon af en toe de mond moesten snoeren."

„Ja, weet je, het klinkt naar en misschien ook wel verwaand, maar ik heb zo het idee dat... eh..." Marco aarzelde even, maar gooide er toen bruusk uit: „Ze wil met me trouwen en ik heb de indruk dat het haar meer om mijn goede inkomsten gaat dan om mijzelf. Ze was erg geïmponeerd door de vleugel die ik in het landhuis van mijn ouders bewoon en volgens mij ziet ze een

111

mondain leven aan mijn zijde wel zitten. Je weet hoe mijn moeder is, die heeft haar het één en ander verteld over feesten, recepties en de golfclub en Yvet hing aan haar lippen. Meteen daarna zei ze me dat ze zo'n leventje ook wel zag zitten in de toekomst, na ons huwelijk. Dan blijft er natuurlijk geen tijd meer over om te blijven werken."

„Trouwen? Yvet? Sorry kerel, maar ik kan er met mijn verstand nog niet bij. Ik ben helemaal overdonderd door jouw verhaal."

„Dat kan ik me levendig voorstellen. Je moest eens weten hoe ik de afgelopen weken heb lopen piekeren. Ik geloof het af en toe zelf niet eens. Soms vraag ik me af of ik haar tijdens die vakantie niet te veel door een roze bril heb gezien."

„Uitgesloten," meende Huib beslist. „Tenslotte heb ik haar tijdens die vakantie ook meegemaakt en ze was beslist niet zoals jij haar nu afschildert. Maar weet je wat ik erg vreemd vind? Dat Yvet en Manuela zulke goede vriendinnen zijn. De Yvet die jij beschrijft, zou volgens mij doorlopend ruzie met Manuela hebben. Voorzover ik haar ken, heeft die een ontzettende hekel aan dit soort gedrag."

Met die woorden schoot Huib precies in de roos. Manuela kon Francis inderdaad niet uitstaan en vond haar een echte snob, maar Marco liet zich niet overtuigen door Huibs aarzeling.

„Wees maar blij dat jij verder geen contact meer hebt met Manuela, wie weet voor wat voor verrassingen je anders nog kwam te staan. Dat zie je nu aan mij," zei hij bitter.

De twee vrienden kwamen er niet uit en uiteindelijk vroeg Huib: „Hou je nog van haar?"

Er viel een stilte die veelzeggender was dan woorden.

„Ik hou van de Yvet die ik heb leren kennen in dat park," antwoordde Marco na een paar minuten moeilijk. „Zoals ze zich nu gedraagt, zegt ze me niet veel."

„Waarom heb je het dan niet al uitgemaakt met haar? Je zegt net zelf dat je al weken loopt te piekeren en dat lijkt me geen gezond uitgangspunt voor een relatie. Buiten dat vind ik dat je Yvet aan het lijntje houdt als je toch van plan bent om er een punt achter te zetten."

„Ach, ik weet het zelf eigenlijk niet." Marco stak zijn zoveelste sigaret op, inhaleerde diep en vervolgde peinzend: „Misschien

hoop ik ergens dat de Yvet van de vakantie nog terugkomt."
„Dat is natuurlijk onzin," meende Huib nuchter. „Een mens kan door bepaalde gebeurtenissen veranderen, maar niet aan de lopende band."
„Misschien heb je gelijk. Maar ik zou mezelf een ellendeling vinden als ik het op dit moment uit zou maken. Nu ze thuis zo in de problemen zit," verduidelijkte hij bij het zien van Huibs vragende gezicht.
„Problemen? Hoezo? Wat is er aan de hand dan?"
„Dat weet ik zelf niet. Het betreft één van haar gezinsleden en het ligt nogal gevoelig, denk ik. Yvet wil er tenminste verder niets over zeggen. De sfeer bij haar thuis schijnt er nogal onder te lijden, want ze zegt dat onze uitgangetjes momenteel de enige lichtpuntjes in haar leven zijn."
„Dan moet het wel heel erg zijn," mompelde Huib, die het beeld van een vrolijke, optimistische Yvet niet uit zijn hoofd kon krijgen. „Zou het geen smoes zijn om jou aan het lijntje te houden?" opperde hij voorzichtig.
„Daar heb ik ook aan gedacht. Tenslotte ga je niet prettig uit als je erg in de problemen zit, lijkt me. Bovendien wordt ze steeds opdringeriger, terwijl je toch zou verwachten dat ze wel iets anders aan haar hoofd zou hebben. Aan de andere kant vraag ik me af wat haar redenen dan zijn. Waarom wil ze onze relatie geheimhouden als er niets aan de hand is binnen dat gezin? Ik weet het allemaal niet meer, maar zodra die problemen opgelost zijn of eventueel niet blijken te bestaan, dan maak ik definitief een einde aan onze omgang."
„Ik vind het knap beroerd voor je," zei Huib. „Ik weet hoe verliefd je op haar was en hoeveel je je van jullie relatie voorgesteld had."
„Ja, maar de dingen lopen meestal anders dan verwacht." Marco staarde even peinzend voor zich uit en zei toen resoluut: „Kom op, we praten er niet meer over, want we kunnen er toch niets aan veranderen. Haal je schaakbord tevoorschijn, dan zal ik je nog even verslaan."
„Je hoeft je voor mij niet groot te houden, hoor. Ik kan me voorstellen dat er nu weinig andere dingen zijn die je belangstelling hebben."

„Ik zoek juist een beetje afleiding. Het was erg fijn om mijn hart even te luchten, maar ik heb het onderwerp nu wel gehad. Of zoek je excuses om niet te hoeven schaken? Ben je bang voor de nederlaag?" zei Marco plagerig.

„Maak je nog maar niet te veel illusies, jongetje." Huib stond op en pakte het schaakspel uit de kast. „Zal ik Manuela eens voor je bellen?" bood hij toen aan. „Wellicht weet die er wat meer vanaf en kan zij een verklaring geven voor deze hele toestand."

Marco reageerde even fel als Yvet bij Manuela's zelfde voorstel. „Dat laat je! Die twee zijn dikke vriendinnen, zij brieft dat meteen door aan Yvet en ik heb absoluut geen behoefte om tegenover haar voor schut te staan."

„Ik zal niets vertellen van dit gesprek, maar ik kan haar toch wel een beetje polsen?" probeerde Huib, maar Marco schudde beslist zijn hoofd.

„Ik wil het niet hebben, beloof me dat je het niet doet. Ik los liever zelf mijn problemen op."

„Oké, ik zal geen contact met haar opnemen over dit onderwerp," beloofde Huib. „Maar ik was wel van plan om binnenkort naar haar toe te gaan, als ik mijn ouders opzoek."

„Als je dan je mond maar houdt."

De twee mannen bogen zich over het schaakspel heen, maar geen van beiden waren ze er echt met hun gedachten bij. Ze vroegen zich allebei af hoe iemand in zo korte tijd zo totaal kon veranderen.

Marco was blij dat hij er met iemand over had kunnen praten, het haalde dat loodzware gevoel dat hij al weken had een beetje weg. Die heerlijke vakantie was inmiddels zes weken geleden en zijn leven stond volkomen op zijn kop. Niet te geloven hoe alles kon veranderen in zo'n korte tijd. Hij had eerlijk gemeend in Yvet zijn partner voor het leven te hebben gevonden. Het feit dat hij plotseling twee weken weg moest, was al een domper op de vreugde geweest, maar dat stelde niets voor bij zijn gevoelens van nu, amper een maand later.

Langzaamaan kwam hij tot de overtuiging dat hij zich gruwelijk vergist had. De Yvet zoals ze in zijn hart leefde, bestond niet. Het dreigde een slepende, onverkwikkelijke relatie te worden. De enige reden waarom hij het nog niet uitgemaakt had, was de vage hoop die hij voelde als de herinneringen aan die vakantie bovenkwamen. Die heerlijke, zorgeloze dagen waarin hij hals over kop zijn hart verloren had, in de overtuiging dat het voor altijd was. De Yvet die hij had leren kennen als een gevoelige, spontane, lieve en ongekunstelde vrouw kon hij maar niet uit zijn hoofd zetten. Tegenover Huib had hij wel stoer beweerd dat hij het niet kon maken om Yvet op dit moment in de steek te laten, maar diep in zijn hart wist Marco wel dat haar zogenaamde problemen niet bestonden. Dat bewees haar gedrag hem regelmatig, al kon hij dan geen redenen bedenken voor deze smoes. Wat zat erachter? Waarom gedroeg ze zich ineens zo? Hij bleef hopen op een redelijke verklaring voor deze metamorfose en met die verklaring een terugkeer van de oude Yvet.

Nog een week en drie uitstapjes later begon het echter tot Marco door te dringen dat hij zichzelf voor de gek hield. Er was helemaal niets meer tussen hen. Het enige dat hij nog terugvond van die vakantie, was haar uiterlijk en zelfs dat was niet meer helemaal hetzelfde. Het blonde haar dat ze toen los of in een nonchalante paardenstaart droeg, was nu een opgestoken kapsel en haar spijkerbroeken, truien en joggingpakken waren mantelpakjes en korte jurken geworden, met naaldhakken in plaats van gympen. Zijn Yvet bestond niet, dat moest hij zichzelf steeds opnieuw voorhouden. Hun gesprekken bestonden uit oppervlakkige opmerkingen en het leek wel of ze geen enkel raakvlak meer hadden.

Het was gewoon over, hij moest er een punt achter zetten. Waarom bleef hij die definitieve beslissing toch steeds uitstellen?

Zeven weken. Met een blik op de kalender, die ze overigens niet nodig had om dat uit te rekenen, realiseerde Yvet zich dat er zeven weken voorbij waren sinds die vakantie. Het werd toch tijd dat ze hem vergat, hield ze zichzelf streng voor. Tenslotte kende ze hem maar een paar dagen, die stonden in geen verhouding tot de periode waarin ze nu al verdriet had. Nee, corrigeerde ze zichzelf. Ze kende hem zelfs helemaal niet. Ze dácht hem te kennen, ze dácht dat ze van hem was gaan houden en ze dácht haar levenspartner gevonden te hebben. Het waren allemaal illusies geweest. Ze had van het begin af aan naar haar voorgevoelens en dat waarschuwende stemmetje in haar hoofd moeten luisteren, dan was haar een heleboel ellende bespaard gebleven.

Waarom was ze toch zo stom om te blijven hopen? Zeven weken, wat verwachtte ze nou nog na al die tijd? Het waren negenenveertig lange, slopende dagen geweest en nog steeds was de hoop niet helemaal uit haar hart verdwenen. Hij kon een verklaring hebben voor zijn gedrag en als die er inderdaad was, zou hij vroeg of laat op de stoep staan. Maar dan? Kon ze hem dan nog vertrouwen, ongeacht wat voor excuus hij zou hebben? Yvet kwam er niet meer uit. Het constante gepieker had sporen achtergelaten op haar gezicht. Haar ogen stonden dof en de kringen eronder waren stille getuigen van vele slapeloze nachten. De herinnering aan de vakantie kon ze niet van zich afzetten. Het was allemaal zo volmaakt geweest, zo puur. In Marco had ze de man gevonden zoals ze die altijd voor ogen had gehad. Ze kon met hem praten en hij begreep haar. Ze waren soulmates, zoals dat zo mooi heet. En nu was die band verbroken, zomaar. Zonder enige reden op te geven had hij haar laten barsten en ondanks dat hield ze nog steeds van hem.

Waarom?

„Waar gaan we vanavond heen?" vroeg Francis. Behaagziek keek ze in het spiegeltje van de zonneklep. Ze zag er perfect uit, vond ze zelf. Aan haar uiterlijk lag het tenminste niet als haar plan mislukte.

„Ik weet het eigenlijk niet. Wat wil jij?" antwoordde Marco met een tegenvraag, terwijl hij de wagen doelloos door de stad stuurde.

Zoals intussen gewoonte was geworden had hij Francis, alias Yvet, een paar straten van haar huis vandaan afgehaald en deze situatie begon hem danig te vervelen. Waarom kon ze er nou niet gewoon voor uitkomen? Hij hoefde zich nergens voor te schamen, maar voelde zich intussen wel een slechterik. Iemand met stiekeme plannetjes die heel wat te verbergen had.

„Er draait een goede film, die wil ik beslist zien," kirde Francis en aanhalig stak ze haar arm door de zijne.

Ongeduldig schudde Marco haar af. „Doe dat nou niet als ik moet rijden. Je weet dat ik daar een hekel aan heb."

Pruilend trok Francis zich in haar hoekje terug, bedenkend dat ze niet veel vorderingen maakte bij Marco. Integendeel zelfs, hij trok zich steeds meer terug. Het gebeurde nog maar zelden dat hij haar uit zichzelf een zoen gaf of lieve dingen tegen haar zei, zoals in het begin het geval was geweest. Hij behandelde haar beleefd en correct, maar niet bepaald liefdevol. Francis besefte dat ze het anders aan moest pakken als ze succes wilde boeken. Misschien moest ze wat meer aan hem overlaten en niet steeds zelf haar zin doordrijven.

Liefjes fleemde ze: „Als jij die film niet wilt zien hoeft het niet, hoor. We kunnen ook iets anders gaan doen."

„Nee, die film is best," antwoordde Marco achteloos. Dan hoeven we tenminste niet te praten, voegde hij er in gedachten aan toe. Hij hoopte alleen dat het niet weer zo'n bloemzoete liefdesgeschiedenis was. Hij begon langzamerhand zijn buik vol te krijgen van de liefde.

Zonder veel interesse bekeek hij de film, die in zijn kritische ogen erg matig was. Maar al was hij wel boeiend geweest, dan had hij zijn aandacht er nog niet bij kunnen houden. Het was nu twee maanden na de vakantie en Marco besefte dat hij en Yvet elkaar niets meer te zeggen hadden. Het was een bitter einde van wat ooit zo mooi begonnen was. Tevergeefs had Marco steeds geprobeerd iets van de oude Yvet terug te vinden, de Yvet waar hij zo hals over kop van was gaan houden. De Yvet waar hij nog steeds van hield, besefte hij. Maar de vrouw die nu naast hem zat, was daar een slap aftreksel van.

Nog steeds had hij er absoluut geen idee van dat de echte Yvet Westra thuiszat, vol wrok jegens hem. Een Yvet die er bleek en verdrietig uitzag en die alleen nog plezier beleefde aan haar werk. Yvet was trouw en ondanks Marco's unfaire behandeling, zoals zij het wel moest zien, kon ze hem niet zonder meer vergeten.

Na de film gingen Marco en Francis nog ergens wat drinken, maar van een gezellige stemming tussen hen was geen sprake. Op dat moment hakte Marco de knoop door. Hij realiseerde zich dat het zinloos was om te blijven wachten en te zoeken naar een spoortje van de Yvet zoals hij zich haar herinnerde.

„Yvet, we moeten praten," zei hij beslist, bang dat deze toestand nog maanden zou blijven slepen als hij het nu niet aanpakte. Bevreesd keek Francis op. Ze vermoedde al wat er ging komen en Marco's volgende woorden bevestigden dat. „Het lijkt me beter dat we een eind aan onze relatie maken," zei hij moeilijk. „Het gaat helemaal niet goed tussen ons, niet zoals het tijdens die vakantie was. Ik denk dat we elkaar toentertijd verkeerd beoordeeld hebben. Van mijn gevoelens voor jou is niets meer over."

„Maar mijn gevoelens zijn niet veranderd," zei Francis heftig. Ze pakte smekend zijn hand vast. „Toe Marco, geef me nog een kans."

„Waarom? Je moet toch zelf ook toegeven dat onze relatie niets meer voorstelt. Weet je nog dat je zelf zei dat je geen vertrouwen had in vakantieliefdes? Nou, je had gelijk. De realiteit is me tegengevallen."

Marco hoorde zelf dat het erg grof klonk, maar hij had geen behoefte aan een relatie zonder toekomst en dat wilde hij haar duidelijk maken.

„Ik kan veranderen," bleef Francis aandringen.

„Ja, dat heb ik gemerkt," zei Marco droog en ongewild met een vleug humor.

De tranen die in haar ogen opwelden, vertederden hem niet. Hij werd er een beetje misselijk van dat ze zich zo opdrong en onwillekeurig vroeg hij zich af of ze ook zo gereageerd zou hebben als hij niet zo'n vette bankrekening had gehad. Ooit had ze beweerd dat ze net zoveel van hem zou houden als hij een putjesschepper met een brommer was geweest, herinnerde hij zich met pijn in zijn hart. Nu was hij daar niet meer zo zeker van. Haar gedrag had geen greintje waardigheid en ineens had hij er schoon genoeg van. Hij had geen zin in een oeverloze discussie. Het was gewoon over.

„Het spijt me, mijn besluit staat vast," zei hij dan ook kortaf.

Hij rekende snel af, uit angst dat ze een scène zou maken in de volle zaak, maar dat was niets voor de kille Francis. Inwendig was ze woedend op hem én op Yvet, al liet ze niets van haar stemming merken. Zonder nog iets te zeggen liep ze achter hem aan naar de auto en nog steeds zwijgend bracht hij haar thuis.

Hun korte afscheid was het einde van een mooie droom, althans voor Marco. Hij was opgelucht dat er nu een punt achter stond, maar weemoedig omdat het zo anders had kunnen zijn. In twee maanden tijd had hij de liefde van zijn leven gevonden en weer verloren.

Eenmaal uit zijn zicht stormde Francis huilend van woede en vernedering naar haar eigen kamer, maar voor ze die bereikte, botste ze tegen Yvet op, de laatste persoon waar ze op dat moment behoefte aan had.

„Francis, wat is er?" riep Yvet geschrokken uit. „Is er iets ergs gebeurd?" Ze wilde haar arm om Francis heen slaan, maar die duwde haar wild opzij.

„Ga weg!" gilde ze over haar toeren. „Ga weg en laat me alleen!"

„Ik peins er niet over. In zo'n toestand als waarin jij nu verkeert, laat ik je niet alleen zitten. Wil je niet vertellen wat er aan de hand is? Misschien lucht het je op," drong Yvet aan. Met zachte dwang leidde ze Francis tijdens het praten haar kamer in, waar ze snikkend op het bed ging zitten.

„Hij heeft het uitgemaakt," zei ze gesmoord.

Yvet wist dat Francis de laatste tijd regelmatig met dezelfde man was uit geweest, maar ze had hem nooit ontmoet. Het zag ernaar uit dat dat ook niet meer gebeuren zou, dacht ze nuchter. Ze wist niet wat ze van Francis' verdriet moest denken. Haar zusje had al zoveel vrienden versleten. Hoewel, deze keer scheen het toch dieper te zitten, want Francis huilde niet zo snel. Over het algemeen vond ze dat jammer van haar uiterlijk, buiten dat was ze er te hard en te ongevoelig voor.

„Ik ga sterke koffie voor je halen, dat zal je goeddoen," zei Yvet beslist. „Dan kunnen we er zo even rustig over praten."

Ze liep de kamer uit en Francis keek haar met gemengde gevoelens na. „Wacht maar, als ik hem niet kan krijgen, zal het jou ook niet lukken," mompelde ze wraakzuchtig. Ze voelde zich tot in haar tenen vernederd en projecteerde die gevoelens op Yvet. Yvet, die Marco's hart zonder enige moeite had weten te veroveren, terwijl hij haar, Francis, zonder meer aan de kant schoof. Ze was zo'n behandeling niet gewend. Zij was altijd degene die mannen dumpte als ze genoeg van hen had, niet andersom. Nu het toch gebeurd was, moest Yvet het ontgelden en Francis wist precies hoe ze dat aan ging pakken.

Toen Yvet even later met koffie in de slaapkamer terugkwam, zat Francis zachtjes, met neergeslagen ogen, na te snikken.

„Arme schat," zei Yvet meelevend. „Wil je erover praten?"

Francis knikte. „Hij heeft een ander ontmoet en nu kan ik opkrassen," vertelde ze haast onhoorbaar. Plotseling pakte ze Yvets arm vast en onbeheerst riep ze: „O Yvet, het spijt me! Ik had de eerste keer al niet met hem mee moeten gaan, maar ik werd in één klap verliefd op hem en toen kon ik geen nee zeggen. Het moet voor jou ook niet prettig zijn om dit aan te horen."

„Wat heb ik ermee te maken?" vroeg Yvet niet begrijpend.

Even hing er een geladen stilte, daarna zei Francis langzaam, op effect berekend: „Het was Marco. Marco Groen."

Ze bekeek onder haar oogharen door de uitwerking van haar woorden, die niet lang op zich liet wachten. Yvet werd lijkwit, tot aan haar lippen toe, maar het drong maar heel langzaam tot haar door.

„Marco," fluisterde ze hees. Ze kon het in eerste instantie niet geloven, maar het moest wel waar zijn. Ze had geen enkele reden om aan Francis' bewering te twijfelen. Dus zo ging Marco te werk! Als hij genoeg van iemand had, ruilde hij haar gewoon in voor een ander! Het allerlaatste sprankje hoop dat zich nog in haar hart bevond, werd hiermee voorgoed de bodem ingeslagen. „Waar heb je hem ontmoet?" vroeg ze opmerkelijk kalm.

„In de stad," vertelde Francis. „Eerst dacht hij, zoals wel vaker voorkomt, dat ik jou was. Nadat ik die vergissing had rechtgezet vroeg hij me meteen mee uit. Ik weet dat ik het niet had moeten doen, Yvet, maar ik kon geen weerstand aan hem bieden. Wat mij betreft was het liefde op het eerste gezicht." Smekend keek ze Yvet aan en die knikte langzaam.

„Ik kan het me levendig voorstellen, want zo is het bij mij ook gegaan," antwoordde ze wrang. „Ik viel ook als een blok voor hem, maar hij heeft me zomaar laten zitten na de vakantie. Nog geen telefoontje of briefje kon ervan af."

Bij het zien van de verdrietige trek die op Yvets gezicht verscheen, voelde Francis een licht gevoel van spijt opkomen. Heel even overwoog ze om alsnog de waarheid te vertellen, maar bijna meteen verwierp ze die opwelling weer. Hij heeft het uitgemaakt met Yvet, volgens hem, dus heeft het nu geen nut meer om met het hele verhaal op de proppen te komen, fluisterde een klein stemmetje in haar hoofd. Ergens wist ze wel dat deze redenatie niet klopte, maar die gedachte duwde ze ver weg.

„Kom op meid, we slaan ons er wel doorheen," zei Yvet geforceerd opgewekt. „Ten slotte blijkt nu wel dat Marco het niet waard is om over te treuren. Waarschijnlijk lacht hij ons alleen maar uit. De twee bedrogen zusjes."

Diep in haar hart dacht ze er heel anders over, maar dat wilde ze voor geen prijs bekennen. Dat was iets waar ze zelf uit moest zien te komen.

Gezamenlijk togen ze naar de huiskamer, waar hun ouders nog zaten.

„Zo dochters, willen jullie nog iets drinken?" vroeg meneer Westra vrolijk.

Hij zag het behuilde gezicht van Francis en de boze ogen van Yvet wel, maar zijn devies was altijd geweest: niet mee bemoeien zolang ze niets vragen, of het moet heel dringend zijn. Hij ging ervan uit, zeker sinds zijn kinderen volwassen waren, dat ze vanzelf wel naar hem toe zouden komen als ze raad of steun nodig hadden, een aanpak die zijn uitwerking niet miste. Ook Ellie wilde niets vragen, maar het resultaat daarvan was dat ze even later met zijn vieren met een glaasje wijn in een geladen stilte tegenover elkaar zaten. Uiteindelijk nam Yvet het woord.

„Jullie hebben natuurlijk allang gemerkt dat er iets aan de hand is. De zaak ligt heel simpel: Francis en ik zijn allebei verliefd geworden op dezelfde persoon, zonder het van elkaar te weten. Mij heeft hij twee maanden geleden al zonder meer laten zitten en Francis heeft vandaag de bons gekregen, omdat meneer een ander slachtoffer heeft gevonden. Francis vertelde het me, zo kwam ik erachter dat het om dezelfde man ging." Ze had expres luchtig gesproken om haar ware gevoelens niet te tonen, maar haar ouders begrepen dat de gevoelige Yvet diep gekwetst moest zijn.

„Kinderen toch," bracht hun moeder uit. „Wat erg voor jullie. Ik weet niet wat ik zeggen moet."

„Zeg maar niets, mam," zei Yvet rustig. „Het is nu eenmaal gebeurd en we praten er liever niet meer over. Het beste is als we het zo snel mogelijk proberen te vergeten."

In tegenstelling tot Yvet zat Francis met een wit, strak gezicht voor zich uit te staren. Haar familieleden dachten het te begrijpen en lieten haar verder met rust. Niemand vermoedde dat het schuldgevoel jegens Yvet de kop op begon te steken.

Zo ging er een week voorbij, een week waarin Yvet uit alle macht probeerde Marco uit haar hoofd te zetten. Ze stortte zich volledig op haar werk, maar hoe hard ze ook werkte, ze raakte de herinnering niet kwijt. Steeds weer zag ze zijn lachende gezicht en zijn eerlijke, liefdevolle ogen voor zich. Hoewel, eerlijk? Het mocht wat! Yvet hoefde alleen maar naar Francis' witte gezicht te kijken om te weten dat Marco allesbehalve eerlijk was, om nog maar niet te spreken over haar eigen ervaringen.

Ze was nog een avond met Manuela en Sabrina op stap geweest, maar Marco was niet ter sprake gekomen. Yvet had bij Manuela's vragen in die richting resoluut verklaard dat ze er niet over wilde praten. Ze had ook niets verteld van Francis' omgang met Marco. Dat waren haar eigen zaken, meende Yvet. Zij voelde zich niet de aangewezen persoon om het liefdesleven van haar zus uitgebreid met Manuela te bespreken.

Ze hoopte alleen maar dat het verdriet snel zou slijten en dat ze ooit nog eens iemand tegen zou komen die haar liefde wel waard was.

HOOFDSTUK 14

Huib van Teyl stond net op het punt de deur uit te gaan toen de telefoon hem tegenhield. Hij wierp een weifelende blik op de klok. Zou hij hem laten rinkelen? Hij had een afspraak met zijn ouders en was al aan de late kant. Het kon het ziekenhuis echter zijn met een noodgeval, ook al had hij geen dienst. Nee, hij was toch te veel arts om met een gerust geweten te vertrekken. Haastig nam hij de hoorn op, hopend dat hij niet alsnog moest werken vandaag.

Hij kreeg echter een terneergeslagen Marco aan de lijn. Huib luisterde naar wat hij te zeggen had en zijn gezicht betrok.

„Dus de kogel is eindelijk door de kerk?" begreep hij. „Vorige week al? Ik vind het beroerd voor je. Hoewel… als het niet goed gaat, heb je er ook niets aan om het voort te laten duren. Hoe voel je je?"

„Dubbel. Ergens ben ik wel opgelucht, want in plaats van een pleziertje werd het een opgave om met haar uit te gaan, maar aan de andere kant heb ik de laatste week wel het gevoel dat ik iets wezenlijks mis."

„Heb je er spijt van?"

„Nee, dat niet," zei Marco meteen. Hij wist dat hij de goede beslissing had genomen, al schrijnde de wond nog hevig. „Ik mis de Yvet die ik heb leren kennen."

Huib zuchtte onhoorbaar. Marco bleef het maar over de oude Yvet hebben. Misschien wel logisch, maar als hij Marco moest geloven leek het wel of er twee verschillende Yvets bestonden en ze op de een of andere manier verwisseld waren met elkaar. Hij wist niet hoe dicht hij bij de waarheid zat met die gedachten!

„Ik sta net op het punt om naar mijn ouders te gaan. Ben je vanavond thuis? Dan kom ik na het eten even bij je aanwaaien," beloofde hij.

„Gezellig. Ik ben vandaag de hele dag op kantoor, dus om een uur of zes ben ik thuis." Ze beëindigden het gesprek en Huib haastte zich naar zijn auto. Hij had nog een paar uur rijden voor de boeg en al die tijd cirkelden zijn gedachten om Marco en Yvet. Het was dus eindelijk uit tussen die twee. Als Huib terugdacht aan de vakantie kon hij het nog nauwelijks geloven. Die twee leken perfect bij elkaar te passen, als puzzelstukken die aan elkaar hoorden. Zijn gedachten gingen terug naar die bewuste middag in de stad, de eerste keer dat hij Yvet in gezelschap van Manuela had gezien. In eerste instantie had hij zich zeer tot haar aangetrokken gevoeld, maar zodra hij Yvet en Marco samen zag, had hij instinctief al geweten dat zijn kansen verkeken waren. Die twee waren gewoon voor elkaar gemaakt. Ik mag blij zijn dat het zo gelopen is, dacht hij. Als ik zo die verhalen van Marco hoor…

Ondanks dat hun relatie de laatste tijd weinig meer voorstelde, moest Marco er toch verdriet van hebben. Tenslotte was het nog niet zo lang geleden dat hij dacht dat Yvet de vrouw van zijn leven was.

Huib leefde erg met zijn vriend mee. Zelfs tijdens het bezoek aan zijn ouders kon hij het niet uit zijn hoofd zetten. Meneer en mevrouw Van Teyl bewoonden een klein appartement in een bejaardencomplex en na een paar uur stilzitten in de propvolle zitkamer begon hij zich danig te vervelen. Zijn ouders waren niet meer zo mobiel en leefden in een klein wereldje. Huib kreeg allerlei verhalen te horen over bewoners van het huis die hij niet kende. Gelukkig verwachtte zijn moeder geen antwoord van hem, ze was alleen blij dat ze al die kleine roddeltjes eens met een ander kon bespreken.

Om drie uur zat meneer Van Teyl verstolen achter zijn hand te geeuwen. „Wij doen altijd een middagslaapje om deze tijd," verontschuldigde hij zich.

Huib vond dat een mooie gelegenheid om op te stappen. Hij besefte dat zijn leven en dat van zijn ouders uit elkaar gegroeid was, al zou hij het nooit hardop zeggen. Hij hield van deze mensen, maar was blij dat hij nu een gegronde reden had om weer te vertrekken.

„Jullie moeten je programma niet laten verstoren door mij," zei hij, terwijl hij opstond. „Ik ga nog even een paar vrienden langs nu ik hier toch ben."

Hij kuste zijn moeder op haar gerimpelde wang en schudde zijn vader hartelijk de hand. Om tien over drie stond hij weer buiten, diep de frisse lentelucht inademend. Uit angst om kou te vatten hield zijn moeder angstvallig alle ramen gesloten en het was knap benauwd geweest binnen. Blij met een beetje frisse lucht besloot Huib lopend naar het hotel van Manuela's ouders te gaan. Nu hij hier in de stad was, wilde hij haar graag terugzien. Waarschijnlijk was ze nu nog aan het werk, maar wellicht kon hij met haar afspreken om ergens wat te eten straks.

Manuela stond bij de receptie en ze begroette hem enthousiast. „Wat leuk om jou weer terug te zien," zei ze, terwijl ze hem twee dikke zoenen gaf. „Was je bij je ouders?"

Huib knikte. „Ik wil je niet te lang van je werk afhouden, maar kunnen we iets afspreken voor een etentje straks?" vroeg hij.

„Straks? Niets ervan. Ik regel even een vervangster voor achter de balie en dan ga ik meteen met je mee. Ik vind het veel te gezellig om je weer eens te zien."

„Tjonge, dat is een reactie waar ik drie, vier maanden geleden alleen maar van kon dromen," plaagde hij haar bewust.

Ze bloosde bij de herinnering aan de kattige opmerkingen die ze af en toe naar zijn hoofd geslingerd had. Gelukkig was dat verleden tijd. Haar leven stond nu weer op de rails en de tijd dat ze aan iedereen een hekel had omdat ze zichzelf niet kon accepteren, lag nu achter haar.

Mevrouw De Man toonde zich meteen bereid voor haar dochter in te vallen toen ze de reden hoorde. „Veel plezier samen," riep ze hen nog na.

„Zullen we een stuk door het park lopen en daarna ergens wat drinken?" stelde Huib voor. „Mijn behoefte aan buitenlucht is nog steeds niet verzadigd, ondanks mijn wandeling hierheen."

„Zeker een poos bij je ouders geweest?" begreep Manuela. Ze bracht de oude mensen weleens een bezoekje en hoewel ze altijd even lief en hartelijk waren, was zij ook blij als ze weer naar buiten kon.

Gearmd liepen ze door het drukke park, terwijl Manuela hem uithoorde over zijn werk en zijn nieuwe behuizing.

„Het is heerlijk om met kinderen te werken," zei hij warm. „Ze zijn over het algemeen nog zo heerlijk puur en ongecompliceerd."

„Toch moet het ook weleens moeilijk zijn," peinsde Manuela. „Het idee dat je aan ouders moet vertellen dat hun kind niet meer beter kan worden." Ze rilde, ondanks het warme zonnetje.

„Als dokter moet je daar natuurlijk tegen kunnen, maar het lijkt me een heel verschil of je zo'n mededeling moet doen aan een hoogbejaarde of aan een klein kind."

„Dat is ook zwaar," gaf hij toe. „Maar daartegenover staan alle gevallen waarin je wel kunt helpen en dat zijn er gelukkig oneindig veel meer. Het geeft een enorme voldoening als je een ziek kind weer gezond naar huis ziet gaan."

„Het lijkt me een mooi vak," constateerde Manuela.

„Is het ook. Ik zou niets anders met mijn leven willen doen dan dit. Hoe staat het overigens met jou en Sabrina?" veranderde hij van onderwerp. „Al plannen voor de toekomst?"

Manuela begon te stralen, zoals altijd als ze aan haar vriendin dacht. „Jazeker. We zijn hard op zoek naar woonruimte en dan gaan we samenwonen. Mijn ouders hebben het zonder commentaar geaccepteerd en tussen Sabrina en Yvet klikt het gelukkig ook. We zijn eergisteren nog met zijn drieën uit geweest."

„Hoe is het nu met Yvet?" informeerde Huib.

„Gaat wel," zei Manuela, zich expres een beetje op de vlakte houdend. Ze dacht aan haar belofte om nergens over te praten en ging er dus niet op door.

Huib vervolgde echter peinzend: „Ik heb erg met Marco te doen. Ook al ging het niet best tussen hen, toen hij net belde om te vertellen dat hij het uitgemaakt had, kon ik toch horen dat hij het er moeilijk mee had. Heeft Yvet er nog iets over gezegd?"

„Uitgemaakt?" Niet begrijpend keek Manuela hem aan, ze bleef abrupt stilstaan op het smalle pad.

„Ja, vorige week al, zei Marco," vertelde Huib nietsvermoedend. „Dat zal ze toch wel tegen je gezegd hebben?"

„Hij heeft haar twee maanden geleden al laten zitten," zei Manuela scherp. „Na onze vakantie heeft ze nooit meer iets van hem gehoord. Hij heeft haar gewoon laten barsten."

„Hoe kom je daar nu bij?" Perplex staarden ze elkaar aan, allebei niet goed bevattend wat de ander zei. „Laten we even gaan zitten." Huib leidde Manuela naar een leeg bankje en vatte alles samen wat hij wist. „Marco is meteen na die opdracht naar Yvet toegegaan, maar verleden week heeft hij een punt achter hun relatie gezet omdat Yvet zo veranderd was."

„Hoe kan dat nou? Yvet zei dat ze nooit meer iets van hem

gehoord had sinds de vakantie. Ze zal er toch niet om liegen?"

„Marco anders ook niet, neem ik aan. Hij was er knap beroerd van. Twee weken geleden vertelde hij me nog dat hij niet begreep hoe iemand zo kon veranderen in zo'n korte tijd. De Yvet van de vakantie kende hij niet meer terug."

„Ik snap er niets van. In welk opzicht is ze dan anders geworden?"

„Nou, alleen haar kledingkeuze al, om maar een voorbeeld te noemen." Huib vertelde nu woordelijk wat Marco allemaal gezegd had en plotseling begreep Manuela waar de fout zat.

„Francis!" riep ze dwars door zijn verhaal.

Huib begreep er steeds minder van. „Wie is Francis nu weer?" vroeg hij geïrriteerd.

„Dat is een kreng, een misbaksel, een…" Manuela kon niet meer uit haar woorden komen van kwaadheid, zodat Huib zijn armen om haar heensloeg in een poging haar te kalmeren. In één klap had Manuela door wat er aan de hand was. Francis had zich voorgedaan als Yvet, Marco wist nergens van en Yvet zat met haar verdriet en misvattingen weg te kwijnen thuis.

Slechts heel langzaam bedaarde Manuela en Huib informeerde voorzichtig: „Zou je me nu willen vertellen wat er aan de hand is? Ik zou het namelijk ook wel graag willen weten."

Manuela draaide zich naar hem toe. „Zijn jullie ervan op de hoogte dat Yvet een tweelingzus heeft?"

„Nee, daar had ik geen idee van. Lijken ze op elkaar?" vroeg Huib argeloos.

Manuela knikte. „Als twee druppels water. Zoveel, dat de één met gemak voor de ander door kan gaan."

Er viel een diepe stilte tussen hen. Huib begreep onmiddellijk waar ze op doelde, maar dit was zo ongelooflijk dat hij het niet direct kon bevatten.

„Bedoel je… Is het… Manuela, weet je dat heel zeker? Dat is geen beschuldiging die je zomaar kunt uiten."

„Het moet wel. Er is gewoon geen andere mogelijkheid." Manuela somde nog een keer alle feiten op en Huib moest toegeven dat ze gelijk had. „Francis is precies zoals Marco haar aan jou beschreven heeft. Geen wonder dat hij Yvet veranderd vond.

Ondanks hun identieke uiterlijk lijken hun karakters geen spat op elkaar."

„Je hebt gelijk, het kan niet anders. Hoewel ik niet begrijp hoe iemand willens en wetens zoiets kan doen."

„Francis wel," zei Manuela grimmig. „Het is een luxe pop, die alleen maar om zichzelf geeft. Ze zal Marco wel een goede partij gevonden hebben met zijn rijke familie en eigen bedrijf. Dat is precies wat ze altijd gewild heeft."

„Dan kan ik me nog niet voorstellen dat iemand tot zo'n daad komt. Maar ik ben blij voor Marco en Yvet," voegde Huib eraan toe. „Waarschijnlijk komt het nu toch nog goed voor die twee. Tenslotte hebben we allebei gezien hoe gek ze op elkaar zijn."

„Ik ga meteen Yvet opbellen, die zal niet weten wat ze hoort." Impulsief sprong Manuela op, maar Huib hield haar tegen.

„Ze zit nog op haar werk en zoiets bespreek je trouwens niet door de telefoon, het zal haar toch al rauw op haar dak vallen. Vergeet niet dat het haar eigen zus is die haar zo bedrogen heeft. Buiten dat vind ik dat we eerst naar Marco moeten gaan, daar heeft hij recht op. Yvet weet al maanden van niets, die paar uur kunnen er ook nog wel bij." Hij wierp een blik op zijn horloge, dat halfvijf aanwees. „Zullen we eerst ergens gaan eten?" stelde hij voor. „Marco zou om een uur of zes thuis zijn, dan kunnen we rechtstreeks vanaf het restaurant naar hem toe."

„Oké, kom op dan."

Ze gingen naar een klein restaurantje, waar het op dat tijdstip nog heerlijk rustig was. Ondanks het voortreffelijk bereide eten deden ze de maaltijd geen eer aan, zo vol zaten ze van alles wat ze zo plotseling ontdekt hadden.

Tegelijk met Marco arriveerden ze anderhalf uur later bij het imposante landhuis van de familie Groen.

„Zo, je had zeker haast om me te zien," begroette Marco zijn vriend, zodra hij uit zijn auto stapte. Op dat moment ontdekte hij Manuela en hij zuchtte. De beste vriendin van Yvet, daar had hij nu helemaal geen behoefte aan. Hij had hoofdpijn en voelde zich beroerd, het laatste waar hij op zat te wachten was iemand die kwam pleiten voor een verloren zaak. Wat zou ze hier anders moeten doen? Hij was echter te beleefd om iets van zijn gedachten te laten merken en nodigde hen allebei uit mee naar binnen te komen. „Willen jullie iets drinken?" vroeg hij gastvrij.

„Nee,we komen eigenlijk om met je te praten."

Manuela en Huib wisselden een veelbetekenende blik die Marco niet ontging. Geërgerd haalde hij zijn schouders op.

„Dan niet. Maar als je hier komt om Yvet te verdedigen kun je je de moeite besparen," zei hij nu toch vijandig.

„Het ligt iets gecompliceerder dan je denkt," zei Huib. „Ga even rustig zitten en maak je geen zorgen, ik denk dat je heel blij zult zijn met ons bericht."

„Ik kan het me nauwelijks voorstellen," mompelde Marco nog, maar hij voldeed toch aan het verzoek.

Zoekend naar woorden begon Huib aarzelend: „Je vertelde laatst dat je Yvet zo veranderd vond. Nu hebben wij het vermoeden…"

„Niets vermoeden, we weten het zeker," viel Manuela hem vinnig in de rede.

„Doe nou niet zo opgewonden," verzocht Huib kalm. „Wij zijn er zeker van, maar er is nog niets bewezen."

Marco had verbaasd naar de aanhef van hun verhaal geluisterd en voor de tweede maal zei hij: „Ik heb er geen behoefte aan om aan te horen hoe jullie voor Yvet pleiten. Sorry Manuela, ik weet dat het jouw vriendin is, maar achteraf pasten we toch niet zo goed bij elkaar als ik eerst dacht."

„Dat neemt ook niemand je kwalijk, gevoelens zijn nu eenmaal niet af te dwingen. We zijn hier overigens wel voor Yvet, dat had je al begrepen, maar de zaak ligt heel anders dan je denkt. Laat Huib het maar vertellen, want ik wind me er vreselijk over op."

Zo sober mogelijk vertelde Huib nu tot welke conclusie hij en Manuela die middag waren gekomen. Na zijn verhaal bleef het lange tijd stil. Marco's gezicht veranderde van ongelovig naar wantrouwend, daarna keek hij bepaald woedend en ten slotte was zijn gezichtsuitdrukking beslist gelukzalig.

„Dus de Yvet die ik tijdens de vakantie heb leren kennen, bestaat echt," zei hij langzaam. „Ze was geen illusie, geen mooie droom, maar werkelijkheid." Hij stond nu toch op om wat te drinken in te schenken, verbijsterd door dit onverwachte nieuws. „En jullie weten dit héél zeker?" Hij durfde het nog niet echt te geloven, bang dat hij het verhaal verkeerd begrepen had en zich blij maakte met een dode mus.

„Het kan gewoon niet anders," verzekerde Manuela hem. „Ik twijfel absoluut niet aan Yvets woorden dat ze nooit meer iets gehoord heeft van je. Bovendien is Francis precies de persoon die jij beschreven hebt."

„Waarom zou ze er anders op staan om jullie relatie geheim te houden?" vulde Huib aan. „Natuurlijk kon ze je nooit thuis uitnodigen, want dan was je de echte Yvet tegengekomen."

„Het is dus echt waar." Marco bleef verdwaasd midden in de kamer staan, zijn glas half opgeheven naar zijn mond, maar niet in staat om een slok te nemen. De volle waarheid drong nu pas echt tot hem door. „Mijn hemel, Yvet bestaat echt! Maar wat moet ze niet van me gedacht hebben de laatste tijd?"

„Niet veel goeds," zei Manuela droog. „Maar één ding weet ik zeker: ze is je nog niet vergeten."

„Ik ga direct naar haar toe!" Koortsachtig begon Marco zijn jas aan te trekken.

Het was weer Huib, de enige van de drie die zijn hersens bij elkaar hield, die hem tegenhield. „Denk nou eerst eens rustig na, man. Wat wil je nou doen? Daar naarbinnen stormen en haar in je armen nemen?"

Marco keek hem aan alsof hij zich afvroeg wat daarop tegen was. Nu hij wist wat er aan de hand was, kon hij niet meer wachten om de echte Yvet, zijn Yvet, te zien.

„Ze zal het je niet in dank afnemen," waarschuwde Huib. „Vergeet niet dat je Francis dan waarschijnlijk ook tegenkomt en je weet niet of die er nog iets over gezegd heeft thuis. Denk je nou echt, dat ze je de kans geven om rustig jouw kant van het verhaal te vertellen?"

„Wat moet ik dan doen? Haar schrijven?" vroeg Marco geïrriteerd. „Ik moet erheen en Yvet moet weten wat er werkelijk aan de hand is. We kunnen Francis' rol hierin niet verzwijgen, hoe beroerd dat ook voor Yvet is."

„Ga nou eerst eens zitten." Huib drukte Marco op de bank en wierp, voor de zoveelste keer die dag, een blik op zijn horloge. „De familie Westra zit waarschijnlijk nog aan tafel. Het lijkt me het verstandigste dat jij ook even een broodje of zo eet, dan drinken we een kop koffie en dan pas gaan we er met zijn drieën heen. Met ons erbij loop je een stuk minder kans om er direct weer uitgegooid te worden."

Marco moest toegeven dat Huib gelijk had. Yvet zou op dit moment wel geen hoge dunk van hem hebben en het was nog maar de vraag of ze hem de kans zou geven zichzelf te verdedigen.

„Dat moet dan maar," capituleerde hij zuchtend.

Een broodje kreeg hij echter niet door zijn keel, wel drie koppen sterke koffie. Hij kon bijna niet wachten tot hij Yvet in zijn armen kon nemen. Over een paar uur zou hij weten of zijn herinnering aan haar echt was, of hij het zich niet allemaal verbeeld had. De laatste weken twijfelde hij daar nog weleens aan.

Onwetend van alle verwikkelingen in haar liefdesleven zwaaide Yvet de kinderen uit. Weer een dag voorbij. Hoeveel van deze slopende dagen zouden er nog volgen voor ze weer een beetje van het leven kon genieten? Marco's gedrag had haar toch al niet zo sterke zelfvertrouwen een danige knauw gegeven. Ze was dankbaar voor het feit dat ze werk had waar ze met hart en ziel mee bezig kon zijn. Als die hele toestand met Marco een half jaar eerder had plaatsgevonden, zou ze er nog veel slechter aan toe zijn. Toen had ze het al zo moeilijk met haar onvrijwillige werkeloosheid, waarschijnlijk was een verbroken relatie dan net het laatste stapje naar een regelrechte depressie geweest. Nu had ze tenminste een reden om 's morgens haar bed uit te komen en vond ze afleiding in de omgang met de kinderen. Ze kon het zich niet permitteren om haar aandacht af te laten leiden door haar persoonlijke problemen. Haar werk, dat door de ontmoeting met Marco en de overweldigende gevoelens voor hem naar de tweede plaats was verschoven, was nu weer het belangrijkste in Yvets leven.

Meneer Van Wissem kwam de crèche binnen en hij keek goedkeurend om zich heen in de schone en nu opgeruimde speelruimte. De muren hingen vol met door de oudste kinderen gefabriceerde kabouters, het thema van deze maand.

„Kan ik even met je praten?" vroeg hij vriendelijk. „Ik heb een klacht gekregen."

Geschrokken keek Yvet hem aan. „Doe ik iets niet goed?" Koortsachtig vroeg ze zich af wat er aan de hand kon zijn, maar hij stelde haar meteen gerust.

„Ik denk dat het in dit geval meer aan de moeder ligt, maar ik moet het natuurlijk wel serieus nemen. Marieke Schaafsma is bij me geweest. Ze maakt zich nogal ongerust omdat Viola de laatste tijd steeds verkouden is, wat ze toeschrijft aan de hygiëne hier. Bovendien vindt ze dat Viola ook steeds lastiger wordt."

Yvet zuchtte. Marieke had haar inderdaad ook al een paar keer aangesproken omdat ze niet tevreden was over haar dochter, maar het betrof steeds zulke futiliteiten dat Yvet er nooit diep op in was gegaan. „Die vrouw is neurotisch," zei ze vinnig.

„Natuurlijk wordt Viola lastiger, een peuter vraagt nu eenmaal veel meer oplettendheid dan een baby. Toen ze hier pas was, sliep ze nog de halve dag, nu kruipt ze rond en ontdekt ze de wereld om haar heen. En wat die verkoudheden betreft, daar heeft ieder kind op zijn tijd last van en kinderen die naar een crèche gaan nog vaker, omdat ze elkaar aansteken. Het is hier altijd schoon en we laten ze niet buiten spelen als het regent."

„Rustig maar, ik val je niet aan." Van Wissem ging zitten en verzocht Yvet hetzelfde te doen, waar ze onwillig gehoor aan gaf. Ze was altijd bereid rekening te houden met wensen van de ouders en ze bood een luisterend oor als er problemen waren, maar het gezeur van Marieke Schaafsma was iets waar ze niet tegen kon. „Je kent de achtergronden van dit meisje," begon meneer Van Wissem kalm. „Ze is achttien jaar, heeft een kind van ruim één, geen man en een familie die haar heeft overladen met kritiek omdat ze de zwangerschap door wilde zetten. Ze is vast van plan om, ondanks haar leeftijd, een perfecte moeder te zijn, met een voorbeeldig en gezond kind."

„Dat lukt haar nooit als ze Viola zo blijft drillen," viel Yvet hem in de rede.

„Dat weten wij, ja, maar daar is ze zelf nog niet achter. Nogmaals, ik heb absoluut geen kritiek op jouw manier van werken, maar ik wil je vragen om eens rustig met haar te praten. Voor en na werktijd komt daar natuurlijk niet veel van, dat begrijp ik. Vind je het goed als ik haar morgenochtend een uurtje naar je toestuur? Dan kunnen jullie je even terugtrekken in je kantoortje en alles rustig bespreken."

„Natuurlijk is dat goed, maar ik betwijfel of het zal helpen. Marieke is er één van de eigenwijze soort," zei Yvet pessimistisch. Ze was niet in de stemming om ook maar iets goeds in een ander mens te zien.

„Toon een beetje consideratie. Ze heeft het echt niet makkelijk en doet haar uiterste best om een hele goede moeder te zijn. Dat ze daarbij de realiteit een beetje uit het oog verliest en overbezorgd wordt, is iets wat je haar nauwelijks kwalijk kunt nemen." Meneer Van Wissem stond op en klopte Yvet met een vaderlijk gebaar op haar schouder. „Dat is dus afgesproken? Morgen om een uur of tien. Hoe is het trouwens met jou? Je hebt het hier wel naar je zin toch?"

Yvet knikte. „Privé gaat het even wat minder, maar ik ben nog steeds dolblij dat u me deze kans heeft gegeven. Mijn werk is alles voor me."

„Mooi. En maak je niet te druk om andere zaken, bedenk maar dat niets eeuwig is, ook verdriet niet. Over honderd jaar zijn we allemaal vergeten, die gedachte helpt mij altijd om alles te relativeren. Ik ben in ieder geval heel blij dat ik jou aangenomen heb, dat is de beste beslissing die ik genomen heb ten aanzien van dit dagverblijf."

Hij stak zijn hand op als groet en liep weg. Yvet keek hem met een glimlach na. Dit onverwachte compliment deed haar goed. Natuurlijk wist ze wel dat haar werk in orde was en de directie tevreden kon zijn, maar het was altijd prettig om dat ook te horen.

Al met al was ze later dan gewoonlijk en ze haastte zich naar huis. Omdat ze er nooit zeker van kon zijn dat ze om vijf uur weg kon, had Yvet met haar moeder afgesproken dat ze gewoon om een uur of halfzes zouden gaan eten als ze er niet was. Haar familie was dan ook al bijna klaar met de maaltijd toen ze thuiskwam.

„Ga gauw zitten, het is nog warm," zei haar moeder zorgzaam als altijd.

Snel schoof Yvet aan en ze zag dat Francis lusteloos en met een bleek gezicht in haar aardappels zat te prikken. Nou, ik ben in ieder geval niet meer de enige die hier de gezelligheid niet aanbrengt, dacht Yvet met galgenhumor. Sinds het uit was met Marco was er niet veel meer over van de arrogante Francis die altijd vol zelfvertrouwen was. Hoewel ze haar uiterlijk nog altijd even perfect verzorgde, zag ze bleek en stonden haar ogen dof. Ze moest wel erg veel verdriet hebben van die verbroken relatie, minstens net zoveel als Yvet.

Wat Yvet niet wist, was dat Francis worstelde met een constant, niet meer weg te redeneren schuldgevoel. Ze besefte dat ze op een enorme manier de fout in was gegaan door zich zo te gedragen. Zonder dat Yvet het wist, had ze haar haar levensgeluk afgenomen. Ze moest het vertellen, eindelijk schoon schip maken. Dat voornemen had ze al een paar dagen, maar het was moeilijk om openlijk spijt te betuigen. Francis bleef eromheen draaien en Yvet ontwijken, maar ze wist dat ze het niet langer uit kon stellen. Ze zou nooit meer op een normale manier met haar zus om kunnen gaan zolang ze dit op haar geweten had.

Zodra Yvet naar haar eigen kamer ging, liep Francis haar achterna, bang voor het komende gesprek. Ze kon alleen maar hopen dat Yvet het haar kon en wilde vergeven en dat dit niet tot een definitieve breuk tussen hen zou leiden. Ze aarzelde nog even, maar klopte toen toch resoluut op Yvets deur. Zelfs al zou er een onherstelbare ruzie van komen, dan kon ze het toch niet langer voor zich houden. Yvet had recht op geluk. Geluk dat Francis willens en wetens van haar afgepakt had, een wetenschap die ze niet langer voor zich kon houden.

„Yvet, kan ik even met je praten?" vroeg ze zenuwachtig.

Yvet keek op van het boek waar ze net in wilde gaan lezen. „Natuurlijk. Is er iets belangrijks of wil je zomaar even iets kwijt?"

„Het is heel erg belangrijk. Ik weet niet zo goed hoe ik moet beginnen." Francis liet zich op een stoel zakken en keek een beetje schichtig om zich heen, alsof ze alsnog de mogelijkheid overdacht om hard weg te hollen. Bruusk gooide ze eruit: „Ik heb tegen je gelogen!"

„Hoezo?" Er verscheen een verbaasde uitdrukking op Yvets gezicht. „Waarover dan? Ik kan me niet herinneren…"

„Over Marco," viel Francis haar in de rede. „O Yvet, ik heb er zo'n spijt van, dat moet je geloven!"

Snikkend verborg ze haar gezicht in haar handen, maar Yvet was opgestaan en vroeg hard en onverbiddelijk: „Wat is er aan de hand? Hoezo heb jij gelogen over Marco? Vertel op en zit niet zo te janken!" viel ze uit. „Ik heb al die tijd al het gevoel gehad dat er iets niet klopte en nu wil ik de waarheid weten!"

„Daar heb je ook recht op," zei Francis zacht. Ze veegde de tranen van haar gezicht en smeekte: „Ga alsjeblieft weer zitten en kijk niet zo… zo… Alsof ik iets minderwaardigs ben."

„Wat jij bent, maak ik zelf wel uit als ik het hele verhaal gehoord heb," reageerde Yvet kil. Ze ging inderdaad weer zitten en keek haar zus afwachtend aan.

„Zo'n drie weken na je vakantie is Marco hier geweest," begon Francis moeizaam. „Ik deed de deur open en…"

„Laat maar, ik begrijp het al. Je hebt al je charmes in de strijd gegooid en Marco liet zich maar al te graag overhalen om mij in te ruilen voor jou." Die woorden kwamen er op een bittere toon uit, maar Yvet was niet voorbereid op de rest van Francis' verhaal.

„Het is nog erger. Ik heb net gedaan… Ik bedoel… Marco dacht dat ik jou was." Eindelijk was het hoge woord eruit. Schuw keek ze naar Yvet, die wasbleek geworden was.

„Je hebt… wat?! Francis, hoe kon je dat doen?"

„Het ging vanzelf," was Francis' zwakke verweer. „Ik wilde jou roepen, maar hij dacht dat ik jou was en begon me al te zoenen. Voor ik wist wat er precies gebeurde, zat ik al naast hem in de auto en naderhand durfde ik het niet meer te bekennen. Eerlijk gezegd wilde ik het ook niet meer bekennen, want ik was zelf verliefd op hem geworden."

„Op hem of op zijn geld?" informeerde Yvet sarcastisch, precies de kern van de zaak rakend. „Vandaar dat je de avond van zijn eerste telefoontje alles over hem wilde weten. Je kreeg ineens belangstelling nadat ik verteld had in wat voor auto hij rijdt. Ik ken je langer dan vandaag, Francis, je maakt mij niet wijs dat je dit niet al veel langer van plan was."

„Je hebt gelijk, maar ik wilde het niet op deze manier. Ik speelde wel met de gedachte om hem voor me te winnen," gaf Francis toe. „Dat het gelopen is, zoals nu het geval is, kwam echt omdat hij mij voor jou aanzag. Hij overrompelde me en ik vond het een te mooie kans om te laten lopen. Ik handelde in een fractie van een seconde, maar het werd steeds onmogelijker om het terug te draaien. Trouwens, ik dacht dat jullie alleen goede vrienden waren. Geloof me, als ik had geweten dat je van hem hield, dan had ik het nooit gedaan. Dat moet je van me geloven, Yvet."

„Natuurlijk," antwoordde Yvet sarcastisch. „Jij komt me even vertellen dat je wekenlang gelogen hebt, maar ik moet je nu ineens wel geloven. Ik weet echt niet meer wat ik ervan moet denken."

„Maar…"

„Houd je mond en verdwijn nu alsjeblieft. Ik wil even alleen zijn."

Met gebogen hoofd liep Francis de kamer uit, blij dat het moeilijke gesprek achter de rug was. Ondanks alles voelde ze zich opgelucht, al besefte ze heel goed dat de verstandhouding tussen haar en Yvet een flinke deuk had opgelopen.

Yvet bleef verbijsterd achter, maar nadat ze alles een beetje had verwerkt kwam er heel langzaam een gevoel van geluk over haar. Marco had haar dus niet zonder meer in de steek gelaten! Hij was wel gekomen! Dat betekende dat het toch nog goed kon komen tussen hen.

Hoewel? Met een schok realiseerde Yvet zich ineens dat Marco de relatie beëindigd had omdat hij een ander had. Of zou dat ook gelogen zijn? Daar hadden zij en Francis het nog niet over gehad, Yvet was veel te druk bezig geweest om alles te verwerken. Plotseling was het erg belangrijk om te weten te komen hoe dat zat, dus rende Yvet de gang over naar Francis' kamer. Ze hoorde beneden de bel wel overgaan, maar aangezien hun ouders thuis waren, reageerde ze daar niet op.

„Waarom heeft Marco het met jou uitgemaakt?" viel ze met de deur in huis. „Had hij inderdaad een ander? Vertel op!" eiste ze.

„Nee, hij had geen ander. Marco maakte het uit omdat hij jou zo veranderd vond. Je was niet meer dezelfde als tijdens de vakantie."

„Ik? Jij, bedoel je."

„Maar dat wist hij niet. Nog steeds niet trouwens." Francis hoopte vurig dat het tussen Yvet en Marco weer goed zou komen. Misschien zou ze zich dan wat minder schuldig voelen.

„Yvet, kun je even beneden komen? Er is bezoek voor je," riep hun vader op dat moment onder aan de trap.

Wat nu weer? Nietsvermoedend liep Yvet naar beneden, waar ze Manuela en Huib aantrof. Ze wilde Huib net verrast begroeten, toen haar ineens de derde persoon opviel.

„Marco." Ze dacht dat ze schreeuwde, maar haar stem bracht slechts een hese fluistering voort.

„Yvet! Ja, je bent het echt! Yvet!" In zijn enthousiasme kon Marco zich niet meer inhouden. Hij duwde Huib opzij en trok

Yvet zonder meer in zijn armen, om haar direct daarna weer los te laten. „Sorry," verontschuldigde hij zich. „Je zult wel boos op me zijn en je afvragen wat ik kom doen."

„Nee, ik heb het hele verhaal net van Francis gehoord."

Gelukzalig stond Yvet hem aan te staren, het duurde even voor het tot haar doordrong dat er nog meer mensen in de kamer aanwezig waren. Aad en Ellie Westra keken niet begrijpend van de een naar de ander, zich afvragend wat hier allemaal aan de hand was. Huib en Manuela lachten met een blik van verstandhouding naar elkaar. Zo te zien kwam het wel weer goed tussen Marco en Yvet, achteraf gezien was hun aanwezigheid toch niet zo nodig.

„Hoe komen jullie hier eigenlijk?" vroeg Yvet aan Manuela. Meteen wendde ze zich weer tot Marco. „En hoe weet jij wat er aan de hand was? Jongens, ik ben helemaal van slag."

Het was inderdaad een chaotische toestand, maar Marco nam rustig het woord. „Ik heb Huib vanmorgen opgebeld met de mededeling dat het uit was tussen ons. Toevallig was het zijn vrije dag, en hij wilde zijn ouders opzoeken en Manuela weer eens zien. Natuurlijk vertelde hij van mijn telefoontje, waar Manuela heel verbaasd op reageerde, omdat ze van jou uiteraard heel iets anders had gehoord. Na enig heen en weer gepraat kwamen ze erachter hoe het echt zat."

„Dan weten jullie meer dan wij," klonk de droge stem van meneer Westra. „Sorry als ik me ergens mee bemoei wat me niet aangaat, maar je moeder en ik begrijpen er niets van."

Marco en Yvet, die elkaar nog steeds aan stonden te kijken alsof er niemand anders op de wereld bestond, schrokken op van deze interruptie. „Ik was jullie even helemaal vergeten," verontschuldigde Yvet zich. „Mam, pap, mag ik jullie voorstellen? Dit is Marco Groen. Die man van de vakantie," voegde ze er overbodig aan toe.

„Aha, ben jij dat. Ik weet niet of ik nu wel zo blij moet zijn om kennis met je te maken." Aad negeerde de hand die naar hem uitgestoken werd. „Het heeft lang geduurd voor je de weg naar dit huis wist te vinden."

„Dat had een oorzaak," zei Marco kalm.

„Zoiets had ik al gehoord, ja."

Yvet zag dat haar vader kwaad was en verklaarde snel: „Het is niet zoals jullie nog steeds denken. Ik heb net gehoord dat Marco helemaal geen relatie had met Francis. Nou ja, eigenlijk wel, maar... eh..."

„Hij wist niet dat ik Francis heette in plaats van Yvet," klonk het ineens achter hen. Francis had de stem van Marco herkend en was naar beneden geslopen. Vanuit de gang had ze alles gehoord en besloten om maar ineens met iedereen schoon schip te maken. Ze kwam er toch niet onderuit, dit kon niet verborgen blijven voor hun ouders. Dan kon ze het maar beter direct achter de rug hebben.

Er viel een diepe stilte na deze bekentenis. Aad en Ellie keken naar hun dochters alsof ze ze voor het eerst zagen.

„Ik geloof dat ik eerst maar eens koffie ga zetten," zei Ellie ten slotte. Ze had plotseling alles begrepen en voelde de neiging opkomen om Francis hardhandig door elkaar te schudden. Om dat te voorkomen vluchtte ze als het ware de keuken in.

„Niet voor mij," zei Huib haastig. „Ik moet nog een paar uur rijden en ik geloof niet dat Marco me nog nodig heeft."

Hij gaf zijn vriend een hartelijke klap op zijn schouder en die verklaarde dat hij het verder inderdaad wel alleen afkon. Manuela vertrok meteen met Huib, zodat ze met zijn vijven achterbleven. Marco en Yvet namen gearmd plaats op de bank. Hoewel er verder nog niets uitgesproken was tussen hen wisten ze allebei dat het goed was zo. Yvet voelde zich heerlijk en was gelukkig nu Marco weer naast haar zat.

Francis ging tegenover hen zitten en trotseerde moedig Marco's blik. Hoewel ze oprecht spijt had van het gebeurde was het niets voor haar om zich nu te gedragen als een boetvaardige zondares. Ze had een fout gemaakt, maar ze had het ook bekend en haar spijt betuigd. Meer kon ze niet doen. Het feit dat Marco en Yvet elkaar weer gevonden hadden, nam veel van haar schuldgevoel weg, verder kon alleen de tijd zijn werk doen zodat ze alles achter zich konden laten.

Nu Marco haar zo zag zitten begreep hij niet dat hij haar met Yvet had kunnen verwisselen. Ze leken inderdaad sprekend op elkaar, maar de uitdrukking op de twee identieke gezichten verschilde sterk en verraadde de tegengestelde karakters. Hij zou zich nu in ieder geval nooit meer vergissen, daar was hij van overtuigd.

Aad en Ellie reageerden vrij kalm op het hele verhaal, tenminste uiterlijk. Ellie had zichzelf streng toegesproken in de keuken om er niet te veel ophef over te maken waar Marco en Yvet bij waren. Ondanks alles had ze medelijden met Francis omdat die het voor zichzelf zo moeilijk maakte. Aad was van nature een rustige man die zich niet snel opwond, maar hij nam zich wel voor om onder vier ogen een hartig woordje met Francis te spreken.

„Dus ik mag aannemen dat je het serieus meent met Yvet?" wendde hij zich tot Marco.

„Hè pap," protesteerde Yvet. „Dat is een vraag voor vaders uit de vorige eeuw."

„Pure bezorgdheid voor jouw welzijn, kind," grijnsde hij terug.

„Ik begrijp het volkomen en kan u verzekeren dat ik wel dege-lijk serieus ben," ging Marco erop in. „Tijdens die periode met Francis zocht ik onbewust steeds naar eigenschappen van Yvet, die ik tijdens de vakantie had leren kennen. Nu heb ik ze einde-lijk teruggevonden."

Francis kleurde pijnlijk toen Marco er zo openlijk over sprak, maar ze begreep dat dit de beste houding was. Het hoefde niet constant opgerakeld te worden en het was ook geen anekdote om later op feestjes om te lachen, maar het moest wel bespreek-baar blijven als het nodig was. Het was nu eenmaal gebeurd en dat maakte je niet ongedaan door het dood te zwijgen.

Zodra de koffie op was en iedereen op de hoogte was van alle details stonden Marco en Yvet op. Ze hadden er behoefte aan om eindelijk samen te zijn. Als bij afspraak lieten ze de auto staan en sloegen ze de weg naar het park in. Marco's arm lag ste-vig om Yvets schouders, haar hand rustte om zijn middel. Als vanzelf bewogen hun benen in hetzelfde ritme. Eenmaal in het park en buiten het schijnsel van de enkele lantaarn die er stond, hield Marco stil. Zijn handen vatten Yvets gezicht en hij keek haar diep in de ogen.

„Eindelijk," zei hij zacht. „Eindelijk heb ik je teruggevonden. Nu laat ik je nooit meer gaan."

De zoen die op zijn woorden volgde, was heel vertrouwd, alsof er geen twee maanden voorbij waren gegaan sinds hun laatste kus. Yvet voelde zich alsof ze thuisgekomen was. Alle twijfels die ze eerder had gehad over vakantieliefdes waren als sneeuw voor de zon verdwenen. Het was goed zo.

Stralend toog Yvet de dag erna aan het werk. Ondanks een slapeloze nacht, vol van dit onverwachte geluk, zag ze er uitgeruster en beter uit dan in weken het geval was geweest. Het viel iedereen op. Natuurlijk gingen de achtergronden niemand wat aan, maar Yvet vertelde wel dat ze verliefd was en dat die gevoelens wederzijds waren.

„Dat is je aan te zien," verzekerden Marleen, Rosa en Sylvana haar eenparig.

Alles liep ook op rolletjes die dag. De kinderen waren lief, er gebeurden geen onverwachte dingen en zelfs het gesprek met Marieke Schaafsma verliep veel beter dan Yvet had durven hopen.

De jonge moeder had zelf al in de gaten dat ze bezig was haar doel voorbij te schieten en accepteerde dankbaar enige vakkundige adviezen van Yvet. Natuurlijk zou alles niet ineens perfect verlopen, maar Yvet had goede hoop voor deze vrouw en haar dochtertje. Marieke was in ieder geval niet te star of te veel van zichzelf overtuigd om goede raad aan te nemen. Yvet vermoedde terecht dat haar gang naar meneer Van Wissem eigenlijk een kreet om hulp was.

Om drie uur belde Marco op en Yvet trok zich terug in haar kantoor om even ongestoord met hem te kunnen praten.

„Ik moest je stem even horen," zei hij warm. „O Yvet, weet je dat ik het nog amper kan geloven? Ik knijp mezelf iedere keer uit angst dat ik droom."

Yvet schoot in de lach. „Ik ken dat gevoel, ja. Vannacht schrok ik iedere keer wakker als ik indommelde en dan moest ik me steeds weer voorhouden dat het echt was."

„Heb je Francis nog gezien vanmorgen?" wilde hij weten.

„Gelukkig niet." Yvet zuchtte. „Toen we gisteravond terugkwamen, sliep ze al en vanmorgen zat ze nog op haar kamer toen ik de deur uitging. Ik heb er ook niet zo'n behoefte aan, eerlijk gezegd, al besef ik heel goed dat we elkaar niet kunnen blijven ontlopen."

„Het zal best even moeilijk worden. Ik heb daar natuurlijk minder last van omdat ik niet met haar in één huis woon, maar als ik bedenk wat ze jou aangedaan heeft, mag ze voor mijn part vandaag nog naar de maan verhuizen."

„Aan de ene kant wel, anderzijds vind ik het al heel wat dat ze alles eerlijk opgebiecht heeft," zei Yvet peinzend. „In ieder geval ben ik blij dat ze dat gedaan heeft voordat jij kwam, nu weet ik tenminste zeker dat ze er echt spijt van heeft. Dat maakt het toch iets makkelijker. Het bewijst dat ze niet door en door slecht is."

„Dat zal ik ook nooit beweren, al ben ik blij dat het mijn zus niet is. Hoewel, ze wordt natuurlijk wel mijn schoonzus, dat is bijna hetzelfde."

„Maar dan wonen we ergens anders, dat scheelt enorm," lachte Yvet.

„Je kunt zo bij me intrekken als je wilt," bood Marco half serieus aan. „Of wil je liever iets anders?"

„Ja, ik wil een leuk, klein huisje net buiten de stad, met een grote moestuin erbij."

„En dan krijgen we vier kinderen," fantaseerde hij mee. „Ik vind jou echt zo'n type om heerlijk de hele dag met je kinderen bezig te zijn. Dan zeg je je baan gewoon op."

„Nou, dat zien we dan wel weer. Eerlijk gezegd weet ik dat niet eens zeker. Als het nou makkelijk zou zijn om na een aantal jaren weer aan de slag te gaan, dan zou ik niet eens twijfelen, maar dat is nu eenmaal niet zo."

„Maak je niet druk. Als onze jongste naar school gaat en je wilt weer gaan werken, dan koop ik een crèche voor je," beloofde Marco overmoedig.

Yvet schoot in de lach. Ze genoot van dit onbezorgde fantaseren en plannen maken voor de toekomst, al kwam waarschijnlijk de helft niet uit. Het was sowieso al heerlijk om met Marco te kunnen praten in het besef dat ze elkaar weer teruggevonden hadden.

„Je weet dat ik vanavond en morgen niet naar je toe kan komen, maar overmorgen, zaterdag, ben ik er de hele dag," zei Marco.

„Ik verheug me er nu al op. Wat gaan we dan allemaal doen?"

„Om te beginnen gaan we de stad in, we zoeken een goede juwelier en dan kopen we twee ringen." Zijn stem klonk vastberaden.

„Ringen? Je bedoelt…?"

„Juist. Wij gaan ons heerlijk ouderwets verloven. Het interesseert me niets dat dat uit de tijd is en dat we elkaar eigenlijk nog maar heel kort kennen. Ik wil gewoon graag dat je mijn ring draagt, als uiterlijk teken dat we bij elkaar horen."

„Ik zal hem met liefde dragen," verzekerde Yvet hem warm.

„Ik verwacht niet anders van je," plaagde hij. „Vervolgens zoeken we dan een heel romantisch plekje waar ik hem aan je vinger zal schuiven."

„En 's avonds een klein, bescheiden feestje thuis," stelde Yvet voor.

„Lijkt dat je verstandig? Met Francis, bedoel ik," vroeg Marco aarzelend. „Begrijp me goed, het is je tweelingzus en wat mij betreft is ze welkom op ons feestje, maar niet nu al. Daar is het allemaal nog wat te vroeg voor."

„Dan wachten we een paar weken, dan hebben we ook wat meer tijd voor de voorbereidingen."

„Dat is misschien wel beter, ik wil je toch ook eerst voorstellen aan mijn ouders. Maar als we dan toch nog een paar weken de tijd hebben wil ik het feest wat uitgebreider," bedong Marco.

„Mijn moeder vindt het heerlijk om zoiets te organiseren en we hebben er de ruimte voor thuis. Dan nodig je je collega's ook uit en de kinderen met hun ouders."

„Heb je enig idee hoeveel dat er zijn?" schrok Yvet.

„Ruimte genoeg," wuifde Marco dat bezwaar weg. „En ze zullen heus niet allemaal komen. Ik heb er echt zin in, Yvet."

„Ik ook, jongen. Ik hou van je, al zou je onmiddellijk willen trouwen, dan zou ik nog geen bezwaar maken."

„O, je brengt me wel op een idee," lachte hij. „Daar moet ik toch eens ernstig over nadenken. Trouwens, ik wil wel met je op vakantie. Een verlovingsreis, lijkt dat je wat?"

„Perfect idee. Voor een vakantie ben ik altijd te porren. Je kunt er hele leuke dingen aan overhouden."

Ze kletsten gezellig verder over van alles en nog wat. Het was een gesprek zoals alleen verliefde, gelukkige mensen dat kunnen voeren. De tien minuten die Yvet zichzelf gesteld had, liepen uit tot ruim een uur, maar ze voelde zich absoluut niet schuldig tegenover de rest van het personeel. Ze werkte ook vaak genoeg over als dat zo uitkwam, bovendien zouden ze haar heus wel geroepen hebben als dat nodig was geweest.

Zoals ze wel verwacht had, stond Manuela diezelfde avond voor de deur. Ze trokken zich terug op Yvets kamer, voorzien van een pot thee en een grote schaal koekjes.

„Alles is weer goed tussen Marco en mij," meldde Yvet overbodig.

„Alsof ik iets anders verwacht zou hebben. Jullie zagen alleen elkaar nog gisteren."

„Het kwam ook zo onverwachts, ik kan het nog niet helemaal bevatten. Het ene moment zat ik nog diep in de put, toen kwam Francis met haar bekentenis op de proppen en voor ik dat goed en wel verwerkt had, stond Marco ineens voor mijn neus."

„En ze leefden nog lang en gelukkig," zei Manuela, theatraal met haar ogen draaiend. „Ik vind het hartstikke fijn voor je," liet ze er op een normale toon op volgen. „Nu hebben we allebei onze bestemming gevonden."

„Klopt. Weet Sabrina hier eigenlijk iets vanaf?"

„Nog niet, maar ik wilde je wel vragen of je het goedvindt dat ik het aan haar vertel."

„Natuurlijk, ze is je partner. Als je het daar maar bij laat, ik vind het niet nodig om Francis nu tegenover iedereen door de modder te halen."

„Je bent veel te goed voor haar," mopperde Manuela, die nu eenmaal een hekel aan Francis had.

„Het blijft toch mijn zus. Ik ben trouwens zo ontzettend gelukkig dat ik zelfs op haar niet kwaad kan blijven. Onze verhouding is momenteel nog wel erg gespannen, maar dat zal ook wel weer overgaan," meende Yvet. „Als het nooit meer was goedgekomen met Marco zou ik er misschien anders over denken, maar dat is gelukkig niet aan de orde." Ze schonk de twee bekers nog een keer vol en knabbelde peinzend aan een koekje. „Toch gek, dat het feit dat je niets zegt over een identieke tweelingzus, zulke verstrekkende gevolgen kan hebben."

„Dit zal wel een uitzondering zijn," zei Manuela laconiek. „Ik neem tenminste niet aan dat dergelijke dingen met de regelmaat van de klok voorkomen."

„Nee, daar moet je Yvet Westra voor heten, om zoiets mee te maken. Trouwens, we gaan ons officieel verloven."

„Daar moet je Yvet Westra voor heten, voor zoiets stompzinnigs," plaagde Manuela. „Wie doet dat tegenwoordig nog?"

„Wij," antwoordde Yvet tevreden. „En het kan ons lekker niets schelen wat anderen ervan vinden."

„Marco wil natuurlijk aan de ring kunnen zien of hij de goede helft van de tweeling voor zich heeft," giechelde Manuela en ze ontweek handig het kussen dat Yvet naar haar toegooide.

„Daar hoef ik in ieder geval nooit bang voor te zijn, dat is al bewezen. We vieren het in het landhuis van Marco's ouders, op zondag de achtentwintigste. Bij dezen ben je vast van harte uitgenodigd," zei Yvet. „En de dag erna gaan Marco en ik op vakantie. Verlovingsreis, noemt hij dat."

„Origineel," knikte Manuela en voor de tweede maal ontweek ze handig het kussen.

Achtentwintig augustus werd een stralende dag voor Yvet. Ze had voor deze gelegenheid zelfs een zachtgroen met zilveren jurk aangetrokken, compleet met schoenen met een hakje. Zo leek ze meer op Francis dan ooit, maar Marco zou zich daar nooit meer in vergissen.

Mevrouw Groen had alle registers opengetrokken om de dag te laten slagen. Eén van de grote kamers was ontruimd en in een andere kamer stonden de tafels voor het koude buffet al klaar. Personeel van een bekend cateringbedrijf liep af en aan om de gasten van drankjes en hapjes te voorzien. Het was een perfecte entourage voor een geslaagd feest.

Francis liep met een spijtig gevoel rond. Als alles anders was verlopen had zij in de toekomst in dit huis kunnen wonen. Ondanks alles had ze haar dromen over een luxe leventje niet opgegeven. Ze bleef hopen op een rijke man en monsterde aandachtig Marco's familie en vrienden in de hoop een geschikte kandidaat te vinden.

Behalve familie en vrienden van het verloofde paar kwamen er ook een aantal kinderen van de crèche met hun ouders. Yvet merkte nu pas hoe goed ze aangeschreven stond bij de ouders en alle blijken van waardering maakten haar warm van verlegenheid. De tweeling Rob en Lies, de twee druktemakers van het kinderdagverblijf, vonden het een hele belevenis.

„Wat ben je mooi," bewonderde Lies en ze streek voorzichtig met een vingertje over Yvets jurk.

„Jij anders ook. Is dat een nieuwe jurk?"

Lies knikte trots. „Ja, die heeft mama zelf gemaakt."

Yvet keek naar de nog jonge moeder van de tweeling, die in een hoekje met Manuela zat te praten. Ze kreeg steeds meer bewondering voor deze vrouw, die haar lot zo moedig droeg. Ondanks dat ze een drukke baan had en overal alleen voor stond, had ze altijd tijd en aandacht voor haar kinderen.

„Juf Yvet, luister eens." Met een geheimzinnig gezicht keek Lies haar aan. „Wij krijgen weer een papa."

„Echt waar?" vroeg Yvet verrast.

Stralend knikte het kind. „Ja, echt waar. Fijn hè?"

„Nou, dat is echt heerlijk voor jullie."

Yvet was oprecht blij met dit goede nieuws en zodra het wat rustiger werd, liep ze naar de moeder van de tweeling toe om haar te feliciteren met haar aanstaande huwelijk.

„Dank je wel," zei ze. „Je weet niet half hoe gelukkig ik ben."

„O jawel." Yvet keek met een liefdevolle blik naar Marco. „Ik was Marco ook bijna kwijtgeraakt, al was het dan op een andere manier. Na zoiets waardeer je het geluk dubbel."

„Inderdaad. Pas als je zoiets meegemaakt hebt, besef je hoe broos geluk is, dus geniet er maar van. Ik ga er trouwens weer vandoor, want de kinderen worden knap baldadig." Ze riep Lies en Rob tot de orde, die meteen aan kwamen rennen. „Kom jongens. We gaan naar huis, want Yvet gaat zo eten."

„Wat eten jullie?" informeerde Rob meteen zakelijk.

„Koud buffet," vertelde Yvet, terwijl ze hem in zijn jasje hielp. Zijn arm bleef echter halverwege hangen en verontwaardigd riep hij uit: „Hoe kan dat nou? Wie eet er nou een kást op?"

Het hele gezelschap barstte in lachen uit en het duurde even voor het Rob duidelijk gemaakt was. Hij mocht even in de keuken naar de prachtig opgemaakte schalen kijken en tevreden vertrok hij daarna met zijn moeder en zusje.

Marco was Yvet achterna gekomen en ving haar nu in zijn armen. „Wat een leuk stel," zei hij waarderend. „Zo wil ik er ook wel een paar in de toekomst. Je zult ze best missen als ze straks naar de kleuterschool gaan."

Yvet knikte instemmend. „Dat denk ik ook wel. Er zijn genoeg aanvragen, maar zonder de tweeling zal kinderdagverblijf De Piepkuikens niet meer hetzelfde zijn."

„Kan ik iets compenseren met een zoen?" bood Marco gewillig aan.

„Hm, het is altijd te proberen." Yvets armen gleden om zijn nek en voor een paar minuten vergaten ze de tientallen mensen die binnen op hen zaten te wachten.

Het was Huib die hen stoorde. Voorzichtig keek hij om de hoek van de deur en tevreden zag hij toe hoe ze in elkaar verdiept waren. Zo hoorde het, dacht hij voldaan. Hij gunde hen het geluk van harte na alles wat ze doorstaan hadden. Yvet met haar teleurstelling en Marco met Francis. Huib had haar vandaag uiteraard ontmoet en hij kon zich nu levendig voorstellen dat Marco zo in de put gezeten had gedurende hun relatie met elkaar.

Voorzichtig tikte hij Marco op zijn schouder. „Het spijt me, maar jullie gasten willen graag eten."

„Nou en?" antwoordde Marco afwezig. Wie kon er op een moment als dit nou aan eten denken?

„Ach, ze vinden het onbeleefd om te beginnen als jullie er niet zijn," zei Huib droog. „Dan vallen alle speeches in het water. Kom op, joh."

Zonder verdere plichtplegingen duwde hij het paar de grote salon in, waar ze met gejuich werden ontvangen. Aad Westra bracht een toast uit op het geluk van zijn dochter en haar kersverse verloofde.

„Dat het maar een leven lang mag duren," wenste hij hun toe.

Alle glazen werden opgeheven naar Yvet en Marco, die elkaar stralend aankeken.

De volgende dag reden ze naar hun vakantiebestemming, die voor iedereen, zelfs voor Yvet, geheim was gehouden.

„Waar gaan we nou heen?" wilde ze nieuwsgierig en ongeduldig weten. „Je kunt het nu toch zo langzamerhand wel vertellen?"

„Nee, je merkt het vanzelf wel als we er zijn. Waarom ga je niet even slapen? Het is tenslotte erg laat geworden vannacht."

„Slapen? Poe, als ik tachtig ben. Ik kan mijn hele leven nog slapen."

Maar Yvet staarde dromerig uit het raam en langzaam vielen haar ogen toch dicht, wat glimlachend werd bekeken door Marco. Peinzend reed hij verder door het rustige landschap, bedenkend hoe gelukkig hij was. Dat alles toch nog in orde was gekomen tussen Yvet en hem, ongelofelijk. Hij was echt van een diep dal op een hoge top gekomen. Francis had nooit in haar opzet kunnen slagen, want Marco kon onmogelijk verliefd worden op iemand die zo weinig warmvoelend was als zij, al was ze dan uiterlijk gezien het evenbeeld van de vrouw aan wie hij zijn hart geschonken had.

Hij parkeerde de auto op de plaats van bestemming en behoedzaam schudde hij Yvet wakker.

„Oud besje," zei hij zacht en plagend in haar oor. „Je bent, ondanks je stellige beweringen, toch in slaap gevallen. We zijn er."

Suffig keek Yvet om zich heen. „Hè, wat? Waar zijn we?"

„Op ons vakantie-adres. Ik ben van plan hier twee heerlijke weken door te brengen."

Op slag was Yvet klaarwakker. „Waar zijn we dan? Op een... O Marco, wat een goed idee van jou!" Stralend keek Yvet om zich heen op de plek waar ze stonden. Het bungalowpark waar ze Marco vijf maanden geleden had leren kennen. „Wat heerlijk! Kom, laten we ons snel inschrijven bij de receptie, dan kunnen we alle vertrouwde plekjes weer opzoeken."

Nadat ze de sleutel in ontvangst hadden genomen en hun koffers in het huisje hadden gezet, liepen ze de bekende weg langs het meer. Opgetogen wees Yvet naar bepaalde dingen die in haar geheugen gegrift stonden, ondertussen herinneringen ophalend aan een tijd die nog maar kort voorbij was, maar jaren geleden leek. Marco genoot van haar enthousiasme. Op de plek waar ze elkaar voor het eerst gezoend hadden, hield hij haar staande.

„Dit is ons plekje," zei hij plechtig. „Hier heb je mijn eerste zoen gekregen en als het aan mij ligt, beslist niet de laatste." Hij boog zich naar haar toe en hun lippen vonden elkaar in een lange, hartstochtelijke kus. „Ik ben van plan dit minstens eenmaal per dag te doen op deze plek zolang we hier zijn," deelde hij haar mee. Onder het praten haalde hij een pakje uit zijn binnenzak. „Mijn verlovingscadeau voor jou."

Voorzichtig peuterde Yvet het glanzende lintje los. Het pakje kwam overduidelijk bij een juwelier vandaan en hoewel Yvet niet zo dol op sieraden was, was ze wel razend nieuwsgierig. Ze hoopte alleen maar dat het geen overdadig, veel te opvallend juweel was, al nam ze zich meteen voor om ook in dat geval geen kritiek te uiten. Ze vond het gebaar veel te lief.

Ze maakte zich zorgen om niets, want Marco had haar eenvoudige smaak perfect aangevoeld. Op een bedje van wit fluweel lag een gouden close for ever armband, zonder bedeltjes en zonder glinsterende stenen.

„Hij is prachtig," zei Yvet welgemeend. „Dit is precies waar ik van hou."

„Dat weet ik, maar dat is niet de enige reden dat ik hem gekocht heb." Marco sloot de armband om Yvets smalle pols, zijn vingers beroerden zachtjes haar huid. „Het is een cadeau met een symbool. Ons geluk is één keer onderbroken geweest, dat zal ons geen tweede keer overkomen. Dit sieraad heet niet voor niets close for ever. Voor altijd."

„Voor altijd," herhaalde Yvet zacht.

Weer ontmoetten hun lippen elkaar. Op dat moment kwam de zon achter de wolken tevoorschijn en zette het paar in een gouden gloed, als een belofte voor een zonnige toekomst.

Single Shirley

HOOFDSTUK 1

„Mooi, het is weer weekend." Met een uitgelaten gebaar sloot Shirley Hoogenboom haar computer af en ruimde haar bureau op.

„Althans bijna," zei haar collega Alicia met een blik op de klok, die tien voor vijf aanwees.

Shirley haalde haar schouders op. „Wie maakt zich nou druk om die paar minuten? Kom op Alies, stop ermee."

„Even deze lijst afmaken."

Zonder acht te slaan op Shirley, die met haar vingers op het bureaublad trommelde, werkte Alicia rustig door. Exact om vijf uur schoof ze haar stoel naar achteren.

„Je bent een zeer precieze werknemer," prees Shirley. „Ik zal de baas vertellen dat hij je opslag moet geven."

„Nou graag."

Lachend liepen de twee jonge vrouwen de gang op, die druk bevolkt was. Iedereen haastte zich naar de uitgang om zo snel mogelijk aan de vrije dagen te beginnen. „Prettig weekend," klonk het van alle kanten.

„Dat zal best lukken," grijnsde Shirley.

Ze ging nooit met tegenzin naar haar werk op de afdeling personeelszaken van een groot warenhuis, maar op vrijdagmiddag had ze altijd schoon genoeg van de werkweek. Vanaf een uur of twee begon het weekend al te lonken, een weekend dat door haar en Alicia, plus vier andere collega's, steevast ingeluid werd in het café om de hoek. Ook nu trokken ze er weer met zijn zessen heen.

„Jeffrey, een groot glas koude, witte wijn voor mij!" riep Shirley uitbundig tegen de barman.

„Meid, wat ben jij vrolijk vandaag."

Petra stak een sigaret op en vergat, zoals gewoonlijk, de rest van het gezelschap te presenteren. Alicia greep het pakje en deelde er vrolijk van uit. Petra lachte. „Sorry hoor, dat zal ik wel nooit leren."

„Geeft niet, we bedienen onszelf wel."

„Volgens mij is Shirley verliefd," zei Willem, de draad van het gesprek weer oppakkend.

„Single Shirley? Onmogelijk," grijnsde Bernard.

Hij was met zijn vijfenveertig jaar de oudste van het stel, maar deed altijd net zo vrolijk mee. Sinds zijn scheiding, een half jaar geleden, had hij zich bij dit clubje collega's aangesloten en ze hadden hem met open armen ontvangen. Hij liet nooit merken dat hij een stuk ouder was en al het nodige had meegemaakt en stuk voor stuk mochten ze hem graag.

Shirley grinnikte om haar bijnaam. Het was waar, het was al tijden geleden dat ze voor het laatst een vriend had gehad, maar dat was geen bewuste keuze. Ze was gewoonweg de goede man nog niet tegengekomen en ze experimenteerde nu eenmaal niet graag op het gebied van de liefde. Petra en Kelly hadden voortdurend kortstondige verhoudingen die uitgebreid op het werk werden besproken, maar Shirley was anders. Onder haar luchtige gedrag zat een serieus karakter verborgen, een kant van haar die bij oppervlakkige contacten niet snel boven kwam, ook niet onder haar collega's. Alleen Alicia, waar ze mee op één kamer werkte en bovendien al sinds haar jeugd mee bevriend was, kende Shirley door en door. Ze zat nu geamuseerd toe te kijken hoe Shirley bedolven werd onder een spervuur van vragen en plagerijtjes.

„Ik vertel toch niks," beweerde Shirley met een geheimzinnig gezicht. „Werk en privé moeten gescheiden blijven."

„Maar we mogen toch wel weten of er een kandidaat is?" riep Willem.

„Ja, dan kan hij zijn pogingen om je te versieren tenminste eindelijk staken," plaagde Kelly.

Ze schoten in de lach bij de vernietigende blik die Willem haar toewierp. Het was waar dat hij een zwak had voor Shirley, maar ze had hem duidelijk te verstaan gegeven dat de affectie van één kant kwam. Hij had zich er sportief bij neergelegd.

„Nou, goed dan," zei Shirley uiteindelijk toen iedereen bleef aandringen. „Ik zal vertellen waarom ik in zo'n goede stemming ben." Met een geheimzinnig gezicht keek ze haar collega's één voor één aan en langzaam, op effect berekend, vervolgde ze: „Ik ga dit weekend mijn kamer opknappen en daar heb ik enorm veel zin in!"

Er ging een zucht van teleurstelling door de gelederen.

„Is dat alles?" vertolkte Petra hun aller gedachten. „We rekenden echt op een wilde lovestory."

„Nee, dat laat ik graag aan jou en Kelly over," antwoordde Shirley liefjes.

„Meid, je weet niet wat je mist," zei Kelly, niet in het minst beledigd. „Persoonlijk vind ik het wel weer eens tijd worden dat jij een afspraakje moet hebben."

„Goed idee," viel Bernard haar bij. „Heb je iemand op het oog voor haar?"

„Zeg, ik ben prima in staat mijn eigen afspraakjes te regelen," protesteerde Shirley.

„Bewijs dat maar." Iedereen stemde luidruchtig met deze woorden in.

„Oké." Overmoedig keek Shirley om zich heen, de bezorgde blik van Alicia vermijdend. Alicia kende haar vriendin en wist dat die nu onder haar grote mond zat te bibberen van onzekerheid. Maar Shirley wilde zich voor geen prijs laten kennen en was absoluut niet van plan alsnog terug te krabbelen. „Waar wedden we om en wat moet ik doen?"

„Als jij binnen een kwartier één van de aanwezige mannen hier weet te strikken voor een avond uit, dan betalen wij de komende maand je rekening hier in het café," stelde Willem voor.

„Daar sloof ik me niet voor uit. Drie maanden minstens, tenslotte zijn jullie met zijn vijven."

„Maar dan moet het wel een vreemde man zijn," eiste Petra. „Niet Jeffrey of één van de vaste klanten. En als je verliest, kost het je een etentje voor ons allemaal."

„Dat kan mijn portemonnee niet meer hebben, dus ik zal extra mijn best moeten doen," lachte Shirley.

„Jongens, hou op," kwam Alicia nu tussenbeide. „Een geintje is leuk, maar laten we nou niet overdrijven. Wie weet hoe dit uit de hand gaat lopen."

„Misschien houdt Shirley er wel de liefde van haar leven aan over," zei Kelly.

„Alies, die kans wil je me toch niet ontnemen?" grapte Shirley. Ze stond op en keek om zich heen. „Jongens, wens me sterkte. Op wie zal ik mijn verleidingskunsten uitproberen?"

„De man die nu binnenkomt," wees Bernard. „Het is hier maar

klein, alle aanwezigen hebben van ons gesprek mee kunnen genieten, dus dat telt niet."

„Oké, daar ga ik."

Met opgeheven hoofd liep Shirley de paar meter naar de deur, waar een jonge, niet onaantrekkelijke man zijn jas uit stond te trekken. Zijn uiterlijk viel tenminste mee, voor hetzelfde geld hadden haar collega's een klein, oud en kalend mannetje uitgezocht. O, waarom was ze ook zo stom om op dergelijke dingen in te gaan? Als ze Alicia hadden uitgedaagd zou die dat op kalme wijze afgewimpeld hebben, maar zij moest zich weer zo nodig bewijzen. Single Shirley noemden ze haar. Ze zouden er beter Stomme Shirley van kunnen maken, dacht ze somber. Dit alles vloog in enkele seconden door haar hoofd terwijl ze recht op de man afliep. Hij keek haar vragend aan.

Voor ze bij hem was, fluisterde Shirley indringend: „Werk alsjeblieft mee. Mijn reputatie…" Ze maakte een vaag handgebaar naar het tafeltje waar vijf man afwachtend toekeken. „Hé, lekker stuk," vervolgde ze toen luider. „Jij ziet eruit als iemand die snakt naar een avondje in mijn gezelschap. Wat dacht je van een bioscoopje morgenavond?"

„Wij samen, bedoel je?" Er verschenen pretlichtjes in zijn ogen. „Of gaat die hele groep daar mee? In dat geval pas ik, maar anders graag. Geef me je adres maar, dan haal ik je om acht uur op."

„Bedoel je…? Ga je…?" stotterde Shirley verbluft. Ze had gehoopt op een beetje medewerking, maar zo'n vlotte overwinning had ze niet verwacht. „Wil je echt?"

„Zo'n charmante uitnodiging kan ik onmogelijk laten schieten." De man stak zijn hand uit en Shirley greep hem alsof het een reddingsboei betrof. Ze stond te trillen op haar benen en haar hart bonsde luid. „Geert van der Zande."

„Shirley Hoogenboom. Wacht, ik zal mijn adres even noteren." Ze krabbelde wat op een bierviltje, dat hij wegstopte in zijn binnenzak. „Tot morgen dan maar. En… eh, bedankt hè."

„Graag gedaan. Tot morgen. Ga je overwinning maar vieren." Met een knipoog liep hij naar de bar.

Onder luid gejuich werd Shirley weer aan haar tafel ontvangen.

„Klasse," prees Kelly. „Ik ben echt niet verlegen op het gebied van mannen, maar zo'n directe aanpak zou ik niet durven."

„Ik had ook maar een kwartier de tijd. Nou, ik denk dat ik nog maar een glaasje neem, het kan er nu wel vanaf."

Onder grote hilariteit werd Jeffrey erbij geroepen. Shirley zag vanuit haar ooghoeken dat Geert alles geamuseerd zat te bekijken. Ze voelde zich verlegen worden onder zijn blikken. Zodra haar glas leeg was stond ze dan ook op.

„Jongens, ik ga er vandoor. Mijn verfblikken en rollen behang wachten op me. Alies, ga je mee of blijf je hier?"

„Ik ga met je mee. Ik geloof dat ik eens een hartig woordje met je moet spreken onderweg," zei Alicia.

„Verpest het niet hoor, anders willen we alsnog dat etentje," waarschuwde Petra.

„Ik zal de rekening van vanavond nog maar even bewaren voor de zekerheid," riep Bernard hen na.

Het eerste stuk liepen de twee vriendinnen zwijgend naar huis, genietend van het zachte lenteweer. Ze woonden vlak bij elkaar. Shirley op de zolderverdieping van een oud herenhuis, Alicia nog steeds bij haar ouders, al zou daar binnenkort verandering in komen.

„Shir, waarom liet je je nou weer zo meeslepen?" vroeg Alicia halverwege ineens. „Jij bent zo niet, waarom doe je je toch steeds anders voor op zulke momenten?"

„Ik weet het niet," bekende Shirley eerlijk. „Weet je, toen ik op die man afliep dacht ik er nog aan hoe jij zo'n situatie aangepakt zou hebben, maar ik mis nu eenmaal jouw kalme gevoel van zelfvertrouwen. Ik wilde me gewoon niet laten kennen."

„Met als gevolg dat je nu een hele avond opgescheept zit met een wildvreemde man, ik zou er feestelijk voor bedanken."

„Welnee, die Geert komt heus niet opdagen morgen. Die had allang door dat het gewoon om een weddenschap ging."

„Maar hij heeft je adres," merkte Alicia terecht op.

Shirley lachte onbekommerd. „Natuurlijk, anders had het niet echt geleken. De rest van ons groepje zou er meteen bovenop gedoken zijn als ik dat niet gegeven had. Maar op weg naar hem toe heb ik hem dringend verzocht mee te spelen, dus hij vatte het heus niet als een serieuze uitnodiging op. Ik ga er in ieder geval niet van uit dat hij morgenavond op mijn stoep staat."

„Hm, ik weet het nog zo net niet." Alicia keek sceptisch. „Misschien is die man wel een psychopaat waar geen enkele vrouw op valt, dan pakt hij deze kans met beide handen aan." Shirley schoot in een klaterende lach. „Alies, je bent hartstikke gek!" riep ze luid. Ze trok zich niets van de verbaasd omkijkende mensen aan.

„St, hou op," zei Alicia terwijl ze gegeneerd om zich heen keek en Shirley met zich meetrok. „Misschien overdrijf ik wel, maar ik maak me echt zorgen. Je hoort zulke rare verhalen tegenwoordig."

„Ik kan echt wel op mezelf passen. Nou, ik ben er. Gauw een hapje eten en dan ga ik verven. Wens me maar succes."

„Succes dan. En kijk alsjeblieft uit als hij morgen toch verschijnt. Laat hem niet binnen," waarschuwde Alicia nog.

„Goed ma," grinnikte Shirley.

Nalachend liep ze de drie trappen naar haar zolder op, die haar kaal aanblikte. Ze had afgelopen week het oude behang al van de muren afgetrokken en het houtwerk geschuurd en haar handen jeukten om aan de slag te gaan. Tijdens het verven liet ze haar gedachten de vrije loop. Alicia was een schat, maar kon vreselijk overdrijven. Ze was een typisch voorbeeld van iemand die altijd de veilige kant koos en geen risico's durfde te nemen, dat was vanavond weer duidelijk tot uiting gekomen. Terwijl iedereen het incident als een grapje beschouwde, zag Alicia alle mogelijke gevaren op haar, Shirley, afkomen.

Shirley ging er geen moment serieus van uit dat Geert werkelijk zou komen. Diep in haar hart vond ze dat zelfs een beetje jammer. Geert zag er niet onaantrekkelijk uit en zijn reactie op haar overval was haar wel bevallen. Waarschijnlijk zou het helemaal geen corvee zijn om een avond met hem op stap te gaan. Maar dat was voor haar, Single Shirley, niet weggelegd. Het was al minstens anderhalf jaar geleden dat ze een afspraakje had gehad. Soms kon Shirley innig verlangen naar een man om haar leven mee te delen. Iemand bij wie je altijd terecht kon, iemand om bij thuis te komen. Nooit meer eenzaam zijn.

Het leek een utopie, want ze was nog nooit iemand tegenge-komen die aan haar verwachtingen voldeed. Ze was er het type niet naar om zomaar een relatie te beginnen, ze eiste onvoor-waardelijke liefde. Zo'n incident als die avond was haar dan ook volkomen vreemd. Maar niet onprettig, moest ze zichzelf toegeven. Eigenlijk was het best een kick geweest om brutaal-weg op een vreemde af te stappen en hem mee uit te vragen. Hoewel, als hij anders gereageerd had zou ze daar waarschijn-lijk niet zo over denken. Normaal gesproken zou ze zoiets ook nooit durven, alleen al niet uit angst om een blauwtje te lopen. Wat dat betrof was de hele feministische golf aan haar voorbij gegaan, dacht Shirley met zelfkennis. Zij ging nog altijd van het standpunt uit dat het initiatief van de kant van de man moest komen. Misschien kwam dat door het voorbeeld dat ze thuis had gekregen. Ze kwam uit een ouderwets degelijk gezin waar-in de vader het inkomen verdiende en de moeder een rol als toegewijde verzorgster van man, huis en kroost had. Voor zover Shirley zich kon herinneren had haar moeder nog nooit zelfstandig een beslissing genomen. De kinderen, Shirley en haar twee broers, waren zo grootgebracht en als volwassen mens bleef je toch terugvallen op je opvoeding, dat had ze vaker gemerkt. Haar broers waren precies hetzelfde als haar vader vroeger: hard, onbuigzaam en duidelijk de baas in huis. Sinds het overlijden van hun ouders was het contact dan ook verwaterd en uiteindelijk verbroken.

Shirley had zich altijd voorgenomen het in haar eigen huwe-lijk anders te doen, maar voorlopig belette haar opvoeding haar nog de juiste man tegen te komen. Volgens een vroegere schoolvriendin stelde ze zich altijd te afwachtend en te af-hankelijk op. Nu, dan had ze haar vanavond eens moeten zien! Shirley staakte haar overpeinzingen en keek voldaan naar het nu weer glanzende, strak in de verf zittende houtwerk. Zo, dat was klaar. Een blik op de klok vertelde haar dat het tijd was om naar bed te gaan als ze morgen fit genoeg wilde zijn om te behangen. Ze ruimde de kranten, die ze uit voorzorg op haar vloerbedekking had gelegd, op, nam een hete douche en stap-te haar bed in. Ze sliep snel, moe van het ongewone werk. De dag erna ging ze al weer vroeg aan de slag. Voor ze maandag weer naar haar werk moest, wilde ze graag haar meubels weer op hun plaats en haar kasten ingeruimd hebben, dus dat hield in dat ze die dag het behangen af moest hebben. En dat ging lukken, merkte ze halverwege tevreden op. Haar kamer ging er steeds beter uitzien, ongelooflijk wat een verschil zo'n stuk papier op je muren uitmaakte.

Om tien voor acht bekeek ze voldaan het resultaat. Het zalmkleurige houtwerk zag er prima uit en het behang in dezelfde kleur, maar een paar tinten lichter, deed het er goed bij. De kamer, eerst voorzien van een gelig bloemetjesbehang en verschoten witte deuren, had een complete metamorfose ondergaan. Net toen Shirley bedacht dat het jammer was dat ze dit niet onmiddellijk aan iemand kon laten zien, ging de bel. Drie keer, dat was voor haar. Waarschijnlijk Alicia, die leefde altijd nogal mee, hoopte Shirley terwijl ze de drie trappen afrende. Geen moment dacht ze meer aan die vreemde afspraak en ze schrok dan ook enorm bij het aanschouwen van Geert. Heel die rare situatie stond haar meteen weer helder voor de geest.

„O jee," stamelde ze niet erg intelligent.

„Ik weet dat het donker is in een bioscoop, maar een beetje aandacht voor het uiterlijk had ik toch wel van je verwacht," zei Geert met een brede grijns. „Mag ik binnenkomen of laat je me op de stoep staan?"

„Nee, natuurlijk. Sorry, kom erin," zei Shirley nog steeds beduusd terwijl ze een stap opzij deed. „Ik had je niet verwacht."

„We hadden toch een duidelijke afspraak," herinnerde Geert zich.

„Dat was een weddenschap, ik dacht dat je dat wel begrepen had."

„Een weddenschap die je aangegaan bent en waarbij ik je geholpen heb. Het minste wat ik verdiend heb, is een leuke avond."

„Ik beschouwde het als een grapje," bekende Shirley. „Jij ook, dacht ik, vooral omdat ik je onmerkbaar voor de anderen al om hulp had gevraagd. Toen je er zo vlot op inging, nam ik die afspraak niet serieus."

„Ik wel, het was de kans van mijn leven," lachte Geert.

Een beetje schuw keek Shirley naar hem op. Onwillekeurig moest ze aan Alicia's waarschuwing denken. Zijn open blik stelde haar echter gerust. Deze man was geen psychopaat of wanhopige rokkenjager. Hij wilde gewoon een gemaakte afspraak nakomen en had zich verheugd op een leuke avond.

„Geef me even de tijd om me op te knappen, dan gaan we alsnog," zei ze spontaan. „Loop maar mee naar boven. Het is alleen een bende, want ik ben aan het opknappen."

„Dat begreep ik al," was zijn droge antwoord. Eenmaal boven bewonderde hij oprecht haar werkzaamheden. „Geen man zou het je verbeteren," complimenteerde hij.

Op dat moment kreeg Shirley echt zin in de avond. Een man die dat zomaar zei, dat moest een lot uit de loterij zijn. De meeste mannen die ze kende zouden hooguit mompelen dat het niet onaardig gedaan was of meteen kritiek leveren. Het zag ernaar uit dat haar collega's een alleszins acceptabel exemplaar voor haar hadden uitgezocht!

„En? Is hij nog op komen dagen?" Dat was het eerste wat Alicia die maandagochtend vroeg terwijl ze naar kantoor liepen.

„Meer dan dat zelfs," knikte Shirley met een geheimzinnig gezicht. „We hebben een hele leuke avond gehad samen. Vanavond komt hij bij me eten."

„Shir, doe nou eens serieus," zuchtte Alicia.

„Maar ik meen het. Eerlijk gezegd was ik die hele afspraak vergeten toen hij zaterdagavond aanbelde, maar ik heb er absoluut geen spijt van dat ik alsnog met hem ben meegeweest. De film was goed en het gezelschap nog beter. Gisteren heeft hij me geholpen om mijn kamer weer in te ruimen, als dank daarvoor bied ik hem vanavond een etentje aan."

„Je loopt wel hard van stapel."

„Geert heeft zich een ongeluk lopen sjouwen gisteren, dit is het minste wat ik terug kan doen. Hou nog eens op met preken, Alies. Jij ziet in iedere man een gevaar."

„Ik ben realistisch en lees kranten," verweerde Alicia zich. „Er lopen enorme griezels los rond, vergis je niet."

„Daar kunnen we ons moeilijk voor gaan opsluiten. Geert is gewoon een leuke, aantrekkelijke man, voor zover ik dat nu kan beoordelen. Misschien ontwikkelt hij zich in de toekomst nog wel tot psychopaat, maar daarom ga ik hem nu niet uit de weg. Als hij vreemde trekjes gaat vertonen, wijs ik hem de deur, dat beloof ik," zei Shirley.

Onwillekeurig schoot Alicia in de lach. „Hou maar op, met jou is toch geen verstandig woord te wisselen," plaagde ze. „En ook al zeur ik weleens, ik vind het fijn voor je dat je een leuke avond hebt gehad."

„Meer dan leuk zelfs." Dromerig keek Shirley voor zich uit. „Weet je, het is zo lang geleden dat ik met een man ben uit geweest dat ik bijna was vergeten hoe dat is. Heel anders dan met vriendinnen in ieder geval. Geert is écht leuk. Het is niet zo'n macho die alleen maar over zichzelf kan praten, maar hij had belangstelling voor me en luisterde geïnteresseerd naar wat ik te vertellen had."

„Je bent verliefd," concludeerde Alicia.

Shirley haalde haar schouders op. „Ach, verliefd. Dat vind ik zo'n groot woord voor iemand die je pas kent. In ieder geval vind ik hem heel erg leuk en hoop ik dat onze vriendschap zich verder ontwikkelt. Ik ben niet zo'n snelle op dat gebied, dat weet je."

„Hou dat ook maar zo. Petra en Kelly zouden me hartelijk uitlachen als ze dit horen, maar een relatie tussen een man en een vrouw vind ik iets bijzonders. Dat moet groeien, dan wordt het steeds waardevoller."

„Mijn idee," knikte Shirley.

Ze hadden inmiddels hun werkplek bereikt. Bernard, Willem, Kelly en Petra stonden in de hal op hen te wachten. Op slag werd hun serieuze gesprek afgebroken en begon Shirley uitbundig te dollen.

„Lieve collega's van me, mag ik jullie heel hartelijk bedanken? Drie maanden gratis drinken en een fantastische man op de koop toe. Jullie zijn schatten!"

„Het was dus leuk zaterdagavond," zei Kelly.

„Leuk? Dat is veel te zwak. Geert is de liefde van mijn leven, dat voel ik nu al."

„Overdrijven is ook een vak," bromde Willem. „Volgens mij is het zwaar tegengevallen en durf je dat niet te bekennen."

„Denk ervan wat je wilt, maar als het niet had geklikt tussen ons was hij gisteren niet de hele dag gebleven om meubels te sjouwen," zei Shirley met een uitgestreken gezicht.

„Is hij blijven slapen?" vroeg Petra meteen.

„Voor jullie een vraag, voor mij een weet." Shirley knipoogde naar Alicia. „Eén ding is zeker: onze ontmoeting wordt een leuk verhaal om later aan onze kinderen te vertellen."

Daarmee had ze het laatste woord, want het was na negenen en ze moesten aan het werk. Samen met Alicia grinnikte Shirley nog na om de verblufte gezichten van hun collega's.

„Die hebben weer wat te roddelen," zei Shirley tevreden.

„Toch moet je daarmee uitkijken," vond Alicia nodig te waarschuwen. „Je weet hoe ze zijn. Petra en Kelly zijn er nu vast van overtuigd dat Geert de nacht bij je heeft doorgebracht, vooral omdat dat voor hen een normale zaak is. Voor je het weet heb je een naam op dat gebied, mensen kletsen nu eenmaal graag."

„En wat dan nog. Ik trek me niets aan van wat men over me denkt. Zolang ik mijn eigen gedrag maar voor mezelf kan verantwoorden," vond Shirley onbekommerd.

Ze startte haar computer op en toog aan het werk, maar ze kon haar gedachten er niet voor honderd procent bijhouden. Ze betrapte zichzelf erop dat ze niet de volle waarheid gesproken had. Ze zou het wel degelijk heel erg vinden als Geert dergelijke praatjes over haar te horen zou krijgen en ze ook zou geloven. Geert... Hij bleef maar door haar hoofd spoken. Terwijl Shirley met nietsziende ogen naar haar beeldscherm staarde, beleefde ze in gedachten het afgelopen weekend weer. De film was griezeliger dan ze verwacht had en tijdens een zeer angstige scène had ze onbewust zijn hand vastgepakt. De rest van de film hadden zijn vingers de hare stevig omsloten, overigens zonder dat hij haar gebaar meteen als uitnodiging beschouwde om verder te gaan dan dit. Na afloop, vlak voordat de lichten weer aangingen, had hij haar weer losgelaten en hij had er geen dubbelzinnige opmerkingen over gemaakt. Shirley wilde bijtijds terug naar huis. Ze had een vermoeiende dag achter de rug en verlangde naar haar bed. In plaats van tegenwerpingen te maken, zoals ze verwacht had, had Geert haar meteen thuisgebracht en spontaan zijn hulp aangeboden voor die zondag.

Shirley glimlachte bij de herinnering. Ze hadden een hele gezellige dag beleefd samen, waardoor het werken in haar kamer een stuk lichter viel. Alles was nu klaar en impulsief had ze hem voorgesteld de kamer samen in te wijden. „Met een etentje," voegde ze snel aan die woorden toe, beseffend dat haar woordkeus niet zo gelukkig was. Hij maakte echter weer geen gebruik van de gelegenheid, hoewel het een schot voor open doel was. Shirley was blij dat hij niet zo'n type was dat achter ieder woord een dubbele betekenis zocht. Ze had ooit eens een vriendje gehad dat wel zo was en dat waren altijd zeer vermoeiende gesprekken geweest. Geert reageerde tenminste normaal en volwassen op dergelijke uitspraken.

Voor zover ze nu kon beoordelen, kwam hij wel heel dicht in de buurt van wat voor haar de ideale man was. Natuurlijk was daar nog weinig over te zeggen, maar Shirley had in ieder geval nog geen karaktereigenschappen bij hem kunnen ontdekken die haar tegenstonden. Ze was serieus op weg om verliefd op hem te worden, ondanks haar stoere bewering van die ochtend dat het nog te pril was om over dergelijke gevoelens te praten. Ze verkeerde in ieder geval in een jubelstemming en kon haast niet wachten tot die avond, tot ze Geert weer zou zien.

Op weg naar huis sloeg ze een flinke voorraad boodschappen in. Koffie, gebak, verschillende soorten wijn en bier omdat ze niet precies wist wat hij lekker vond, zoutjes en de nodige ingrediënten voor het eten. Ze was geen ster in de keuken, maar bezat wel de nodige fantasie om van blikjes en pakjes een smakelijke, persoonlijke maaltijd te maken. Als voorafje kocht ze een kant en klare heldere groentesoep, haar hoofdgerecht bestond uit pasta met een pot tomatensaus. Door toevoeging van gehakt, kruiden, champignons, prei en zacht gefruite uitjes wist ze daar een zeer smakelijk maal van te maken, waarvan het leek of ze er uren op gezwoegd had. Daarbij kocht ze een zak gemengde sla, die ze aan wilde vullen met gekookte eieren, tomaten en stukjes augurk, terwijl haar dessert bestond uit een ijstaart door haar zelf versierd met slagroom en vers fruit. Op deze manier had ze binnen een half uur een uitgebreide en zeer smakelijke maaltijd op tafel staan. Bijkomend voordeel was dat ze zowel de soep als de pasta vlak voor het opdienen alleen maar in de magnetron hoefde te zetten. Shirley vond het altijd enorm ongezellig als haar visite in het zitgedeelte vertoefde terwijl zij in de keuken stond.

Nadat alle voorbereidingen voor het eten klaar waren wierp ze een nerveuze blik op de klok. Kwart voor zeven, Geert zou om halfacht komen. Nog net tijd genoeg om te douchen en zich om te kleden. Tien voor halfacht was ze klaar. Ze had geen overdreven zorg aan haar uiterlijk besteed, wel een trui aangetrokken die de kleur van haar ogen extra goed deed uitkomen. Ze voelde zich licht en prettig, vol van gespannen verwachting. Op het moment dat de bel overging miste haar hart een slag en opgewonden liep ze naar beneden om de deur te openen.

„Hoi, kom binnen," probeerde ze zo luchtig mogelijk te zeggen. Achter hem aan liep ze de trappen weer op naar boven, onderwijl proberend haar gejaagde ademhaling weer zo rustig mogelijk te krijgen. Ze wist heel goed dat die niet alleen zo snel ging vanwege het inspannende trappenlopen, want dat was ze wel gewend.

Geert had een bos bloemen en een terracottakleurige vaas voor haar meegenomen, die ze blozend in ontvangst nam.

„Past goed bij mijn nieuwe behang," zei ze verlegen.

„Daar heb ik hem speciaal op uitgezocht. Dit soort kleine details maken een kamer af," antwoordde Geert terwijl hij plaatsnam op haar kleine tweezitsbank.

Hij leek zich volkomen op zijn gemak te voelen, in tegenstelling tot Shirley. Zij was nog steeds zo gespannen als een te strak aangedraaide veer. Druk heen en weer lopend vulde ze de vaas met bloemen en pakte ze glazen.

„Eerst wat drinken of wil je meteen aan tafel?" vroeg ze.

„Eerst maar wat drinken. Wijn graag, als je hebt. Kan ik je ergens mee helpen?"

„Je mag de fles openen. In de keuken is verder alles klaar, we kunnen straks zo aan tafel."

„Ik ben benieuwd wat je ervan gebrouwen hebt," zei Geert, voorzichtig de kurk van de wijnfles wrikkend. „Eerlijk gezegd heb ik een enorme trek."

„Dan is het te hopen dat het je niet tegenvalt."

Shirley nam een glas wijn van hem aan en ging zitten. Langzaam voelde ze zich wat rustiger worden en meer op haar gemak. Ze vonden al snel de ongedwongen toon van het weekend terug.

„Proost," zei Geert, zijn glas naar haar opheffend. „Op onze vriendschap. En wellicht meer, of mag ik dat niet zeggen? Rij ik iemand anders daarmee in de wielen?"

„In dat geval had je hier niet gezeten," reageerde Shirley ad rem. Hun ogen vonden elkaar en ze bloosde.

„Op onze toekomst dan maar. Dat die ons mag brengen wat we er nu van verwachten," zei Geert met een glimlach.

De lichte kriebels die Shirley al sinds zaterdagavond voelde, maakten nu een wilde rondedans door haar buik. Hij vond haar net zo leuk als zij hem, besefte ze. Een warm, zweverig gevoel overviel haar. De blik waarmee Geert haar aankeek hield een belofte in voor de toekomst.

Shirley proefde later amper wat ze at. Werktuiglijk bracht ze het bestek naar haar mond, maar ze was te veel in beslag genomen door de man tegenover haar om te genieten van wat ze at. Dit in tegenstelling tot Geert, die het maal alle eer aandeed.

„Het is heerlijk," zei hij tussen het hoofdgerecht en het toetje voldaan. „Je bent een prima kokkin, Shirley. Kan ik je niet inhuren om iedere avond mijn eten klaar te maken?"

„Dat ligt eraan wat je betaalt. Hier heb ik tenslotte uren voor in de keuken gestaan," overdreef ze lachend.

„Hm, in dat geval ben ik waarschijnlijk goedkoper uit als ik met je trouw," bedacht hij.

Hoewel het een grapje was, vluchtte Shirley met een vuurrood hoofd de keuken in om de ijstaart te pakken. Trouwen met Geert, ze was inmiddels verliefd genoeg om het nog te doen ook! Met liefde zou ze iedere avond zijn maaltijd willen bereiden!

„Jij bent zeker zo'n typische vrijgezel die alleen kant en klare maaltijden opwarmt?" informeerde ze even later.

„Dat vaak nog niet eens," bekende hij schaamteloos. „Ik eet regelmatig brood met een gebakken ei en er zit een eetcafé bij me in de straat waar ik vaste klant ben. En verder heb je natuurlijk nog zoiets als de snackbar, de afhaalchinees en de pizzalijn. Je ziet, ik kom niet van de honger om."

„Maar echt gezond en gezellig klinkt het ook niet."

„Dat is het lot van een vrijgezel." Hij haalde zijn schouders op. „Ga me niet vertellen dat jij iedere avond uitgebreid voor jezelf kookt."

„Toch zeker wel drie, vier keer per week, de andere avonden geniet ik van dezelfde maaltijdverstrekkers als jij," lachte Shirley. „Maar ik probeer er wel altijd iets van te maken. Patat eet ik bijvoorbeeld nooit zo uit het bakje, dat doe ik op een bord."

„Veel te veel werk. Ik vrees dat ik niet zo iemand ben die het gezellig maakt voor zichzelf." Hij aarzelde even, vervolgde toen eerlijk: „Ik heb twee keer met een vrouw samengewoond en in die periodes vond ik het heerlijk om samen aan tafel te zitten en gezellig onze dag te bespreken, maar nu ik weer alleen ben zegt de avondmaaltijd me niet zo veel. Het is dat het moet, anders zou ik het overslaan. Met zijn tweeën, zoals nu met jou, geniet ik er wel van."

Shirley luisterde al niet meer naar zijn laatste woorden, het enige wat ze bewust had gehoord was het feit dat hij twee maal had samengewoond, zijn leven had gedeeld met andere vrouwen. Samenwonen vatte ze net zo serieus op als een huwelijk, gevoelsmatig zat daar voor Shirley geen verschil in. En dan twee keer. Het gaf haar een onprettig, onbehaaglijk gevoel tegenover Geert. Het zou toch niet allebei de keren aan zijn vriendinnen hebben gelegen dat het misging, oordeelde ze.

„De eerste keer was een enorme vergissing, van weerskanten," vertelde Geert alsof hij haar gedachten kon raden. „Ik was achttien en zij zeventien. Veel te jong natuurlijk, maar we vonden onszelf verschrikkelijk volwassen. Achteraf gezien speelden we man en vrouw, geestelijk waren we nog lang niet aan een serieuze relatie toe. We hebben het nog geen jaar volgehouden." Hij lachte kort. „Toen ging Mariska terug naar moeders pappot, boordevol met verwijten ten opzichte van mij terwijl ik haar de schuld gaf van ons falen. Maar ach, inmiddels zijn we twaalf jaar verder, zij zal nu ook wel inzien dat de fout niet bij één persoon lag."

„En de tweede keer?" waagde Shirley te vragen toen hij zweeg. Eigenlijk vond ze het niet zo'n prettig gespreksonderwerp, maar ze wilde graag weten hoe Geert over dit soort zaken dacht. Zelf was ze er erg serieus in en als Geert zo'n type was die makkelijk samen ging wonen zonder diepere intenties, hoefde het voor haar niet. Zij wilde een man die bewust voor haar koos, voor de volle honderd procent, inclusief alle consequenties die een dergelijke verbintenis met zich meebracht.

„Dat was anders," zei Geert na een korte stilte. „Ik was er heilig van overtuigd dat Evelien dé vrouw voor me was. We hadden het goed samen, volgens mij tenminste. Ik liep al met plannen rond om haar ten huwelijk te vragen, tot ik tot de ontdekking kwam dat ze me bedroog met een collega van haar."

„O, wat erg. Dat moet een vreselijke klap geweest zijn voor je," begreep Shirley.

Geert knikte. Er lag een vreemde blik in zijn ogen, maar dat vond Shirley niet gek. Het leek haar een vreselijke ervaring als iemand waar je van hield je vertrouwen op zo'n manier beschaamde. Geert had er duidelijk nog steeds last van. Met een geëmotioneerd gebaar pakte hij over de tafel heen Shirleys hand vast.

„Ik heb het er ontzettend moeilijk mee gehad en had mezelf bezworen nooit meer een relatie te beginnen. Tot ik jou tegen- kwam. Ik wil niet ineens op de zaken vooruit lopen, maar mis- schien is het beter om dit meteen te bespreken, zodat we allebei weten waar we aan toe zijn op dat vlak. Ontrouw is iets wat ik absoluut niet tolereer. Als ik ooit weer een relatie begin, wil ik een vrouw die onvoorwaardelijk en exclusief voor mij kiest. Als dat niet jouw manier van leven is vind ik dat prima, maar dan lijkt het me beter om maar meteen te stoppen met onze prille vriendschap. Ik zou dat niet een tweede keer kunnen door- staan."

„Daar hoef je bij mij niet bang voor te zijn," zei Shirley eenvou- dig. „Naar mijn mening rommelen de mensen veel te veel aan op liefdesgebied. Je hoort en leest niet anders dan over buitenech- telijke relaties en kortstondige slippertjes, maar daar heb ik me nooit in kunnen vinden. In een relatie, of dat nou in de vorm is van samenwonen of trouwen, kies je voor elkaar. Juist het licha- melijke aspect is daarin belangrijk, want dat is het enige wat een liefdesrelatie onderscheidt van een vriendschap."

Geert zuchtte opgelucht en hij ging wat makkelijker zitten. „Ik ben blij dat jij er ook zo over denkt," bekende hij. „Laten ande- ren het dan maar ouderwets vinden."

„Mijn idee. Ik heb me trouwens nog nooit iets van andermans mening aangetrokken, maar dan moet ik er wel bij zeggen dat ik niet zo met mijn levensfilosofieën te koop loop."

„Is dat uit angst om uitgelachen te worden? Tenslotte lijkt het af en toe wel of je er niet bijhoort als je niet met de meute mee- doet."

„Misschien speelt dat wel mee," zei Shirley na enig nadenken eerlijk. „Maar de belangrijkste reden is toch dat er nooit naar gevraagd wordt. Echt serieuze gesprekken hierover voer ik eigenlijk alleen met mijn directe collega en tevens vriendin Alicia. Voor de rest heb ik geen echte vrienden of vriendinnen. Wel kennissen en een groep collega's waar ik leuk mee omga, maar dat is allemaal oppervlakkig."

„Hoe is jouw verleden op liefdesgebied?" informeerde Geert.

Shirley grinnikte. „Ze noemen me op de zaak Single Shirley, zegt dat genoeg?"

„Gelukkig." Dit antwoord kwam recht uit zijn hart. Geert stond op, liep om de tafel heen en pakte Shirleys gezicht tussen zijn beide handen. „Ik wil jou heel graag beter leren kennen, ik voel me goed in jouw gezelschap. Na Evelien vertrouwde ik niemand meer, maar ik heb zo'n idee dat jij dat weer kunt herstellen."

Een golf van warmte sloeg door Shirleys lichaam heen. Ze aanvaardde zijn vriendschap als een kostbaar geschenk en voelde zich vereerd met zijn vertrouwen in haar. Dat zou ze nooit beschamen, nam ze zich voor. Hij had al genoeg ellende meegemaakt. Ze zou het zelf ook vreselijk vinden om bedrogen te worden, dus wist ze zeker dat ze dat nooit iemand aan kon doen. In een relatie moest je voor honderd procent op elkaar aan kunnen. Dat was altijd haar stelregel geweest en ze was blij dat ze een man had leren kennen die die opvatting deelde. De toekomst zag er veelbelovend uit.

Al Shirleys verwachtingen kwamen de weken daarna uit. Hoe beter ze Geert leerde kennen, hoe meer ze om hem ging geven. Hij was lief, attent, altijd vol belangstelling, bezat een groot gevoel voor humor en ging een serieus, diepgaand gesprek over de meest uiteenlopende onderwerpen niet uit de weg. Allemaal volgens Shirley althans. Dat hij daarnaast jaloerse trekjes vertoonde en zich in gezelschap nogal bezitterig kon gedragen ten opzichte van haar, deerde haar niet. Ze vond het vleiend, het was een teken van zijn nog niet uitgesproken gevoelens. Bovendien kon ze er begrip voor opbrengen na wat hij had meegemaakt met zijn vorige vriendin.

In korte tijd verdiepte hun vriendschap zich tot veel meer, dat voelden ze allebei. Toch liepen ze niet te hard van stapel. Er waren subtiele aanrakingen, een kus bij begroeting en afscheid en tijdens wandelingen over het strand, wat ze graag en vaak deden, liepen ze hand in hand. Langzamerhand begon Shirley te verlangen naar meer, maar ze drong zich niet aan hem op. Haar opvoeding speelde haar wat dat betrof nog steeds parten, het initiatief moest van de kant van de man komen. En na zijn ervaringen in het verleden begreep ze dat hij zeker van haar en van zichzelf moest zijn voor hij verderging. Op momenten dat het verlangen hevig knaagde en haar lichaam schreeuwde om een uiting van liefde, troostte ze zichzelf met de gedachte dat het alleen maar waardevoller werd naarmate het langer duurde. Als de overgave kwam, zou hij ook volledig zijn. En daar ging ze tenslotte voor. Geen surrogaatliefde, maar het echte werk.

En op een dag was het zover. Het was midden in de zomer en om acht uur 's avonds nog steeds benauwd warm. Shirley en Geert waren voor wat frisse lucht naar het strand gegaan, maar daar was het ondanks het tijdstip nog zo ontzettend druk dat ze de duinen invluchtten. Ze hadden geen behoefte aan drommen mensen om zich heen, compleet met de bijbehorende herrie.

Boven op een duintop vonden ze een geschikt plekje waar ze heerlijk rustig konden zitten terwijl de zeewind hun verhitte lichamen afkoelde. Recht voor hen strekte de eindeloze watervlakte zich uit, overgaand in het blauw van de lucht.

Ver onder hen krioelden honderden mensen door elkaar, in afstand gemeten relatief dichtbij, maar geestelijk gezien kilometers ver verwijderd. Flarden van radiomuziek en luide stemmen kwamen hen soms tegemoet, maar die leken de stilte op hun afgezonderde plekje alleen maar te benadruk-ken. Geert had een plaid over de grond uitgespreid en loom leunde Shirley tegen hem aan, genietend van dat moment. De sfeer tussen hen was volmaakt. Geen seconde werd hun stilzwijgen vervelend of beklemmend, daarvoor voelden ze zich te veel op hun gemak bij elkaar. Op een gegeven moment boog Geert zich naar Shirley toe en zij hief haar gezicht naar hem op. Volkomen vanzelfsprekend vonden hun lippen elkaar in een eindeloos durende kus. Heel de natuur leek even zijn adem in te houden, om daarna des te uitbundiger weer los te barsten in een kakafonie van geluiden. Een zeemeeuw scheurde luid krijsend over hen heen, het geluid van de golven zwol aan, alles leek mee te delen in hun geluk. Eindelijk sprak Geert de woorden waar Shirley met hart en ziel naar verlangde.

„Ik hou van je. Ik hou zo ontzettend veel van je dat het niet in woorden uit te drukken is. Trouw met me."

„Niets liever dan dat," fluisterde Shirley.

Haar armen gleden om zijn hals, zijn handen verkenden haar lichaam. Plotseling was er geen enkele barrière meer. Zonder enige moeite trok Geert Shirleys dunne zomerjurk uit en begerig nam hij haar nu bijna naakte verschijning in zich op. Het verlangen in zijn ogen stemde haar gelukkig. Ze had zich nog nooit zo op en top vrouw gevoeld als op dat moment.

Schaamte bestond er niet tussen hen. Zonder enige schroom liet Shirley zich beminnen door haar Geert, zich niet realiserend dat er elk moment iemand langs kon komen. De rest van de wereld bestond niet meer voor hen. De luide stemmen van de mensen beneden hen op het strand hoorden ze wel, maar drongen niet bewust door. Ze klonken als muziek, als een zoete begeleiding bij het ritme van hun lichamen.

Na afloop lagen ze nog lang in elkaars armen, totaal bevredigd. Nog nooit had de wereld zo volmaakt geleken in Shirleys ogen. Ze was intens, wensloos gelukkig. Ze had haar bestemming gevonden.

Later slenterden ze langzaam, de armen om elkaar heen geslagen, naar Shirleys kamer. Ze hadden nog lang niet genoeg van
elkaars lichaam en wisten dat er een voortzetting zou komen op
haar smalle eenpersoonsbed. Eenmaal binnen trok Geert haar
meteen weer in zijn armen.
„Wil je niet eerst wat drinken?" vroeg Shirley ondeugend
lachend.
„Laat maar, ik weet iets beters." Geert tastte in de zak van zijn
colbertje dat nog op een stoel hing. Vanuit zijn werk was hij
rechtstreeks naar Shirley toegegaan en had zich daar omgekleed in iets luchtigers. Terwijl zij ademloos toekeek pakte hij
een klein doosje, dat overduidelijk afkomstig was van een juwelier. Hij klikte het deksel open en een smalle, gouden ring, bezet
met drie briljantjes, glansde haar tegemoet. „Ik draag hem al een
paar dagen bij me, wachtend op een goede gelegenheid om hem
je te geven," zei hij, het sieraad om haar vinger schuivend. Het
paste perfect.
„Hij is prachtig. Dank je wel," zei Shirley eenvoudig.
Al haar dromen kwamen uit. Deze avond verliep precies zoals
ze zich altijd voorgesteld had als ze erover fantaseerde. Ze voelde zich één met de man tegenover haar.
„Nu ben je helemaal van mij," zei Geert terwijl hij haar weer
naar zich toe trok.
Vreemd genoeg verstoorden die woorden de volmaaktheid van
de avond een beetje, al onderdrukte Shirley die gedachte
meteen weer. Natuurlijk had hij gelijk, ze hoorde nu bij hem.
Waarom hadden zijn woorden dan zo'n dreigende ondertoon?

Na een te korte nacht sliepen ze de volgende morgen grandioos
door de wekker heen. Toen het doordringende, irritante gepiep
eindelijk bewust tot Shirley doordrong, was het al ruim een uur
later dan het tijdstip waarop ze gewoonlijk opstond. Zelfs als ze
zich zou haasten kwam ze nooit meer op tijd op kantoor, realiseerde ze zich. Ze zag dan ook geen reden om als een wilde heen
en weer te rennen, dat had nog nooit geholpen. Ze pleegde een
snel telefoontje naar Alicia, die beloofde op de zaak door te
geven dat ze later kwam en schudde daarna behoedzaam aan
Geerts schouder.

„Geert, het is al over achten," zei ze. „We moeten opschieten, we hebben ons verslapen."

„Hè?" Suffig opende hij zijn ogen, meteen klaarwakker bij het aanschouwen van Shirley. „Goedemorgen schoonheid," begroette hij haar enthousiast. „Wat een heerlijke manier om wakker te worden. Hoewel..." Een blik op de wekker deed hem haastig uit bed komen.

„We hebben ons verslapen," herhaalde Shirley overbodig.

„Duidelijk, ja. Enfin, kan gebeuren, al heb ik er een hekel aan om te laat te komen. Even opschieten maar. Vind je het goed dat ik als eerste ga douchen? Ik heb om halftien een vergadering, dan moet ik er echt zijn."

Hij verdween in de krappe doucheruimte terwijl Shirley haar kleren bij elkaar zocht, het bed opensloeg om te luchten en snel een paar boterhammen smeerde. Haar hoofd vertoefde nog steeds ergens in de zevende hemel.

Geert was echt een schat, dacht ze niet voor de eerste keer de afgelopen weken. Ook weer zoals hij nu reageerde. Geen ochtendhumeur, geen onredelijke verwijten aan haar adres omdat ze de wekker niet had gehoord, geen overdreven zinloos gejacht waarbij door wederzijdse geïrriteerdheid snel ruzie kon ontstaan. De ideale man bestond echt, dacht ze tevreden. En zij had hem gestrikt! In een sentimenteel gebaar gaf ze een kus op de ring die haar vinger sinds gisteravond sierde en moest toen lachen om zichzelf. Ze leek wel een tiener die net haar eerste echte zoen in ontvangst had genomen!

Na een haastig afscheid gingen ze allebei hun eigen weg.

Alicia zat geconcentreerd te werken en keek enigszins verstoord op bij Shirleys binnenkomst.

„Zo, langslaper. Hebben jullie de bloemetjes buiten gezet gisteravond?"

„Nee, we hadden een intiem feestje." Shirley strekte haar linkerhand uit en genoot van de verbazing op Alicia's gezicht. „Hoe vind je hem?"

„Schitterend. Van Geert?" vroeg Alicia overbodig. Ze stond op van haar bureaustoel en omhelsde haar vriendin. „Het is dus eindelijk uitgesproken tussen jullie? Gefeliciteerd. En vertel," eiste ze meteen. „Ik wil alle details weten."

Shirley lachte verlegen. „Alles krijg je niet te horen, maar ik wil wel een tipje van de sluier oplichten. Gisteravond, op een stil plekje in de duinen, heeft Geert gezegd dat hij van me houdt. Later thuis kreeg ik deze ring van hem. Hij heeft me ten huwelijk gevraagd."

„Meid, wat heerlijk voor je. En wat romantisch," verzuchtte Alicia. „Geen wonder dat je je verslapen hebt, ik zou ook geen oog dichtdoen na zo'n avond."

„Hm, dat had een andere reden, maar veel geslapen heb ik inderdaad niet." Shirley werd vuurrood en ze giechelden samen als schoolmeisjes.

Na haar aanvankelijke terughoudendheid was Alicia door alle verhalen van Shirley volledig bijgedraaid en ze gunde haar vriendin van harte het geluk. En dat ze inderdaad gelukkig was, daar hoefde niemand aan te twijfelen. Het straalde gewoonweg van haar af.

„Wanneer is de grote dag?" wilde ze weten.

„Daar hebben we het verder nog niet over gehad."

Shirley startte haar computer op en pakte de dossiers die ze in moest voeren. Ondanks haar korte nachtrust en jubelende geluksstemming moest het werk gewoon doorgaan. Jammer genoeg. Veel liever zou ze nu met Geert in bed liggen. Een beetje vrijen, fantaseren over hun toekomst, in gedachten vast hun huis inrichten, weer vrijen…

„Joehoe!" Alicia stond met wapperende handen naast haar. „Ben je er nog?"

Shirley schoot in de lach. „Ternauwernood. Zonder jouw inspirerende aanwezigheid zou er vast niet veel werk uit mijn handen komen vandaag. Ik zat te bedenken wat ik op dit moment allemaal zou willen doen en daar zat werken beslist niet bij."

„Nog een paar uur, dan is het alweer weekend en heb je twee dagen de tijd om je plannen uit te voeren," meende Alicia praktisch. „Trouwens, ga je vanavond wel gewoon mee naar de kroeg of is dat nu verleden tijd?"

„Natuurlijk ga ik gewoon mee." Shirley maakte een veelzeggend gebaar met haar elleboog. „Even voor alle duidelijkheid: Geert is de belangrijkste persoon in mijn leven, maar niet de enige. Dat ik nu een relatie heb wil niet zeggen dat ik andere vrienden en kennissen ga verwaarlozen." Ze grijnsde. „Sterker nog, ondanks het feit dat mijn gratis-drinken-periode vanwege de gewonnen weddenschap nog een paar weken voortduurt, zal ik een rondje geven vanavond. Tenslotte hebben we iets te vieren."

„Zo mag ik het horen. Iedere reden daarvoor moet je aanpakken," zei Alicia instemmend.

Even was ze bang geweest dat Shirleys relatie met Geert het einde van hun vriendschap zou betekenen. Dat hoorde je vaak. Als er eenmaal een man in het spel was, werden vriendinnen afgedankt, al of niet bewust. Shirleys beslist uitgesproken woorden hadden haar echter gerustgesteld.

Natuurlijk zouden er dingen veranderen, maar Shirley bleef dezelfde persoon. De twee vriendinnen gingen hard aan de slag, bang hun werk niet voor vijf uur af te krijgen.

Zoals gewoonlijk trokken ze die avond met zijn zessen naar hun vertrouwde café. Shirley had het hoogste woord.

„Als je daar momenteel een kwartje ingooit, praat ze voor een gulden," fluisterde Petra tegen Alicia, met een gebaar naar Shirley.

„Ach, laat haar maar. Ze is zo gelukkig, dat moet ze uiten," vergoelijkte Alicia.

„Als dat maar zo blijft. Die Geert van haar is zo fantastisch, lief en ideaal, dat kan volgens mij niet," zei Petra somber. „Er moet iets mankeren aan die man, dat kan niet anders. Ik hoop alleen dat ze zijn fouten tijdig ontdekt."

„Zeg, doe niet zo pessimistisch. Er bestaan heus nog wel goede relaties hoor."

„Ik ben ze anders nog nooit tegengekomen en geloof me, ik heb heel wat ervaring met mannen."

„Misschien is dat juist de reden van je negatieve instelling. Met jouw reputatie trek je de verkeerde soort aan," zei Alicia vinnig.

Zonder op een weerwoord te wachten versnelde ze haar pas en stak haar arm door die van Shirley. Ze mocht Petra graag, maar haar ideeën omtrent man-vrouw verhoudingen kwamen absoluut niet overeen met die van haarzelf. Natuurlijk zou Geert zijn minpunten hebben, al zag Shirley die nog niet in haar blinde verliefdheidsroes, maar die had ieder mens. De volmaakte man bestond niet. Gelukkig niet.

„Jeffrey, een rondje van mij!" riep Shirley bij binnenkomst overmoedig.

„Zonde van je geld. Je hebt nog zo'n vier weken tegoed van je collega's," meende de barman gemoedelijk.

„Maar dit is een speciale gelegenheid." Trots toonde Shirley haar ring.

„Aha, dat verandert de zaak. Champagne dan maar? Of is gewoon bier en wijn ook goed?"

„Dat laatste maar," lachte Shirley. „En neem er zelf ook één."

„Ik zal met liefde drinken op jouw geluk," beloofde Jeffrey terwijl hij bier tapte en een dienblad glazen klaarmaakte.

Zodra hun bestelling op tafel stond, werden alle glazen naar Shirley opgeheven. „Proost. Santé. Op jullie toekomst," riepen ze door elkaar heen. Shirley lachte stralend en genoot van al die aandacht. Ze had het getroffen met deze groep collega's. Hoewel ze stuk voor stuk erg verschillend waren, was er een hechte band ontstaan tijdens de jaren die ze samenwerkten. Eén die verder ging dan alleen de werkvloer.

„Nu moeten we een nieuwe naam bedenken voor je," zei Bernard. „Single Shirley past niet meer."

„Wat dacht je van happy Shirley?" stelde ze zelf lachend voor.

„Nee, te saai," keurde Willem dit af.

„Sleepy Shirley," zei Alicia, gedachtig Shirleys late binnenkomst die morgen.

„Van slapen zal voorlopig weinig komen," merkte Kelly dubbelzinnig op.

„Daarom juist. Binnen een week verschijnt ze met dikke slaapogen op kantoor. Wedden?" riep Bernard overmoedig.

„Hou nou op, weddenschappen kosten jou alleen maar geld, dat is bewezen," zei Shirley. „Jongens, ik ben jullie oneindig dankbaar voor die bewuste avond. Dankzij jullie heb ik Geert ontmoet."

„Hé, hoorde ik daar mijn naam?" klonk het ineens achter hen.

Shirley draaide zich om en zag het onderwerp van hun gesprek naar het tafeltje toelopen. Onder luid gejuich van de rest viel ze hem om zijn hals. „Wat doe jij hier nou?"

„Je was niet thuis en onderweg naar mijn eigen flat realiseerde ik me dat het vrijdagavond is en dat je hier wel zou zijn," legde

Geert uit. „Al had ik verwacht dat je gewoon naar huis zou komen vandaag," voegde hij eraan toe.

„Hoezo?" Shirley trok haar wenkbrauwen op. Ze had heel goed de licht geïrriteerde ondertoon in zijn stem gehoord. Net als de rest trouwens, er viel ineens een gespannen stilte.

„Nou ja, zomaar." Geert maakte een vaag gebaar en het was iedereen duidelijk dat hij er niet op door wilde gaan met tien extra oren in de buurt.

„Ga zitten en neem wat te drinken," zei Bernard in een poging de stemming te redden. „Tenslotte vieren we hier een feestje waar jij ook onderdeel van bent."

„Nee, dank je," sloeg Geert dit aanbod af. „Ik ben moe en wil graag naar huis. Ga je mee?"

Het klonk meer als een gebod dan als een vraag en heel even speelde Shirley met de gedachte om te blijven waar ze was, maar ze wilde geen ruzie uitlokken in het bijzijn van haar collega's.

De vrolijke, uitgelaten stemming was toch verdwenen, dus kon ze net zo goed weggaan. Ze vroeg zich af wat Geert bezielde om zich zo op te stellen, zo kende ze hem helemaal niet. Misschien was er iets gebeurd op zijn werk. Plotseling ongerust rekende ze snel af en volgde hem naar buiten.

„Wat is er nou ineens aan de hand?" vroeg ze onderweg. Zo, rustig lopend met zijn arm om haar schouder heen, vond ze het niet eens zo erg dat ze het café voortijdig had verlaten.

„Ik vond het raar dat je niet thuis was en gewoon wegbleef zonder iets te laten weten."

„Het is vrijdagavond, dan weet je dat ik laat thuis kom,"

„Na gisteren? Ik geloof dat ik nu meer recht op je gezelschap heb dan je collega's," beweerde Geert in ernst.

Shirley verslikte zich. Ze moest lachen en werd kwaad tegelijk. „Wat is dat nou voor een opmerking? Mijn vrienden zijn net zo goed belangrijk voor me. Hoeveel ik ook van je hou, ik ben niet van plan om de rest van mijn leven alleen maar hand in hand met je te zitten en andere mensen te verwaarlozen."

„Natuurlijk zal ik je nooit verbieden om met vrienden om te gaan."

„Dat zal er nog eens bij moeten komen," gooide Shirley ertussen.

„Maar dat gehang in een kroeg vind ik niet prettig," ging Geert onverstoorbaar verder. „Dat is leuk voor jongelui zonder verplichtingen. Een café is dé ontmoetingsplaats voor vrijgezellen en daar hoor jij nu niet meer bij."

Shirley staarde hem aan of ze aan zijn verstandelijke vermogens twijfelde. Meende hij dat nou of maakte hij een grapje? Ze begon serieus kwaad te worden op hem. Het leek erop dat dit hun eerste ruzie zou worden. Ze vond het vreselijk, vooral na de volmaakte dag gisteren, maar was ook niet van plan om zich de wet voor te laten schrijven omdat ze nu zijn ring droeg. Zeker niet als hij van die onzinnige argumenten naar voren bracht. Ze hadden inmiddels het huis waar ze woonde bereikt. Boos stampte Shirley naar boven en mikte onverschillig haar jas op een stoel.

„Ik ben nu met je meegegaan omdat ik geen scène wilde maken daar, maar dit was de laatste keer," zei ze kortaf.

„Volgende week om deze tijd zit ik weer in het café en ik zou het op prijs stellen als je me dan mijn gang zou willen laten gaan."

„Ik vind het niet prettig als je in zo'n kroeg zit," hield Geert vol.

„Verdorie Geert, wat is dit? Gewoon iets drinken met een stel collega's, wat is daar in hemelsnaam op tegen?"

Vertwijfeld keek Shirley hem aan en hij slikte. „Dat zei Evelien ook altijd," zei hij toen bitter.

Eindelijk was het hoge woord eruit. Shirley liet haar armen slap langs haar lichaam vallen. Evelien, de vriendin die hem bedrogen had met een collega, herinnerde ze zich. Ineens begreep ze zijn houding en op slag was haar kwaadheid verdwenen. Dat ze daar niet aan gedacht had! Geen wonder dat hij zich beroerd voelde en zich zo opstelde. Berouwvol sloeg ze haar armen om hem heen.

„Had dat dan meteen gezegd," verweet ze hem zachtzinnig. „Hoe kan ik nou weten wat je dwarszit als je er niet over praat."

„Dat is nog steeds moeilijk," bekende Geert. „Ik vertrouw je voor honderd procent, maar op bepaalde momenten, zoals daarnet, steekt alle ellende en verdriet uit het verleden ineens de kop weer op. Het spijt me."

„Dat geeft niet, ik begrijp het al." Shirley nam Geerts gezicht in haar handen en keek hem liefdevol aan. „Als jij er echt zo'n moeite mee hebt, ga ik voortaan niet meer met mijn collega's op stap," beloofde ze hem.

„Je bent een schat. Dank je voor je begrip."

Hij zoende haar hartstochtelijk en dat was voor Shirley beloning genoeg. En eigenlijk was het hier thuis, in Geerts armen, veel prettiger dan in het café, dacht ze met een glimlach. Ze had zich niet gerealiseerd dat Geert nog zo'n moeite had om zijn vorige relatie te verwerken. Dat kon nog wel eens problemen geven tussen hen, maar Shirley had vertrouwen in de toekomst. Samen konden ze alles overwinnen, meende ze optimistisch.

HOOFDSTUK 4

„Hoi, met mij, Alicia," klonk het door de telefoon.

Shirley sloot even haar ogen. Ze had kunnen weten dat haar vriendin zou bellen om te informeren hoe de zaken ervoor stonden na die toestand in het café gisteravond. Natuurlijk hadden ze allemaal gemerkt dat er iets aan de hand was. In stilte zegende ze het feit dat Geert de weekendboodschappen aan het halen was, nu kon ze er tenminste rustig en vrijelijk over praten. Alicia zou het vast begrijpen en haar gelijk geven als ze precies wist wat er speelde, meende ze.

Dat had ze verkeerd gedacht, daar kwam Shirley al snel achter. Alicia verklaarde haar kort en bondig voor lichtelijk gestoord.

„Als dat nu al zo gaat, hoe is jullie relatie over een jaar dan?" vroeg ze zich hardop af. „Meestal gaan dit soort zaken van kwaad tot erger."

„Welnee, dit is een incidenteel iets. Ik kan Geert heel goed begrijpen," zei Shirley.

„Begrip of jezelf wegcijferen zijn twee verschillende dingen. Hij heeft gewoon het recht niet om jou je pleziertjes te ontnemen."

„Praat niet zo feministisch." Shirley begon kwaad te worden en liet dat ook merken. „Je doet verdorie alsof hij me opsluit terwijl ik alleen maar, geheel vrijwillig, tegemoet ben gekomen aan zijn wensen."

„Daar begint het mee," voorspelde Alicia somber. „Trouwens, was jij niet diegene die gistermiddag beweerde dat je natuurlijk gewoon mee zou blijven gaan? En zei je daar toen ook niet bij dat je absoluut niet van plan was om je vrienden te verwaarlozen?"

„Dat was voordat ik wist hoeveel moeite Geert ermee had. Iets wat ik overigens niet vreemd vind na wat hij heeft meegemaakt in zijn vorige relatie."

„Dat hoeft hij niet op jou te projecteren," meende Alicia terecht.

Shirley zuchtte. „Oké, ik weet nu hoe jij erover denkt, maar ik ben oud en wijs genoeg om mijn eigen besluiten te nemen."

„Deed je dat dan ook maar in plaats van blindelings Geert te volgen in wat hij wil."

Even viel er een stilte tussen de twee vriendinnen.

„Wat een rotopmerking," zei Shirley toen. „Ik zou bijna denken dat je jaloers bent. Het is toch niet vreemd dat ik rekening hou met zijn gevoelens? In een goede relatie lijkt dat me niet meer dan normaal."

„Het gaat om de manier waarop. Eerst zet hij je voor schut waar iedereen bij is en vervolgens begint hij op je gemoed te werken. Dat hij bang is voor een herhaling kan ik me nog wel voorstellen, maar dat hoeft niet meteen jouw probleem te worden. Hij moet je juist leren vertrouwen en dit lijkt me daar niet de juiste manier voor. Hij is jaloers, Shirley."

„Dat is een teken dat hij van me houdt."

„Nee, dat bewijst dat hij bekrompen denkt en bezitterig is."

„Alies, hou erover op. We hebben hier duidelijk allebei een andere mening over en ik ben niet van plan om uitgebreid de gedragingen van mijn vriend te bespreken. Uiteraard is hij niet volmaakt, maar daar ga ik liever op mijn eigen manier mee om, oké?"

„Liefde maakt blind," zei Alicia alleen nog.

De twee vriendinnen belden af en allebei bleven ze in gepeins verzonken zitten. Alicia had geen goed gevoel over de relatie tussen Shirley en Geert. Gistermiddag was ze nog enthousiast geweest en leefde ze oprecht mee met Shirleys geluk, maar de ontmoeting met Geert had haar van mening doen veranderen. Zijn houding beviel haar niet.

Alicia stond erom bekend dat ze mensen snel doorzag en ze vertrouwde op haar intuïtie. Maar als ze zich te vaak negatief over Geert uit zou laten, zou ze Shirley kwijt raken als vriendin, dat realiseerde ze zich heel goed. Logisch ook, Shirley hield nu eenmaal van Geert. Alicia nam zich voor om niet te veel commentaar te leveren en er gewoon voor haar te zijn als Shirley haar nodig had. Ze was er van overtuigd dat dat moment eens zou komen.

Ook Shirley bleef nog even nadenkend zitten, de hoorn vergeten in haar hand. Had Alicia ergens niet een beetje gelijk? Geerts problemen en angstgevoelens zouden niet verdwijnen als ze overal aan toegaf en voor de rest deed alsof er niets aan de hand was.

Maar wat had ze dan moeten doen? Zijn gevoelens negeren en

gewoon haar eigen gang blijven gaan? Nee, dat kon ook de oplossing niet zijn. Ze dacht terug aan zijn ontroering op het moment dat ze toegezegd had niet meer met haar collega's naar het café te gaan. Hij was echt dankbaar dat ze hem serieus had genomen en dat ze dit voor hem over had. En daar ging het toch om in een relatie? Het was een kwestie van geven en nemen. Nee, wat Alicia ook zei, Shirley was er van overtuigd dat ze de goede beslissing had genomen. Geert moest eerst leren haar te vertrouwen, dan kwamen de uitstapjes vanzelf wel weer terug. De wond die Evelien hem toe had gebracht zat diep en had tijd nodig om te helen.

Precies op het moment dat Geert binnenstapte, legde ze de hoorn terug op het toestel.

„Wie was dat?" vroeg hij meteen terwijl hij twee volle boodschappentassen op de keukentafel zette.

„Alicia," vertelde Shirley onbevangen.

Geerts ogen vernauwden zich, iets wat zij niet kon zien omdat hij met zijn rug naar haar toe stond. „Ze wilde je zeker ompraten om gewoon vrijdagavond weer mee te gaan." Het klonk niet als een vraag, maar als een constatering.

„Welnee gekkie." Shirley stond op en sloeg haar armen om hem heen. „Trouwens, dat zou haar toch niet gelukt zijn. Ik heb nog altijd een eigen mening."

Geert staakte het uitpakken van de boodschappen en draaide zich om, zodat ze elkaar aankeken. „Je moet je door mij niet laten weerhouden," sprak hij ernstig. „Ik vind het heel lief van je dat je het spontaan hebt aangeboden, maar ik weet dat ik niet het recht heb om jou iets op te leggen. Mijn gevoelens zijn mijn probleem, als jij met je collega's weg wilt gaan zal ik je heus niet tegenhouden."

Het werd Shirley warm om het hart bij deze woorden, ze wist hoeveel moeite het hem kostte om ze uit te spreken. „Jouw gevoelens zijn ons probleem," antwoordde ze eenvoudig. „Trouwens, ik ben veel liever in jouw gezelschap dan in dat van mijn collega's. Tenslotte zie ik hen de hele week al."

„Je bent een schat en ik hou van je."

Geert trok Shirley stevig tegen zich aan, ze zag niet het kleine, voldane lachje dat om zijn lippen lag. Dankbaar bedacht Shirley hoe goed ze het samen hadden. Ze wilde deze man nooit meer kwijt.

„Zullen we vanmiddag naar mijn ouders gaan?" stelde Geert een dag later voor.

Het was een druilerige zondagmiddag. De temperatuur was behaaglijk, maar de tegen de ramen striemende regen nodigde niet uit om naar buiten te gaan. Shirley had het zich gemakkelijk gemaakt op de bank met een paar kussens, een boek en een zak drop. Geert had wat tv zitten kijken, maar liep nu rusteloos door haar kamer heen en weer. Als vanzelfsprekend was hij het hele weekend bij haar gebleven.

„Goed," stemde Shirley toe. Eigenlijk had ze weinig zin om haar gezellige kamer te verlaten, maar ze wilde wel graag haar toekomstige schoonouders leren kennen. „Zullen we dan eerst lunchen?" Ze stond op en rekte zich ongegeneerd uit. Geert prikte in haar zij en kronkelend liet ze zich weer op de bank zakken.

„Moet je maar niet zo uitdagend voor me gaan staan," grijnsde hij, haar polsen vastpakkend.

Shirley kon geen kant meer op, maar ze zag er niet uit alsof ze dat erg vond. „Ik moet toch iets doen om je aandacht te trekken," giechelde ze.

„Wees daar maar niet bang voor. Die heb je vierentwintig uur per dag, zeven dagen per week."

Het klonk teder en liefdevol, toch kon Shirley een rilling niet onderdrukken bij die woorden. Het leek alsof er een dreiging in had gelegen. Ze vergat dat onbehaaglijke gevoel echter meteen weer op het moment dat zijn lippen de hare raakten en zijn hand onder haar shirt verdween.

Al met al duurde het een paar uur voor ze gereed waren om te vertrekken. Shirley had zich omgekleed en bracht zorgvuldig een lichte make-up aan. Ze wilde een goede indruk maken op Geerts ouders.

„Als ze maar thuis zijn," merkte ze op. „Kun je niet beter eerst even bellen?"

„Welnee. Mijn ouders zijn altijd thuis, zeker als er sport op tv is, zoals nu. Dan krijg je mijn vader echt zijn luie stoel niet uit."

„Is het dan wel zo'n goed idee om hem te storen?" Shirley bleef aarzelend staan op de trap.

„Ben je zenuwachtig, liefje?" informeerde Geert lachend. „Dat is heus nergens voor nodig. Mijn ouders zijn lieve, eenvoudige mensen. Iedereen is altijd welkom, mits je bereid bent de situatie te nemen zoals die is. Als mijn moeder bijvoorbeeld staat te strijken als er onverwachts visite komt, zal ze dat niet opeens opruimen. Als ze echter weet dat je komt zal het huis piekfijn in orde zijn en zitten ze opgeprikt op de bank. Ik hou niet zo van die demonstratieve, opgelegde toestanden, daarom doe ik het liever zo."

Intussen hadden ze Geerts auto bereikt en Shirley stapte zwijgend in. Ze wist niet goed wat ze ervan moest denken en kreeg het benauwd bij het idee wat haar misschien te wachten stond. Stel je voor dat die man kwaad werd omdat ze precies binnen kwamen bij de een of andere belangrijke sportwedstrijd. Of dat zijn moeder de keuken stond te soppen en daar vrolijk mee door ging terwijl zij, Shirley, in de huiskamer op de bank zat. Ze kon zich er weinig bij voorstellen, maar het bleek allemaal mee te vallen. Geerts vader zat inderdaad in een makkelijke stoel voor de buis, maar vond het evengoed gezellig dat ze kwamen, al zette hij de tv er niet voor uit en bleef hij met één oog de verrichtingen op het scherm bekijken tijdens de moeizaam op gang komende conversatie. Geerts moeder ging meteen ijverig koffie zetten en serveerde daar eigen gebakken cake bij.

„Alsof ik wist dat jullie zouden komen," zei ze glunderend. „Ik zei vanochtend nog: er komt vast visite vandaag, ik zal maar wat bakken. Nietwaar vader?" wendde ze zich tot haar man.

Vader knikte, begon te juichen bij een gescoord punt. „Ze winnen, ik wist het wel." Hij knikte voldaan.

Geert wierp een blik op het scherm, waar twee buitenlandse volleybalteams streden om de overwinning. „Kun je dat ding niet eens uitzetten?" vroeg hij geërgerd. „Als het nou iets belangrijks was, maar dit stelt niets voor."

„Dat maak ik zelf wel uit." Meneer Van der Zande richtte zich op, zijn ogen bleven woedend op zijn zoon rusten. „In mijn huis bepaalt niemand wat ik doe, onthou dat goed." Zijn blik gleed naar Shirley, die er nogal ongemakkelijk bij zat en haastig verklaarde dat ze het helemaal niet erg vond.

„Het heeft wel iets gezelligs, zo'n bewegend beeld," voegde ze er met de moed der wanhoop aan toe.

Haar aanstaande schoonvader ontspande zich en knikte haar glimlachend toe. „Dat vind ik nou ook," zei hij goedkeurend.

Zijn vrouw bracht het gesprek snel in veiliger vaarwater door naar Shirleys werk te informeren. Al met al vond Shirley het niet eens zo'n ongezellige middag. Ondanks de tv verslaving van Geerts vader waren het best hartelijke mensen en ze stelden oprecht belang in Shirley. De uitnodiging om mee te blijven eten sloeg Geert echter af.

„Ik neem Shirley mee naar mijn favoriete restaurant," verklaarde hij. „We hebben iets te vieren."

„O ja?" vroeg Shirley.

„Lieverd, vertel me niet dat je dat vergeten bent," zei hij quasi bestraffend en met plaaglichtjes in zijn ogen. „Het is vandaag precies twee maanden geleden dat we elkaar hebben leren kennen. Reden voor een etentje, dacht ik zo."

„Prima idee van jou. Beetje vergezocht, maar niet onprettig," prees Shirley.

„Ach, een reden om iets te vieren is er altijd wel te bedenken," meende Geert terwijl hij even in haar hand kneep.

Zijn moeder keek vergenoegd naar het overduidelijk verliefde stel. „Ik ben blij om je weer zo gelukkig te zien, jongen," zei ze warm. „Na Evelien en…"

„Moeder!" onderbrak Geert haar met een waarschuwing in zijn stem.

Verschrikt sloot ze haar mond, haar ogen vlogen van Shirley naar Geert en weer terug. „Sorry, ik dacht…" stamelde ze.

„Shirley weet het van Evelien," zei Geert langzaam en nadrukkelijk.

„Alles?"

„Ja, alles. Maar daar willen we het niet meer over hebben, nietwaar schat? Dat ligt achter me, wij kijken alleen naar het heden en de toekomst."

„O ja, natuurlijk." Mevrouw Van der Zande wisselde even een snelle blik met haar man.

Het bevreemdde Shirley en ze kreeg het gevoel dat er meer aan de hand was. Wat bedoelde Geerts moeder met de vraag of zij alles wist? Wat was er nog meer gebeurd tussen Geert en Evelien? Ze stelde zichzelf echter gerust met de gedachte dat ze niet zo moest overdrijven. Hij zou haar heus niet vermoord hebben, dacht ze met galgenhumor.

Al vrij snel na dit incident namen ze afscheid van het echtpaar Van der Zande en Geert was daarna in zo'n vrolijke, uitgelaten stemming dat Shirley niet de moed had om er nog op terug te komen. Ze hield ontzettend veel van hem als hij zich zo onbezorgd gelukkig toonde. Voor geen geld wilde ze de goede sfeer verpesten, ze wist hoe gevoelig het onderwerp Evelien bij Geert lag. En terecht, het moest vreselijk zijn om zo behandeld te worden door de persoon waar je het meest op de wereld van hield. Maar met haar liefde en begrip voor hem zou ze Geert er weer bovenop helpen, daar was de romantische Shirley van overtuigd.

Geert nam haar mee naar een kleine grillroom. De zaak was niet veel groter dan een flinke huiskamer, sfeervol verlicht door veel brandende kaarsen en een enkel schemerlampje. In een hoek was de bar met weinig fantasievolle barkrukken eromheen. De tafels waren nogal stijf gedekt, met placemats en keurig in een servet ingerold bestek. Het geheel deed niet echt ongezellig aan, maar Shirley zou deze locatie nooit uitgezocht hebben voor een feestelijk etentje. Het deed meer denken aan een eetcafé waar je even naar binnen liep voor een snelle hap.

„Dus dit is jouw favoriete restaurant?" vroeg ze verbaasd nadat ze plaats hadden genomen aan een tafeltje bij het raam. „Mag ik weten wat je er zo aantrekkelijk aan vindt?"

„Dat merk je wel als het eten geserveerd wordt. Het is hier niet bepaald nouvelle cuisine, waarbij je je stukje vlees moet zoeken onder drie doperwtjes. Integendeel zelfs. Wacht maar af."

Een kwartier later moest Shirley hem volkomen gelijk geven. Het bord dat ze voor haar neus kreeg was formaat wagenwiel en het stuk vlees dat erop lag liet weinig ruimte over voor iets anders. De diverse soorten aardappels en groente werden in aparte schalen geserveerd.

„Goedendag, dat krijg ik nooit allemaal op," schrok Shirley. „Dit is genoeg voor een heel weeshuis."

„Mijn ervaring is dat je gewoon door blijft eten, ook al heb je eigenlijk genoeg, zo lekker is het," beweerde Geert.

Weer kreeg hij gelijk. Shirley genoot van de malse schnitzel met pikante saus, de verse, in boter gebakken aardappels, de bloemkool met kaassaus en de gemengde salade.

„Neem ook wat boontjes, ze zijn heerlijk," drong Geert aan toen ze eindelijk haar mes en vork neerlegde.

„Nee, dank je. Er kan echt geen hap meer bij. Je hebt niets te veel gezegd."

„Wil je nog ijs toe?"

„Nee zeg, dan moet je me naar huis rollen. Alleen koffie graag." Geert begon te lachen. „Kijk, daarom kom ik hier nou zo graag," plaagde hij. „Het scheelt altijd geld voor een dessert. Ach ja, je moet op de kleintjes letten. Je weet nu alvast hoe ik graag eet: met flinke hoeveelheden tegelijk."

„Ik denk dat ik maar vast een kookcursus ga volgen voor als we getrouwd zijn. Tenslotte moet ik dit kunnen evenaren of overtreffen om jou thuis aan tafel te kunnen houden," lachte Shirley met hem mee.

„Zeg dat wel. Voor je het weet ga ik ervandoor om hier te eten. Hoewel…" Over het tafeltje heen pakte Geert Shirleys handen vast. Ineens verdween de lacherige sfeer. Een verlangen om tegen hem aan te kruipen, hem vast te pakken en nooit meer los te laten overviel Shirley. Ze slikte.

„Weet je wel hoeveel ik van je hou?" vroeg ze zacht.

„Het kan nooit zoveel zijn als ik van jou." Geert keek haar diep in de ogen. „Waarom willen we eigenlijk tot later wachten om te trouwen? Waarom laten we de toekomst niet nu gebeuren? Kom bij me wonen, Shirley."

„Maar Geert…" Verward trok Shirley haar handen terug. Dit voorstel kwam zo onverwachts. „We kennen elkaar pas twee maanden."

„Ik ben volkomen zeker van mijn gevoelens," zei hij rustig. „Waar ben je bang voor? Ook als je elkaar jaren kent kan het nog mislopen, daar zijn geen garanties voor."

„Het gaat ineens zo snel, ik weet het niet. Je overvalt me."

„Als je er niet achter staat moet je het natuurlijk niet doen. Desnoods wacht ik tien jaar op je als jij dat wilt. Het is alleen…

Ach, ik wil je gewoon graag bij me hebben. Geen afscheid nemen 's avonds of een afspraak te moeten maken om elkaar te zien. Ik wil mijn leven met je delen. Maar neem geen overhaaste beslissingen waar je nog niet aan toe bent, schat. Denk er rustig over na."

Hij bestelde twee koffie en excuseerde zich voor een bezoek aan het toilet. Met gemengde gevoelens keek Shirley zijn lange gestalte na.

Samenwonen met Geert. Waarom eigenlijk niet? Wat had het voor nut om dat maandenlang uit te stellen? Haar toekomst lag bij hem, dat wist ze zeker. Dus waarom wachten? Waarop wachten eigenlijk?

Langzaam begon het te zingen in haar hart. Ze had de man van haar dromen gevonden en hij wilde niets liever dan zijn leven met haar delen. Wat was er eigenlijk voor reden te bedenken om daar ontkennend op te antwoorden? Die reden was er niet. Natuurlijk was het snel, maar daar was niets op tegen. Ze hielden van elkaar, er was niets wat dat zou kunnen veranderen. Ze moest het geluk pakken nu het haar zo gul werd aangeboden. Met beide handen. Ze moest het koesteren en zorgvuldig behandelen.

Dromerig staarde Shirley in het vlammetje van de half opgebrande kaars, zo in gedachten verdiept dat ze schrok toen Geert weer tegenover haar ging zitten. Stralend keek ze hem aan.

„Ik heb heel lang nagedacht en een weloverwogen beslissing genomen," lachte ze. Ze strekte haar handen naar hem uit, hij ving ze in een stevige greep. „Ik heb één vraag voor je: waar gaan we wonen?"

Zijn juichkreet deed de andere bezoekers verstoord van hun eten opkijken, maar dat merkten ze niet eens.

„Ober!" riep Geert overmoedig door de zaak heen. „Laat die koffie maar zitten, wij willen champagne!"

Lachend keken Shirley en Geert elkaar aan. Hun toekomst begon nu.

De volgende ochtend leek het allemaal een droom. Geert had die nacht niet bij Shirley geslapen omdat hij vroeg op de zaak moest zijn en al zijn spullen die hij die dag nodig had nog thuis lagen. Het duurde even voor Shirley zich realiseerde dat hij echt gevraagd had of ze bij hem wilde komen wonen en dat zij daar ja op had geantwoord. In het felle ochtendlicht, zonder Geerts aanwezigheid, wist ze ineens niet meer zo zeker of ze daar wel goed aan gedaan had. Ging het niet te snel allemaal? Negen weken geleden kende ze Geert nog niet eens en nu zou ze haar vertrouwde zolder moeten verlaten om samen met hem in een flat te wonen.

Samen met hem… Bij die gedachte glimlachte Shirley. Wat zat ze nou te piekeren? Samen met hem, daar ging het om.

Geladen met nieuwe energie, alle negatieve gedachten van zich afzettend, maakte Shirley zich klaar voor een nieuwe werkdag. Zoals gewoonlijk kwam Alicia haar halen en terwijl Shirley de trappen afliep was ze benieuwd hoe haar vriendin op haar nieuws zou reageren. Ze vreesde niet al te positief. Alicia had afgelopen zaterdag door de telefoon al laten merken dat ze het niet met Shirleys houding eens was, dus nu kon ze natuurlijk helemaal commentaar verwachten. Maar daar zou ze zich niets van aantrekken. Als Alicia het niet eens was met haar besluit was dat erg jammer, maar het zou er niets aan veranderen.

Ze opende de voordeur en begroette haar vriendin.

„Ik heb groot nieuws!" riepen ze toen allebei tegelijk.

„Jij eerst," zei Shirley.

„Oké. Ik ga verhuizen," vertelde Alicia. „Eindelijk heb ik een flat gevonden die me bevalt. Volgende week krijg ik de sleutel al."

„Geweldig. Dus je gaat eindelijk het ouderlijk huis verlaten en je vleugels uitslaan?"

„Het werd wel tijd, hè?" Alicia lachte. „Maar ik had nu eenmaal geen zin om op een dure kamer te gaan zitten en een flat is niet zo makkelijk te krijgen. Ik reken overigens wel op jouw hulp met opknappen en verhuizen."

„Helaas. Ik had hetzelfde aan jou willen vragen, dus ik vrees dat we allebei onze nieuwe woonruimte moeten betrekken zonder elkaars hulp. Ik ga samenwonen met Geert," vertelde Shirley. Ze wapende zich tegen Alicia's kritiek, maar de verwachte aanval bleef uit.

„Gefeliciteerd," zei Alicia, gedachtig haar goede voornemens zich niet te negatief over Geert uit te laten. „Wel plotseling hè?"

„Ja. Gisteravond zijn we uit eten geweest en toen vroeg hij het ineens. We zijn zeker van elkaar, dus er is niets wat ons tegenhoudt."

„Fijn voor je."

Het klonk niet helemaal van harte, maar dat merkte Shirley niet. Ze was alleen maar blij dat Alicia met haar meeleefde zonder haar eigen mening hierover op te dringen. Daarom durfde ze ook met haar twijfels voor de dag te komen.

„Eigenlijk vind ik het te snel gaan," vertrouwde ze Alicia toe. „Maar als we bij elkaar zijn telt dat bezwaar niet. Vanochtend schoot het door me heen dat ik hem nog maar amper ken en dat benauwde me wel even. En toch, als ik dan weer aan hem denk voelt het goed. Dan wil ik niets liever dan bij hem zijn."

„Dat klinkt als echte liefde," zei Alicia theatraal. Ze schoten eensgezind in de lach.

Bij hun werk aangekomen voelde Shirley zich weer onbezorgd gelukkig. Zelfs het commentaar van haar collega's over de afgelopen vrijdagavond kon daar niets aan veranderen.

„Er waren goede redenen voor zijn gedrag," zei ze alleen maar. Het feit dat ze samen gingen wonen gaf haar meteen een goed excuus om voorlopig niet mee te gaan met hun wekelijkse uitstapjes. Ze zou het veel te druk krijgen met de verhuizing, daarna zag ze wel weer verder. Shirley ging er nog steeds van uit dat Geert wel over zijn bezwaren heen zou stappen als hij eenmaal zeker wist dat hij haar kon vertrouwen.

Er braken een paar drukke weken aan met het uitzoeken en inpakken van haar spullen. Geert had besloten dat ze in zijn flat zouden gaan wonen, al had Shirley liever iets anders willen huren of kopen. Iets wat voor hen allebei nieuw was, zodat ze daar samen konden beginnen. Nu was ze bang dat ze zich een indringer in Geerts flat zou voelen. Een logé die moest vragen waar de filterzakjes lagen als ze koffie wilde zetten. Maar dat zou wel wennen, stelde ze zichzelf gerust. Tenslotte moesten haar spullen ook ingeruimd worden, dus zou ze vanzelf vertrouwd raken met de indeling van de kasten. Binnen een maand zou ze vast niet beter meer weten.

Ze betrapte zichzelf erop dat ze vaak argumenten bedacht om haar gevoelens van twijfel de kop in te drukken. Geert ontpopte zich steeds meer als een dominant persoon, die alle regels bepaalde. Aan de andere kant was hij zo lief en zorgzaam dat ze zijn minder goede karaktereigenschappen graag voor lief nam. En hij had natuurlijk gelijk: het was onzin andere woonruimte te zoeken terwijl hij een ruime, comfortabele flat had, groot genoeg voor twee personen.

Trouwens, als haar meubels er eenmaal stonden, was het niet langer alleen Geerts huis. Met wat aanpassingen hier en daar en nieuwe gordijnen voor de ramen werd het een heel andere woning, ook voor hem.

Shirley keek voldaan naar de stapel dozen die ze ingepakt had. Ze hield ermee op voor die avond, ze had pijn in haar rug van het ongewone werk. Een blik op de klok vertelde haar dat het nog een half uur duurde voor Geert zou komen. Hij had zijn wekelijkse badmintonavond en kwam na afloop daarvan altijd nog even bij haar langs.

Shirley pakte een notitieblok en begon een lijst te maken van haar meubels die ze mee wilde verhuizen. Geert bezat een bijna nieuw, leren hoekbankstel, dus haar oude tweezitter kon wel weg, maar haar boekenkasten en het pas gekochte salontafeltje wilde ze toch wel meenemen, evenals haar secretaire. Die stamde nog uit haar tienerjaren en ze was er erg aan gehecht.

Ze maakte een globale tekening van de flat en gaf daarop aan hoe ze de inrichting wilde veranderen. Het bankstel naar de andere hoek, de eettafel wat opgeschoven naar het raam, haar secretaire tegen de rechtermuur. Ze begon er steeds meer plezier in te krijgen en zag het al helemaal zitten. Geerts meubels waren overwegend wit en die van haar geloogd grenen, dus dat paste wel bij elkaar. In plaats van de stijve jaloezieën die er nu hingen wilde ze gebloemde gordijnen, dat stond veel warmer en gezelliger. En dan kussentjes van dezelfde stof voor op de bank.

Shirley was zo ingespannen bezig dat ze niet eens merkte dat

Geert binnenkwam. Pas toen hij zijn hand op haar schouder legde schrok ze op. Haastig kwam ze overeind uit haar luie houding.

„Ik schrik me wild. Had je niet even kunnen waarschuwen?" verweet ze hem.

„Ik wist toch niet dat je me niet hoorde," verdedigde Geert zich terwijl hij ging zitten. „Hè hè, ik ben moe. Heb je een pilsje voor me?"

„Natuurlijk." Shirley pakte een fles en een glas en zette dat voor hem neer, daarna kroop ze gezellig tegen hem aan. „Lekker gespeeld vanavond?" informeerde ze.

„Gaat wel. Ik heb meteen mijn lidmaatschap opgezegd. Volgende week ga ik voor het laatst, want het weekend daarop ga jij verhuizen."

„Dat is toch geen reden om te stoppen met badmintonnen?" lachte Shirley. „Ik kan me best één avond per week alleen vermaken, hoor. Tenslotte heb ik jarenlang niet anders gedaan."

„Dat lijkt me niet gezellig voor je. We zien elkaar overdag al niet vanwege ons werk, dus de avonden en weekenden zijn voor ons samen," sprak Geert beslist.

Shirley zweeg. Iets in zijn redenatie klopte niet, aan de andere kant vond ze het roerend dat hij zijn sport op wilde geven voor haar. Dat was een bewijs dat hij veel van haar hield. Toch zag ze het niet zitten om iedere vrije minuut samen door te brengen, dat leek haar niet gezond. Zij had tenslotte ook vriendinnen waar ze mee om wilde blijven gaan en hobby's die ze wilde blijven uitoefenen. Maar als ze eenmaal gewend waren aan het samenwonen, zou dat vanzelf wel in orde komen, dacht ze. Ze moesten samen een levensritme zien te vinden waarbij ze zich allebei prettig voelden en dat had zijn tijd nodig.

Ze besloot er niets van te zeggen en af te wachten hoe de zaken zich zouden ontwikkelen. Tenslotte kon hij altijd opnieuw lid worden van zijn sportclub. Shirley had zelf niet in de gaten dat ze alles wat haar niet beviel op de lange baan schoof, in de hoop dat het zich vanzelf op zou lossen.

Geert hengelde het notitieblok naar zich toe. „Creatief bezig geweest?"

„Ik heb wat ideeën op papier gezet wat betreft de inrichting van jouw flat. Je moet maar kijken of je het ermee eens bent," zei Shirley.

„Mijn flat?" Geert trok zijn wenkbrauwen op. „Onze flat, bedoel je. Van nu af aan is alles van ons samen, vergeet dat niet. Ik verheug me er enorm op om jou dag en nacht bij me te hebben, weet je dat? We moeten maar zo snel mogelijk gaan trouwen."

„Dat heeft geen haast." Shirley schrok van zichzelf, het leek wel of deze woorden buiten haarzelf om kwamen, of ze er zelf geen invloed op had. Geerts gezicht betrok en ze kon het puntje van haar tong wel afbijten. Ze stonden op het punt van samenwonen, bijna dezelfde stap als trouwen, geen wonder dat hij niet blij was met deze opmerking. Haastig voegde ze eraan toe: „Ik wil eerst flink sparen, zodat we er een groot feest van kunnen maken. Onze trouwdag moet onvergetelijk worden."

Geert lachte alweer. „Als jij dat graag wilt," zei hij. „Mij maakt het niets uit, al trouwen we gratis om negen uur 's ochtends, in onze spijkerbroeken. Het belangrijkste is dat je mijn vrouw wordt."

Weer bekroop Shirley een licht onbehaaglijk gevoel. Sinds Geert haar zijn liefde had verklaard kreeg ze dat steeds vaker. Natuurlijk had hij gelijk, maar zoals hij het zei klonk het zo bezitterig. Bijna dreigend.

Terwijl hij haar in zijn armen trok kon Shirley een rilling niet onderdrukken. De gedachte dat ze haar huur nog niet had opgezegd en ze dus nog steeds terug kon, vloog even snel door haar hoofd, maar verdween meteen weer op het moment dat Geerts mond de hare raakte. Waar maakte ze zich nou druk om? Ze moest zich niet gek laten maken door de snelheid waarin haar leven opeens veranderde, tenslotte was ze overal zelf bij. Het waren gewoon zenuwen die haar parten speelden. Zenuwen voor het onbekende dat voor haar lag. Ze was niet gewend aan zoveel geluk.

En gelukkig was ze, al moest ze dat dan steeds tegen zichzelf zeggen om het niet te vergeten.

Anderhalve week later verhuisde Shirley haar karige bezittingen naar Geerts flat. Ondanks zijn eerdere beweringen dat ze de woning mocht veranderen en in kon richten zoals ze zelf wilde, had hij haar meeste meubels afgekeurd. Te oud, te onpraktisch, te groot, overal had hij wel iets op aan te merken. Shirley vond het niet belangrijk genoeg om er ruzie over te maken en had zonder commentaar een opkoper gebeld om alles weg te laten halen. Het gevolg daarvan was wel dat ze zich in haar nieuwe behuizing meer een gast voelde dan de vrouwelijke hoofdbewoonster.

De flat was ontegenzeggelijk erg mooi en comfortabel ingericht, maar miste volgens haar sfeer, warmte en gezelligheid. De witte designmeubelen waren strak en modern. Mooi, maar kil. De enige kleur in de kamer kwam van twee enorme kunstwerken aan de verder lege, witte muren. Een bepaalde voorstelling hadden de schilderijen niet, maar de kleuren erin waren perfect op elkaar afgestemd.

Zoals alles in dit huis perfect was, dacht Shirley. Haar foto's en andere kleine snuisterijtjes had ze wijselijk in een koffer in de grote inbouwkast gezet. Ze zouden detoneren in deze volmaakte omgeving. Hier was alles neergezet met de intentie het mooi te maken, gezelligheid kwam op een verre tweede plaats.

Alleen haar secretaire, de enige tastbare herinnering aan haar jeugd, was meeverhuisd, ondanks Geerts bezwaren. Het meubelstuk was tien jaar oud en dat zag je er ook vanaf. Het houtwerk was niet meer zo gaaf, hier en daar zat een inktvlek en de handgreep van de klep was kapot, maar Shirley had er geen afstand van willen doen. Uiteindelijk had Geert er zuchtend in toegestemd en hem een onopvallend plekje in de ruime, vierkante hal gegeven.

Mijn secretaire past hier net zo min als ik, dacht Shirley verdrietig toen ze drie dagen bij Geert woonde. Zijn gezelschap maakte veel goed, maar niet alles. Ze voelde zich ontheemd in dit huis waar Geert alles zonder problemen wist te vinden en ze was bang dat ze dat gevoel nog heel lang zou houden. Vanuit haar werk was ze samen met Alicia automatisch de richting van haar vertrouwde zolder opgelopen, totdat haar vriendin haar fijntjes hielp herinneren dat ze daar niet meer woonde. Met tegenzin had ze de sleutel in de voordeur van de flat gestoken en nu stond ze naast haar secretaire.

Met een weemoedig gebaar liet ze haar vinger over de ribbels van de klep glijden. Ze had hier heel wat uren aan gezeten, vooral als er weer eens ruzie was in haar ouderlijk huis. En dat was vaak. Haar vader was een dominante, onbuigzame man geweest, iemand met strenge principes. Als tiener was Shirley regelmatig in opstand gekomen tegen zijn regime en dat had ze altijd moeten bekopen met dagenlang huisarrest. Gezeten aan haar secretaire schreef ze dagboeken vol over de situatie thuis. Het meubelstuk werd een baken voor haar, het enige plekje in huis waar ze volledig zichzelf kon zijn. Het zag ernaar uit dat de geschiedenis zich zou herhalen. Weer woonde ze ergens waar ze zich absoluut niet op haar plek voelde en weer was haar oude secretaire het enige vertrouwde.

Shirley trok er een stoel bij en ging zitten, haar ellebogen steunend op het uitgeklapte blad, haar handen onder haar kin. Even voelde ze zich weer die opstandige puber die nergens terecht kon met haar gedachten en gevoelens. Constant stuitte ze tegen een muur van onwil in de persoon van haar vader. Met een schok realiseerde ze zich ineens dat Geert ook zo dominant was. Was ze dan in de eeuwenoude valkuil getrapt om haar leven te verbinden aan hetzelfde soort man als haar vader?

Nee, onmogelijk. Geert was een schat en ze had haar vader nog nooit iets liefs tegen haar moeder horen zeggen. Maar toch... Geert had besloten dat ze in deze flat zouden gaan wonen terwijl zij liever een woning had gehad die voor allebei nieuw was. Geert had besloten dat ze haar meubels weg moest doen terwijl zij ze had willen houden. Geert had geen enkele concessie gedaan wat hun samenwonen betrof, hij had er alleen een hulp in de huishouding bij die ook nog een salaris binnenbracht.

In een plotseling opkomende paniek kon Shirley de zaken niet meer helder bekijken. Ze was alleen maar bang dat ze een overhaaste, verkeerde beslissing had genomen. Ze legde haar hoofd op haar armen en barstte in snikken uit. Zo vond Geert haar toen hij tien minuten later thuiskwam van zijn werk.

„Shirley, wat is er?" vroeg hij geschrokken. Hij stond meteen naast haar en trok haar hoofd tegen zijn borst, ondertussen zacht haar haren strelend. „Wat is er aan de hand? Problemen op je werk? Laat ze barsten, ik verdien meer dan genoeg voor ons tweeën. Je hoeft helemaal niet te werken als je niet wilt."

„Dat is het helemaal niet," snikte Shirley. „Man, ik ben dolblij dat ik een baan heb. Dat is de enige plek waar ik me nog thuis voel."

„O. Juist ja." Bruusk liet Geert haar los en draaide zich om. „Prettig om te horen, moet ik zeggen," zei hij sarcastisch.

„Geert, het ligt niet aan jou." Wanhopig klemde Shirley zich weer aan hem vast. Hoewel ze een half uur geleden nog overspoeld was door angst over dit snelle samenwonen, werd ze nu gek bij de gedachte dat er een eind aan kon komen. „Ik hou van je, dat weet je. Het is alleen… Ik voel me niet prettig in deze flat."

„En daarom zit je wanhopig te huilen? Beetje overdreven, vind ik. Als iets je niet bevalt kun je het toch veranderen? Dat heb ik van het begin af aan tegen je gezegd."

„Maar alles wat ik voorstel, wijs jij af." Als een kind wreef Shirley de tranen uit haar ogen.

„Hé, dat is mijn taak," zei Geert zacht. Hij pakte een zakdoek en wreef die voorzichtig langs haar gezicht. Vervolgens trok hij haar mee de kamer in. „Ga zitten, dan kunnen we er rustig over praten. Wil je koffie?"

Hij schonk twee bekers in en zette die op de glazen salontafel. Shirley schaamde zich over haar negatieve gevoelens ten opzichte van hem en haar wilde, ongecontroleerde uitbarsting. Dat was nergens voor nodig geweest, dat bleek wel uit zijn zorgzame houding. Hoe had ze hem ooit kunnen vergelijken met haar vader? „Zo, vertel nu eens wat je precies dwarszit," zei Geert terwijl hij naast haar ging zitten.

„Alles," bekende Shirley met de moed der wanhoop. „De inrichting van deze flat vind ik vreselijk, veel te steriel. Die strakke opzet is mijn smaak niet, er is te weinig kleur, te weinig planten en ik mis mijn eigen vertrouwde meubeltjes. Ik durf niet eens mijn foto's en beeldjes neer te zetten omdat die hier vreselijk zouden detoneren. Bovendien heb ik geen flauw benul van de indeling van je kasten, ik loop me steeds wild te zoeken als ik iets nodig heb. Dit is op en top jouw huis Geert, ik hoor hier niet."

„Dat laatste is natuurlijk onzin," zei hij kort. „Ik hou van je, mijn huis is dus de enige plek waar je hoort."

„Maar ik voel me hier niet thuis," zei Shirley, voorbijziend aan de diepere betekenis van zijn woorden.

„Dan moeten we daar iets aan doen. Waarom heb je dit niet meteen gezegd? Je wist van tevoren hoe deze flat eruitzag, bovendien heb ik je de vrije hand gegeven om alles te veranderen."

„In theorie ja, in de praktijk liet je weinig van mijn ideeën heel. Je hebt me al mijn meubels laten verkopen."

„Je protesteerde daar niet tegen, dus ging ik er automatisch van uit dat je het ermee eens was."

Shirley zweeg, want hier kon ze niets tegenin brengen. In principe had hij gelijk, want ze had weinig weerstand geboden tegen zijn kritiek.

„Wat doen we nu?" vroeg ze na een lange stilte.

„Lieverd, ik wil absoluut niet dat je hier tegen je zin woont, hoezeer ik ook gesteld ben op mijn flat zoals hij is. Zaterdag gaan we de stad in en zoek je alles uit wat je maar wilt hebben. Dan maken we hier samen ons huis van."

„Meen je dat? O Geert, je bent een schat!" Spontaan vloog Shirley hem om zijn nek.

„Natuurlijk meen ik dat, ik wil dat je gelukkig bent. Hoewel het ergens natuurlijk zonde van het geld is," voegde hij er peinzend aan toe terwijl hij de kamer rondkeek. „Tenslotte is het hier compleet ingericht, het is alleen een kwestie van een andere smaak. Van het geld wat we er nu extra tegenaan gooien hadden we ook een week naar Parijs kunnen gaan. Maar ja, als jij liever andere spullen wilt, vind ik het prima."

Hij glimlachte naar haar en Shirley voelde een gevoel van wroeging opkomen. Wat was ze toch egoïstisch bezig, verweet ze zichzelf. Ze wilde per se haar zin doordrijven en Geert, die lieverd, gaf daar nog aan toe ook. Als zij maar gelukkig was, dat was het enige wat voor hem telde. Hij gaf nu zelfs een week Parijs op voor haar!

„Je bent een lieverd en ik gedraag me als een oude zeur," zei ze berouwvol terwijl ze tegen hem aan kroop. „Vergeet alles maar wat ik gezegd heb, ik heb gewoon mijn dag niet vandaag. We laten alles lekker zoals het is en gaan samen op vakantie. Ik

koop morgen alleen een stel planten, dat staat veel huiselijker."
„Weet je het zeker? Om mij hoef je het niet te laten, ik wil alles voor je doen," zei Geert ernstig.
„Dat weet ik, maar daar wil ik geen misbruik van maken. Pas maar op, straks heb je een ziekelijk verwend mormel in huis." Shirley kuste plagerig het puntje van zijn neus. „Ik ga eens wat te eten maken voor ons, als je me tenminste wilt vertellen waar je koekenpannen staan."
„Laat die maar in de kast, vandaag neem ik je mee uit eten." Geert stond op en trok Shirley resoluut overeind. „Knap je wat op, dan ga ik vast even tanken."
Na nog een laatste zoen trok hij de voordeur achter zich dicht terwijl Shirley de wit met grijs betegelde badkamer inliep. Ze rilde. Wat een afgrijselijke ruimte was dit toch! Zelfs de handdoeken waren grijs en hingen stijf in het gelid, zonder een plooitje, over de chromen haken. Ze kreeg op slag weer spijt van haar belofte aan Geert en grinnikte in zichzelf. Behalve de planten ging ze ook een stel felgekleurde badlakens kopen, nam ze zich voor. Dat kon er ook nog wel vanaf, desnoods gingen ze een dag korter naar Parijs!
Parijs… Ze zag haar eigen gezicht in de spiegel en fronste haar wenkbrauwen. Waarom had ze nu ineens weer die negatieve gedachten dat Geert haar gemanipuleerd had met zijn reisje? Was dat soms zijn manier om zijn zin door te drijven? Plotseling was ze niet meer zo blij met het vooruitzicht van een week vakantie. Het voelde aan als een beloning voor een gehoorzaam kind. Hoe ze het ook wendde of keerde, ze kon die gedachte niet van zich afzetten.
Met gemengde gevoelens stapte ze even later bij Geert in de wagen, met de wetenschap dat de eerste barst in hun geluk was gekomen, hoewel hij geen woord van kritiek op haar had geuit.

Het samenwonen viel Shirley niet mee. Ineens leerde ze Geert van een heel andere kant kennen, kanten die haar niet bevielen. Hij was weliswaar nog net zo lief, attent en voorkomend als eerst, maar Shirley kwam al snel tot de ontdekking dat hij dat eigenlijk alleen was als hij zijn zin kreeg en zij kritiekloos volgde. Van een samengaan zoals zij dat altijd voor ogen had gehad, als twee gelijkwaardige partners naast elkaar, was geen sprake. Geert bepaalde de gang van zaken in huis en zolang Shirley daar in mee ging was er niets aan de hand. Dan was er geen lievere man te vinden. Ging ze echter tegen zijn wensen in, dan schudde de flat op zijn grondvesten vanwege Geerts woede uitbarstingen. Hij kon verschrikkelijk tekeergaan als iets hem niet beviel, dan was er niets meer over van de charmante man die Shirleys hart veroverd had.

De eerste keer dat dat gebeurde was ze zich wild geschrokken en had ze angstig naar het van woede vertrokken gezicht tegenover zich gekeken. Maar het wende, hoe vreemd dat ook klinkt. Geert was driftig en viel snel uit, maar na de eerste keer wist Shirley wat ze kon verwachten en hield ze er rekening mee. Terwille van de lieve vrede hield ze vaak haar mond, maar niet altijd, al wist ze inmiddels wat er gebeurde als ze tegen Geerts wensen inging.

Toch was ze al met al niet ongelukkig. Buiten zijn driftbuien om was Geert de perfecte man, nog steeds. En na iedere woede uitbarsting deed hij van alles om het weer goed te maken. Hij bood zijn excuses aan, bracht bloemen mee en nam haar mee uit, alles om zijn spijt te betuigen. Hoewel het samenwonen dus niet verliep zoals Shirley zich in haar roze dromen had voorgesteld, hield ze nog steeds van hem en geloofde ze hem als hij haar verzekerde dat hij zich voortaan zou beheersen. Tot aan de volgende uitbarsting.

Soms vroeg Shirley zich moedeloos af waar ze aan begonnen was, andere momenten vertoefde ze in de zevende hemel bij zijn liefdevolle aandacht. Alles bij elkaar was het niet makkelijk, maar ze peinsde er niet over om hun relatie te verbreken. Alle begin was moeilijk, hield ze zichzelf voor. Het viel voor hen allebei niet mee om plotseling vierentwintig uur per dag rekening te moeten houden met een ander. Bovendien gaf ze in stilte nog steeds Evelien de schuld van Geerts grillige gedrag. Ze had hem zo diep vernederd dat hij moeite had om haar, Shirley, volledig te vertrouwen. Zijn gedrag kwam voort uit pure angst, geloofde ze.

Inmiddels was Alicia ook verhuisd naar haar eigen woning en had ze Shirley en Geert al een paar keer uitgenodigd om haar nieuwe stekje te bekijken, iets wat er nog steeds niet van gekomen was. Op een dag, vijf weken na haar verhuizing, begon ze er weer over.

„Ik begrijp best dat jullie tortelduifjes het liefst iedere avond in elkaars armen doorbrengen, maar ik ben er ook nog. Als je nu niet binnen een week bij me op visite komt, mag je al niet eens meer. Dan kom je er nooit meer in," dreigde ze lachend.

Shirley hief in een afwerend gebaar haar armen omhoog. „Oké, oké, niet slaan. We komen echt. Vanavond, is dat goed?"

Alicia knikte. „Uitstekend. Zie je wel, als er maar eenmaal geweld aan te pas komt, lukt het wel," zei ze tevreden.

Met een: „tot straks," namen ze om vijf uur afscheid van elkaar. Sinds hun beider verhuizing moesten ze een andere kant op, zodat er een eind was gekomen aan hun gezamenlijke wandelingen.

Met een hoofd vol zorgen stapte Shirley op de tram. Hoe moest ze dit nou aan Geert verkopen? Ze had al vaker voorgesteld om bij Alicia op bezoek te gaan, maar hij had dat altijd afgewimpeld met de korte mededeling dat hij daar absoluut geen zin in had. Hij had overigens nooit zin om ergens op visite te gaan. Het liefst bracht hij de avonden met zijn tweeën thuis door, met af en toe een uitstapje naar de bioscoop of een etentje in een restaurant. Hij zou er niet blij mee zijn als hij hoorde dat ze had afgesproken zonder eerst met hem te overleggen, maar Shirley wilde de hechte, al jarenlang durende vriendschap met Alicia niet verliezen. Dan maar ruzie met Geert, dacht ze opstandig. Ze was reuze benieuwd naar Alicia's nieuwe woning en ze ging gewoon vanavond, hoe dan ook.

Geert was al thuis toen Shirley binnenkwam. Dat gebeurde steeds vaker, al nam hij dan meestal wel werk mee naar huis wat hij nog af moest maken. Voordat ze samenwoonden werkte hij altijd veel langer door op kantoor, maar hij beweerde dat het tegenwoordig veel te gezellig was thuis om lang weg te blijven. Shirley kreeg wel eens het onbehaaglijke gevoel dat hij zo vroeg kwam om haar te controleren, want als ze eens tien minuten later binnenkwam dan gewoonlijk werd ze altijd overstelpt met vragen wat ze gedaan had. Uit belangstelling, zei Geert dan.

Naar de goede woorden zoekend om te vertellen dat ze die avond niet thuis zouden zijn, begon Shirley aan de voorbereidingen van het avondeten. Eigenlijk belachelijk, besefte ze. Ze gedroeg zich verdorie alsof ze een door haar gepleegde misdaad moest bekennen! Ze had gewoon afgesproken met een vriendin, dat was alles. Ze zette de schalen op tafel en riep Geert om te komen eten.

„Alicia heeft ons vandaag alweer uitgenodigd," vertelde ze langs haar neus weg, haar blik op haar bord gericht. „Ik heb afgesproken dat we vanavond komen."

Ze voelde meer dan dat ze het zag dat Geerts opgewekte stemming omsloeg en zijn gezicht betrok.

„Dan bel je maar weer af, ik heb geen zin," zei hij kort.

„Maar Geert..."

„Geen commentaar, je hebt gehoord wat ik zei."

„Zég, commandeer je hondje en blaf zelf," schoot Shirley uit. „Ze heeft het al zo vaak gevraagd en ik heb er wél zin in om op bezoek te gaan. Jij hebt steeds een andere smoes."

„Dat is geen smoes, ik zeg je gewoon eerlijk hoe ik erover denk." Geert legde zijn bestek neer en schoof zijn nog half volle bord opzij. „Je weet wel hoe je de stemming moet verpesten, ik heb meteen geen trek meer. Mijn maag speelt op."

„Dan eet je maar niet," zei Shirley kortaf terwijl ze af begon te ruimen.

Met een spijtig gevoel gooide ze de overblijfselen van het eten in de vuilnisbak. Zonde van haar werk, als ze dat geweten had had ze alleen een paar eieren gebakken. Geert liet zich niet zien in de keuken, zodat Shirley in haar eentje de afwas wegwerkte, opruimde en het gasfornuis schoonmaakte. Ze was woedend en niet van plan om die gevoelens te verbergen. Eenmaal klaar in de keuken liep ze naar de hal, waar ze met driftige gebaren haar jas en schoenen aantrok. Haar bedoeling was om zonder meer te vertrekken, zonder hem gedag te zeggen, maar Geert verscheen in de opening van de kamerdeur.

„Wat ga je doen?" vroeg hij.

„Doe eens een gok," beet Shirley hem toe. „Dat jij nu avond aan avond thuis wilt zitten verzuren moet je zelf weten, maar daar heb ik nu eens geen zin in. Ik heb een afspraak voor vanavond en daar hou ik me aan. Blijf jij maar lekker thuis."

„Doe niet zo ongezellig," zei Geert. Alsof er niets aan de hand was wilde hij Shirley naar zich toetrekken, maar ze draaide zich vliegensvlug om.

„Laat dat!" snauwde ze.

„Kom op Shir, we hoeven het toch niet altijd met elkaar eens te zijn? We kunnen toch best van mening verschillen zonder meteen ruzie te maken?"

„Dat had je eerder moeten bedenken, voor je begon met commanderen," zei Shirley strak. „Ik ben geen hond voor je, ook geen onbetaalde dienstbode trouwens. De volgende keer laat ik alle troep voor jou staan, dan mag jij je best erop doen."

Geert werd rood. Het voorteken van een nieuwe driftaanval, wist Shirley. Zonder daarop te wachten trok ze snel de buitendeur achter zich dicht en rende de galerij over. Ze gunde zich de tijd niet om op de lift te wachten, maar nam in één keer alle trappen naar beneden. Hijgend bleef ze op het parkeerterrein voor de flat staan, omhoog kijkend wat er gebeurde. Hun voordeur bleef echter dicht en opgelucht haalde Shirley diep adem. Dit was niet normaal meer, dat realiseerde ze zich heel goed. Het was gewoon te gek om los te lopen dat ze wegvluchtte voor Geerts woede, terwijl ze alleen maar een avondje naar een vriendin ging. Ze had het, met alles wat hij met Evelien mee had gemaakt, kunnen begrijpen als ze had aangekondigd alleen op stap te willen gaan, maar daar was geen sprake van. Ze waren allebei uitgenodigd en ze had het gezellig gevonden als Geert mee was gegaan. Maar niet op deze manier, het was graag of niet.

Shirley begreep zijn reactie niet en bleef daar de hele weg over piekeren. Dat hij geen zin had om naar haar collega's te gaan kon ze zich nog wel indenken, maar daar kon hij ook normaal over praten. Hij wist hoe lang ze al bevriend was met Alicia. Sinds ze samen woonden begon Geert steeds meer te veranderen in een vreemde. Een onsympathieke vreemde. Er waren momenten dat Shirley niets in hem herkende en zelfs bang voor hem was. Maar gelukkig waren daarnaast ook de momenten dat ze het wel goed hadden samen, dat ze wisten dat ze bij elkaar hoorden. Zolang die nog overheersten hoefde ze zich niet druk te maken, stelde Shirley zichzelf in gedachten gerust. Ondertussen hoopte ze dat zijn woede verdwenen zou zijn als ze die avond weer thuiskwam.

Ze liep naar het station, kocht daar een bos bloemen voor Alicia en stapte op de bus die haar naar haar bestemming moest brengen, intussen naarstig zoekend naar een excuus voor Geert, een reden waarom hij niet meekwam. Maagpijn, schoot het haar te binnen. Tenslotte had hij gezegd dat zijn maag opspeelde. Hoewel Shirley daar geen woord van geloofde, gaf het haar nu het gevoel dat ze niet zo'n grote leugen vertelde.

Alicia ontving haar allerhartelijkst. Wijd opende ze haar voordeur. „Hoi, gezellig dat je er bent, kom binnen," zei ze terwijl ze de grote bos gemengde bloemen aannam. „Is Geert er niet bij?"

„Nee, hij voelde zich niet zo goed. Last van zijn maag," probeerde Shirley luchtig te antwoorden.

„Was je dan niet liever bij hem gebleven?" Terwijl Alicia de bloemen in het water zette keek ze Shirley van opzij aan. „In dit geval had ik het heus wel begrepen als je had afgebeld."

„Welnee, hij ging naar bed met een aspirientje. Trouwens, ik ben veel te benieuwd naar je behuizing. Wanneer begint de rondleiding?" vroeg Shirley geforceerd vrolijk.

„Nu. Kom mee."

Gezellig kletsend en alles bewonderend liepen de twee vriendinnen door de flat. De ruimte was niet groot, maar gezellig en doelmatig ingericht.

„Heerlijk knus," prees Shirley toen ze even later aan de koffie zaten. „Je hebt er echt wat leuks van gemaakt, Alies. Zo zou ik het ook wel willen hebben."

„Waarom doe je dat dan niet?" vroeg Alicia laconiek. „Zo duur zijn dit soort meubels niet en een paar blikken verf zullen je ook de kop niet kosten."

„Geert houdt er niet van," antwoordde Shirley eenvoudig. „Hij heeft wel gezegd dat ik de flat naar mijn eigen smaak mag aankleden, maar hij is nu eenmaal erg gesteld op de inrichting zoals die nu is. En het is tenslotte zijn huis," voegde ze eraan toe.

Alicia zette met een klap haar beker op de salontafel. „Dat laatste is natuurlijk onzin. Jullie wonen er samen. Als hij niet bereid is zich aan te passen, had hij er niet aan moeten beginnen."

Ze wierp een onderzoekende blik op Shirley, die zenuwachtig in haar koffie roerde en haar blik meed. Het ging niet goed tussen die twee, realiseerde Alicia zich. Ze had op het werk ook al vaker gemerkt dat Shirley niet gelukkig was. Ze kon af en toe zo verdrietig voor zich uit zitten staren.

„Ben je wel gelukkig?" vroeg ze impulsief.

Shirley aarzelde. Ze wilde Geert niet afvallen, aan de andere kant had ze er enorme behoefte aan om haar hart te luchten en erover te praten met iemand die er niet direct bij betrokken was.

„Niet altijd," zei ze voorzichtig. „Geert is moeilijker om mee om te gaan dan ik verwacht had."

Alicia fronste haar wenkbrauwen. „Zoals? Noem eens wat voorbeelden."

Zoekend naar de juiste woorden begon Shirley te vertellen. Haar weerzin tegen de zakelijk ingerichte flat, Geerts weigeringen om met haar mee te gaan, zijn driftaanvallen, zijn gemanipuleer om zijn zin te krijgen. Terwijl ze praatte, hoorde ze zelf hoe negatief het klonk. „Dat zijn momentopnames, hoor," haastte ze zich dan ook daaraan toe te voegen. „Over het algemeen is hij nog steeds een schat."

„Hm, als jij doet wat hij zegt zeker," meende Alicia, daarmee de spijker op zijn kop slaand.

Shirley boog haar hoofd, een duidelijker bevestiging dan een gesproken antwoord. De gedachten tolden rond in Alicia's hoofd. Hoe moest ze hierop reageren? Hoe kon ze Shirley in laten zien dat dit geen gezonde relatie was zonder haar tegen zich in het harnas te jagen? Hier moest ze voorzichtig mee zijn, besefte Alicia. Shirley was in staat om bij een verkeerd gekozen woord op te staan en weg te lopen. Ze was trouw en duldde weinig kritiek op de mensen van wie ze hield. Het feit dat ze openlijk over haar problemen praatte, bewees hoe hoog het haar zat, want normaal gesproken liet ze niet snel het achterste van haar tong zien.

„Je hebt gelijk," gaf Shirley eerlijk toe. „Zolang ik me naar zijn wensen voeg is hij de ideale man en dat verandert op het moment dat ik hem trotseer. Maar hij stelt geen absurde eisen aan me. Ik bedoel, hij verwacht niet dat ik hem verzorg, hij sluit me niet op, hij verbiedt me niet om te werken of zo. Het is niet zo dat hij extreme dingen verwacht waar ik niet aan kan of wil voldoen."

„Toch lijkt het me niet helemaal gezond. In een normale relatie beslis je alles samen. Het klopt natuurlijk niet dat Geert jou thuis wil houden en je niet eens een avond naar een vriendin toe kunt gaan zonder dat daar ruzie van komt. Dat hij het niet gezellig vindt om alleen thuis te zijn is een tweede, dat geeft hem niet het recht jou zijn wil op te leggen."

„Zo is het niet helemaal," schoot Shirley meteen weer in de verdediging. „Hij heeft me niet verboden om te gaan."

„Daar heb je hem de kans niet voor gegeven," merkte Alicia terecht op. Ze stond op en pakte een fles wijn met twee glazen. „Ik weet eigenlijk niet goed wat ik van de hele situatie moet denken," vervolgde ze peinzend terwijl ze Shirley een glas overhandigde. „Heb je enig idee waarom hij zo reageert?"

Shirley knikte. „Angst," zei ze meteen. „Sinds die Evelien hem bedrogen heeft is hij doodsbang dat zoiets hem een tweede keer overkomt. Het is geen gebrek aan liefde, integendeel juist. Het liefst zou hij me in een gouden kooitje zetten en de hele dag vertroetelen. Dat maakt het juist zo moeilijk. Ik begrijp hem wel, maar ik weet niet hoe ik ermee om moet gaan."

„In ieder geval niet overal aan toegeven. Je kunt er rekening mee houden, maar slechts tot op zekere hoogte. Anders zit je voor je het weet in een situatie waarin je helemaal niets meer te vertellen hebt," meende Alicia.

„Dat weet ik, anders had ik hier nu niet gezeten," zei Shirley nuchter. „Hij zal toch moeten accepteren dat ik een eigen mening en een eigen leven heb, hoe dan ook. Eerlijk gezegd had ik me ons samenwonen fijner en romantischer voorgesteld."

„Denk je er nooit aan om een einde aan jullie relatie te maken?"

vroeg Alicia. „Of om weer apart te gaan wonen tot hij zijn verleden verwerkt heeft?"

Shirley schudde haar hoofd. „Ik hou van hem," zei ze simpel. „Ondanks alles heb ik er toch geen spijt van, al heb ik inmiddels wel door dat je de stap om samen te gaan wonen makkelijker neemt dan om er een punt achter te zetten. Het was een bewuste keuze van me, ik ben niet van plan om het zo makkelijk op te geven."

Alicia zweeg. Het liefst zou ze Shirley, desnoods met geweld, weg willen slepen uit die ongezonde relatie. Ze was bang dat de houding van Geert eerder zou escaleren dan verbeteren. Ze was echter bang dat dergelijke adviezen averechts zouden werken. Ze moest haar vriendin steunen, niet afvallen, ongeacht wat ze besloot. Ze moest haar laten merken dat ze achter haar stond, anders zou dit wel eens de laatste keer geweest kunnen zijn dat Shirley haar in vertrouwen had genomen. Ze stond op en pakte iets uit de la van haar wandkast.

„Hier, mijn reservesleutel," zei ze. „Hou hem bij je, dan heb je in ieder geval altijd een plek om naartoe te gaan. Misschien heb je hem nooit nodig, misschien af en toe om je eens terug te trekken of om desnoods even uit te huilen en misschien wel om definitief bij Geert weg te gaan. Mocht je daar ooit toe besluiten, dan hoef je het in ieder geval niet te laten door gebrek aan een verblijfplaats. Je bent hier altijd welkom, om welke reden dan ook."

Ontroerd pakte Shirley het metalen kleinood aan. Alicia was een vriendin uit duizenden, besefte ze dankbaar. Wat Geert ook probeerde, hij zou de band die ze met haar had nooit kapot kunnen maken.

„Dank je," zei ze zacht. „Ik hoop en verwacht dat ik er geen gebruik van hoef te maken, maar het is een prettig idee dat ik altijd ergens terechtkan."

„Je ziet maar," zei Alicia expres op luchtige toon om de geladen stemming een beetje te doorbreken. Ze wilde Shirley niet in een bepaalde richting pushen.

Op dat moment weerklonk de deurbel. Terwijl Alicia naar de gang liep om open te doen staarde Shirley een beetje angstig naar de deur. Zou Geert? Maar nee, dat kon niet. Hij wist niet eens het adres, want haar adresboekje zat in haar handtas. Toch voelde ze zich onverklaarbaar opgelucht toen Kevin binnenkwam, Alicia's broer.

„Hé Shirley, jij ook hier? Wat leuk," zei hij verrast. Hij liep naar haar toe en zoende haar hartelijk op haar wangen. „Dat is een tijd geleden. Hoe is het met je?"

„Prima," antwoordde Shirley werktuiglijk.

Eigenlijk was ze blij met Kevins onverwachte komst, het leidde haar en Alicia af van het gespreksonderwerp. Na zo'n serieus gesprek was het altijd moeilijk om de stemming weer wat luchtiger te krijgen en ze had ook geen zin om de hele avond over haar problemen te praten. Ze had toch al een schuldig gevoel tegenover Geert dat ze hem tegenover Alicia af was gevallen. Kevins binnenkomst was een welkome afleiding.

Nadat Shirley en Alicia hem verzekerd hadden dat hij echt niet weg hoefde te gaan omdat Shirley toevallig op visite was en dat ze zijn bezoek gezellig vonden, ging hij er op zijn gemak bij zitten. Kevin was een vlotte prater en gezegend met een flinke dosis humor, zodat de lachsalvo's af en toe hoog opklonken.

Rozig van de wijn en het bevrijdende gelach leunde Shirley achterover op haar stoel. Heerlijk, zo'n onbezorgde, vrolijke avond, dacht ze. Nu besefte ze pas echt hoe ze dat gemist had. Ze liep constant op haar tenen om Geert te ontzien en te plezieren, waardoor er bijna geen energie overbleef voor oprechte vrolijkheid. Deze avond deed haar goed.

Ongemerkt verstreek de tijd en tot haar grote schrik zag Shirley ineens dat het al kwart voor één was. „Lieve help, we zijn de tijd helemaal vergeten," zei ze geschrokken terwijl ze opsprong. „Ik moet echt weg, over zo'n zes uur loopt mijn wekker alweer af. Alies, wil jij een taxi voor me bellen? De laatste bus is al weg."

„Ik breng je natuurlijk," bood Kevin meteen aan, eveneens opstaand.

„Je hoeft echt geen moeite te doen, hoor," zei Shirley een beetje verlegen. Ze voelde zich bezwaard omdat Kevin zich door haar opmerking wellicht verplicht voelde om ook op te stappen, maar hij verzekerde haar dat dat niet het geval was.

„Het is voor mij ook al later geworden dan de bedoeling was en het is geen enkele moeite om je thuis af te zetten. Ik kom er zowat langs."

„O, maar ik ben inmiddels verhuisd. Ik woon tegenwoordig samen met mijn vriend," vertelde Shirley.

„Oh?" reageerde Kevin verrast.

Hij vond het vreemd dat dat nog niet ter sprake was gekomen. Jammer trouwens. Hij vond Shirley erg aardig, maar liet het vage plan om haar eens mee uit te vragen meteen varen. Hij informeerde naar haar nieuwe adres en zei dat zijn aanbod nog steeds gold.

„Dan graag," accepteerde Shirley.

Ze stapte naast hem in de wagen en zwaaide nog even naar Alicia. Volgens Shirleys aanwijzingen reed hij naar de straat waar ze woonde.

„Woon je hier al lang?" vroeg hij.

„Twee maanden. Geert had deze flat al, ik ben bij hem ingetrokken," antwoordde Shirley.

Door deze woorden stonden haar problemen met Geert haar ineens weer levensgroot voor de geest. Ze hoopte dat zijn slechte bui inmiddels overgewaaid was.

„En bevalt het?" vroeg Kevin verder.

„Prima. Het is even wennen, maar ik heb geen klachten," zei Shirley luchtig. „Hier is het, de derde flat."

Kevin zette de wagen stil op het parkeerterrein en stapte uit om vervolgens het portier aan Shirleys kant te openen.

„Tjonge, wat een manieren. Dat zie je niet veel meer," prees Shirley hem lachend.

„Het voordeel van een goede opvoeding," grijnsde Kevin terug. „Mijn moeder heeft me altijd voorgehouden dat ik moeite moet doen voor meisjes die ik leuk vind, vandaar. Jammer dat je al bezet bent, ik had je mee uit willen vragen," vervolgde hij met een serieuze ondertoon.

Shirley bloosde tot achter haar oren. Ze kon zich levendig de reactie van Geert voorstellen als hij dit zou horen en dat was geen aanlokkelijk beeld. „Dat lijkt me niet verstandig," zei ze dan ook.

„Nee," was hij het met haar eens. „Ik zou het ook niet leuk vinden als mijn vriendin met een andere man op stap zou gaan. In ieder geval vond ik het fijn om je weer eens te ontmoeten. Tot ziens Shirley."

Met een vriendschappelijk gebaar sloeg hij zijn arm om haar heen en net als aan het begin van de avond gaf hij haar drie zoenen op haar wangen.

„Bedankt voor het thuisbrengen," zei Shirley terwijl ze naar de toegangsdeur van de flat liep.

Ze wierp een snelle blik op de ramen van hun woning en constateerde dat alles donker was. Waarschijnlijk lag Geert al in bed. Het voelde als een opluchting. Na de gezellige avond die achter haar lag had ze absoluut geen zin in een voortzetting van hun ruzie.

Ze vergiste zich echter. Geert had de hele avond het licht nog niet gehad. Onbewust hoopte hij dat Shirley zich schuldig zou voelen als ze hem bij thuiskomst alleen in het donker zou zien zitten. Hij verwachtte haar om een uur of tien thuis, ging ervan uit dat ze het niet gezellig zou vinden zonder hem. Niets was minder waar. De avond verstreek en liep ongemerkt over in de nacht zonder dat het vertrouwde geluid van de sleutel in het slot weerklonk. Ongedurig ijsbeerde Geert door de kamer, om de twee minuten op de klok kijkend. Van het raam liep hij doelloos naar de eethoek en weer terug.

Waar bleef ze nou? Ze zou toch niet? Nee, ze kwam heus wel terug. Waarschijnlijk maakte ze het expres zo laat, als een straf voor hem omdat hij niet meegegaan was. Nou, daar liet hij zich heus niet door intimideren. Hij zou haar nog wel leren dat hij zich niet liet dwingen tot iets waar hij geen zin in had, dacht hij grimmig. Even vlogen zijn gedachten terug naar Evelien, er verscheen een bittere trek om zijn mond. Zij was haar eigen gang gegaan, zonder rekening met hem te houden. Dat zou hem geen tweede keer gebeuren. Dat was één van de redenen geweest waarom hij zich zo aangetrokken had gevoeld tot Shirley. Ze was zo heerlijk naïef en bereid het hem naar de zin te maken. Als ze naar hem opkeek was er pure aanbidding in haar ogen te lezen. Althans, voordat ze samen gingen wonen. Als Geert terugdacht aan de manier waarop ze hem aan het begin van de avond voor het blok had gezet, werd het hem rood voor zijn ogen.

Het geluid van een naderende wagen deed hem naar buiten kijken. Het was één uur 's nachts, de bus reed niet meer, dus dit kon Shirley in een taxi zijn. Het was echter een gewone wagen en teleurgesteld wilde Geert net zijn blik weer afwenden toen hij zag dat het toch Shirley was die uitstapte. En zij niet alleen. Er was een man bij haar! Dus toch! Ze was helemaal niet naar die Alicia geweest, had dat alleen maar als smoesje gebruikt omdat ze wist dat hij toch niet mee wilde gaan. Zijn weigering was haar zeer welkom geweest. Wat zouden ze achter zijn rug om gelachen hebben om hem!

Met pijn in zijn hart zag Geert hoe die onbekende man Shirley kuste. Shirley, zijn Shirley! Ziedend van woede beende hij naar de hal, waar Shirley net binnenkwam. Geschrokken staarde ze naar de plotseling voor haar oprijzende gestalte. Onwillekeurig sloeg ze haar hand voor haar mond.

„Ja, dat is schrikken hè. Dat had je niet verwacht," sneerde Geert. „Jij dacht dat je rustig je gang kon gaan terwijl die sukkel van een Geert thuis zat. Nou, dan heb je je mooi vergist. Geert is namelijk niet achterlijk." Terwijl hij stond te schreeuwen trok hij haar ruw aan een arm de kamer in en gaf haar daar een zet, zodat Shirley struikelend naar binnen viel.

„Geert, wat doe je? Hou op!" gilde ze. Een wilde paniek beving haar bij het zien van de redeloze man tegenover haar. Zijn gezicht was donkerrood, zijn ogen flitsten heen en weer. Toen hij een stap in haar richting deed, deinsde ze angstig achteruit.

Haar benen kwamen tegen de bank aan en ze verloor haar even-wicht. Machteloos viel ze achterover terwijl Geert boven haar uit torende.

„Je dacht zeker dat ik gek was hè," raasde hij verder. „Met je gelieg en bedrieg. Hoe lang ken je die vent al? Nou, vertel op!" Hij haalde uit met zijn rechterhand en sloeg haar vol in haar gezicht. Shirley gilde en begon te huilen, waardoor Geert enigs-zins leek te kalmeren.

„Dat was Alicia's broer," huilde Shirley terwijl ze de pijnlijke plek op haar wang bedekte met haar hand. „Hij kwam onver-wachts langs en heeft me thuisgebracht omdat de laatste bus al weg was."

Geert liet zich in een stoel zakken, alle agressie was ineens ver-dwenen. Wezenloos staarde hij naar zijn snikkende vriendin.

„Alicia's broer," herhaalde hij langzaam. „Maar hij kuste je."

„Jij hebt me geslagen, dat is veel erger," beet Shirley hem toe. Het begon nu pas goed tot haar door te dringen wat er de afge-lopen minuten gebeurd was. Het was ook zo onverwachts alle-maal. Het ene moment kwam ze nietsvermoedend binnen in de verwachting dat Geert sliep, het volgende moment lag ze weer-loos op de bank met een woedende Geert hoog boven zich.

„Maar hoe kon ik weten? O Shirley, het spijt me." Geert kwam naar haar toe en liet zich voor haar op zijn knieën vallen.

Shirley wendde haar gezicht af. „Je had het bijvoorbeeld kunnen vragen," zei ze wrang.

„Maar ik dacht... Hij kuste je."

„Drie zoenen op mijn wangen, zoals gebruikelijk is onder vrien-den en kennissen."

„Dat kon ik hier vandaan niet goed zien," gaf Geert toe. „Ik werd woedend. Evelien..."

„Stop met dat gezeur over Evelien," zei Shirley hard. „Ik weet dat ze je heel veel pijn heeft gedaan, maar dat geeft jou niet het recht mij zo te behandelen. Wat zij heeft gedaan, kun je niet klakkeloos op mijn rekening schrijven."

Geert boog zijn hoofd. „Je hebt volkomen gelijk. Het spijt me enorm Shirley. Ik weet niet wat me overkwam, ik zag of hoorde helemaal niets meer. Het was gewoon eng." Hij huiverde. „Ik vind het zo erg dat ik je pijn heb gedaan. Denk je dat je het me ooit kunt vergeven?" Hij pakte haar handen vast en keek haar smekend aan.

Shirley aarzelde. Haar eerste impuls was om haar spullen te pakken en weg te lopen. Hij had haar geslagen, dat was niet goed te praten. Aan de andere kant was Geert niet zomaar iemand, hij was de man waar ze van hield. En hij had er spijt van. Iedereen verdiende een tweede kans, dus zeker een levenspartner. Nu ze er rustig over praatten, kon Shirley zich ook wel enigszins voorstellen hoe het gegaan was. Hij had gewoon gereageerd in een vlaag van verstandsverbijstering, de klap was niet bewust gegeven.

„We praten er niet meer over," zei ze na een lange stilte. „Maar doe zoiets nooit meer. Gooi voor mijn part het servies aan diggelen als je je niet kunt beheersen, maar hef nooit meer je handen naar me op."

„Nooit, ik zweer het." Geert stopte zijn gezicht in Shirleys handen, die hij nog steeds vasthield. „Ik ben een schoft, ik weet het. Als je nu bij me weg wilt kan ik het begrijpen Shirley. Jij verdient beter dan een man die nog steeds moeite heeft met het verleden. Ik ben je niet waard."

Medelijden welde in Shirley op. Geert moest wel heel erg met zichzelf in de knoop zitten om dit zo openlijk te zeggen. Meestal was hij nogal overtuigd van zichzelf.

„Lieverd, ik hou van je," zei ze zacht. „Ik laat je heus niet meteen in de steek na één fout. Samen komen we er wel doorheen."

„Je bent een schat," zei Geert gesmoord. Voorzichtig betastten zijn vingers de rode plek op haar wang. „Doet het erg veel pijn?"

„Het valt wel mee," loog Shirley.

Haar wang schrijnde behoorlijk, maar ze wilde hem geen groter schuldgevoel aanpraten dan hij al had. Het was zo al moeilijk genoeg. Geert had zijn spijt betuigd en het was uitgepraat, dus moest ze niet langer zeuren.

Shirley stond op. „Ik ga naar bed," zei ze resoluut. Ineens was ze doodmoe. Een blik op de klok vertelde haar dat de wekker haar over vier uur alweer zou roepen en ze rilde. Nog maar vier uur, terwijl ze het gevoel had dat ze dagen zou kunnen slapen.

„Ga jij maar vast, ik kom zo. Ik ruim wel op," zei Geert.

Met een kort 'welterusten' verdween Shirley in de slaapkamer.

Ze had verwacht dat ze zou slapen zodra haar hoofd het kussen raakte, maar niets was minder waar. Klaarwakker, met bonzend hoofd, staarde ze in het donker. Het was een enerverende avond geweest en er was te veel gebeurd om zomaar van zich af te kunnen zetten. Geert had haar geslagen, dat was het belangrijkste punt waar haar gedachten om heen bleven cirkelen.

Hoe had het zo ver kunnen komen, vroeg Shirley zich vertwijfeld af. Altijd als ze verhalen hoorde of las over mishandelde vrouwen had ze zich voorgenomen dat dat haar nooit zou overkomen. Zij zou bij de eerste klap haar koffers pakken, daar was ze van overtuigd. En nu had ze die eerste klap te pakken en lag gewoon in het gezamenlijke bed.

Maar dit was geen mishandeling, maakte ze zichzelf wijs. Dit was een eenmalige gebeurtenis waar Geert diep berouw van had. Hij had haar geen pijn willen doen, dat wist ze zeker. Daarvoor hield hij te veel van haar. Hij was gewoonweg blind van woede geweest. Een woede die eigenlijk tegen Evelien gericht was, maar die zij, Shirley, had ondergaan. Arme Geert, hij had het zo moeilijk. Shirley hoopte met heel haar hart dat ze hier samen uit konden komen, dat haar liefde Geert er weer bovenop zou helpen. Ze moest hem nog meer duidelijk maken dat ze van hem hield en dat ze geen tweede Evelien was.

Even later kwam Geert de slaapkamer binnen. „Slaap je al?" vroeg hij zacht.

„Nee." Shirley zuchtte. „Ik kan niet op mijn linkerkant liggen, dat doet pijn. Je weet dat dat mijn favoriete houding is om in te slapen."

„Arme schat. Het is mijn schuld," zei hij berouwvol. „Ik begrijp niet dat je niet ontzettend kwaad op me bent."

Bij het licht van het kleine schemerlampje dat hij aangeknipt had, glimlachte Shirley naar hem. „We zouden er niet meer over praten. Bovendien ligt het niet alleen aan jou, ik had je niet moeten pushen om mee te gaan terwijl je er geen zin in had en ik had ook wel wat eerder thuis kunnen komen. We hebben alle twee fouten gemaakt, Geert."

„Je bent veel te goed voor me. Schuif eens op, dan mag je op mijn plek liggen. Dan kunnen we, ondanks je pijnlijke wang, toch lekker tegen elkaar aankruipen. Ik wil je dicht tegen me aan voelen."

Dit kleine gebaar ontroerde Shirley. Geert stond er altijd op om aan de rechterkant van het bed te slapen, daar hadden ze zelfs nog een kleine ruzie om gehad. Het sterkte haar in haar mening dat er een gezamenlijke toekomst voor hen was, dat ze de problemen konden overwinnen. De wil daartoe was duidelijk aanwezig, ook bij Geert. Juist bij Geert.

Shirley stribbelde dan ook niet tegen toen zijn handen haar liefkozend begonnen te strelen en zijn mond de hare zocht. Hoewel haar hoofd niet stond naar een intiem samenzijn, gaf ze toe om Geert niet te kwetsen. Dit was zijn manier om het goed te maken, besefte ze. Na afloop viel hij voldaan in slaap, maar Shirley lag nog heel lang wakker. Pas tegen de ochtend dommelde ze weg, om bij het ratelende geluid van de wekker weer wakker te schrikken. Kreunend kwam ze overeind. Ze had hoofdpijn, haar ogen leken nog dicht te zitten en ze had het gevoel dat ze niet over haar linkerwang heen kon kijken. Ze vreesde dat hij nogal opgezet was en de spiegel bevestigde haar vermoeden even later.

Ze zag er werkelijk niet uit. Een bleek gezicht, donkere kringen onder kleine toegeknepen ogen en een opgezwollen, blauw gekleurde wang. De klap was behoorlijk hard aangekomen. Onder haar linkeroog liep een schram, waarschijnlijk van Geerts nagel of ring. Haar spiegelbeeld vrolijkte Shirley niet bepaald op.

„Hoe voel je je?" vroeg Geert bezorgd.

„Alsof ik onder een tank heb gelegen," antwoordde Shirley somber.

„Jij blijft vandaag thuis," besliste Geert. „Niet tegenstribbelen. Ik meld je ziek en zeg wel dat je een migraine aanval hebt of zo. Als er een controleur komt kun je altijd zeggen dat je duizelig was van de pijn en ergens tegenaan bent gevallen met je gezicht. Kruip er maar weer lekker in, ik kom je zo een kop thee brengen."

Dankbaar dook Shirley weer onder het nog warme dekbed. Geert was een schat om zo voor haar te zorgen, dacht ze doezelig, daarbij even vergetend dat ze er door zijn toedoen zo slecht aan toe was. De slaap die 's nachts niet had willen komen, overviel haar nu vrijwel meteen. Pas om halfdrie die middag werd ze uitgerust wakker. Ze voelde zich een stuk beter en na een warme douche was ze weer helemaal de oude, op de opgezwollen wang na.

Zoals ze wel verwacht had, belde Alicia een uur later op.

„Hoe is het met je?" wilde ze weten. „Geert zei dat je een migraine aanval hebt, ik wist niet dat je daar last van had."

„Dit was de eerste keer," loog Shirley. „Ik weet ook niet zeker of het migraine is, in ieder geval heb ik een barstende hoofdpijn. Nog steeds. Ik denk eigenlijk dat er een flinke griep aan zit te komen of een voorhoofdsholte ontsteking," voegde ze eraan toe in het besef dat ze voorlopig niet naar haar werk kon. Niet zolang haar gezicht er zo uitzag.

„Ziek maar lekker uit. Hoewel…" Alicia aarzelde even voor ze verder sprak. „Het zal je wel rauw op je dak vallen en ik denk dat je hoofd er nu niet naar staat, maar ik vind toch dat je het moet weten. Er is vanochtend een vergadering belegd voor het voltallige personeel. Er staan ons grote veranderingen te wachten. In ieder geval komt er een fusie met een ander warenhuis en waarschijnlijk ook inkrimping van het aantal personeelsleden."

„Bedoel je dat onze banen op de tocht komen te staan?" vroeg Shirley geschrokken.

„Dat zit er dik in. De directie heeft al laten doorschemeren dat de grootste klappen bij de administratie zullen vallen. Het warenhuis blijft gewoon doordraaien, dus veel winkelpersoneel zal er niet ontslagen worden."

„Maar dan moet de administratie toch ook gewoon doorgaan?"

„Die neemt het andere bedrijf op zich, voor zover ik het begrepen heb. De directie sprak wel over een fusie, maar volgens mij gaat het hier om een overname. We weten allemaal dat de zaken niet best floreerden de laatste tijd, al doen de hoge heren van het bedrijf er alles aan om ons het tegendeel te laten geloven. Ik denk dat we er niet onverstandig aan doen om alvast naar iets anders uit te kijken," vertelde Alicia.

„Ach, we zullen het wel overleven," zei Shirley nuchter.

Ze had nu wel iets anders om zich druk over te maken, hoewel ze het erg jammer zou vinden om Alicia als collega kwijt te raken. Maar haar relatie met Geert had momenteel meer prioriteit, dat was belangrijker dan een baan. Niettemin vertelde ze hem 's avonds direct wat Alicia gezegd had.

„Ja, zo gaat dat. De leiding maakt een puinhoop van zo'n bedrijf en het personeel wordt er de dupe van. Zelf eten ze er heus geen boterham minder om," reageerde hij sarcastisch.

„Er speelt natuurlijk ook nog een recessie mee," merkte Shirley op. „Bijna ieder groot bedrijf moet tegenwoordig inkrimpen om het hoofd boven water te kunnen houden. De invoering van steeds meer computers die het werk overnemen, maakt het er ook niet beter op."

Ze zuchtte. „Het ziet ernaar uit dat ik binnenkort ander werk moet gaan zoeken."

„Is dat al zeker?" informeerde Geert.

„Volgens Alicia wel, al zijn er nog geen namen genoemd van mensen die het veld moeten ruimen. Er schijnen nog onderhandelingen te zijn met de vakbond, maar het staat in ieder geval vast dat er mensen ontslagen worden en ik ben één van de laatsten die in dienst getreden is."

„Je moet de eer aan jezelf houden en opstappen," adviseerde Geert.

Verbaasd keek Shirley hem aan. „Zelf ontslag nemen, bedoel je? Maar dan heb ik nergens recht op. Een uitkering kan ik dan wel vergeten en wie weet hoe lang het duurt voor ik iets anders gevonden heb."

„Nou en?" Geert begon te lachen. „Liefje, heb jij ooit wel eens op mijn salarisstrookje gekeken? Ik verdien meer dan genoeg voor ons tweeën. Tenslotte horen we bij elkaar, wat van mij is, is ook van jou."

„Maar om dan maar meteen ontslag te nemen? Ik weet het niet, Geert. Het is zo drastisch."

„Anders vlieg je er toch uit," zei hij onparlementair. „Persoonlijk zou ik me te trots voelen om het zo ver te laten komen. Zo'n directie denkt altijd dat ze alles maar kunnen maken. Als ik jou was zou ik zelfs helemaal niet meer gaan. Dan neem je ontslag op staande voet om ze duidelijk te maken hoe je over de gang van zaken denkt."

Shirley aarzelde. Dergelijk gedrag was haar stijl niet, maar er zat iets in, in Geerts beweringen.

„Ze willen je niet meer, dus eigenlijk doe je iedereen een plezier met zo'n maatregel," gooide Geert er een schepje bovenop. Hij had haar aarzeling bemerkt en wist dat hij aan de winnende hand was. Nog even en Shirley zou hele dagen thuis zijn met niets anders om handen dan het huis schoon en gezellig te maken en voor hem te zorgen. Dat toekomstbeeld stond hem wel aan. „Of ben jij soms zo'n geëmancipeerde vrouw die absoluut niet afhankelijk wil zijn van het salaris van haar man?" plaagde hij.

„Wel geëmancipeerd, niet feministisch," antwoordde Shirley gevat. „Ik ga ervan uit dat man en vrouw naast elkaar staan en gelijk zijn, ongeacht wie het geld verdient en wie de zorgtaken op zich neemt. Maar misschien heb je wel gelijk en moet ik inderdaad zelf het initiatief nemen in plaats van een ontslag af te wachten. Tenslotte verdien ik een betere behandeling dan dit."

„Gelijk heb je," knikte Geert.

Shirley zuchtte. „Ik weet het, maar ik zie er wel tegen op om het in te dienen. Het klinkt zo… Ik weet niet. Is het niet erg oncollegiaal om de boel ineens neer te gooien?"

„Welnee. Als jij ontslagen wordt, of afgevloeid, zoals ze dat noemen, springen je collega's ook niet onmiddellijk op de barricaden om je daar te houden. Daar zou ik me absoluut niet druk om maken. En weet je wat? Jij hoeft helemaal niets te doen als je daar zo tegen opziet. Ik bel morgen en zeg dat je niet meer komt."

„Kan dat dan zomaar?" vroeg Shirley onzeker.

„Als het ze niet bevalt kunnen ze je hoogstens ontslaan," grijnsde Geert. Ze schoten samen in de lach.

Het was voor Shirley een vreemd idee dat ze nu ineens werkeloos was. Nou ja, officieel dan nog niet, maar voor haar gevoel al wel. Misschien was het juist wel goed, peinsde ze. Nu zou ze minder aan haar hoofd hebben en zich kunnen concentreren op haar relatie met Geert. Tenslotte was hij het belangrijkste in haar leven.

„Wacht nog een tijdje voor je iets anders gaat zoeken," advi-

seerde Geert alsof hij haar gedachten kon lezen. „Wie weet hoe goed het je bevalt om het rustiger aan te doen en ik vind het ook fijn dat we wat meer tijd voor elkaar krijgen."
Shirley beloofde dat met liefde.

HOOFDSTUK 8

Het was begin oktober en nat, koud weer. De temperatuur was in enkele dagen tijd fors gezakt en er viel al de hele dag regen. Een harde wind maakte het nog onaantrekkelijker om naar buiten te gaan, maar Shirley moest wel. Geert had inderdaad naar haar werk gebeld met de mededeling dat ze op staande voet ontslag nam, maar ze hadden haar laten weten dat ze persoonlijk langs moest komen om haar ontslagname te tekenen.

Rillend, met haar handen in de zakken van haar jas en haar gezicht weggestopt in de wollen kraag, liep Shirley voor het laatst de vertrouwde weg naar het kantoor. Met een weemoedig gevoel keek ze op naar het bekende gebouw. Toch jammer dat het voorbij was, ze had hier altijd met veel plezier gewerkt. Maar dat kon de directie ook niets schelen, bedacht ze toen. Als ze zelf het initiatief niet had genomen, was ze toch ontslagen.

Iets zelfverzekerder dan even daarvoor liep ze naar binnen. Geert had gelijk, ze moest niet machteloos afwachten tot het de hoge heren betaamde om haar te lozen. Ze hoefde zich nergens voor te schamen, was er zelfs trots op dat zij niet tot de grote groep mensen hoorde die nu bibberend het resultaat van de besprekingen met de vakbond af zat te wachten. Shirley meldde zich bij de personeelschef, de heer Van Naaldwijk.

„Goedemiddag, juffrouw Hoogenboom," zei hij vormelijk. „Zullen we maar meteen overgaan tot het afwikkelen van deze kwestie? Ik heb hier een paar handtekeningen van je nodig." Hij schoof haar de papieren toe en wachtte af tot zij getekend had en hem de pen weer teruggaf.

„Nou, dat was het dan," zei Shirley opgelaten. Ze ontweek de vorsende blik die hij haar toezond.

Meneer Van Naaldwijk schudde zijn hoofd. „Moest het nou echt op deze manier? Het valt me zwaar van je tegen, Shirley." Het afstandelijke juffrouw liet hij varen, ineens werd het een gesprek van mens tot mens in plaats van korte beleefdheden uitwisselen tussen chef en werknemer.

Shirley haalde haar schouders op. „Dat is dan wederzijds," zei ze stug. „Ik had ook nooit verwacht dat ik nog eens in een afvloeiingsregeling terecht zou komen."

„Ten eerste is dat nog niet honderd procent zeker, ten tweede is dat overmacht," wees hij haar terecht.

„Maar het resultaat blijft hetzelfde. De helft van de werknemers staat straks op straat, ik had geen zin om daarop te wachten."

„Dus blijf je maar meteen weg, zonder behoorlijke opzegtermijn in acht te nemen. Weinig elegant, moet ik zeggen. Je laat je collega's mooi opdraaien voor jouw werk."

„Welk werk?" vroeg Shirley op een spottende toon. „Het gaat slecht met de zaak. Personeel wordt bij bosjes ontslagen, dus zoveel werk zal er niet meer zijn."

Meneer Van Naaldwijk stond op, wat hem betrof was dit onbevredigende gesprek afgelopen. „Er is geen verstandig woord met je te wisselen," zei hij kort. „Jammer dat het zo moest gaan, toch wens ik je het allerbeste." Hij gaf haar geen hand, maar knikte slechts als afscheid.

„Tot ziens," zei Shirley zacht terwijl ze naar de deur liep. Zijn afwerende houding raakte haar toch. Ze had altijd goed met deze man op kunnen schieten.

Voor ze het kantoor uitliep zei hij nog: „Laat je niet te veel intimideren door die vriend van je. Ik geloof niet dat hij een goede invloed op je heeft."

Zonder iets terug te zeggen op deze beschuldiging trok Shirley de deur achter zich dicht. Zijn laatste woorden sterkten haar wel in de mening dat ze inderdaad beter weg kon gaan. Belachelijk, die veronderstelling dat ze dit besluit onder druk van Geert had genomen. Alsof ze niet zelfstandig na kon denken!

Nog steeds verontwaardigd liep ze haar oude werkkamer binnen, waar Alicia ingespannen achter de computer zat te werken. Ze keek verstoord op bij deze onderbreking, maar haar gezicht verhelderde bij het zien van Shirley.

„Zo, heb je je bedacht?" vroeg ze lachend.

„Niet bepaald," antwoordde Shirley terwijl ze haar tas op de grond zette en plaats nam op een bureaustoel. „En als dat wel het geval was geweest, had ik nu alsnog mijn ontslag genomen na dat gesprek met Van Naaldwijk. De griezel," schold ze.

„Hoezo? Ik dacht dat je altijd goed met hem overweg kon."

„Tot vandaag dan. 'Het valt me van je tegen, je bent niet collegiaal',`` imiteerde Shirley de personeelschef.

„Daar zit wat in," zei Alicia peinzend. „Sorry Shir, maar als ik heel eerlijk ben moet ik hem gelijk geven. Dit is geen manier van doen."

„O, begin jij ook nog een keer. Nee, mensen ontslaan, dat is pas sociaal. Kom nou Alies, eerst vertellen ze dat er geen werk meer is en er banen zullen verdwijnen en vervolgens verwachten ze dat we ons als lammeren op weg naar de slachtbank gedragen. Ze gaan er zeker van uit dat iedereen zich nu voor tweehonderd procent inzet in de hoop te mogen blijven. Nou, dan zijn ze bij mij aan het verkeerde adres. Ik doe niet mee aan dergelijke spelletjes," zei Shirley agressief.

Alicia keek Shirley bedachtzaam aan. „Dat ben jij niet die dat zegt, hier hoor ik Geert in," zei ze toen.

Shirley vloog overeind. „Je hebt zeker met Van Naaldwijk over me zitten roddelen," zei ze kwaad. „Die zei ook al zoiets. Is het voor jullie echt zo moeilijk te begrijpen dat ik zelf ook na kan denken?"

„Tegenwoordig wel, ja." Zoals altijd bleef Alicia rustig. „Een week geleden heb je me uitgebreid verteld over je relatie met Geert, een dag later meldde je je ziek en weer een dag later nam je ineens op staande voet ontslag. En niet eens persoonlijk, maar via Geert. Die drie dingen zijn niet zo moeilijk met elkaar te combineren. Hoe heeft hij je zo ver gekregen?"

„Hij heeft gewoon gelijk," verdedigde Shirley hem meteen. „Eerlijk gezegd had ik er zelf niet zo diep over nagedacht, maar dat ben ik wel gaan doen door een paar dingen die hij zei."

„Dingen die jij klakkeloos aannam en hier naar voren brengt als je eigen mening," concludeerde Alicia.

Shirley stond op. „Ik ga maar weer. Echt welkom ben ik hier toch niet meer," zei ze stroef.

„Weglopen lost niets op." Zonder pardon duwde Alicia haar weer terug in de stoel. „Ik ben niet gek. Door Geert ben je veranderd en niet in je voordeel, dat is duidelijk. De Shirley die ik al jaren ken zou nooit zoiets gedaan hebben."

„Mensen veranderen nu eenmaal, je kunt onmogelijk een heel leven lang dezelfde ideeën hebben," zei Shirley afwijzend.

Ze keek haar vriendin echter niet aan en draaide haar gezicht af.

Door het licht dat door deze beweging op haar wang viel, zag Alicia tot haar ontzetting de blauwe verkleuring en nog steeds lichte zwelling. Ze begreep onmiddellijk wat er gebeurd was.

„Hij heeft je geslagen," zei ze.

Het was niet eens een vraag, maar een constatering. Heel even aarzelde Shirley, toen knikte ze. Ze kon Alicia niet voor de gek houden, daarvoor waren ze al te lang bevriend.

„Maar hij heeft er spijt van," voegde ze er snel aan toe.

„Dat mag ik hopen. Lieve help Shirley, waarom neem je dit? Je had meteen je koffers moeten pakken."

Ze vergaten allebei dat ze op kantoor zaten en Alicia eigenlijk weer aan het werk moest.

„Dat was ook mijn eerste gedachte," vertelde Shirley. „Maar Geert had er écht spijt van. Hij handelde gewoon in een vlaag van blinde drift. We hebben het diezelfde avond nog uitgepraat."

„Hier is geen excuus voor," verklaarde Alicia kort.

„Doe niet zo star. Iedereen gaat wel eens in de fout."

„Niet deze fouten," hield Alicia vol. „Gebruik je verstand Shir. Dit soort dingen gaat altijd van kwaad tot erger. Zie je nou zelf niet wat er gebeurt? Je woont tegen je zin in een flat die je niet bevalt, je gaat op vrijdagavond niet meer mee naar het café, je krijgt ruzie als je een avond naar mij toe komt en je neemt op staande voet ontslag, door Geerts manipulaties, zodat je totaal afhankelijk wordt. Nog even en dan heb je helemaal geen eigen leven meer. Ieder spoortje eigen initiatief dat je vertoont, zal hij eruit slaan."

„Je overdrijft," zei Shirley.

„Niet waar en dat weet jij net zo goed als ik. Je wilt het alleen niet toegeven omdat je denkt dat je van Geert houdt. Maar dit is geen liefde. Hij gebruikt je."

„Je bent er niet bij als we samen zijn, je weet niets van Geert af."

„Ik weet nu in ieder geval één ding te veel van hem. Je bent veel te goed om vast te zitten in een relatie waarin je mishandeld wordt."

„Je bent wel lekker positief en hulpvaardig," zei Shirley wrang. „Ik dacht dat je mijn vriendin was."

„Juist daarom zeg ik je dit," verklaarde Alicia nog steeds rustig. Het liefst zou ze Shirley flink door elkaar rammelen in een poging haar ogen te openen voor de realiteit, maar dat zou een averechtse uitwerking hebben. „Ik zal altijd achter je blijven staan en je helpen, maar verwacht nooit van me dat ik het hierin met je eens ben. En ik zal blijven proberen je in te laten zien dat je verkeerd bezig bent."

„Met andere woorden, je zult Geert nooit accepteren, ook niet als blijkt dat dit een eenmalig incident was," constateerde Shirley.

„Dat zal in de praktijk moeten blijken. Ik hoop echt voor je dat je gelukkig wordt met Geert, maar ik geloof er niet in. Je bent jezelf niet meer sinds je met hem samenwoont en dat is toch de eerste voorwaarde voor geluk."

De twee vriendinnen keken elkaar peilend aan.

„Ik hou van Geert, als je me voor de keuze stelt blijf ik bij hem," zei Shirley na een lange stilte.

Alicia schudde haar hoofd. „Niemand vraagt je om te kiezen. Ik hoop alleen dat je zelf in gaat zien wat er speelt en dat je daar je maatregelen tegen neemt. Nogmaals: ik sta achter je, maar zal nooit met je meepraten als het gaat om het goedkeuren van Geerts gedrag."

Het geluid van dichtslaande deuren en mensen die in de gang liepen en praatten, maakte een einde aan hun serieuze gesprek. Alicia keek op haar horloge en zag dat het vijf uur was.

„Dat wordt overwerken," constateerde ze nuchter. „Dit moet vandaag af. Ik heb er nu ook een gedeelte van jouw werk bij."

Er lag geen enkel verwijt in haar stem, maar Shirley voelde zich meteen schuldig. Daardoor nam ze korter afscheid dan haar bedoeling was. In de gang liep ze Petra en Kelly tegen het lijf, twee collega's van de vrijdagavondploeg, zoals ze het zelf altijd noemden. Blij verrast liep ze naar hen toe, maar de twee vrouwen draaiden zich om en negeerden haar. Ook Bernard, die ze bij de uitgang van het gebouw passeerde, beantwoordde haar groet niet. Shirley hoorde hem tegen de portier een opmerking maken over ratten die het zinkende schip verlieten.

Verdrietig liep ze de weg terug naar Geerts flat. Zo dacht ze nog steeds over de woning, al woonde ze er inmiddels al bijna drie maanden. Ze voelde zich er nog steeds niet thuis. En nu was er helemaal geen plek meer waar ze hoorde. De houding van de personeelschef en haar collega's had haar diep gekwetst, maar Shirley was eerlijk genoeg om, althans tegen zichzelf, toe te geven dat ze het ernaar gemaakt had. Ze had ze zelf laten barsten. Eerst op de vrijdagavonden, nu met het werk. Het was geen wonder dat ze haar niet met open armen ontvingen.

Voor het eerst vroeg ze zich af of Geert dit allemaal waard was, of de relatie met hem opwoog tegen het verlies van haar vrienden en haar werk. Niet altijd, moest ze diep in haar hart bekennen. Ze hield nog steeds van hem, maar niet meer onvoorwaardelijk. Als hij een goede bui had en lief en vrolijk was, kon de rest van de wereld haar niets schelen. Dan telden alleen Geert en zijzelf. Maar als hij driftig, kwaad, achterdochtig of neerbuigend was, wat steeds vaker voorkwam, vroeg ze zich af of ze een heel leven met hem wilde doorbrengen. Meestal wist ze daar geen duidelijk antwoord op en dat stemde haar angstig. Had het wel nut om door te blijven gaan als ze er niet van overtuigd was dat het voor altijd zou zijn? Aan de andere kant hield ze te veel van hem om zonder slag of stoot op te geven.

Na een harde, eenzame jeugd en een tweetal mislukte relaties, was Geert de eerste die zon en liefde in haar leven had gebracht. Alleen begon het er nu op te lijken dat hij het ook weer van haar afpakte. Vier maanden geleden was haar leven volmaakt geweest. Leuke baan, gezellige collega's, Alicia als hartsvriendin, een kamer waarin ze zich thuis voelde en Geert als liefdevolle, tedere en humoristische vriend aan haar zijde. Nu was alles aan het afbrokkelen. Ze woonde niet prettig, was haar baan plus collega's kwijt en Geert vertoonde steeds meer negatieve karaktereigenschappen. Alleen Alicia was er nog, de constante factor in haar leven. Shirley wist dat die vriendschap in ieder geval zou blijven bestaan en dat stemde haar dankbaar. Wat er ook gebeurde, er was altijd iemand waar ze heen kon gaan. Ze bewaarde Alicia's sleutel veilig in een geheim vakje van haar oude, vertrouwde secretaire.

Afwezig liep Shirley naar binnen. Ze merkte niet eens dat de deur niet meer op het nachtslot zat, wat betekende dat Geert al thuis was. Pas toen ze hem zag staan, trillend van ingehouden drift, realiseerde ze zich dat het al over halfzes was. Door het gesprek met Alicia was ze de tijd helemaal vergeten.

„Geert, ik…" begon ze zich te excuseren.

„Houd je mond!" Zijn stem sneed. Demonstratief tikte hij op zijn horloge. „Bijna kwart voor zes, terwijl je om drie uur die afspraak had. Denk je dat ik achterlijk ben? Waar zat je, vertel op!"

„Ik heb met Alicia zitten praten en…"

Weer kreeg Shirley de kans niet om uit te praten.

„Lieg niet tegen me! Alicia was gewoon aan haar werk. Je bent zeker weer bij die zogenaamde broer van haar geweest. Je bedriegt me waar ik bij sta. Maar ik pik het niet, hoor je. Ik pik het niet!"

Hij kwam op haar af en instinctief kromp Shirley in elkaar, deze keer voorbereid op wat er komen ging. Zijn vuisten beukten op haar los, tot hij scheen te beseffen wat hij aan het doen was. Verslagen liet hij zich op de grond zakken, zijn gezicht in zijn handen verborgen.

„Mijn hemel Shirley, waar ben ik mee bezig? Ik wil dit niet. Geloof me. Het spijt me zo."

Shirley zweeg. Haar hele lichaam deed haar zeer. De nog steeds pijnlijke wang had opnieuw een flinke opdoffer gekregen, evenals haar oog en haar rechterarm, die ze voor haar gezicht had gehouden in een schamele poging de woedende Geert van zich af te houden.

Het begon tot haar door te dringen dat Alicia gelijk had. Dit was geen gezonde relatie. Er moest verandering in deze situatie komen. Maar wat? Er zonder meer vandoor gaan was ook geen oplossing. 'Weglopen helpt niet', had Alicia die middag nog tegen haar gezegd. Shirley wist diep in haar hart heel goed dat haar vriendin daar niet mee bedoelde dat ze alles moest nemen en zich moest laten mishandelen, maar ze wilde nog niet opgeven.

De rest van de avond was Geert de meest ideale man die een vrouw zich maar kon wensen. Hij kwam niet op het incident terug, maar deed er alles aan om het Shirley naar de zin te maken. Hij bestelde pizza voor het avondeten, zette koffie, schoof de poef onder haar voeten en stemde de televisie af op haar favoriete zender. Dit was de Geert zoals Shirley hem had leren kennen. De Geert waar ze van hield. Dat maakte alles des te gecompliceerder.

Ze wist dat dit gedrag voortkwam uit schuldgevoel en bedoeld was als goedmakertje, maar ze maakte zichzelf wijs dat hij zijn best deed om een herhaling te voorkomen. Daar moest ze hem bij helpen.

HOOFDSTUK 9

„Vind je het mooi?" Verwachtingsvol keek Geert naar Shirleys gezicht terwijl ze het cadeautje openmaakte wat hij als verrassing onder de kerstboom had gelegd.
„Heel mooi. Dank je wel, Geert."
Plichtmatig gaf Shirley hem een zoen en met gemengde gevoelens keek ze naar de sieradenset op de fluwelen ondergrond. Het was prachtig, maar echt blij kon ze er niet mee zijn. Het was geen geschenk uit liefde. Geert had het gekocht om zijn schuldgevoelens voor het zoveelste pak slaag te verdoezelen. Een afkooppremie, dacht Shirley schamper bij zichzelf.
Ze was nu drie maanden zonder werk en moest toegeven dat het nutteloos thuiszitten hun relatie niet had bevorderd, zoals ze eerst gehoopt en gedacht had. Meer tijd om samen door te brengen was er niet, omdat Geert natuurlijk gewoon zijn werk had. Werk dat hij 's avonds thuis ook vaak nog moest doen. Shirley deed inmiddels niets anders meer dan het huishouden bijhouden. De flat was brandschoon en iedere avond stond er een uitgebreide maaltijd op tafel, puur omdat ze iets om handen wilde hebben.
Van de oude, levenslustige, optimistische Shirley was weinig meer over. Ze leek wel gekrompen en er lag een schichtige blik in haar ogen. Niet dat dat echt opviel, want meestal hield ze haar blik neergeslagen terwijl haar schouders voorover hingen. Het ging niet goed met haar. Ze wist het zelf, maar miste de moed en de kracht om er iets tegen te ondernemen. De gewelddadige relatie met Geert had haar murw gemaakt. Het leek wel of hij steeds agressiever werd. Zelfs nu ze financieel afhankelijk van hem was, het huishouden op een perfecte manier runde en niemand uit haar oude leven meer zag, wist hij nog redenen te bedenken om haar te slaan. Meestal was de aanleiding een futiliteit, zoals gemorste koffie of een vergeten boodschap.
De enige die Shirley nog regelmatig sprak was Alicia. Stiekem en telefonisch, want Geert had het haar ronduit verboden en Shirley wist wat haar te wachten stond als ze daartegen inging. Sinds ze geen eigen inkomen meer had en afhankelijk was van hem, had Geert helemaal zijn ware aard laten zien. Alicia bleef

erop hameren dat Shirley hem moest verlaten, maar ze durfde niet. De stap was te groot, ondanks alles. Shirley bezat niets meer. Geen eigen woning, geen geld, geen werk en geen meubels. En geen zelfvertrouwen.

Ze wist dat ze altijd bij Alicia terechtkon, maar pure angst weerhield haar daarvan. Geert zou haar echt niet zonder meer laten gaan en hij wist dat ze buiten Alicia niemand meer had. Haar adres was hem wel niet bekend, maar ze werkte nog steeds bij het warenhuis. Shirley wilde Alicia hier niet persoonlijk bij betrekken. Ze wist dat Geert haar in zijn blinde woede niet zou ontzien.

Ondertussen raakte ze steeds meer geïsoleerd, viel ze kilo's af en veranderde in een schaduw van zichzelf. Behalve Geert en af en toe zijn ouders zag ze niemand. Vrienden had Geert niet. Hij had genoeg aan Shirley, beweerde hij altijd. Dat er van de oude Shirley niets meer over was, scheen hem niet te deren. Volgens hem hadden ze het goed samen, zolang ze maar niet tegen zijn wensen inging. Hij was de baas in huis. Hij had zelfs eens opgemerkt dat het Shirleys eigen schuld was als ze geslagen werd en dat was ze langzamerhand ook gaan geloven. Hij maakte het ook altijd weer goed met een etentje buitenshuis, als ze tenminste niet te veel zichtbare blauwe plekken had, of met een duur cadeau, zoals met Kerstmis. Shirley had niets voor hem gekocht, simpelweg omdat ze er geen geld voor had.

Schuw naar hem opkijkend verontschuldigde ze zich daarvoor, maar Geert maakte daar geen probleem van.

„Dat weet ik toch," zei hij opgeruimd. „Schenk nog maar een kop koffie voor me in en doe er een stuk van die voortreffelijke taart bij die je gisteren hebt gebakken. Het is tenslotte Kerstmis."

Ja, het was Kerstmis, dacht Shirley in de keuken wrang. Kerstmis, vrede op aarde, maar zij stond zich hier af te vragen hoeveel uren ze verwijderd was van het volgende pak slaag. Het viel echter mee, de dag verliep rustig en vreedzaam. Geert was in een uitstekend humeur en daar kon Shirley alleen maar blij om zijn. Lang duurde haar rust echter niet. De avond van de tweede kerstdag liet ze een schaal vlees uit haar handen vallen en dat moest ze bekopen met enkele rake en zeer pijnlijke klappen.

„Kun jij dan echt helemaal niets!" tierde Geert terwijl hij woest op haar insloeg. Met een verachtelijk gebaar gaf hij haar nog een trap na terwijl ze kreunend op de grond lag. Op handen en voeten kruipend probeerde ze bij hem vandaan te komen.

Voor de zoveelste maal huilde ze zichzelf die nacht in slaap, zich afvragend hoe het kwam dat haar leven zo'n gruwelijke loop had genomen en erover piekerend hoe dit moest eindigen. Dit kon toch niet eeuwig zo door blijven gaan?

De volgende morgen zag ze in de spiegel dat haar gezicht flink gehavend was. Haar rechteroog zat dicht en was behoorlijk blauw, naast haar mond zat een zwelling. Zo kon ze de straat niet op, besefte ze. Ze zou vandaag een maaltijd moeten bereiden uit haar voorraad en van de restjes, want boodschappen doen was onmogelijk met dit gezicht. Meestal lette Geert er bewust op dat hij haar gezicht niet raakte, maar ditmaal had hij in blinde woede toegeslagen. De schaal die ze gebroken had was dan ook wel erg duur geweest, vergoelijkte Shirley in gedachten zijn gedrag. Het was natuurlijk geen wonder dat hij kwaad geworden was.

Ondanks alles hield ze nog steeds van Geert. Hij maakte haar hele bestaan uit, maar het drong niet tot Shirley door dat dat kwam omdat ze niemand anders meer zag en geen eigen leven kon leiden. Een leven naast Geert was niet altijd prettig, maar in ieder geval vertrouwd.

Moeizaam sleepte Shirley zich door de ochtend heen. Er viel genoeg op te ruimen en schoon te maken na de feestdagen. Eigenlijk voelde ze zich zo beroerd dat ze het liefst in bed wilde blijven liggen, maar dat risico durfde ze niet te nemen. Dat zou ongetwijfeld weer een nieuwe driftbui van Geert tot gevolg hebben.

Om halféén weerklonk de deurbel. Shirley, die net door de hal liep, bleef geschrokken staan. Angstig vroeg ze zich af wie dat kon zijn, maar meteen hoorde ze de vertrouwde klank van Alicia's stem. Blij dat er iemand kwam met wie ze kon praten, opende Shirley de deur. Eén moment was ze zelfs haar gehavende gezicht vergeten, maar Alicia maakte haar daar meteen op attent.

„Mijn hemel, wat heeft hij met je gedaan?" riep ze uit.

Onwillekeurig probeerde Shirley de blauwe plekken met haar hand te bedekken. „Gevallen," mompelde ze.

„Maak dat de kat wijs. Hij heeft je weer geslagen, hè?"

Shirley knikte. Ze wist dat ze het toch niet verborgen kon houden, al had ze de laatste maanden door de telefoon aardig kunnen doen alsof het allemaal wel meeviel.

„Wanneer ga je nu eens bij hem weg?" vroeg Alicia cru. „Bouw je eigen leven weer op Shirley, hier ben je te goed voor."

„Geert heeft ook zijn goede kanten," hield Shirley vol terwijl ze naar de kamer liepen. „En dit was mijn eigen schuld." Om Alicia af te leiden liet ze haar de sieradenset zien. „Kijk eens wat ik van hem gekregen heb."

„Als genoegdoening?" Alicia's stem sneerde. „Denk na, Shirley. Je hoeft het jezelf niet kwalijk te nemen dat je in deze situatie terechtgekomen bent, maar het is stom als je er niets aan doet. Je hebt het helemaal zelf in de hand. Kijk nu eens hoe je erbij zit, met één oog naar het raam om te zien of hij niet onverwachts thuiskomt en mij aantreft. Je bent bang, doodsbang dat hij je dan weer alle hoeken van de kamer laat zien. Zie je dan zelf niet in dat dat niet kan? Geen enkel mens heeft het recht om een ander zo te behandelen. Je bent zijn bezit niet. Je bent een zelfstandig denkend wezen en je bent de enige die verandering in deze situatie kunt brengen. En je weet dat ik je ermee zal helpen als je me die kans geeft."

Het was een lange redevoering en stil luisterde Shirley naar haar vriendin. Ze wist dat ze gelijk had, maar het bleef moeilijk om de stap te zetten. Op goede momenten was Geert lief, zorgzaam en vol berouw, ze kon hem niet zonder meer in de steek laten.

„Ik waardeer je zorg," zei ze dan ook tegen Alicia. „Natuurlijk heb je ook wel gelijk, maar je ziet alles zo zwart-wit."

„Er is geen grijs in dit geval. Niemand, absoluut niemand, heeft het recht jou te mishandelen."

„Meestal is het mijn eigen schuld. Als ik gewoon doe wat hij wil is er niets aan de hand."

„Shirley, hoor je nou zelf niet wat je zegt? Je hoeft zijn bevelen niet op te volgen, je bent zijn hond niet. Trouwens, zelfs een hond behandel je niet zo. Ga bij hem weg, kom naar mij toe. Je hebt de sleutel van mijn flat, maak er gebruik van voor het te laat is. Vandaag of morgen slaat hij je het ziekenhuis in. Of erger."

„Welnee. Hij houdt van me," zei Shirley koppig.

Alicia zuchtte. „Dat is geen liefde, dat is machtsmisbruik. Hij krijgt er een kick van dat jij doet wat hij zegt en dat je bang voor hem bent. Geloof me, als jij weggaat heeft hij zo weer een ander die naar zijn pijpen danst. Hij zal echt niet om je treuren."

„Ik zal erover nadenken," beloofde Shirley om ervan af te zijn. Diep in haar hart wilde ze het liefst meteen met Alicia mee en alle pijn, ellende en verdriet in de flat achterlaten, maar angst voor de gevolgen weerhield haar daarvan. Bovendien wist ze niet of ze sterk genoeg zou zijn om alle problemen die ze dan tegen zou komen, het hoofd te bieden. Ergens hoopte ze nog steeds op een wonder.

„Gezellig dat je er bent trouwens," zei ze ter afleiding. „Moest je niet werken vandaag?"

„Ik heb vakantie," vertelde Alicia. „Morgen ga ik met een stel mensen van de handbalploeg naar de wintersport, daar vieren we oud en nieuw. Vanochtend ben ik inkopen wezen doen en toen besloot ik om even langs te komen en je persoonlijk gedag te zeggen."

„Prima plan van jou. Wil je iets drinken?"

Alicia schudde haar hoofd. „Nee, dank je. Ik wil nog even langs mijn ouders en ik moet nog pakken, dus ik ga er weer vandoor," zei ze terwijl ze opstond. Bij de deur pakte ze Shirley stevig vast. „Hou je taai meid en vergeet niet wat ik gezegd heb. Ik wil alles doen om je te helpen."

„Ik beloof het. Misschien vind je mij wel in je flat als je thuis komt," grapte Shirley in een poging het afscheid luchtig te houden.

„Ik hoop het. Ik hoop het echt," ging Alicia daar serieus op in.

„Geniet in ieder geval van je vakantie. Heel veel plezier en een prettige jaarwisseling," wenste Shirley.

Ze zwaaide haar vriendin zo lang mogelijk na en verdween toen in de keuken om te zien wat ze voor avondeten kon maken. Van een restje koude aardappels, een blikje groente, eieren, melk, kruiden en een tomaat wist ze een smakelijke ovenschotel te bereiden. Er was ook nog een halve ijstaart die ze als toetje op kon dienen met wat fruit uit blik erbij.

Terwijl ze bezig was vertoefden haar gedachten bij Alicia, die lekker op vakantie ging. Heerlijk, wintersport, mijmerde Shirley. Dat zou zij ook wel willen. Haar vriendin kon lekker gaan en staan waar ze wilde, terwijl zij hier opgesloten zat in een flat waar ze zich niet thuis voelde. Een gevoel van jaloezie bekroop haar, maar Shirley was eerlijk genoeg om toe te geven dat ze het zelf in de hand had. Geert mishandelde haar, maar zij liet het toe.

„Een mens kan nooit verder gaan dan je hem toestaat," had Alicia ooit eens gezegd. Shirley wist dat ze daar gelijk in had, op enkele uitzonderingen na. Maar het bleef moeilijk om Geert te verlaten, al waren er momenten dat ze wenste dat ze de moed had. Als ze echter terugdacht aan de eerste maanden van hun relatie, voor ze samen gingen wonen, wist ze dat Geert ook anders kon zijn dan hij nu toonde. Er moest een reden zijn voor zijn gedrag van tegenwoordig. Shirley wilde niet opgeven voor ze alles geprobeerd had om hun relatie te redden, hoe moeilijk het vaak ook was.

Soms was ze bang dat ze Geert zou gaan haten, andere momenten wist ze weer zeker dat ze nog steeds van hem hield. Die volmaakte avond in de duinen, waar ze elkaar hun liefde hadden bekend, stond haar nog helder voor ogen. Ze had er veel, zo niet alles, voor over om de sfeer tussen hen weer net zo te krijgen als toen. Het drong niet tot haar door dat er al te veel beschadigd was binnen in haar om hun relatie ooit weer zo goed te krijgen. Shirley bleef vasthouden aan het verleden, ze besefte niet dat ze de Geert van de eerste tijd na hun ontmoeting definitief kwijt was.

Toen hij die avond van zijn werk kwam was hij in een goed humeur en Shirley zuchtte opgelucht. Onbewust was ze bang geweest dat Geert op de één of andere manier te weten was gekomen dat Alicia was geweest, maar dan zou hij dat ongetwijfeld meteen gezegd hebben. In plaats daarvan gleden zijn vingers teder over de blauwe plekken op haar gezicht.

„Hoe is het ermee? Nog veel pijn?" informeerde hij bezorgd.

„Het valt wel mee," mompelde Shirley.

In werkelijkheid had ze het gevoel dat haar hoofd ieder moment uit elkaar kon barsten, maar dat wilde ze niet zeggen. Ze opende de ovendeur en zette haar fantasieschotel op tafel, bang dat Geert weer commentaar zou hebben. Hij stond erop om iedere avond een uitgebreide, gezonde maaltijd te nuttigen. Ze maakte zich zorgen om niets. Zoals meestal als ze angstig afwachtte hoe hij ergens op zou reageren, deed hij anders dat ze verwachtte.

„Lieverd, dat je de moeite hebt genomen om nog iets klaar te maken," zei hij. „Ik had er al rekening mee gehouden dat je de deur niet uit kon en was van plan iets bij de Chinees te halen. Je bent een schat en ik hou van je."

Gelukkig gestemd schoof Shirley aan tafel. Zie je wel, hij was niet doortrapt gemeen of agressief. Zolang zij haar best maar deed, was Geert een liefdevolle partner. Toch was ze niet zo blij als anders met een complimentje van Geert. Een klein stemmetje in haar hoofd, de stem van Alicia, probeerde haar te vertellen dat dit niet klopte. Diep in haar hart wist ze dat hij niet zo lief en begrijpend gereageerd zou hebben als ze inderdaad geen eten had klaar gemaakt. In dat geval zou ze haar derde pak slaag van die week hebben moeten incasseren.

Shirley probeerde die gedachten te verdringen. Ze moest niet zo negatief doen, dat leidde nergens toe.

De avond verliep zoals meestal het geval was. Geert was aan het werk terwijl Shirley de vaat deed en de keuken opruimde. Later hing hij voor de televisie en liep zij heen en weer met koffie en drankjes. Haar hoofd klopte nog steeds pijnlijk en ze voelde zich beroerd, zodat ze om halftien besloot naar bed te gaan.

„Ik ga slapen," meldde ze. „Het spijt me dat ik niet zo gezellig ben, maar ik voel me niet goed. Ik ga naar bed."

„Goed idee van je. Ik ga met je mee."

Geerts ogen gleden over Shirleys lichaam en ze schrok van de wellustige blik die erin lag. Dat was wel het laatste waar ze behoefte aan had. Snel kleedde ze zich uit en kroop diep onder het dekbed, in de hoop dat Geert zou denken dat ze al sliep en haar met rust zou laten. Die illusie had ze zich echter kunnen besparen. Zodra Geert klaar was in de badkamer stapte hij naast haar in bed en trok haar naar zich toe.

„Je slaapt niet, dat zie ik. Kom hier, schat. Ik verlang naar je."

„Niet nu," protesteerde Shirley zwakjes. „Ik heb een barstende hoofdpijn, Geert."

„Nou en? Daar heeft de rest van je lichaam toch geen last van?" meende Geert grof.

De verwilderde blik, de voorbode van zijn woede aanvallen, kwam weer in zijn ogen en angstig liet Shirley hem zijn gang gaan. Alles was beter dan weer geslagen te worden. Met gesloten ogen liet ze toe dat zijn handen over haar lichaam gleden, maar ze voelde er niets bij. Ze hoopte alleen maar dat het snel voorbij zou zijn, zodat ze kon slapen. Het leek uren te duren, maar op een gegeven moment draaide Geert zich toch om en hoorde Shirley aan zijn regelmatige ademhaling dat hij sliep.

Nog lang staarde ze nietsziend in het donker, zo ver mogelijk van Geert verwijderd. Ze was een pak slaag ontlopen, maar in plaats daarvan was ze gewoon verkracht. Ze wilde niet en dat had hij moeten accepteren, dreunde het door haar hoofd. Haar hele lichaam voelde pijnlijk aan. Dit had inderdaad niets meer met liefde te maken, wist ze ineens. Voor het eerst drong het tot haar door dat ze geen verbetering meer hoefde te verwachten. Alicia had gelijk, het werd alleen maar erger. Er moest iets gebeuren.

Shirley wist dat ze genoeg moed moest verzamelen om voorgoed met Geert te breken voor hij haar helemaal kapot zou maken. De toekomst lag als een zwart, diep en dreigend gat voor haar. Was ze maar moedig genoeg om weg te gaan. Was ze maar sterk genoeg om in opstand te komen. Was ze maar niet zo bang.

De volgende ochtend gedroeg Geert zich weer lief en voorkomend, maar voor het eerst liet Shirley zich daar niet door misleiden. Vroeger wist ze op dit soort momenten zeker dat hij van haar hield, nu twijfelde ze daaraan. Hij was nog nooit zo ver gegaan dat hij haar tegen haar wil in gedwongen had tot intiem contact. Wat zou zijn volgende stap zijn? Daar wilde ze niet achter komen, ze moest dat proces zien te stoppen.

De hele dag besteedde Shirley aan plannen maken voor de toekomst. Ze kon naar Alicia gaan, maar was bang dat Geert haar dan iets aan zou doen. Tenslotte wist hij waar ze werkte.

Zou ze haar broers om hulp durven vragen? Ze had al jarenlang geen contact meer met ze en had geen idee hoe ze zouden reageren als ze plotseling met een koffer vol problemen op de stoep zou staan. Misschien stuurden ze haar wel zonder meer weg en dan had ze er een extra probleem bij. Trouwens, ze wist niet eens of ze nog op de haar bekende adressen woonden. Die dateerden van jaren terug.

Misschien was een blijf-van-mijn-lijf-huis een mogelijkheid. Shirley stond niet direct te trappelen om zich in dat circuit te begeven, maar ze moest toch iets.

Ineens schoot het haar te binnen dat Alicia vandaag voor een vakantie naar Oostenrijk vertrok. Ze zou voorlopig naar haar flat kunnen gaan. Tot Alicia terugkwam en weer moest werken zou ze in ieder geval veilig zijn en misschien wist zij dan een betere oplossing. Toen ze dat eenmaal bedacht had, was Shirleys besluit snel genomen. Ze deed het. Het was nu te laat om haar spullen te pakken en ongezien weg te komen voor Geert thuiskwam, maar morgen zou ze gaan. Voorgoed.

Het werd een moeilijke avond voor Shirley. Het viel niet mee om zich zo gewoon mogelijk te gedragen zodat Geert geen argwaan zou krijgen. Ze wist zeker dat hij dan maatregelen zou nemen, want hij zou haar echt niet zonder meer laten gaan. Wat zij wilde telde niet voor hem, dat was vaker gebleken.

Terwijl ze samen aan tafel zaten en Geert Shirley prees voor de heerlijke maaltijd, begon ze toch weer enigszins te twijfelen. Als hij niet agressief was en in een goede bui verkeerde, zoals nu, was hij de ideale man. De man waar ze altijd van gedroomd had, de man zoals hij zich de eerste maanden na hun kennismaking geprofileerd had. Weemoedig vroeg ze zich af waarom het zo had moeten lopen. Als Geert nog steeds zo was als in het begin van hun relatie, was ze nu dolgelukkig geweest, daar was ze van overtuigd. Ergens onder in haar hart, diep verborgen onder een lading verdriet, angst en kwaadheid, sluimerde nog steeds een sprankje hoop op een verklaring voor Geerts gedrag en met die verklaring een oplossing.

Na het eten keken ze samen tv. Het journaal toonde beelden van een neergestort vliegtuig, noodweer en oorlog. Overal was ellende, bedacht Shirley somber. In sommige delen van de wereld werden mensen om niets gemarteld of vermoord en als je het geluk had om in een vrij land te wonen, kreeg je een vliegtuigongeluk, zoals die ochtend was gebeurd. Een vliegtuig vol mensen die dachten heerlijk op wintersport te gaan, in een enkele seconde weggevaagd. Voor alle blijdschap, voorpret en verwachtingsvol plezier was dood, ellende en pijn in de plaats gekomen.

Op dat punt van haar gedachten schrok Shirley op. Wintersport... Alicia! Het zou toch niet...? Nee, er vlogen tientallen toestellen per dag naar de wintersportgebieden, probeerde ze zichzelf gerust te stellen. Gespannen bleef ze de beelden van het verwrongen vliegtuig bekijken, hopend een levende Alicia op het scherm te zien verschijnen.

De rest van de avond voelde ze zich zenuwachtig en rusteloos en toen om halfelf de telefoon begon te rinkelen was het of er een ijskoude hand om haar hart werd gelegd. Instinctief wist ze dat dit telefoontje slecht nieuws bevatte en ze kreeg gelijk. Het was Kevin, Alicia's broer, en zijn stem klonk mat.

„Alicia?" vroeg Shirley alleen.

„Ja." Het antwoord had niet korter kunnen zijn, maar er lag een wereld van verdriet in dat ene kleine woordje.

Duizelig legde Shirley de hoorn neer. Alicia... verongelukt... dood... Wezenloos staarde ze voor zich uit. Haar beste vriendin, de enige mens die ze nog had waar ze op kon vertrouwen. Geert kwam met een handdoek om zijn onderlichaam en met nog natte haren uit de badkamer, gealarmeerd door het rinkelen van de telefoon op dit ongewone tijdstip. „Wat is er aan de hand?"

„Alicia is dood," antwoordde Shirley toonloos.

„Alicia? Dat is toch die ex-collega van je? Die feministische trut?" Het klonk hatelijk en zelfs een beetje triomfantelijk. „Zo'n groot verlies voor de mensheid is dat niet, ik zou er maar niet om treuren als ik jou was."

Dat was het exacte moment waarop het laatste restje liefde dat Shirley nog voor hem voelde, verdween. Ineens zag ze glashelder in dat ze geen normale relatie hadden en dat ze echt weg moest omdat iedere dag die ze langer zou blijven haar nog meer kapot zou maken.

Uit angst reageerde ze niet op zijn laatdunkende opmerking. Het liefst zou ze geschreeuwd hebben of hem een asbak naar zijn hoofd willen gooien. Ze zou hem in zijn gezicht willen slingeren hoe ze over hem dacht, al was het maar voor Alicia. Ze deed niets van dit alles omdat ze wist dat ze lichamelijk niet tegen hem opgewassen was. Geestelijk kon hij haar niets meer maken, besefte ze. Hij had geen macht meer over haar, want al haar gevoelens voor hem waren verdwenen. Het enige wat nog over was, was pure angst.

De volgende ochtend, na een slapeloze nacht, pakte Shirley een tas met wat noodzakelijke spullen en de sleutel van Alicia's flat. Ze wist dat dat goed was, dat Alicia het niet erg vond dat ze haar woning gebruikte, ook nu ze er zelf niet meer was. Geld voor een taxi of zelfs voor de bus bezat ze niet, dus moest ze lopen, een wandeling van ruim drie kwartier. Uitgeput, meer geestelijk dan lichamelijk, kwam ze aan bij Alicia's flat. Met een schichtige blik om zich heen opende Shirley de voordeur. De flat ademde volledig Alicia's sfeer en voor het eerst sinds het noodlottige telefoontje huilde Shirley om haar vriendin, die zo jong volkomen onverwachts uit het leven was gerukt. Eens te meer besefte ze dat iedereen sterfelijk was en dat het ieder moment afgelopen kon zijn. Ze had het recht en tevens de plicht om haar leven zo aangenaam en zinvol mogelijk te maken, zonder tijd te besteden aan uitzichtloze en onbevredigende relaties.

Na een flinke huilbui bleef Shirley een hele tijd doelloos op de bank zitten. Daar zat ze nu, met een zeer onzekere toekomst voor zich. Ze had geen baan, geen geld en geen dak boven haar hoofd. Toch had ze de juiste beslissing genomen, maar dat was dan ook het enige waar ze zeker van was. Wat moest ze nu? Zonder hulp, van wie dan ook, zou ze er nooit bovenop komen. Shirley besloot een paar dagen in deze flat te blijven om een beetje bij te komen en de dingen op een rijtje te zetten, daarna zou ze wel verder zien. Er zouden ongetwijfeld genoeg instanties zijn die haar verder konden helpen, ze zou er het telefoonboek wel op naslaan. Ondanks haar hachelijke situatie voelde ze een ongekende rust over zich komen. In ieder geval hoefde ze niet meer op haar tenen te lopen om Geert te behagen en ze hoefde ook niet meer bang te zijn dat ze geslagen werd. Geert kende dit adres niet en dat gaf haar een veilig gevoel.

Desondanks keek ze bij het geluid van iedere auto die voor het flatgebouw stopte angstig uit het raam, verscholen achter het gordijn. Belachelijk, hield ze zichzelf voor, maar bij iedere auto die stopte sprong ze toch weer overeind.

Aan het eind van de middag merkte ze dat ze trek begon te krijgen. Ze had de hele dag nog geen hap gegeten. Brood, melk of vleeswaren waren er niet in huis, maar ze kon in ieder geval thee en koffie zetten en Shirley vond genoeg blikjes en pakken crackers om het een paar dagen uit te houden zonder honger te krijgen.

In het donker, ze durfde geen licht aan te doen uit angst voor ontdekking, overdacht ze de situatie. Het verdriet om Alicia schrijnde pijnlijk. Het was nog steeds een onvoorstelbaar idee dat ze er niet meer was, dat ze nooit meer haar stem zou horen, haar nooit meer zou kunnen omhelzen. Zonder Alicia had Shirley de stap om Geert te verlaten nooit kunnen zetten. Alles wat Alicia daarover gezegd had, zat vast in Shirleys hoofd en dat had haar geholpen. In stilte bedankte Shirley haar vriendin voor alles wat ze voor haar gedaan had. Ze was de enige persoon die ze over had en zelfs zij was haar nu ontvallen. Tranen van verdriet en zelfmedelijden stroomden alweer over Shirleys wangen. Het was niet eerlijk, dreunde het door haar hoofd. Alicia had niet dood mogen gaan, ze was veel te geliefd. Er waren veel mensen die van haar hielden.

Shirley was zo verdiept in haar gedachten en verdriet dat ze de naderende voetstappen op de galerij niet hoorde. Pas toen het onmiskenbare geluid van een sleutel die in het slot werd omgedraaid weerklonk, sprong ze geschrokken overeind. Haar verstand vertelde haar dat dit Geert niet kon zijn, toch staarde ze vervuld van angst naar de kamerdeur. Tegelijk voelde ze de dwaze hoop dat het Alicia zou zijn, dat ze het ongeluk als door een wonder overleefd had.

Het was echter Kevin die de kamer binnenstapte. Ook hij bleef als versteend staan bij het aanschouwen van de vreemde gestalte in het schemerdonker. Pas toen hij de lamp aanknipte en de kamer ineens baadde in een zee van licht, zag hij wie er voor hem stond.

„Shirley! Wat doe jij hier? Wat is er aan de hand?" Hij liep naar haar toe en zag haar blauwe oog, de zwelling naast haar mond en de tranen die over haar wangen liepen. Het was een zielig hoopje mens zoals ze voor hem stond. Door het angstige gebaar waarmee ze een stap terug deed, instinctief haar handen beschermend voor haar gezicht houdend, gecombineerd met de verhalen die hij van Alicia had gehoord, begreep Kevin meteen wat er gebeurd was. „Geert heeft je mishandeld en je bent hierheen gevlucht," zei hij, razendsnel de feiten combinerend.

Shirley knikte schuw. „Vind je het erg?" vroeg ze zacht. „Ik wist niet waar ik anders heen kon gaan. Alicia was de enige persoon die ik nog had."

„Ik ben alleen maar blij dat je de moed gevonden hebt," zei Kevin eenvoudig terwijl hij haar even vriendschappelijk naar zich toetrok. „Je hoeft me niets uit te leggen, ik had al het één en ander van Alicia gehoord."

Lang bleven ze zo staan, allebei verdiept in hun eigen gedachten, tot Shirley zich van hem losmaakte.

„Ik had koffie gezet," probeerde ze zo gewoon mogelijk te zeggen. „Wil je een kopje?"

Kevin knikte, hij stond nog steeds bewegingloos midden in de kamer. „Graag," zei hij afwezig.

Toen Shirley even later met twee kopjes terugkwam in de kamer, stond hij er nog net zo. Alleen zijn hoofd bewoog terwijl hij alle snuisterijtjes en foto's om zich heen bekeek. De grote foto aan de muur, met daarop de afbeelding van hemzelf, Alicia en hun ouders, alle vier lachend in de lens kijkend, hield ten slotte zijn blik gevangen. Shirley zag de pijnlijke trek die over zijn gezicht gleed en het trillen van zijn mondhoek. Voorzichtig raakte ze zijn arm aan en hij schrok op.

„Je koffie," zei ze zacht.

„Dank je." Hij gaf haar een vluchtige glimlach en ging zitten. „Het is zo onwerkelijk allemaal. Eergisteren heb ik haar nog gezien. Ze was opgewonden bij het vooruitzicht van haar eerste wintersportvakantie, maakte de wildste plannen en nu..." Hij stokte en nam snel een slok van zijn koffie om zich een houding te geven.

„Je hoeft je voor mij niet groot te houden," merkte Shirley op.

„Dat weet ik." Kevin pakte Shirleys hand en kneep er even in. „Het gaat wel weer. Het is alleen nogal moeilijk om hier te zijn, het is zo echt Alicia's omgeving. Hier, in deze kamer die haar sfeer ademt, is het helemaal slecht te bevatten dat ze er niet meer is. We hadden wat verzekeringspapieren van haar nodig. Mijn ouders konden het niet aan om ze hier op te halen. Ik dacht dat ik het wel kon, maar toch... Ik ben blij dat jij hier bent, weet je dat? Ik vind het fijn om er met je over te praten."

„Dan is mijn vlucht toch nog ergens goed voor geweest," zei Shirley wrang.

„Die vlucht van jou is goed voor alles, vergeet dat nooit," zei Kevin ernstig. „Wees maar blij dat je bij hem weg bent."

„Zo simpel liggen de zaken niet. Ik heb echt totaal niets meer. Geen werk, geen geld, geen dak boven mijn hoofd, bijna geen spullen. Ik kon niet eens een buskaartje hierheen betalen vanochtend. Maar ik wil jou niet lastig vallen met mijn problemen, je hebt wel wat anders aan je hoofd."

„Ik zal je graag helpen," zei Kevin echter simpel. „Zoals Alicia dat ook gedaan zou hebben. Ze zou het me hoogst kwalijk nemen als ik nu alleen aan mijn eigen verdriet dacht en jou in de kou liet staan, daar ben ik zeker van."

„Maar ik wil jou en je familie niet in de problemen brengen," protesteerde Shirley. „Als Geert erachter komt, hebben jullie geen moment rust meer."

„Laat hem maar komen. Graag zelfs," zei Kevin grimmig. „Ik kan op dit moment prima iemand gebruiken om mijn frustraties op los te laten en Geert lijkt me daar uitermate geschikt voor."

Ondanks alles schoten ze toch even in de lach.

„Ben je van plan om hem aan te geven bij de politie?" vroeg Kevin daarna weer ernstig.

„Nee, ik wil die hele episode achter me laten," antwoordde Shirley beslist. Ze had daar zelf ook al aan gedacht, maar alles wat haar dan te wachten stond schrikte haar af. Er waren geen harde bewijzen tegen Geert, ook geen getuigen. Een dergelijk onderzoek kon heel lang aanslepen.

„Als je het achter je wilt laten, moet je het goed afsluiten," meende Kevin echter. „Dan zet je er tenminste zelf een punt achter, dan laat je merken dat er niet met je valt te sollen. Ik vind trouwens dat je hem er niet ongestraft mee weg moet laten gaan, want dan doet hij het de volgende keer bij een ander weer."

Shirley haalde haar schouders op. „Dit is Nederland, ik verwacht niet zoveel van onze rechtspraak. Het is mijn woord tegen het zijne. In het allerergste geval krijgt hij misschien alleen een voorwaardelijke straf en dat zal hem de volgende keer heus niet tegenhouden."

Haar stem klonk spottend en Kevin drong er niet verder op aan. Hij nam zich voor om er ooit nog eens rustig op terug te komen, maar nu had hij inderdaad andere zaken aan zijn hoofd, zoals Shirley net al gezegd had. Zoals het regelen van de begrafenis van zijn zus. Zijn hart kromp ineen bij de gedachte daaraan. Bruusk stond hij op.

„Even die papieren pakken en dan gaan we. Pak je spullen, jij gaat met me mee. Ik heb een ruime logeerkamer, daar kun je voorlopig terecht tot je je leven weer wat op orde hebt."

„Maar dat kan toch niet zomaar? Ik…" begon Shirley te protesteren.

„Zeur niet," viel Kevin haar in de rede. „Ik zei je net al dat Alicia het me nooit zou vergeven als ik je niet help. Kom mee."

Zonder verder op Shirleys protesten te letten pakte hij haar nog ingepakte tas op, schakelde het koffiezetapparaat uit en liep weg. Shirley kon niet anders doen dan hem volgen. Diep in haar hart was ze dolblij met zijn doortastende optreden. Ze had er erg tegen opgezien om hier de nacht alleen door te brengen. Deze woning was vol van Alicia, ze voelde zich een indringster. Bovendien had ze de hele dag al in angst gezeten dat Geert plotseling op zou duiken en ze wist dat dergelijke gedachten in het donker altijd veel erger waren. Bij Kevin voelde ze zich veilig.

Met een laatste, gekwelde blik om zich heen sloot Kevin de deur achter hen. „De eerste keer hier naar binnen gaan zonder Alicia heb ik in ieder geval gehad," zei hij huiverend. „Dankzij jouw aanwezigheid viel het mee."

„Ik ben blij dat ik onbewust heb kunnen helpen."

„Ik zal je hulp nog hard nodig hebben de komende tijd. Als ik heel eerlijk ben moet ik toegeven dat ik je niet alleen omwille van Alicia's nagedachtenis mijn logeerkamer aanbied. Ik wil niet graag alleen zijn nu."

Shirley keek hem aan. Het ontroerde haar dat hij daar zo openlijk voor uit durfde te komen. Kevin was man genoeg om zijn emoties te tonen, dacht ze. Dat was ook één van de redenen dat ze zich zo veilig voelde bij hem. Geert zat vol met frustraties, die hij op negatieve wijze op haar botvierde. Kevin was anders. Hij kropte zijn verdriet niet op, maar praatte erover en daardoor stond hij geestelijk een stuk sterker in zijn schoenen dan Geert.

Het werden vreemde dagen voor Alicia's begrafenis. De jaarwisseling ging ongemerkt voorbij. Voor hen geen feeststemming, champagne of vuurwerk. Er moest veel geregeld worden en Shirley hielp Kevin daar zo veel mogelijk bij. Zijn ouders schenen het niet vreemd te vinden dat de vriendin van hun dochter nu tijdelijk was ingetrokken bij hun zoon.

„Het is alleen jammer dat Alicia het niet meer geweten heeft," zei mevrouw Bevers verdrietig. „Een dag voor haar vertrek had ze het er nog over met ons. Ze zei dat ze alles wilde doen om jou bij die man weg te halen."

„Dat heeft ze ook gedaan," antwoordde Shirley op warme toon. „Alicia is de enige die altijd achter me heeft gestaan en die me heeft geholpen. Als zij niet steeds op me had ingepraat, had ik de stap om weg te gaan nooit durven zetten."

Ellen Bevers pakte Shirleys hand vast. „Daar ben ik blij om. En denk eraan dat je bij ons ook altijd welkom bent. De laatste tijd hebben we je niet veel gezien, wat logisch is, maar onze deur staat altijd voor je open."

„Ik zal het onthouden," zei Shirley simpel.

Het ontroerde haar diep dat deze mensen in al hun verdriet zoveel warmte aan haar schonken. Dit was waarschijnlijk de zwaarste periode in hun leven en toch stonden ze allemaal klaar om haar, Shirley, te helpen. Het stemde haar dankbaar en deed haar eens te meer beseffen dat ze toch niet alleen op de wereld stond. Het voelde alsof ze onverwachts familie had gekregen.

„Je hoort er ook helemaal bij," zei Kevin daarover toen Shirley er een opmerking over maakte. Het was de dag van Alicia's begrafenis en hij worstelde met zijn stropdas. „Vroeger was je altijd kind aan huis bij ons, weet je nog? Uiteraard is dat stukken minder geworden met het opgroeien, maar we waren je heus nog niet vergeten, hoor."

„Ik schaam me nu dat ik niet vaker bij je ouders langs ben geweest."

„Ben je gek, zo gaan die dingen nu eenmaal," wuifde Kevin haar bezwaar weg. „Stel je voor dat je met iedereen waar je goed mee omgaat, je hele leven contact moet houden. Er zou geen tijd meer overschieten om te werken. Nee, maak je daar maar geen zorgen om. Jij bent nu in ieder geval weer terug in de schoot van de familie en we laten je nooit meer gaan."

Het klonk luchtig en Shirley was blij met deze woorden. Toch wilde ze even iets rechtzetten, al was ze bang om Kevin te kwetsen.

„Ik ben geen vervangster voor Alicia," zei ze dan ook zacht, haar blik afwendend.

Kevin schrok op en liet de onwillige stropdas voor wat hij was. Snel liep hij naar Shirley toe, haar dwingend hem aan te kijken. „Liefje, dat is absoluut niet de bedoeling." Het liefkozende woordje ontsnapte hem onbewust. „Niemand kan Alicia vervangen, maar buiten het verdriet wat we om haar hebben, zijn we ook blij dat we jou konden helpen. Trouwens, ik zie jou niet bepaald als mijn zus."

Shirley ging niet op die laatste opmerking in. Het was haar stijl niet om op zo'n moment koket te vragen hoe hij haar dan wel zag. Bovendien zou het tijdstip voor een flirt ontzettend slecht gekozen zijn. In plaats van een antwoord te geven, hielp ze hem de stropdas goed te knopen.

„Dank je," zuchtte Kevin. „Ik heb toch zo'n hekel aan die dingen, ik krijg ze nooit zoals ze moeten. Nou, ik ga naar mijn ouders. Blijf je erbij dat je niet meegaat?"

Shirley knikte. „Ik vind het vreselijk dat ik er niet bij kan zijn, maar ik durf het risico niet te nemen. Er heeft een advertentie in de krant gestaan, dus de kans is groot dat Geert er zal zijn om mij te zoeken."

„Je hoeft niet bang voor hem te zijn, dat weet je. We zijn er allemaal bij."

„Het is geen angst, niet alleen tenminste. Maar ik wil een publieke scène vermijden op Alicia's begrafenis. Dat is niet de gelegenheid voor zoiets, maar een dergelijke fijngevoeligheid verwacht ik niet van Geert."

„Ik vind het jammer dat je er niet bij bent, ik zal je aanwezigheid missen," zei Kevin ernstig.

Heel even, als om steun zoekend, leunde hij tegen haar aan. Even later was Shirley alleen in Kevins ruime huis. Ze zou Alicia in haar eentje herdenken.

Met een zwaar, verdrietig gevoel in haar hoofd stak ze een paar kaarsen aan. De muziek die op de begrafenis gedraaid werd had Kevin op een bandje opgenomen en stil luisterde Shirley naar de rustige klanken, haar gedachten bij de mensen waar ze van hield. Ze had vaker een begrafenis meegemaakt, maar nog nooit had ze zich er zo betrokken bij gevoeld, zelfs niet toen haar ouders overleden waren. En nu kon ze er niet eens bij zijn. Met haar armen om haar opgetrokken benen gevouwen, haar hoofd rustend op haar knieën, liet Shirley haar tranen de vrije loop. Ze had zich nog nooit zo ellendig gevoeld.

Het leven ging verder, hoe moeilijk het af en toe ook was. Shirley logeerde nog steeds bij Kevin. De eerste weken had ze als een zombie door het huis gelopen, bang voor ieder vreemd geluid en op haar hoede voor iedere onverwachte beweging van Kevin. Ze vertrouwde hem volledig, maar de schrik zat er nog goed in. Bij alles wat er verkeerd ging, of dat nu het aanbranden van de aardappels of het breken van een glas was, wachtte ze angstig op zijn reactie, al wist ze dat ze niets te vrezen had. Kevin reageerde altijd nuchter. Bij ieder stuk serviesgoed wat uit Shirleys trillende handen viel, zei hij laconiek dat dat weer in de afwas scheelde.

Ondanks het verdriet en het gemis van Alicia, wat zwaar op hen allebei drukte, hadden ze het gezellig samen. Als dank voor zijn gastvrijheid hield Shirley zijn huis keurig op orde en kookte ze iedere avond voor hen beiden. Eten deden ze gezamenlijk en tijdens en na de maaltijden hielden ze urenlange gesprekken. Kevin kon overal over meepraten en hij vond niet snel iets vreemd, ontdekte Shirley. Belangrijker was echter dat hij ook heel goed kon luisteren. Al tientallen malen had Shirley hem verteld van de ontmoeting met Geert en hoe hun relatie daarna verlopen was, zodat ze langzamerhand alles op een rijtje kreeg en rust had in haar hoofd.

Op zijn beurt kon Kevin altijd bij Shirley terecht met zijn verdriet over Alicia en het machteloze gevoel dat hij had tegenover de ellende van zijn ouders.

Langzaam maar zeker groeide er een onverbrekelijke band tussen hen, een zeer hechte vriendschap. Voor Kevin zelfs meer dan dat, maar hij wist dat hij geduld moest hebben. Shirley was nog lang niet toe aan een nieuwe relatie, daarvoor lag alle ellende die ze met Geert had beleefd nog te kort achter haar. Het leek hem trouwens ook niet goed als ze zich naadloos van de ene relatie in de andere stortte. Shirley moest eerst de draad van haar eigen leven weer oppakken voor ze dat met een ander kon delen.

Met hulp van Kevin had Shirley inmiddels een uitkering gekregen, maar de zoektocht naar werk had nog niets opgeleverd. Ze verlangde ernaar om weer aan de slag te gaan en woonruimte voor zichzelf te hebben, al wist ze nu al dat ze Kevins inmiddels vertrouwde gezelschap enorm zou missen. Maar ze wilde iets voor zichzelf en niet langer afhankelijk zijn van een ander. Ze moest de draad weer oppakken waar ze hem tien maanden geleden had neergelegd. Ze wist heel goed dat de voorbije periode haar veranderd had, dat bewezen haar regelmatig terugkerende nachtmerries wel, maar ze wilde de tijd met Geert vergeten.

„Dat lukt je nooit," zei Kevin. „Dat hoeft trouwens ook niet, want je hebt ervan geleerd."

„O ja?" Shirley trok haar wenkbrauwen hoog op.

„Natuurlijk. Al is het alleen maar dat je nu weet hoe het niet moet in een relatie."

„Dat wist ik vorig jaar anders ook al."

„En toch heb je al die tijd bij hem gewoond terwijl hij je mishandelde," merkte Kevin terecht op. „Dat zal je geen tweede keer gebeuren."

„Nee, dank je." Shirley huiverde. „Ik weet niet of ik ooit de moed weer op kan brengen om aan een serieuze relatie te beginnen. Het leek in het begin allemaal zo volmaakt met Geert. Het was ook volmaakt. Echt, in de tijd voor we samen gingen wonen was er niets wat erop wees dat hij zich zo zou gaan gedragen. We hadden het fantastisch samen. Hij aanbad de grond waarop ik liep, bij wijze van spreken. Bijna iedere dag was hij bij me, we deden van alles samen. Hij heeft in die tijd zelfs zijn lidmaatschap van de badmintonclub opgezegd om meer tijd met mij door te kunnen brengen."

„Dat is al een aanwijzing voor zijn bezitsdrang," zei Kevin peinzend terwijl hij een sigaret opstak. Ze hadden net gegeten en samen afgewassen en genoten nu van hun koffie, inmiddels een vast ritueel na het eten. „In een normale relatie, om het zo maar eens te noemen, laten de partners elkaar vrij om hun eigen dingen te ondernemen. Heus, het is niet gezond om vierentwintig uur per dag op elkaars lip te zitten. Zeker niet, als dat niet is wat je allebei graag wilt."

„Ik vond het toen alleen maar heel lief van hem. Een extra bewijs dat hij van me hield," bekende Shirley.

„Je hoeft je ook niet schuldig te voelen dat je het niet onderkend hebt. Zoiets sluipt erin en als je hevig verliefd bent zie je de dingen niet helder meer." Kevin rekte zich ongegeneerd uit en hengelde de tv-gids naar zich toe. „Hé, er begint net een praatprogramma over vrouwen die in een gewelddadige relatie hebben gezeten," ontdekte hij. „Wil je dat zien? Misschien heb je er nog iets aan."

„Doe maar," stemde Shirley toe.

Even later luisterde ze aandachtig naar de vrouwen in de studio, die stuk voor stuk hun eigen verhaal hadden. Verhalen die dicht lagen bij wat Shirley zelf had meegemaakt, maar die in de meeste gevallen nog stukken verder gingen. De rillingen liepen over haar rug bij het besef waar ze aan ontsnapt was.

Eén vrouw vertelde uiterlijk onbewogen dat ze vijftien jaar lang in een hel geleefd had. Haar man bepaalde alles en maakte er een sport van om haar te vernederen. De deur ging op slot als hij naar zijn werk was, de specificatie van de telefoonrekening werd iedere keer zorgvuldig bestudeerd. Iedere overtreding van haar kant moest ze bekopen met een flink pak slaag. Familieleden en vrienden wisten niet wat er binnen de vier muren van hun huis afspeelde, maar zochten op een gegeven moment geen contact meer omdat het altijd van één kant moest komen. Uit schaamte had de vrouw nooit iets durven vertellen. Met een aan zekerheid grenzende waarschijnlijkheid, wist Shirley dat Geert ook zo ver zou zijn gegaan als ze langer bij hem was gebleven. Hij was geobserdeerd door haar en wilde haar met niets of niemand delen.

De bewuste vrouw had het niet makkelijk gedurende het programma. Uit het publiek kwamen steeds meer vragen naar voren die door hun onwetendheid erg kwetsend voor haar waren. De algemene opinie van het publiek was dat het de vrouw haar eigen schuld was. Ze had het nooit zo ver moeten laten komen en ze had zich nooit moeten laten slaan, was de boodschap die er uit naar voren kwam. Maar Shirley begreep haar. Een relatie begon zelden met geweld, dat was iets wat er heel langzaam insloop. Als Geert haar in het beginstadium al geslagen had, was ze nooit met hem verder gegaan, maar dat was nu net het probleem. Het verliep zo geleidelijk dat ze een mishandelde vrouw was voor ze het zelf goed en wel in de gaten had en vanaf dat punt ging het alleen maar bergafwaarts. Iedere keer weer geloofde ze zijn spijtbetuigingen en hoopte ze op een ommekeer. Ze zou zichzelf een slechte vrouw gevonden hebben als ze Geert na de eerste klap al had verlaten, want hij had het moeilijk en hij had hulp nodig. Bij iedere klap verweet ze zichzelf dat ze geen betere partner voor hem was, dat ze het slechtste in hem naar boven haalde.

Shirley huiverde toen het programma afgelopen was en Kevin de tv uitzette.

„Had je er iets aan?" vroeg hij zacht.

„In ieder geval weet ik wat me bespaard is gebleven door er nog redelijk op tijd uit te stappen. Ik weet ten slotte uit ervaring hoe geleidelijk het proces verloopt. Wat die vrouw vertelde, had mij ook makkelijk kunnen gebeuren. Als Alicia niet constant op me in had zitten praten, was ik nu misschien nog steeds bij hem geweest. Alles wat zij er ooit over zei, zat vast in mijn hoofd en dat heeft me uiteindelijk toch het laatste duwtje gegeven. De liefde die ik voor Geert voelde was al verdwenen, maar dat besefte ik zelf niet," vertelde Shirley.

„Wanneer kwam je daar dan achter?" wilde Kevin weten.

Er viel een diepe stilte. Shirley dacht terug aan die ene, noodlottige avond. Ze twijfelde of ze dat aan Kevin kon vertellen, maar ze wilde eerlijk tegen hem zijn.

„Hij reageerde nogal triomfantelijk op het bericht van Alicia's overlijden," zei ze langzaam, zoekend naar de juiste woorden. „Alsof hij blij was dat ze geen invloed meer op me kon uitoefenen."

Kevins kaaklijn verstrakte en er kwam een gepijnigde blik in zijn ogen. Het moest moeilijk voor hem zijn om dit aan te horen, besefte Shirley.

„Ben je nog van plan hem aan te geven?" vroeg hij bruusk.

„Nee," antwoordde Shirley kalm. „Daar hebben we het vaker over gehad Kevin, begin er niet steeds over. Je kent mijn standpunt."

„Ik vind dat hij niet ongestraft rond mag blijven lopen," meende Kevin koppig.

„De laatste keer dat we hier over praatten, kon je je redelijk inleven in mijn gevoelens. Ik ben niet van plan nu onmiddellijk een aanklacht tegen hem in te dienen omdat jij gekwetst bent door zijn reactie op Alicia's dood," zei Shirley spits.

Kevin zuchtte. Langzaam ontspanden zijn spieren zich weer. „Je hebt gelijk," gaf hij onverwachts toe. „Ik zou hem kunnen slaan om die woorden en ergens begrijp ik niet dat jij niet dezelfde reactie hebt. Heb je dan helemaal geen wraakgevoelens tegenover Geert?"

„Ik heb hem verlaten, dat is voor hem de ergste straf," zei Shirley eenvoudig terwijl ze opstond. „Wil jij nog koffie?"

„Nee, ik heb meer behoefte aan iets sterkers." Kevin sprong overeind. „Kom op Shir, we hebben genoeg over serieuze zaken gepraat vanavond, het is tijd voor een beetje ontspanning. Trek je jas aan, dan gaan we een uurtje naar het café."

Shirley was er direct voor te vinden. Twee straten van Kevins huis af bevond zich zijn stamkroeg, een gezellig, ouderwets bruin café. Ze hadden er samen al menig uurtje doorgebracht en Shirley was al helemaal opgenomen in de kern van vaste bezoekers. Er zat altijd wel iemand die ze kenden.

Ook deze avond werden ze weer met gejuich begroet door een groepje aan de bar. Er heerste een uitgelaten stemming. De barman bleek jarig te zijn en volgens de vaste bezoekers moest dat op gepaste wijze worden gevierd.

„Oké, jullie mogen me vrijhouden vanavond en bij het weggaan een extra grote fooi achterlaten," grijnsde hij. „Dat lijkt me wel een gepast cadeau."

Luid gejoel was het antwoord. Eén van de mannen zette het lied: Jarig Joostje zal trakteren in en vond algemene bijval van de rest van de klanten.

„Oké, oké," lachte Joost terwijl hij zijn armen omhoog stak. „Ik bezwijk. Maar die extra fooi vanavond blijft staan, daar reken ik op."

Onder grote hilariteit schonk hij de glazen nog eens vol en opende een aantal bierflesjes. Lang zal hij leven was het volgende lied dat gezongen werd, direct gevolgd door Daar moet op gedronken worden.

De stemming was uitstekend en Shirley genoot van de ongedwongen sfeer. Op dit soort momenten was ze dubbel blij dat ze de stap had gezet om bij Geert weg te gaan. Met hem waren dergelijke gezellige avonden nooit mogelijk geweest, zelfs niet toen ze hem pas kende. Ze waren wel regelmatig uitgegaan, maar dan zaten ze altijd met zijn tweeën aan een tafeltje. Geert was geen gezelschapsmens. En ach, ze was toen stapelverliefd op hem en had geen andere mensen nodig.

Shirley voelde de warme blik van Kevin op zich rusten en knikte hem toe.

„Gezellig hè?" probeerde ze boven de herrie uit te schreeuwen.

„Wat?" Hij hield zijn hand achter zijn oor en lachend boog Shirley zich naar hem toe om haar woorden wat dichter bij hem te herhalen. Als vanzelf sloot Kevin zijn arm om haar schouder. Voor een toeschouwer zag het er nogal intiem uit en dat was dan ook precies wat een nieuw binnen gekomen man dacht.

„Wel, wel," klonk zijn stem ineens sarcastisch naast hen. „Je laat er geen gras over groeien, zie ik."

Shirley trok bleek weg. Ze had het gevoel of ze een zware dreun op haar hoofd had gekregen en haar benen begonnen te trillen. „Geert!" fluisterde ze ontzet. Dit was waar ze al die tijd bang voor was geweest, de reden waarom ze buiten steeds over haar schouder keek. Ze voelde de greep van Kevins hand verstrakken.

„Inderdaad, Geert," bevestigde haar kwelgeest. Hij leek heel kalm, maar Shirley kende te goed de voortekenen van zijn driftige uitbarstingen. „Het verbaast me dat je me nog kent, aangezien je al heel snel vervanging hebt gevonden. Of is deze man soms de reden van je plotselinge vertrek?"

Kevin deed een stap naar voren en Shirley legde instinctief haar hand op zijn arm. Als hij zich ermee ging bemoeien zou het finaal uit de hand lopen, wist ze.

„Je weet heel goed waarom ik weggegaan ben," zei ze rustig.

Geert lachte smalend. „Nu wel ja, maar de afgelopen weken heb ik me suf gepiekerd over de reden. Niet eens een briefje kon er vanaf, ik dacht dat ik gek werd. Moest dat nu echt op deze manier, Shirley?" Hij keek haar doordringend aan.

„Dat kan ik net zo goed aan jou vragen. Moest je me echt mishandelen en vernederen?"

Shirley sloeg haar ogen niet neer voor de blik van Geert. Het was inmiddels doodstil geworden in het café. Iedereen stond in een halve cirkel om hen heen en Shirley voelde zich gesterkt door de vrienden die ze de laatste tijd gemaakt had. Bij haar laatste woorden golfde er een zucht van verontwaardiging door de toeschouwers en Geert kneep zijn ogen half dicht. Hij realiseerde zich dat hij nu op moest passen met wat hij zei. Deze mensen stonden achter Shirley en dat was een overmacht waar hij niet tegenop kon.

„Laten we het als volwassen mensen uitpraten," suste hij. „Daar hebben we geen publiek bij nodig. Kom mee naar huis, het is nog niet te laat om het weer goed te maken. Ik hou van je Shirley, en nog geen twee maanden geleden beweerde je ook van mij te houden. Dat kan niet ineens over zijn."

Hij praatte op overredende toon en strekte zijn hand naar haar uit. Shirley aarzelde. Met een schok realiseerde ze zich dat ze nog steeds niet helemaal los was van hem. Er zat natuurlijk een kern van waarheid in wat hij zei. Als ze ook maar de helft zekerheid had dat Geert weer de persoon was zoals ze hem had leren kennen, dan zou ze met hem meegaan. Maar die zekerheid was er niet, ook daar was ze zich van bewust. Toch twijfelde ze. Een regelrechte weigering zou ongetwijfeld een woede-uitbarsting tot gevolg hebben en daar zat ze ook niet op te wachten.

„Shirley?" vroeg Geert nog eens dringend. Hij had haar aarzeling heel goed gemerkt en dacht het pleit gewonnen te hebben.

Op dat moment besloot Kevin zich ermee te bemoeien. Zonder plichtplegingen duwde hij Shirley achter zich, zodat ze buiten Geerts bereik was. „Ze gaat helemaal nergens heen met jou," zei hij beslist. Hij keek Geert recht aan, met moeite de neiging onderdrukkend deze man eigenhandig en niet bepaald zachtzinnig het café uit te zetten.

„Ik praatte tegen mijn vriendin," zei Geert hooghartig.

Shirley hoorde de ingehouden drift in zijn stem en wachtte angstig af wat er ging gebeuren.

„Met andere woorden: bemoei je er niet mee," vertaalde Kevin met een honend lachje. „Nou, dat is iets wat ik zelf wel uitmaak. Shirley is hier met mij gekomen en ze gaat ook met mij weer weg." Hij stopte even en vervolgde toen nadrukkelijk: „Tenslotte woont ze bij mij."

Hij wist heel goed dat deze woorden een vertekend beeld gaven van de waarheid en dat was ook zijn bedoeling. Hij was echter niet bedacht op de reactie van Geert. Zijn met moeite gehouden zelfbeheersing liet hij nu volledig varen en met een woedende schreeuw stortte hij zich boven op Kevin, die hier niet op voorbereid was. Hij incasseerde een paar rake klappen voor Geert door de toeschouwers van hem afgetrokken werd.

Shirley gilde en het was plotseling een complete chaos. Iedereen begon zich ermee te bemoeien, maar Geert overstemde alles met zijn gescheld. Hoewel hij door een paar stevige mannen in bedwang werd gehouden, belette hem dat niet om Shirley voor alles en nog wat uit te maken. Veel fraaie benamingen zaten er niet bij.

„Gooi hem er alsjeblieft uit," verzocht Shirley trillend. „Ik wil niets meer met deze man te maken hebben."

„Met liefde," zei Joost grimmig. Hij sleurde Geert gewoonweg richting buitendeur.

„Je bent niet te vertrouwen, ik ben blij dat ik van je af ben," beet Geert Shirley nog toe. „Denk maar niet dat je met hangende pootjes bij me terug kunt komen."

Shirley gaf er niet eens antwoord op. Hier was toch niet tegenin te praten.

„Mankeer je niets?" informeerde ze bezorgd bij Kevin.

„Waarschijnlijk heb ik morgen een blauw oog, maar voor de rest valt het wel mee." Kevin keek haar met een klein lachje aan. „Hij verraste me volkomen met die uitval. Vind je me geen watje omdat ik me door hem heb laten vloeren?"

„Ik ben alleen maar blij dat jij niet zo laf was om hem terug te slaan terwijl hij vastgehouden werd," zei Shirley.

Kevin schudde zijn hoofd. „Zoiets zou ik nooit doen. Ik zou een vechtpartij op zich echt niet schuwen, al weet ik dat het niets oplost, maar dan wel op een eerlijke manier. We zullen nog maar iets te drinken nemen voor de schrik. Gaat het een beetje met je?"

„Ik heb me wel eens beter gevoeld," zuchttte Shirley. Ze nam een glas wijn aan van Joost en lachte toen hij beweerde dat hij nog nooit zo'n leuke verjaardag had gehad.

„Ik vond het heerlijk om me eens uit te leven op zo'n misbaksel," glunderde hij. „Bedankt voor dit originele cadeau Shirley."

De glazen werden weer geheven, maar de echte stemming kwam toch niet meer terug. Shirley wilde het liefst terug naar de veilige beschutting van Kevins huis. Op verzoek van Joost liepen twee potige vaste klanten voor de zekerheid mee, maar ze kwamen zonder problemen thuis.

Nog steeds natrillend stapte Shirley in bed, iedere keer als ze haar ogen sloot trokken de gebeurtenissen van die avond weer aan haar voorbij. Zou ze ooit nog helemaal los komen van Geert? Als hij inderdaad dacht dat ze hem bedrogen had met Kevin liet hij haar wellicht met rust. Tenslotte was hij echt woedend geweest op haar, dat was niet gespeeld. Hij had haar met ijskoude minachting aangekeken na die opmerking van Kevin.

Niet te geloven dat dat dezelfde ogen waren die haar nog geen jaar geleden zo liefdevol tegemoet hadden gestraald. Dezelfde ogen die teder ieder detail van haar naakte lichaam in zich op hadden genomen. Maar ook dezelfde ogen die woedend konden schitteren als hij op haar insloeg.

Het duurde die avond lang voor Shirley in een onrustige slaap viel. Ze vroeg zich af of ze het verleden ooit volledig achter zich zou kunnen laten. In ieder geval deed ze haar vroegere bijnaam Single Shirley weer alle eer aan.

HOOFDSTUK 12

„Wanneer kunt u beginnen?" informeerde de man tegenover haar.

Shirleys hart maakte een spontane buiteling. „Bedoelt u dat ik ben aangenomen?" vroeg ze ademloos.

Hij knikte lachend. „Wat mij betreft wel. Uw papieren zijn goed, evenals uw ervaring op het gebied van administratief werk. En de manier waarop u bij uw vorige werknemer weg bent gegaan, ach..." Hij haalde zijn schouders op. „Dat was niet fraai, maar u heeft tenminste eerlijk uitgelegd waar dat door kwam en dat waardeer ik. Ik vind dat u een nieuwe kans verdient."

„Dank u. Dank u wel," stotterde Shirley. In haar enthousiasme schudde ze zijn hand zowat van zijn arm af. „Ik zal uw vertrouwen in mij absoluut niet beschamen."

„Daar reken ik op," lachte hij.

Ze spraken af dat Shirley over anderhalve week, op één april, zou beginnen. Bijna dansend liep ze even later over straat. Eindelijk! Ze kon weer aan de slag! Nu nog woonruimte voor zichzelf, dan kon ze tenminste met recht zeggen dat alles definitief voorbij was. Ze woonde nu al zo'n drie maanden bij Kevin en het werd hoog tijd dat ze weer zelfstandig werd. Maar het begin was er.

Ze verlangde ernaar om weer aan de slag te gaan, want de verveling had hard toegeslagen. Via een paar vrienden van Kevin had Shirley haar eigen spullen teruggekregen en ze had al tientallen sollicitatiebrieven geschreven aan haar oude, vertrouwde secretaire. Even zo vele afwijzingen waren daarop gevolgd. Vooral het feit dat ze zonder meer bij haar oude werkgever was gestopt, zonder opzegtermijn, bleek een struikelblok te zijn. Maar het gaf allemaal niet meer. Nu had ze weer een baan en de mogelijkheid opnieuw te beginnen. Ze zou op dat verzekeringskantoor extra haar best doen, nam Shirley zich voor.

Om het goede nieuws te vieren kocht ze een grote, feestelijk uitziende taart voor bij de koffie die avond. Wel een beetje veel voor hun tweeën, maar misschien hadden Kevins ouders zin om even langs te komen. Die zouden beslist blij voor haar zijn, want ze leefden altijd enorm mee.

Kevin kreeg die avond amper de kans om normaal binnen te komen, want voor hij de deur goed en wel open had, stormde Shirley al op hem af.

„Goed nieuws!" riep ze uitgelaten.

„Mooi, ik ook!" gilde Kevin op dezelfde toonhoogte terug.

Zoals zo vaak schoten ze eensgezind in de lach. Ze bezaten hetzelfde gevoel voor humor en dat was maar goed ook. Het viel niet altijd mee om als huisgenoten tussen de klippen door te laveren, maar samen lachen werkte altijd bevrijdend en heilzaam.

„Ik eerst," eiste Shirley. „Ik heb weer een baan."

Verrast keek Kevin op. „Wat heerlijk voor je. Gefeliciteerd," zei hij gemeend. „Waar en als wat?"

Shirley vertelde uitgebreid van haar geslaagde sollicitatiegesprek terwijl Kevin iets te drinken inschonk.

„Ik hoop dat het je bevalt daar," zei hij. „Op de administratie van een verzekeringskantoor, het klinkt me nogal saai in mijn oren."

„Juist niet, achter ieder stuk papier schuilt een heel verhaal. Bovendien beviel de sfeer me wel, het leek me een gezellige groep mensen zo bij elkaar," verdedigde Shirley haar toekomstige werkterrein.

„Ik merk het al, je wilt er geen kwaad woord over horen," plaagde Kevin. „Mijn nieuws is anders ook aardig spectaculair, ik heb namelijk woonruimte voor je gevonden."

„Dat meen je niet!" Shirley keek hem perplex aan. „Echt waar? Waar? Hoe groot is het? Hoe kom je eraan?"

„Ho, ho, één vraag tegelijk alsjeblieft. Maar goed, ik zal je niet langer in spanning laten zitten. Een collega van me is pas verhuisd naar zo'n ouderwets grachtenpand en hij zoekt een huurder voor zijn souterrain. Een advertentie zet hij liever niet, omdat je dan nooit weet wat voor soort mensen erop afkomt. Het liefst heeft hij een bekende. Ik heb jou nogal opgehemeld, dus zet me niet voor schut en gedraag je daar," zei hij vaderlijk.

„Ja pa," zei Shirley dan ook prompt terwijl ze haar tong naar hem uitstak. „Vertel verder."

„Het zijn twee kamers met een eigen douche, wc en keuken," hervatte Kevin. „Hoe groot het precies is weet ik niet, maar de huurprijs is schappelijk en zeker op te brengen nu je weer een baan hebt. De vorige bewoners hebben dat gedeelte ook altijd verhuurd, dus vandaar het sanitair. Je woont daar echt helemaal vrij, zelfs met een eigen toegangsdeur."

„Wat fantastisch," verzuchtte Shirley. „Een souterrain, dat klinkt zo romantisch. Wanneer kan ik het zien?"

„Straks. Ik heb afgesproken dat we om een uur of halfacht komen kijken. Lydia zou de koffie klaar hebben, heeft ze beloofd."

„Lydia? Het is dus een vrouwelijke collega. Kom je er vaak?" vroeg Shirley, proberend haar stem zo nonchalant mogelijk te laten klinken. Ze voelde een steek van jaloezie in haar hart. Als dat zo is hoef ik dat snertsouterrain niet, dacht ze onredelijk.

Kevin lachte alsof hij haar gedachten kon raden. „Lydia is de vrouw van mijn collega Benno. En nee, ik kom daar niet vaak, maar ik verwacht dat daar binnenkort verandering in komt. Ik heb namelijk gehoord dat ze het souterrain aan een heel leuk meisje gaan verhuren," plaagde hij.

Shirley bloosde tot in haar haarwortels. „Je bent uiteraard altijd welkom," zei ze luchtig. Een blik op de klok deed haar opspringen. „Ik ga snel wat te eten maken, anders redden we het niet eens."

„Niets ervan, we gaan nu weg en eten onderweg wel ergens een hapje. Dit is geen dag voor jou om in de keuken te staan. Van louter zenuwen zou je alles uit je handen laten vallen en ik zit al zo slecht in mijn serviesgoed sinds je hier woont."

„Je krijgt alles nieuw van me," beloofde Shirley roekeloos.

Met een opgewonden, verwachtingsvol gevoel stapte ze naast hem in de wagen. Dit was beslist haar geluksdag. Het leek erop dat alles zich ten goede keerde voor haar.

Er was inmiddels een jaar verstreken sinds de eerste ontmoeting met Geert. Een jaar vol geluk en tederheid, maar ook met verdriet, pijn en vernedering. Een jaar waarin ze zowel op de toppen van het geluk als in diepe dalen van ellende had geleefd, met als absolute klap het plotseling overlijden van Alicia. Het was zeker geen makkelijk jaar geweest, maar wel eentje waar ze sterker uit was gekomen, hoe clichématig dat ook klonk. Nu lag de toekomst in ieder geval weer open en zonnig voor haar.

Bij Lydia en Benno werden ze hartelijk ontvangen.

„Je wilt zeker het liefst eerst je toekomstige woonruimte zien?" vroeg Lydia begrijpend. „Deze deur, pas op het trapje. Ik zie jullie zo wel weer verschijnen."

Shirley en Kevin daalden de acht treetjes af en keken beneden vol bewondering om zich heen. Er waren twee flinke kamers, plus nog een kleine ruimte die als berghok kon dienen. Het keukentje was niet groot, maar praktisch ingericht en de aan elkaar grenzende douche en toilet blonk hen tegemoet.

„Wat geweldig," verzuchtte Shirley keer op keer bij alles wat ze zag. „Dit is nog mooier dan mijn oude zolder en ik hoef er bijna niets aan op te knappen. Alles ziet er zo netjes en schoon uit. Ik zal alleen een heleboel aan moeten schaffen, want ik bezit natuurlijk bijna niets meer. Wat meubels betreft heb ik alleen mijn secretaire nog en daar vul ik de kamer niet mee."

„Maak je daar maar geen zorgen om, dat komt wel in orde. Tegenwoordig hoeft dat helemaal niet zoveel te kosten en je kunt van mij lenen wat je wilt. Rentevrij," beloofde Kevin.

„Je bent een schat," zei Shirley warm. „Ik had me echt geen raad geweten zonder jou en je ouders. Jullie hebben me op de kant getrokken toen ik bijna verdronken was, zo voelt dat."

„We doen het met liefde," verzekerde Kevin haar.

Shirley draaide zich om terwijl Kevin net een stap naar haar toe deed. Plotseling stonden ze heel dicht bij elkaar en Shirley hield met een scherp geluid haar adem in. In Kevins ogen lag een blik die ze daar nog nooit eerder in had gezien, maar waar ze helemaal warm van werd. Half en half verwachtte ze dat hij haar zou gaan kussen en één seconde vroeg ze zich in paniek af wat ze moest doen. Kevin was haar heel dierbaar, maar hier was ze nog niet aan toe. Hij maakte echter geen aanstalten om haar in zijn armen te nemen, wel raakte hij in een vluchtig, teder gebaar even haar wang aan.

„Ik voel me een grote stommeling dat ik jou aan deze woning heb geholpen," zei hij schor. „Ik zal je enorm missen. Mijn huis zal leeg zijn zonder jou."

Shirley slikte. Ze wist wat hij bedoelde. Er was iets moois tussen hen aan het groeien, maar ze wilde de zaken absoluut niet overhaasten. Daarvoor had ze veel te slechte ervaringen opgedaan. Deze keer moest ze niet alleen haar hart volgen, maar ook naar haar verstand luisteren en dat vertelde haar dat ze eerst zelf weer iets op moest bouwen voor ze haar leven opnieuw in de handen van een man zou leggen.

„Het zal vreemd zijn om weer alleen te wonen, voor ons allebei," beaamde ze. „Maar toch is het beter. Ik wil…"

„Ssst… niets zeggen." Kevin legde zijn vinger tegen haar lippen. „We zijn vrienden, voorlopig. Jij wordt weer zelfstandig en verwerkt alles wat er gebeurd is. Daarna zien we wel verder. We zullen niet op de zaken vooruit lopen."

„Dank je wel voor je begrip." Shirley glimlachte hem warm toe. Ze voelde zich veilig en geborgen bij hem en de verleiding was groot om zich in zijn armen te werpen en bij hem te blijven, maar ze wist dat dat niet verstandig was. Ze was er echter niet zeker van of ze haar hoofd erbij zou kunnen houden als Kevin haar nu kuste.

Shirley had nooit begrip op kunnen brengen voor mensen die zich schijnbaar moeiteloos van de ene verhouding in de andere stortten, nu wist ze dat dat heel makkelijk kon gebeuren. Juist in moeilijke en kwetsbare periodes was je als mens geneigd snel een paar troostende armen te accepteren, met alle gevolgen van dien. Als Kevin aan had gedrongen of met liefdesverklaringen over de brug was gekomen, had Shirley zich waarschijnlijk makkelijk over laten halen, maar dan zou het niet echt goed voelen.

Ze was er nog niet aan toe, twijfelde zelfs of dat ooit nog zou gebeuren. De episode met Geert had haar te diep verwond, vooral omdat het in het begin allemaal zo perfect had geleken. Ze meende hem goed te kennen toen ze met hem ging samenwonen en dat vertrouwen in haar mensenkennis was ze kwijtgeraakt.

Na alles grondig bekeken te hebben liepen Shirley en Kevin via het smalle trappetje weer terug naar boven.

„En? Bevalt het je?" vroeg Benno hartelijk.

„Het is gewoon te mooi om waar te zijn," antwoordde Shirley uit de grond van haar hart. „Ik wil hier heel graag komen wonen. Als jullie me willen hebben tenminste."

„Graag zelfs," knikte Lydia. „Het idee om een wildvreemde in mijn huis te laten stond me niet zo aan, daarom hebben we geen advertentie gezet voor een huurder. Kevin heeft jou zo van harte aanbevolen dat we het wel aandurven."

„Hij heeft zo'n vurig pleidooi gehouden voor je, hij wil vast zo snel mogelijk van je af," plaagde Benno.

„Juist niet en dat is precies de reden dat ze moet gaan verhuizen," antwoordde Kevin ad rem.

Het was voor Lydia en Benno een onbegrijpelijke opmerking, maar Shirley lachte hem stralend toe. Ze wist precies wat hij hiermee wilde zeggen en was dankbaar voor het feit dat hij haar zo goed aanvoelde.

Lydia overhandigde Shirley de sleutels van de tuindeur, haar eigen ingang, en die van de verbindingsdeur in het huis.

„Als je ons dan eens nodig hebt of zo hoef je niet helemaal om te lopen en aan te bellen," zei ze. „Maar ik heb liever wel dat je hem op slot houdt. Tenslotte weet ik niet wie er allemaal bij je op visite komt en ik wil niet verrast worden door wildvreemde mensen die in mijn huis rondlopen."

„Veel visite zal ik niet krijgen, alleen Kevin en zijn ouders," zei Shirley verlegen.

„Meid, dat verandert vanzelf als je straks weer werkt en onder de mensen komt. Daar ben je overigens helemaal vrij in, we leggen je geen regels en beperkingen op. Zolang we over en weer geen last van elkaar hebben vinden we alles prima. Als er een probleem is kunnen we daar altijd over praten, tenslotte zijn we volwassen mensen."

„Jullie zullen niet eens merken dat ik er ben," beloofde Shirley.

„Hè bah, wat ongezellig," flapte Lydia er spontaan uit en ze schoten alle vier in de lach.

„Je hoort het Shirley, veel privacy zul je niet hebben als het aan Lydia ligt," zei Benno met een liefkozende blik op zijn echtgenote. „Ze sleept je er gewoon aan je haren bij, of je het nu leuk vindt of niet. Bedenk je nog maar eens goed, je kunt nu nog terug."

„Voor geen goud," zei Shirley. „Ik voel me hier nu al thuis."

Ze ontving een knipoog van Lydia en lachte. Het klopte wat ze zei, ze voelde zich inderdaad thuis bij deze hartelijke, gastvrije mensen. Shirley realiseerde zich heel goed dat ze hier beneden alleen zou wonen, maar het was prettig om te weten dat Lydia en Benno vlakbij haar waren en ze zich af en toe kon warmen aan hun gezelschap. Lydia's spontane opmerking had haar duidelijk gemaakt dat ze welkom was.

Ze spraken af dat Shirley met een week haar nieuwe onderkomen zou betrekken, zodat ze nog even de tijd had om het nodige aan te schaffen. Vier dagen daarna zou ze in haar nieuwe baan beginnen, dus kon ze rustig acclimatiseren en alles een plekje geven. Ze verheugde zich er enorm op.

„Iemand nog koffie?" riep Lydia terwijl ze met de thermoskan zwaaide. „Jullie laten me er niet mee zitten hoor, ik heb een extra grote pot gezet."

„Vooruit dan maar, omdat je zo aandringt," zei Kevin genadig.

Het werd een gezellige avond, die flink uitliep. Terwijl Benno en Kevin zaten te discussiëren over een probleem op hun werk, togen Lydia en Shirley weer naar beneden om de nodige maten op te nemen.

„Ik heb nog een paar meter vitrage over, die mag je hebben als je wilt," bood Lydia aan.

„Graag," accepteerde Shirley dat meteen. „Ik heb bijna niets meer en veel geld om spullen te kopen bezit ik ook niet. Ik kan een lening afsluiten bij Kevin, maar die wil ik zo laag mogelijk houden," vertelde ze openhartig.

Normaal gesproken liet Shirley niet zo snel het achterste van haar tong zien, maar tegen Lydia met haar ongedwongen houding was het makkelijk praten. Shirley had het gevoel alsof ze haar al veel langer kende.

„Dat komt allemaal vanzelf wel weer. Voor je het weet zit je weer zo goed in je spullen dat je dingen weg moet gooien om ruimte te maken," meende Lydia optimistisch.

„Daar kan ik me nog weinig bij voorstellen." Shirley aarzelde, vroeg toen plompverloren: „Weten jullie wat er aan de hand is en waarom ik naar woonruimte zocht?"

„In grote lijnen wel, ja," zei Lydia rustig. „Kevin heeft ons het een en ander verteld over je achtergrond, want we willen wel weten wat we in huis halen."

„Je doet het dus eigenlijk uit medelijden," constateerde Shirley. Lydia tikte met een veelbetekenend gebaar op haar voorhoofd.

„Doe even normaal. Dit is een groot huis Shirley en eigenlijk een beetje te duur voor ons, maar we waren er op slag verliefd op. Het verhuren van het souterrain was de meest logische oplossing om de kosten wat te dekken, tenslotte is het een zelfstandige, complete woonruimte en we hebben boven meer dan genoeg kamers. Maar ja, je laat niet zomaar een volslagen onbekende binnen, je hoort zulke vreemde verhalen tegenwoordig. Daarom heeft Benno op zijn werk geïnformeerd of iemand een geschikte kandidaat wist en Kevin reageerde. Ga je dus geen rare dingen in je hoofd halen, want wij hebben net zo hard geld nodig als jij een woning."

„Oké, bedankt voor de uitleg," zei Shirley. „Eerlijk gezegd voelde ik me nogal bezwaard."

„Dat is dus nergens voor nodig." Lydia stond op van het trappetje waar ze op neer waren gestreken. „Koop alsjeblieft eerst een paar stoelen, want dit is niks," lachte ze.

Ze noteerden de maten en in gedachten richtte Shirley de boel vast in. Ze wilde lichte meubels, nam ze zich voor. En veel planten. Op haar netvlies verscheen het beeld zoals ze het wilde hebben en ze popelde om aan de slag te gaan. Vanwege haar geldgebrek wilde ze de gordijnen zelf maken en aangezien ze niet zo heel handig was op dat gebied zou dat wel de nodige tijd kosten.

Eenmaal terug in de huiskamer van Lydia en Benno kwamen de drankjes en hapjes op tafel en werd het gesprek weer algemeen. Het was over twaalven voor Kevin en Shirley terugreden naar huis.

„Dat was niet bepaald een kort bezichtigingsbezoekje," lachte Kevin.

„Nee, maar wel gezellig," vond Shirley tevreden. „Ik heb het gevoel dat ik er ineens een paar vrienden bij heb."

„Ik ook. Benno is een prettige collega, maar omdat we op verschillende afdelingen werken spreken we elkaar niet veel. Ik denk dat daar nu verandering in gaat komen, want het klikte gewoon vanavond. Het is een prettig idee dat je daar komt te wonen, zodat je altijd een paar mensen hebt waar je op terug kunt vallen." Kevin knikte Shirley in de beslotenheid van de auto warm toe.

Met een gelukkig gevoel leunde Shirley achterover terwijl ze door de nachtelijke stad reden. Het was lang geleden dat ze zich zo goed had gevoeld.

HOOFDSTUK 13

Het werd een drukke week voor Shirley. Ze was blij dat het nog tien dagen duurde voor ze in haar nieuwe baan aan de slag ging, zodat ze volop tijd had om haar behuizing bewoonbaar te maken. Ze wilde graag helemaal klaar zijn voor ze ging werken, want eenmaal weer in het strakke tijdschema van een fulltime baan zou er niet veel meer van komen.

Aangezien ze bijna al haar spullen had weggedaan toen ze met Geert ging samenwonen, moest ze heel wat aanschaffen en dat kostte de nodige tijd, vooral omdat Shirley het zo goedkoop mogelijk wilde houden. Ze struinde vele tweedehandszaken en kringloopwinkels af en wist op die manier weer een redelijk complete huishouding op de kop te tikken. De meeste meubels had ze bij een goedkope discounter gekocht. Ze moest ze wel zelf in elkaar zetten, maar dat deed Kevin op een avond samen met Benno, terwijl Shirley en Lydia boven achter de naaimachine zaten om de gordijnen in elkaar te stikken.

„Wat een klus," zuchtte Shirley terwijl ze met een gebaar van afschuw de meterslange lap stof van zich afschoof.

„Je bent er niet bepaald voor in de wieg gelegd," lachte Lydia. „Geef maar hier, je stikt die plooien er helemaal verkeerd in."

„Ik leer het nooit. Wil je het nog één keertje voordoen?"

„Laat maar, ik doe het wel." Lydia trok de naaimachine naar zich toe.

„Nee, dat wil ik niet. Jullie doen toch allemaal al zo veel voor me," zei Shirley, maar Lydia wuifde die woorden weg.

„Ik ben er nu eenmaal een stuk handiger in. Schenk jij nog maar een kop koffie in."

Blij dat ze van dat vervelende werkje af was verdween Shirley in de keuken. Ze wist inmiddels aardig de weg in dit huis. Met een dienblad met daarop twee bekers daalde ze even later het trapje af naar haar eigen domein. De mannen zouden ook wel wat lafenis lusten, vermoedde ze.

„Zet maar neer," zei Kevin zonder op te kijken. Hij was druk bezig een handleiding te bestuderen en snauwde tegen Benno toen die een suggestie deed. Omdat er nog geen enkel meubelstuk in elkaar zat, pakte Shirley een plank om de bekers op te zetten. „Blijf af!" brulde Kevin. „Ik heb net alles op volgorde gezet."

„Sorry," verontschuldigde Shirley zich kleintjes. „Ik wilde de bekers alleen wat steviger neerzetten."

„Zet ze maar op de trap en ga dan alsjeblieft terug naar boven. We kunnen je hier niet gebruiken," verzocht Kevin kort.

Shirley zag dat hij echt kwaad was en wist niet hoe snel ze weg moest komen. Aangeslagen schoof ze bij Lydia aan de grote tafel. „De stemming is beneden niet best," berichtte ze somber.

Lydia keek op en glimlachte even. „Mannen die aan het klussen zijn, zijn niet helemaal toerekeningsvatbaar," troostte ze. „Het gaat nooit in één keer zoals ze het willen en daar kunnen ze niet tegen."

„Benno was anders de rust zelve. Die knipoogde zelfs nog naar me bij Kevins uitbarsting."

„Maar dat is zo'n laconieke, er moet heel wat gebeuren voor hij uit zijn slof schiet. Trek het je niet aan."

„Kevin was kwaad op me." Shirleys stem trilde.

„Dat ben je zeker niet gewend," constateerde Lydia terecht. Ze schoof de naaimachine opzij en dronk met kleine teugjes van haar hete koffie. „Hè, daar knapt een mens van op. Kevin ook, geloof me. Straks, als die meubels in elkaar zitten, is hij die uitbarsting alweer vergeten. Het is gewoon doe-het-zelf-stress."

„Ik hoop het," zuchtte Shirley somber.

„Natuurlijk." Lydia legde haar hand op die van Shirley en keek haar begrijpend aan. „Je hoeft heus niet bang te zijn dat hij straks helemaal uit zijn dak gaat. Zo is Kevin niet. Hij koelt zijn woede hooguit op je meubels af, of op het gereedschap, maar echt niet op jou. Een snauw en een grauw op zijn tijd moet kunnen, je moet het je alleen niet persoonlijk aantrekken."

„Ach ja, je hebt gelijk." Shirley lachte alweer. „De oude angst stak weer even de kop op, maar ik weet dat dat onzin is. Kevin is zo'n schat. Hoewel dat ook niet alles zegt, want dat was Geert ook toen we elkaar pas kenden." Ze staarde even in de verte, haalde toen haar schouders op. „Zeg maar niets, ik weet heus wel dat ik die twee niet met elkaar kan vergelijken. Ik ben er absoluut van overtuigd dat Kevin me nooit met een vinger zal aanraken, maar het zal wel even duren voor die angst echt definitief weg is. Ik dacht dat ik het van me af had gezet, maar het is vanavond wel gebleken dat dat niet het geval is."

„Ik denk dat dat nooit helemaal verdwijnt," zei Lydia peinzend. „Een mens neemt het verleden altijd met zich mee, want dat vormt je tot wat je bent. Als je er maar van leert, daar gaat het om."

„O, dat zeker. Het zal me geen tweede keer gebeuren dat ik mishandeld word binnen een relatie. Mijn gevoel van zelfvertrouwen, wat Geert totaal onderdrukt heeft, begint alweer aardig terug te komen. Dankzij Kevin."

„Hij betekent veel voor je hè?"

Shirley knikte. „Heel veel," antwoordde ze eenvoudig. „Eigenlijk heeft hij een beetje de plaats van Alicia ingenomen. Als hij een vrouw was geweest, zou ik hem mijn hartsvriendin noemen."

„Maar het is geen vrouw," constateerde Lydia nuchter. „Is er in al die tijd dat je bij hem woont nooit iets gebeurt tussen jullie?"

„Op lichamelijk vlak, bedoel je? Nee, nooit. Ik moet er ook niet aan denken."

„Nou…" Lydia grinnikte. „Kevin is niet onaantrekkelijk. Ik ben zeer gelukkig met mijn Benno, maar als ik Kevin cadeau kreeg bij de boter zou ik me geen twee keer bedenken."

Shirley schoot in de lach. „Laat je dierbare echtgenoot het maar niet horen," plaagde ze. „Maar je hebt gelijk, Kevin is het aanzien meer dan waard. Ik heb alleen voorlopig mijn buik vol van mannen, aan mijn lijf geen polonaise meer."

„Zonde," zei Lydia droog en weer begonnen ze te lachen. „Eigenlijk ben ik er alleen maar blij om dat je er zo over denkt, anders ben ik je straks weer kwijt als huurder. Blijf jij maar lekker hier wonen."

„Als het ooit iets wordt tussen ons, houden we het bij een latrelatie," beloofde Shirley roekeloos. „Speciaal voor jou, dat begrijp je. Maar de tijd dat ik hier woon wil ik wel graag gordijnen voor mijn ramen hebben."

„Oké slavendrijver, ik begrijp de hint," zei Lydia terwijl ze weer aan het werk toog.

Twee uur later lagen de gordijnen klaar om opgehangen te worden.

„Je bent een wonder," prees Shirley. „Als ik het alleen had moe-

ten doen, had ik schots en scheve lappen voor mijn ramen gehad. Ik hoop dat de meubels ook zo goed lukken. Wat denk je, zou ik het aandurven om beneden te kijken?"
„Lijkt me niet verstandig. Kevin is net zo'n type als mijn vader als het om dit soort klussen gaat. Je kunt hem het beste rustig zijn gang laten gaan, want ieder verkeerd gekozen woord loopt anders uit op ruzie. Ik hoor ze trouwens al op de trap," zei Lydia. Even later kwamen Kevin en Benno inderdaad binnen, allebei bezweet.
„Als je nog eens wat weet," mopperde Kevin. „Wat een rotklus, zeg. Die handleidingen zijn nog onduidelijker dan een Russische encyclopedie."
„Jij hebt het me zelf aangeraden omdat het goedkoper was dan kant er klare meubels," verdedigde Shirley zich.
„Kom, we leggen je gordijnen beneden neer, dan kunnen we meteen kijken hoe de meubels geworden zijn," zei Lydia snel. Ze trok Shirley gewoonweg mee de kamer uit.
„Blijf niet te lang weg, ik wil naar huis," riep Kevin hen nog na.
„Vijf minuten," beloofde Lydia. Achter elkaar liepen ze de smalle treetjes af. „Laat hem nou maar lekker even mopperen," adviseerde Lydia. „Je hoeft je niet meteen in de verdediging terug te trekken, hij meent er geen woord van. Hij is gewoon moe."
„Denk je niet dat hij kwaad is?"
Onzeker keek Shirley haar aan.
„Welnee, waarom zou hij?" wuifde Lydia dat weg. Ze keek om zich heen naar de kris kras door elkaar heen staande meubelstukken. „Leuk spul. Nee Shirley, ga dat nou niet allemaal meteen op zijn plek zetten. Morgen is er weer een dag. Kom mee, anders heb je straks echt ruzie."
„Oké ma," gaf Shirley lachend toe.
Giechelend als schoolmeisjes voegden ze zich weer bij de mannen. „Een timmerman had het je niet verbeterd," complimenteerde Shirley Kevin en tevreden zag ze de lach weer terugkomen in zijn ogen.
„Ach, het was niets," bagatelliseerde hij zijn werk. „Die paar schroefjes en bouten zaten er zo in."
Shirley weerstond de verleiding om hier iets op terug te zeggen en in opperbeste stemming reden ze terug naar huis.

De volgende dag toog Shirley de stad in om een paar laatste inkopen te doen. Handdoeken, keukenmessen, glazen, dat soort dingen had ze echt nog nodig. Ze had een hele lijst, die ze zo efficiënt mogelijk afwerkte. Na anderhalf uur brandden haar voeten behoorlijk en had ze een dringende behoefte aan iets vloeibaars. Ze ging het eerste restaurantje wat ze zag binnen en vond gelukkig nog een leeg tafeltje. Nadat ze haar bestelling doorgegeven had, pakte ze haar lijst erbij en streepte alles door wat ze gekocht had. Ze was daar zo in verdiept dat ze niet merkte dat er iemand bij haar tafeltje stil bleef staan.

„Dag Shirley, mag ik even bij je komen zitten?" vroeg een zachte stem.

Verward keek Shirley op. Ze verschoot van kleur. Voor haar stond Geerts moeder.

„Ja, eh, natuurlijk. Gaat u zitten," hakkelde ze.

Ze had deze vrouw al maanden niet gezien en daar was ze niet rouwig om. Ze had niet bepaald prettige herinneringen aan de paar zondagmiddagen die ze in Geerts ouderlijk huis hadden doorgebracht, al moest ze toegeven dat zijn moeder nooit echt onaardig was geweest.

Een beetje ongemakkelijk schoof Shirley op haar stoel heen en weer. Wat moest ze hier nu mee? Ze had weinig zin in een nietszeggend gesprekje en ze zag het ook niet zitten om beleefd te informeren hoe het met Geert ging.

Het was mevrouw Van der Zande die na een paar minuten het onbehaaglijke stilzwijgen verbrak. „Geert is opgenomen in een psychiatrische kliniek, het ging niet meer," zei ze toonloos.

Shirley schrok op. „Dat meent u niet!" zei ze ontzet.

De vrouw tegenover haar trok haar schouders op. „Doe nou niet of het je verbaast," zei ze hard. „Je weet toch hoe hij is?"

„Maar een kliniek…" In een impulsief gebaar legde Shirley haar hand op de gerimpelde vingers die nerveus op het tafelblad trommelden. „Wat erg voor u," zei ze.

Het medeleven in haar stem deed bij de oudere vrouw de tranen in haar ogen schieten. „Je bent de eerste die zo reageert, terwijl ik dat juist van jou niet had verwacht. De mensen zijn zo hard. Iedereen vindt dit zijn verdiende loon, er zijn zelfs mensen die ronduit beweren dat het mijn schuld is. Ik heb hem verwend, zeggen ze. Maar ik heb alleen maar geprobeerd hem met liefde groot te brengen en dat viel niet mee. Als kind was hij al extreem driftig en jaloers, daarom heeft hij ook geen broers of zussen. Dat durfde ik gewoon niet aan."

Haar stem stierf weg toen de serveerster hun bestelling neerzette. Shirley zei niets. Ze begreep dat deze vrouw een keer haar hart moest luchten. Zo te horen kreeg ze daar weinig kans voor in haar omgeving.

„Verschrikkelijke toestanden hebben we met hem meegemaakt," vervolgde mevrouw Van der Zande even later. „Hij was driftig en ongezeggelijk, maar aan de andere kant kon hij ook ineens zo lief doen. Op zijn goede dagen was er geen liever jongetje dan hij. Dan kreeg ik weer hoop."

Shirley knikte. Dit herkende ze. Ze was dus niet de enige die zo dacht, zij was ook altijd Geerts goede kanten blijven zien.

„Is het ineens zo geëscaleerd dat hij nu opgenomen is?" vroeg ze zacht.

„Ja, een aantal weken geleden. Wat er precies gebeurd is weet ik niet, maar op een avond kwam hij helemaal overstuur bij ons binnen. Er was iets met een vechtpartij in een café of zoiets. Hij draaide echt helemaal door, dus heeft mijn man de politie gebeld. Ik wilde het eerst niet, maar toen begon hij de meubelstukken door de kamer te gooien. Hij was echt niet meer te houden."

Shirley hield met een scherp geluid haar adem in. Een vechtpartij in een café, dat moest die avond in hun stamkroeg geweest zijn! De avond waarop hij haar beschuldigd had van bedrog, wat zo uit de hand gelopen was. Ze voelde zich op slag schuldig aan deze hele toestand.

„Ik ben bang dat het mijn schuld is," zei ze dan ook eerlijk. „Ik was in dat café met een goede vriend van me. Geert dacht dat er meer tussen ons was en werd kwaad. Het was een onverkwikkelijke situatie."

„Je hoeft jezelf niets te verwijten," meende Geerts moeder. „Hij heeft nooit een aanleiding nodig gehad voor zijn driftbuien, die komen vanzelf. Als er geen reden voor is, bedenkt hij zelf wel wat. Ik neem het je ook niet kwalijk dat je hem in de steek hebt gelaten. Je hebt het vast niet makkelijk gehad bij hem, niemand weet dat beter dan ik."

„Ik hield van hem, maar het was niet meer vol te houden. Hij maakte me kapot."

Mevrouw Van der Zande knikte. Het viel Shirley ineens op hoe moe en oud ze eruitzag. Deze vrouw had het zwaar en moest alles in haar eentje verwerken, besefte ze. Haar echtgenoot was niet direct iemand waar ze steun en begrip van kon verwachten. „Als u behoefte heeft om erover te praten, kom dan bij me langs," stelde ze spontaan voor. „Ik kan me voorstellen dat u af en toe even uw hart wilt luchten. Dit is mijn nieuwe adres, met ingang van overmorgen." Ze schreef het op een servetje en schoof dat over het tafelblad naar Geerts moeder toe.

„Meen je dat echt?" vroeg die verrast en ontroerd. „Weet je, er zijn maar zo weinig mensen die iets dergelijks kunnen begrijpen. Iedereen staat direct met zijn oordeel klaar en het commentaar is meestal vernietigend." Ze borg het stukje papier zorgvuldig in een met een rits afgesloten vakje van haar tas. „Mag ik dit aan Geert vertellen? Ik ga twee keer per week naar hem toe, het gaat nu goed met hem. Misschien wil je een keer met me mee?" Ze keek Shirley hoopvol aan, maar die schudde resoluut haar hoofd.

„Het spijt me, maar dat kan ik niet opbrengen. Ik moet mijn leven opbouwen zonder Geert en dat kost me al moeite genoeg."

„Dus je mist hem wel? Hij krijgt nu goede therapie en doet echt zijn best om te veranderen." Weer zo'n hoopvolle blik.

„Maakt u zich geen illusies," zei Shirley vriendelijk, maar beslist. „Ik zou nooit meer een relatie met Geert aandurven, daarvoor is er te veel gebeurd."

„Ach ja, misschien heb je gelijk. Het is alleen... Je past zo goed bij hem en het zou zo'n goede stimulans voor hem zijn als hij weet dat je op hem wacht. Hij houdt nog steeds van je."

„Dat is niet meer wederzijds."

„Je hebt dus inderdaad een ander." Het leek wel of er plotseling een koel masker over het gezicht getrokken werd. „Dat gaat tegenwoordig erg makkelijk. Huwelijksbeloftes tellen niet meer."

„Wij waren niet getrouwd."

„Jullie woonden samen, dat is hetzelfde. Samen in voor- en

tegenspoed, dat is er niet meer bij. Jullie jonge mensen fladderen van de één naar de ander als er een probleem opduikt. Geen wonder dat Geert helemaal doorgedraaid is. Hij zit zo niet in elkaar, hij houdt onvoorwaardelijk van je."

„Mevrouw Van der Zande, Geert heeft me mishandeld," zei Shirley ongeduldig. „Niet één keer, maar meerdere malen. Daarnaast heeft hij ervoor gezorgd dat ik mijn werk en mijn vrienden kwijtraakte en ik had absoluut niets te vertellen bij hem. Ieder foutje van mij, in zijn ogen dan, werd afgestraft met een pak rammel."

„Maar als je naar hem had geluisterd was dat allemaal niet gebeurd. De man is nu eenmaal de baas in huis, maar daar willen de vrouwen van tegenwoordig niet meer aan. Ik keur het niet goed dat hij je geslagen heeft, maar het zal niet alleen aan hem gelegen hebben. Ik kan me er wel iets bij voorstellen."

„Ik niet," zei Shirley kortaf terwijl ze opstond. „Er is geen enkel excuus voor zijn gedrag en ik heb er absoluut geen behoefte aan om daarover in discussie te treden. Ik hoop dat het verder goed met hem gaat, maar ik wil niets meer met hem te maken hebben."

„Loop maar weg, lekker makkelijk. Dat deed je bij Geert ook toen hij niet meer naar je pijpen danste. Waarschijnlijk is hij toch stukken beter af zonder jou," zei mevrouw Van der Zande nog venijnig. Er lag een bittere ondertoon in haar stem.

Shirley gaf geen antwoord meer. Diep ademde ze even later de frisse buitenlucht in, terwijl ze probeerde het hele, vreemde gesprek op een rijtje te zetten. Ze had oprecht medelijden gehad met deze vrouw, maar sinds haar weigering mee te gaan naar Geert was ze totaal omgeslagen. Shirley begon te begrijpen van wie Geert die plotseling veranderende stemmingen had. Ze had er nu spijt van dat ze haar adres gegeven had en hoopte dat ze het niet aan Geert door zou geven. Misschien was ze nu wel zo kwaad op haar dat ze het meteen verscheurde.

Aan het kopen van de rest van haar spullen beleefde ze een stuk minder plezier dan die ochtend het geval was geweest. Alles wat Geerts moeder had gezegd bleef maar door haar hoofd spoken. Als kind al extreem driftig en jaloers. Kon ineens erg lief zijn. De man moest de baas in huis zijn. Flarden van het hele gesprek drongen zich aan haar op. Shirley realiseerde zich dat mevrouw Van der Zande hetzelfde soort excuses voor Geert bezigde als zijzelf had gedaan toen ze nog bij hem woonde. Ze had er altijd al een vermoeden van gehad dat de handen van Geerts vader ook nogal los zaten, nu was ze er vrijwel zeker van. Ze merkte het aan de manier waarop zijn moeder erover sprak. Als je zelf niet in een dergelijke situatie verkeerde, kon je dat niet begrijpen. Shirley voelde medelijden met mevrouw Van der Zande en was nu dubbel dankbaar dat ze tijdig weggegaan was. Anders was ze een kloon van Geerts moeder geworden en had ze het ook heel normaal gevonden om haar leven in handen van haar echtgenoot te leggen, zonder eigen inbreng.

Diep in gedachten liep ze terug naar huis, ondanks alles toch blij met dit gesprek. Het had haar meer inzicht in Geerts karakter en achtergrond gegeven. Ze besefte dat ze hem nooit echt gekend had en hoopte dat de juiste therapie hem zou helpen. Geert was niet echt slecht, hij was het slachtoffer van zijn eigen jeugd en van de omstandigheden.

Dit besef hielp Shirley het verleden te plaatsen en te verwerken. Wat dat betrof had deze onverwachte ontmoeting heilzaam gewerkt, dacht ze met een glimlach. Niet dat ze er nu ineens overheen was en alles achter zich kon laten, maar het was weer een stapje in de goede richting naar een leven waar Geert geen rol meer in speelde, zelfs niet in haar gedachten.

HOOFDSTUK 14

Na nog een laatste groet sloot Shirley de deur achter Kevin, zijn ouders en Lydia en Benno. Zo, het inwijdingsfeestje voor haar nieuwe woning was voorbij. Voor het eerst sinds negen maanden woonde ze weer alleen. Eigenlijk sinds een jaar, want de eerste maanden na de kennismaking met Geert was hij bijna iedere dag bij haar en aten ze samen. Hun relatie was echt in een sneltreinvaart verlopen. Eigenlijk net zo snel als hij beëindigd was, peinsde Shirley.

En nu moest ze weer opnieuw beginnen. Een nieuwe woning, een nieuwe baan, een nieuwe start. Ze keek naar de grote foto van Alicia die aan de muur hing en de tranen sprongen in haar ogen. Opeens voelde ze zich ontstellend eenzaam. Kon een mens ooit echt opnieuw beginnen? Het verleden was niet uit te wissen. Hoe gelukkig ze misschien ooit weer zou worden, het gemis van Alicia zou altijd blijven. De pijn zou misschien op den duur minder worden, maar nooit helemaal wegtrekken. Ze miste haar vriendin nog iedere dag en nu ze voor het eerst weer helemaal alleen was sloeg dat gevoel dubbel toe.

Shirleys ogen gleden over de lichte meubels, de vele planten, kussens en kleine hebbedingetjes die haar woning zo gezellig maakten. Hier moest ze het waar zien te maken, bewijzen wat ze waard was. Haar vierde woning binnen een jaar. Het was een hele verbetering vergeleken met haar oude zolder, maar de twee tussenliggende woningen had ze graag overgeslagen.

Hoewel... Ze glimlachte door haar tranen heen. De tijd met Kevin was uniek geweest. Vroeger kende ze hem alleen als de broer van haar vriendin, nu was hij haar beste vriend. Een maatje door dik en dun, daar was ze van overtuigd.

Zie je wel, ze moest niet zo piekeren, hield Shirley zichzelf voor. Het laatste jaar had haar behalve verdriet en pijn ook veel geluk en vreugde geschonken in de persoon van Kevin. En in Lydia en Benno niet te vergeten, haar nieuwe vrienden. Ze had het zo slecht nog niet. Een paar goede vrienden, leuke woonruimte, een nieuwe baan. Ze mocht absoluut niet klagen. Waarom dan toch dat knagende gevoel van eenzaamheid? Ze had een paar jaar alleen gewoond zonder daar ooit last van te hebben.

Waarschijnlijk moest ze er gewoon weer aan wennen om alleen te zijn.

Ze waste de vuile vaat af en ruimde alles op voor ze aanstalten maakte haar bed in te stappen. Ze sliep slecht die nacht, de eerste nacht in haar nieuwe huis. Al draaiend en woelend overdacht ze haar leven. Toen ze eindelijk in slaap viel droomde ze van Geert, die voor haar stond en dreigend zijn arm naar haar ophief. Zwetend schoot ze overeind. Wat een nachtmerrie! Ze had daar vaker last van gehad sinds ze bij Geert weg was, maar de laatste twee maanden was de droom niet meer voorgekomen en ze had gehoopt dat ze er voorgoed vanaf was.

Rillend stapte ze uit bed om wat water te drinken. In de doucheruimte knipte ze het grote licht aan en werd meteen geconfronteerd met haar eigen beeltenis in de spiegel, dat haar met holle ogen aanstaarde.

Kijk nou, dacht ze spottend. Shirley Hoogenboom, vierentwintig jaar, alleen na een mislukte relatie waarin ze geslagen werd.

Ze schudde haar hoofd en maakte een grimas tegen zichzelf. Het werd echt hoog tijd dat ze haar leven weer in eigen hand moest nemen, dat was duidelijk. Met een beslist gebaar trok ze het licht weer uit. Geen gezeur meer en gewoon slapen, beval ze zichzelf. Ze zou het heus wel weer redden in haar eentje, met de steun van vertrouwde mensen in haar rug. Ze moest! Deze alleenspraak deed haar goed. Voor de tweede keer viel Shirley in slaap. Ditmaal sliep ze droomloos door tot de volgende ochtend.

Het duurde nog een paar dagen voor ze aan het werk moest en die benutte ze door een voorraad boodschappen in huis te halen, wat maaltijden vooruit te koken en een aantal kleine dingen in haar woonruimte zodanig te veranderen dat ze zich er helemaal thuisvoelde. De grote plant die Kevin haar had gegeven kreeg een ereplaatsje in de kamer. Behalve een kort uitgevallen telefoontje hoorde ze die dagen niets van hem. Hij genoot waarschijnlijk van het feit dat hij zijn huis weer voor zichzelf had, dacht Shirley somber. Hij zou wel blij zijn dat hij van haar af was.

Benno en Lydia waren twee dagen na haar verhuizing voor vier weken op vakantie vertrokken, dus het werden een paar stille dagen voor Shirley. Haar eerste werkdag was dan ook een verademing.

Het beviel haar direct. Ze kwam op een afdeling te werken waar een leuke sfeer heerste en de medewerkers onderling goed met elkaar overweg konden. Shirley werd als vanzelfsprekend opgenomen in de ploeg. Tot haar grote verrassing bleek het hier ook de gewoonte te zijn om de werkweek af te sluiten met een drankje onder elkaar, al werd dat dan niet in een café, maar in de ruime personeelskantine gehouden.

„Niets bijzonders hoor," zei de vrouw die Shirley inwerkte. „Gewoon gezellig een uurtje bijkletsen voor diegenen die daar zin in hebben, het is uiteraard geen verplichting. Kom je ook?"

„Heel graag," accepteerde Shirley meteen.

Dit was een mooie gelegenheid om haar collega's beter te leren kennen en eventueel nieuwe vriendschappen aan te knopen. Ze nam zich voor deze keer wat zorgvuldiger met haar medewerkers om te gaan.

Achteraf bezien was het geen wonder dat haar vorige collega's kwaad op haar waren. Ze had ze laten vallen als een baksteen. Eerst met de vrijdagavonden, later met het werk. Alles wat ze deed was erop gericht om het Geert naar de zin te maken, toen al. Als ze ooit weer in een andere relatie zou stappen zou ze het anders doen, dan wilde ze zichzelf blijven. Geert had haar verstikt en haar leven overgenomen, dat zou haar geen tweede keer gebeuren.

Toen Shirley aan het einde van haar eerste werkdag naar buiten liep stond Kevin haar op te wachten.

„Wat gezellig," zei ze spontaan. „Ik heb je gemist de laatste dagen."

„Ik jou ook. Het is stil in mijn huis zonder jou. Vertel eens, hoe was je eerste werkdag?"

„Heel leuk. Ik geloof dat ik het best naar mijn zin ga krijgen daar." Shirley stapte naast Kevin in de wagen en nestelde zich behaaglijk tegen de rugleuning aan. Het was een onverwachte meevaller dat ze nu niet in de stampvolle bus hoefde te zitten.

„Waar ga je naartoe?" vroeg ze toen ze zag dat Kevin niet de weg naar haar huis insloeg.

„We gaan uit eten," antwoordde hij opgewekt. „Ik kan me heel goed voorstellen dat je na je eerste dag geen fut meer hebt om te koken, bovendien hebben we wat te vieren."

„O ja?"

„Natuurlijk, je eerste dag zit erop. Persoonlijk vind ik dat wel een reden om uit te gaan."

„Volgens mij vind jij alles een reden om op stap te gaan," meende Shirley.

„Gezellig toch?" Kevin lachte onbekommerd. „Iedere reden om iets te vieren moet je aanpakken. Ellende komt vanzelf op je weg, vreugde moet je maken."

„Tjonge, wat een optimistische levensbeschouwing. En dat op een lege maag," grinnikte Shirley.

„Dat laatste is zo verholpen."

Kevin draaide de wagen de oprit van een knus restaurant in. Hoewel het ingeklemd zat tussen woonhuizen, bood het de illusie van een vrijstaand boerderijtje. De ouderwetse sfeer die het pand uitstraalde, paste absoluut niet in de moderne wijk, maar maakte het des te aantrekkelijker.

„Wat is het hier leuk," riep Shirley dan ook meteen uit. „Zoiets verwacht je niet tussen de nieuwbouw."

„Het stond ook op de nominatie om afgebroken te worden, maar de hele wijk heeft zich daartegen verzet," vertelde Kevin terwijl ze naar de brede toegangsdeur liepen. „Even zag het ernaar uit dat ze het zouden verliezen, omdat er geen bestemming voor was, maar toen kwam een oude studievriend van me met het plan om er een restaurant in te beginnen. Dat voorstel werd goedgekeurd en nu is het het trefpunt voor de hele wijk geworden. Behalve het restaurantgedeelte heeft hij ook een bar en een grote feestzaal."

„Dus je kent de eigenaar? Hm, altijd makkelijk," vond Shirley.

„Zeg dat wel. Als ik ooit nog eens trouw, geef ik hier mijn feestje, dan weet je dat vast," zei Kevin.

Hij keek haar doordringend aan en Shirley draaide blozend haar gezicht weg. Ze wist nooit goed hoe ze moest reageren op dergelijke toespelingen. Dat was vroeger al nooit haar sterkste kant geweest, maar nu had ze er helemaal moeite mee. Zeker als het Kevin betrof. Hij betekende te veel voor haar om een onschuldig flirtpartijtje mee te beginnen, aan de andere kant kreeg ze het benauwd bij de gedachte om zich weer te binden. Daar was ze nog helemaal niet aan toe.

Toch leek de sfeer tussen hen anders die avond, minder vrijblijvend. De entourage van het sfeervolle restaurant met zijn grote planten, intieme hoekjes en gedempt licht werkte daar ook aan mee.

Shirley las in Kevins ogen datgene waar ze naar verlangde, maar waar ze tegelijkertijd bang voor was. Ze wilde het niet, nog niet. Iedere keer als ze zich voorstelde hoe het zou zijn om door Kevin gekust te worden, schoof het beeld van een woedend op haar inslaande Geert op haar netvlies en dreigde ze in paniek te raken. Ze wilde zo graag loskomen van het verleden, maar dat lukte haar maar niet.

„Shirley, wat is er met je?" vroeg Kevin zacht. Hij pakte haar hand en hield die stevig vast, omdat hij voelde dat ze hem direct weer los wilde trekken. „Je doet opeens zo anders, zo geforceerd."

„O ja?" was haar nietszeggende antwoord.

Kevin zuchtte. „Ja. Doe nou niet net of ik achterlijk ben. Ik zie aan je dat er wat aan de hand is en ik zou het erg op prijs stellen als je er gewoon over praat."

„Er is niets. Alleen eh, ik… Nou ja, laat maar." Shirley haalde haar schouders op.

„Niets laat maar," zei Kevin echter onverbiddelijk. „Ligt het aan mij? Heb ik iets verkeerds gezegd of gedaan?"

„Niet direct." Shirley begreep dat ze er niet onderuit kwam om haar gevoelens te tonen. Kevin kon erg vasthoudend zijn, dat wist ze. „We zitten hier als een stelletje en jij gedraagt je ook alsof dat zo is. Ik vind het eng. Het is net of ik een bepaalde richting uit word geduwd die ik helemaal niet wil."

Kevin liet haar hand los en leunde achterover. Shirley zag de trek van pijn die over zijn gezicht gleed.

„Het is niet jouw schuld," voegde ze er haastig aan toe. „Het ligt aan mij, dat weet ik ook wel. Maar ik kan er niets aan doen."

„Ik dacht dat je het verleden inmiddels achter je had gelaten en je klaar was om opnieuw te beginnen. In alle opzichten," zei Kevin.

„Was het maar waar," zuchtte Shirley. „Ik zou niets liever doen dan Geert vergeten, maar het lukt me gewoon niet. Ik droom 's nachts van hem."

„Ik begrijp het." Kevin nam een slok van zijn wijn, zijn hand trilde. „Het spijt me als ik je te veel push Shirley, dat is mijn bedoeling niet. Je weet dat je heel veel voor me betekent, maar ik wil je nergens toe dwingen. Het moet uit jezelf komen, anders heeft het geen waarde."

Shirley knikte. „Misschien was mijn reactie overdreven, maar de hele situatie benauwde me opeens zo," verklaarde ze zacht. „Ik geef heel erg veel om je, maar op de een of andere manier is er iets wat me tegenhoudt om daaraan toe te geven. Iedere keer zie ik Geerts ogen voor me, voel ik weer zijn handen die op me inbeuken." Ze rilde.

„Het is voor je gevoel nog niet af," begreep Kevin. „Er is natuurlijk ook nooit een duidelijk einde aan jullie relatie gekomen, er is niets uitgepraat. Ik denk dat dat je dwarszit, dat je onbewust nog het gevoel hebt dat je bij hem hoort. Misschien helpt het als je hem een brief schrijft waar je duidelijk in uitlegt wat je gevoelens zijn en wat je verder wilt. Dan kun je het afsluiten."

„Misschien heb je gelijk." Shirley schoof haar nog half volle bord met een gebaar van afkeer van zich af. „Het is niet zo dat ik het gevoel heb dat ik nog bij hem hoor, maar hij beheerst nog steeds mijn gedachten. Ik kom gewoon niet los van hem."

„Dan heb je meer tijd nodig. Je hoeft het jezelf niet kwalijk te nemen. Een jaar geleden hield je van hem en wilde je je leven met hem delen, dat is niet zomaar over. Echte liefde roei je niet zo makkelijk uit, ook niet als de andere partij je liefde niet verdient. Je moet alleen oppassen dat je niet te veel vast blijft houden aan het verleden, het moet geen obsessie worden," merkte Kevin op.

„Dat zegt mijn verstand ook, maar zo simpel ligt het niet. Ik hou niet meer van Geert, toch beïnvloedt hij nog steeds mijn gedachten."

„Ik blijf erbij dat dat komt omdat er geen duidelijk eind aan jullie relatie zit," herhaalde Kevin. „Daardoor kun je het ook voor je gevoel niet afsluiten en daar moet je zelf iets tegen doen. Als het verleden te veel invloed heeft op het heden, heeft dat ook effect op de toekomst."

Shirley liet die woorden even op zich inwerken. „Met andere woorden: als ik mijn relatie met Geert niet voor honderd procent achter me kan laten, zal ik nooit echt gelukkig worden," begreep ze.

„Juist. Het is aan jezelf om dat tij te keren. Ik wil je met alle liefde helpen, maar kan niet anders doen dan vanaf de zijlijn toekijken," zei Kevin terwijl hij opstond en haar jas pakte.

„O nee, dat is niet waar. Je helpt me veel meer dan je zelf beseft. Al is het maar omdat ik er met je over kan praten en je me de realiteit laat zien. Zonder jou had ik nog steeds depressief in een hoekje zitten piekeren," zei Shirley spontaan.

Met de armen om elkaar heen liepen ze naar het parkeerterrein. Nu kon ze wel weer onbevangen met hem omgaan zonder dat ze het benauwd kreeg. Shirley wist dat Kevin haar gevoelens respecteerde en dat gaf haar een veilig gevoel. Het was nu inderdaad aan haar om de weg voor hen beiden te effenen. Ze had het zelf in de hand om weer gelukkig te worden.

Het idee om Geert een brief te schrijven waarin ze, althans voor haar gevoel, een duidelijk eind aan de periode met hem maakte, stond haar wel aan, maar het duurde nog een aantal dagen voor ze dat plan ook uitvoerde. Het viel niet mee om een dergelijk epistel juist te formuleren, ontdekte ze. Avonden lang zat ze aan haar vertrouwde secretaire, in gedachten steeds weer nieuwe zinnen bedenkend die uit moesten drukken hoe ze zich voelde. Het was moeilijk, maar het hielp haar inderdaad. Door het constante onder woorden brengen van het verloop van hun relatie, kreeg ze alles op een rijtje. Ze ontdekte wat ze zelf fout had gedaan, van het begin af aan.

Ze was zo gelukkig geweest met een man die van haar hield, dat ze de realiteit uit het oog had verloren. Ineens had alles in het teken van Geert gestaan, haar eigen persoonlijkheid verdween. Als hij maar gelukkig was, dan was zij het ook. Zijn jaloezie en bezitsdrang had ze niet als hinderlijk, maar als vleiend ervaren, terwijl dat toch de eerste tekenen waren dat er iets niet klopte. Ze had het aan kunnen zien komen allemaal, als ze haar ogen niet had gesloten voor zijn fouten. Vanaf het prille begin had ze overal aan toe gegeven omdat ze hem niet kwijt wilde raken en daar had ze een hoge prijs voor moeten betalen.

Het was niet zo dat Shirley alle schuld bij zichzelf legde, maar ze besefte dat ze wel hard had meegewerkt aan haar eigen mishandeling. Geerts gedrag was absoluut niet goed te praten, maar zij had het willoos laten gebeuren. Dat ze zijn karakter niet meteen had ingeschat was niet zo vreemd, liefde maakt tenslotte blind, maar ze had bij de eerste klap al weg moeten gaan. Alicia had al die tijd gelijk gehad met haar opmerkingen dat zij, Shirley, zich liet mishandelen en dat het ook aan haarzelf lag om daar een eind aan te maken. Ze was uit vrije wil bij hem gebleven en daarmee had ze hem als het ware een vrijbrief gegeven om zich te gedragen zoals hij wilde.

Langzaam kwam er duidelijkheid voor Shirley. Het opschrijven van hun hele relatie en de gevoelens die ze daarbij had, gaf rust in haar hoofd. Na vijf avonden had ze het hele verhaal compleet. Het was een verward geheel geworden, maar dat gaf niet. Ze was het kwijt, daar ging het om.

Shirley besefte dat ze deze hele stapel papieren, vol met doorhalingen en chaotische hersenspinsels, onmogelijk aan Geert kon versturen, al had ze het dan rechtstreeks op zijn persoon geschreven. Op dat tijdstip had ze echter de moed niet meer om opnieuw een brief te schrijven, een duidelijke ditmaal. Het was halftwee 's nachts en ze voelde zich volkomen leeg en uitgeput. Morgen, nam ze zich voor. Dan was het zaterdag en zou ze het hele verhaal op haar gemak doorlezen en het belangrijkste opnieuw opschrijven om te versturen.

Ze borg de stapel papier op in haar secretaire en wreef even liefkozend over het bekraste hout. Weer had ze steun gevonden bij dit oude meubelstuk, net als vroeger. Het was triest om te bedenken dat dit stuk hout het enige constante in haar leven was. Alle mensen die in haar leven aanwezig waren op het moment dat ze de secretaire kreeg, was ze onderweg kwijtgeraakt. Haar ouders, haar broers, Alicia.

Shirley rilde en stond op. Er was rust in haar hoofd gekomen door alles op te schrijven, maar ze kon niet zeggen dat ze zich ook beter voelde. De confrontatie met Geert, al was het dan alleen in haar hoofd, had alles weer heel dichtbij gebracht. Niet alleen de angstige momenten waarop ze gelaten de klappen afwachtte, maar ook en vooral de goede periode in het begin.

Hun urenlange gesprekken, de gezamenlijke uitstapjes en etentjes, de bewuste avond in de duinen toen hij haar zijn liefde had verklaard, het moment dat hij die ring aan haar vinger schoof, alles kwam weer terug.

Shirley kwam tot de ontstellende ontdekking dat ze hem miste. Niet de Geert waar ze mee in één huis had gewoond, maar de Geert zoals ze hem in eerste instantie had leren kennen. De perfecte man. Altijd lief en zorgzaam en met een groot gevoel voor humor. Nog steeds vroeg ze zich regelmatig met verbijstering af hoe iemand zich zo anders voor kon doen dan hij werkelijk was. Het maakte haar bang voor een nieuwe relatie, zelfs met Kevin. Ze durfde het risico gewoon niet aan.

Kon ze de tijd maar terugdraaien naar de eerste weken van haar vriendschap met Geert, de periode waarin ze van hem begon te houden. Toen was ze echt volmaakt gelukkig geweest. Voor het eerst van haar leven en tot nu toe ook voor het laatst.

Shirley pakte haar handtas en haalde er een foto uit van Geert en zichzelf, gemaakt in de eerste, gelukkige begintijd. Ze had het nooit over haar hart kunnen verkrijgen om deze foto weg te gooien. Lang staarde ze naar de afbeelding van de twee mensen die zo stralend naar de camera lachten, de tranen stroomden over haar wangen.

Waarom toch?

Het was laat voor ze die avond, of liever gezegd nacht, haar bed instapte. Shirley voelde zich rusteloos en bibberig. Ondanks alles wat ze alweer bereikt had sinds ze bij Geert weg was, was het toch erg confronterend geweest om zo bezig te zijn met wat er was gebeurd.

Zodra ze in slaap viel merkte ze dat ze ermee bezig was, want de inmiddels bekende nachtmerrie van een woedende Geert stak meteen de kop op. Angstig schoot Shirley overeind. Deze keer was haar droom wel heel reëel geweest! Onwillekeurig doorzocht ze haar woning op de aanwezigheid van ongewenste personen, maar natuurlijk vond ze niets. Desondanks klopte haar hart in haar keel. Het was bijna of ze Geerts aanwezigheid lijfelijk voelde. De wetenschap dat Benno en Lydia op vakantie waren en ze dus helemaal alleen in het grote huis was, werkte ook niet echt mee om zich veiliger te voelen.

Het normaal zo probate middel om even rond te lopen en wat water te drinken, zodat ze goed wakker werd, hielp deze keer niet. Ook de tweede keer dat Shirley in slaap was gevallen werd ze geconfronteerd met het beeld van Geert. In haar slaap woelde ze rusteloos heen en weer, krampachtig proberend van hem weg te komen. Maar het lukte niet, het leek wel of haar voeten vast gelijmd zaten aan de vloer. Machteloos zag ze zijn dreigende figuur steeds dichterbij komen, er lag een sardonische grijns op zijn gezicht. Op het moment dat hij zijn arm hief en een hol gelach Shirleys oren vulde, schoot ze met een gil wakker.

Trillend ging ze overeind zitten, het zweet liep van haar gezicht en haar rug af. Was het wel een droom geweest? In haar overspannen verbeelding meende Shirley voetstappen boven haar hoofd te horen. Ze was nog nooit zo bang geweest als op dat moment. In wilde paniek pakte ze haar draadloze telefoon die ze 's avonds altijd op haar nachtkastje legde en met moeite toetste ze het nummer van Kevin in.

„Hallo?" Zijn stem klonk slaperig, maar hij was meteen klaarwakker bij het horen van de paniek in Shirleys stem. „Shirley, wat is er?" schreeuwde hij door de hoorn.

„Ik... Geert..." zei Shirley onsamenhangend. „Ik ben zo bang!"

„Ik kom eraan," zei Kevin kort.

Hij smeet de telefoon neer. Onderweg naar de deur schoot hij haastig in een broek en trui, met blote voeten stapte hij in zijn schoenen. Het kostte te veel tijd om sokken of een jas aan te trekken. Binnen twee minuten na het bewuste telefoontje scheurde Kevin van de parkeerplaats af. Gelukkig was het op dit tijdstip van de nacht rustig op de weg, want echt aandacht voor het overige verkeer had hij niet. De angst voor wat er met Shirley aan de hand was, benam hem bijna de adem. Het had geklonken alsof Geert haar huis binnen was gedrongen en Kevin werd gek bij de gedachte aan wat hij haar aan kon doen.

Shirley zat nog steeds overeind in bed, haar dekbed stevig om zich heen getrokken, alsof ze bescherming zocht. Met intense opluchting hoorde ze even later het vertrouwde geluid van Kevins auto die voor de deur stilhield. Hij had een sleutel, dus ze hoefde gelukkig niet door de donkere gang heen om open te doen.

„Shirley! Shirley, waar ben je?" galmde zijn stem door het lege huis.

„Hier," piepte ze onlogisch.

Hij was al bij haar en trok haar direct in zijn armen. In het besef dat ze niet langer alleen was, barstte Shirley los in een wilde huilbui terwijl Kevin over haar haren streelde. Een heerlijk, geruststellend gevoel.

„Huil maar even uit, je bent lang genoeg flink geweest," zei hij zacht. Ondertussen namen zijn ogen de kamer goed in zich op. Er waren geen sporen van een inbraak of een worsteling, realiseerde hij zich met dankbaarheid.

Nadat ze wat gekalmeerd was, bevestigde Shirley dat. „Ik droomde van hem," vertelde ze nog nasnikkend. „Zo levensecht. Toen ik wakker werd dacht ik dat hij hier was en raakte ik in paniek."

„Heb je daar vaker last van?" informeerde Kevin bezorgd.

Shirley knikte stil. Ze huiverde en voelde onmiddellijk weer die veilige druk van zijn armen om haar heen. „Regelmatig, maar nooit zo intens als deze keer. Ik denk dat het komt omdat ik de laatste dagen zoveel met hem bezig ben geweest. Ik ben bezig om jouw advies op te volgen en hem te schrijven."

„En lukte dat?" vroeg Kevin zacht toen het lange tijd stil bleef.

„Ik heb nog geen geschikte, samenhangende brief voor Geert, als je dat bedoelt. Maar ik heb wel heel veel geschreven. Toen ik eenmaal begonnen was kon ik er niet meer mee ophouden, alles kwam weer boven. Alle facetten van onze relatie heb ik al schrijvende weer beleefd."

„Geen wonder dat je nachtmerries krijgt."

Kevin streelde haar wang. Het stemde hem gelukkig dat ze in haar paniek hem gebeld had en niet iemand anders. Tevreden leunde Shirley tegen hem aan. Nu was alles goed en voelde ze zich weer prettig. Ze hoopte dat Kevin niet meteen weg zou gaan nu ze gekalmeerd was.

„Zal ik koffie zetten?" vroeg ze dan ook in een poging dat moment zo lang mogelijk uit te stellen.

Kevin schudde echter zijn hoofd. „Niets ervan. Als je nu koffie gaat drinken blijf je de rest van de nacht wakker," zei hij beslist. „Je gaat lekker slapen."

„Dat durf ik niet," bekende Shirley.

Hij zag de angst in haar ogen en wist dat ze dat meende.

„Ik blijf bij je," zei hij geruststellend. „Maak je geen zorgen, ik ga niet weg."

„Jij moet toch ook slapen?" meende Shirley logisch. „Je kunt moeilijk met dat lange lijf van je op mijn tweezitsbank gaan liggen, dan ben je straks gebroken."

Kevin aarzelde slechts even. „Ik kom lekker naast je liggen," zei hij toen resoluut. „Er gebeurt niets, daar hoef je niet bang voor te zijn, maar ik wil niet dat je nu alleen bent. Dan komt die droom gegarandeerd weer terug."

„Bij jou ben ik nooit bang," zei Shirley eenvoudig.

Gewillig schoof ze een stuk opzij en in het veilige besef dat Kevin bij haar was en haar beschermde, viel ze voor de derde keer in slaap. Ditmaal rustig en droomloos, met een tevreden trek op haar gezicht en een glimlach om haar lippen.

Kevin had meer moeite om de slaap te vatten. Met Shirley zo dicht naast hem kostte het hem de grootste moeite om zich te beheersen en haar niet te overladen met zoenen. Hij hield ontzettend veel van haar, dat was hem vannacht eens te meer duidelijk geworden.

De angst die hij om haar gevoeld had op weg hiernaartoe zou hij niet licht meer vergeten. Met alles wat in hem was hoopte hij dat Shirley zich spoedig helemaal los kon maken van Geert, zodat de weg vrij was voor hen samen. Hij wilde niets liever dan Shirley openlijk zijn liefde verklaren en zijn leven met haar delen. Shirley was alles voor hem. Zijn lucht, zijn water, zijn leven.

Dromend over een gezamenlijke toekomst, waarin geluk centraal stond, dommelde Kevin toch in een lichte slaap, waaruit hij enkele uren later verkwikt wakker werd, ondanks zijn korte nachtrust.

Met een intense blik keek hij naar Shirley, die nog rustig lag te slapen, met haar gezicht naar hem toe. Hij zag haar verwarde haren op het kussen, de lange wimpers die op haar fris gekleurde wangen rustten, de iets geopende, volle mond. Hij kon zich niet bedwingen. Voorzichtig boog hij zich over Shirley heen en heel zacht beroerden zijn lippen de hare. Op hetzelfde moment opende ze haar ogen.

„Goedemorgen schoonheid," zei Kevin teder.

Shirley glimlachte naar hem en plotseling lagen ze in elkaars armen. Hun opgekropte gevoelens zochten hongerig naar een uitweg. De eerste echte zoen was een sensatie en Shirley protesteerde niet toen Kevins hand onder haar dunne nachtjapon verdween. Huiverend van genot kroop ze tegen hem aan, zich overgevend aan dit heerlijke, gelukzalige gevoel. Praten deden ze niet, dat kwam later pas toen ze loom en bevredigd tegen elkaar aan lagen. De zon scheen al uitbundig, maar dankzij de dikke gordijnen was het schemerig in Shirleys slaapkamer. Een intieme schemering.

„Spijt?" vroeg Kevin zacht.

Shirley schudde haar hoofd, maar keek hem niet aan. „Dat niet, maar ik vind het niet helemaal eerlijk tegenover jou," antwoordde ze.

Kevin begon te lachen. „Lieve schat, je hebt me zojuist de gelukkigste man ter wereld gemaakt, dus maak je daar maar geen zorgen over."

Zijn stem klonk plagend en liefdevol.

„Dat bedoel ik juist," zei Shirley echter. Ze richtte zich op en keek naar het vertrouwde gezicht dat op haar kussen lag. „Dit betekent niet… Ik bedoel…" Ze begon te hakkelen en stokte, niet wetend hoe ze haar gevoelens precies onder woorden moest brengen.

„Je moet niet zoveel piekeren," zei Kevin. „Ik weet toch hoe het met je gesteld is? Jij bent nu eenmaal geen type dat moeiteloos van het ene paar armen in het andere rolt, daarom hou ik juist zoveel van je. Ik heb een eindeloos geduld als het moet. Ik weet dat je de kwestie Geert eerst wilt afhandelen, maar ik weet ook dat de dag dat ik je helemaal de mijne mag noemen niet ver meer af is. Hou je van me?"

Shirley knikte met tranen in haar ogen, dankbaar voor zijn begrip. „Ja," voegde ze er ten overvloede aan toe.

„Dan komt toch immers alles goed?" zei hij simpel. „De toekomst is voor ons samen en wanneer die begint… Ach, dat maakt niet zoveel uit."

„Jij bent zekerder van mij dan dat ik het zelf ben," merkte Shirley op.

„Ik worstel nog steeds met alles en ben er helemaal niet van overtuigd dat ik mijn leven voor de volle honderd procent kan delen met een man."

„Ik wel, dat bewijs heb je me net geleverd. Onbewust weet je dat je bij me hoort. Anders had je me vannacht in je paniek niet gebeld en had je je daarnet niet aan me overgegeven."

„Veel keus had ik niet," plaagde Shirley hem. „Je lag al zowat boven op me toen ik wakker werd."

„Schooier."

Kevin woelde door haar haren, maar Shirley trok zich los en glipte haar bed uit. Snel trok ze een ochtendjas aan, ze voelde zich toch wat ongemakkelijk zo in haar blote lichaam. Ze was blij dat Kevin er niet automatisch vanuit ging dat ze nu een echte relatie hadden, al besefte ze dat ze hem niet eeuwig kon laten wachten. Maar ze moest de periode Geert eerst definitief voor zichzelf afsluiten, dan zou ze wel verder zien. Ze was er nog steeds niet uit, ondanks het feit dat ze van Kevin hield. Ze had echter ook van Geert gehouden, waarschijnlijk meer dan goed voor haar was.

Wat er net voorgevallen was tussen Kevin en haar had eigenlijk niet mogen gebeuren, realiseerde Shirley zich terwijl ze onder de douche stond. Kevin was te goed om gebruikt te worden, maar zijn aanwezigheid in haar bed had een storm in haar lichaam teweeggebracht die ze niet had kunnen weerstaan. Ze was echter niet uit op een herhaling en dat zei ze hem eerlijk toen ze later tegenover elkaar aan de ontbijttafel zaten. Kevin reageerde totaal niet beledigd, waar ze eigenlijk wel bang voor was geweest.

„Ik begrijp het," zei hij alleen kalm.

„O ja?" Shirley legde haar mes, waar ze net een boterham mee had gesmeerd, neer. „Dat vind ik knap. Ik begrijp mezelf namelijk niet eens," zei ze mismoedig. Ze stond op en schonk nog een kop koffie in, de derde al die ochtend.

„Je wordt een echte cafeïnejunk," zei Kevin bestraffend.

„Beter dan een alcoholist. O Kevin, wat moet ik nu? Ik weet het allemaal niet meer. Ik wil heel graag bij je zijn en heb genoten daarnet, maar op de een of andere manier voelt het achteraf toch niet goed. Ik word langzamerhand gek van het piekeren."

„Laat het rustig betijen," adviseerde hij. „Je hart geeft op een bepaald moment zelf wel aan wat je wilt en wat je moet doen. Je bent gewoon onzeker en durft geen verregaande beslissingen meer te nemen omdat het een keer radicaal fout is gelopen. Maar je hoeft nog niet te beslissen, de tijd lost dat vanzelf op."

„Zou je denken?" vroeg Shirley onzeker.

„Daar ben ik van overtuigd," verzekerde hij haar. „Alleen…" Hij aarzelde even voor hij verder sprak. „Ik wil liever wat afstand nemen. Vat dit niet verkeerd op Shirley. Desnoods wacht ik nog jaren op je als het moet, maar niet in je onmiddellijke nabijheid. Kom naar me toe als je weet wat je wilt, niet eerder."

„Is dit een soort van ultimatum?"

Kevin schudde zijn hoofd. „Absoluut niet. Ik doe dit ten eerste om het voor jou makkelijker te maken, zodat je je nergens toe gedwongen voelt en ten tweede om mezelf te beschermen. Vannacht en vanochtend heb ik pas echt gemerkt hoeveel ik van je hou, ik weet eerlijk gezegd niet of ik het aankan om steeds in je nabijheid te zijn op platonische basis. Vooral niet na daarnet. Voor je het weet wordt dat een gewoonte en verzanden we auto-

matisch in een relatie waar je niet honderd procent voor gekozen hebt."

Shirley luisterde stil naar zijn uiteenzetting. Ze wist dat hij gelijk
had, toch zou ze hem het liefst toe willen schreeuwen dat hij bij
haar moest blijven. Waarom deed ze het dan niet? Wat hield
haar tegen? Hij wachtte op een dergelijk teken, dat wist ze. De
eerste stap naar een serieuze relatie zou van haar moeten
komen.

Shirley vroeg zich wanhopig af of ze die stap ooit zou kunnen
zetten. Kevin was er rotsvast van overtuigd dat ze de obstakels
uit het verleden kon overwinnen, zijzelf was daar echter niet zo
zeker van. Geert had haar te diep verwond om daar luchtig overheen te stappen. Ze wist dat Kevin een andere opvoeding had
gehad, geestelijk veel sterker in zijn schoenen stond en een
totaal ander karakter bezat dan Geert en toch durfde ze de stap
niet te nemen. Iedere keer als ze dacht dat ze sterk genoeg was
moest ze weer terugdenken aan de begintijd met Geert. Hij was
het droombeeld van de ideale man heel dicht benaderd en toch
was het op zo'n gigantische manier fout gelopen.

Shirley wilde niets liever dan alles achter zich laten en gewoon
gelukkig worden met Kevin, ze begreep zelf niet goed wat haar
tegenhield.

Het afscheid even later was moeilijk. Op het moment dat Kevin
de deur uit wilde lopen, rende Shirley naar hem toe en sloeg
haar armen om hem heen.

„Wil je dat ik blijf?" vroeg hij zacht.

Even aarzelde ze. De verleiding was ontzettend groot om niet
verder na te denken en gewoon ja te antwoorden. Dan konden
ze samen verder gaan en had ze in ieder geval de illusie dat het verleden voorbij was. Maar het zou niet echt goed
zijn, besefte Shirley op hetzelfde moment. Het zou een beslissing zijn die gebaseerd was op onzekerheid en eenzaamheid en
niet een weloverwogen keuze die recht uit haar hart kwam.

„Nee, ga maar," zei ze schor.

Ze draaide haar gezicht af, maar hij legde zijn handen eromheen
en dwong haar hem aan te kijken.

„Bel me als je me nodig hebt," zei hij dringend. „Ik wil afstand
nemen, niet uit je leven verdwijnen. En kom onmiddellijk naar

me toe als je een besluit hebt genomen, ik wacht op je."

Na nog een laatste zoen verdween hij en Shirley had het akelige gevoel dat het voorgoed was. Maar dat was onzin, hield ze zichzelf voor. Eén woord van haar en hij kwam terug.

De eerste uren na zijn vertrek liep ze doelloos door haar huis, toen realiseerde ze zich dat ze iets moest doen. Waar-schijnlijk had Kevin het juiste besluit genomen door tijdelijk uit haar gezichtsveld te verdwijnen, nu werd ze tenminste gedwongen om actie te ondernemen in plaats van alles maar aan te laten slepen. Als ze hem terug wilde, moest ze daar zelf aan werken. Shirley schoof aan haar secretaire en pakte haar schrijfblok. Nu lukte het haar ineens wel om Geert haar gevoelens te schrijven en hem mee te delen dat ze een punt achter het verleden wilde zetten. Diezelfde middag gooide ze de brief op de bus, per adres aan zijn ouders, in de hoop dat ze hem doorgaven aan Geert. Voor de zekerheid had ze geen afzender op de envelop gezet.

De simpele handeling van het posten van haar hartenkreet gaf haar een bevrijd gevoel.

In de dagen die volgden functioneerde Shirley op de automatische piloot. Ze werkte, at en sliep, maar haar hart was nergens bij betrokken. Ze wachtte op iets, maar wist zelf niet waarop. Het was een vreemde periode, net of al haar gevoelens uitgeschakeld waren.

Haar hersens werkten daarentegen volop. Zonder Kevin, waar ze steeds op terug kon vallen, moest ze wel zelfstandig nadenken. Meteen nadat ze bij Geert weg was gegaan, was ze bij Kevin in huis gekomen en hadden ze een hechte vriendschap ontwikkeld. Nu was ze voor het eerst weer op zichzelf teruggeworpen, zonder man om zich heen. Het was net of haar relatie met Geert automatisch was overgegaan in een relatie met Kevin, zonder dat ze daar zelf een keus in had gemaakt. Kevin was er gewoon altijd, dus ze hoefde ook niets te beslissen.

Hoewel ze hem heel erg miste, was het eigenlijk best wel prettig om een tijdje alleen te zijn. Zo besefte ze tenminste weer dat ze een eigen persoonlijkheid had en ze niet het verlengstuk was van welke man dan ook. Het bewees haar dat ze weer sterk genoeg was om alleen te leven, net als vroeger.

Single Shirley. Ze glimlachte toen haar bijnaam uit die periode bij haar opkwam. Ze hoopte dat ze die binnenkort voorgoed af kon leggen, maar wist meteen dat ze zichzelf nooit meer zo zou wegcijferen. Straks zou ze dan geen Single Shirley meer zijn, maar in ieder geval wel Shirley. Iemand met eigen ideeën en een eigen inbreng in een gelijkwaardige relatie. Ze voelde dat ze er naartoe groeide en leefde in het prettige besef dat ze niets hoefde te forceren. Kevin hield van haar en had respect voor haar gevoelens, hij was er juist pertinent op tegen dat ze de zaken overhaastte. Shirley betrapte zichzelf erop dat ze steeds vaker dacht in termen als: straks met Kevin, en als ik bij Kevin ben. Hij had meer dan gelijk gehad met zijn bewering dat de tijd voor haar zou werken, daar kwam ze steeds meer achter. Eens zou ze met volle overtuiging haar leven aan dat van hem kunnen verbinden, al wist ze nog niet wanneer.

En toen kwam de dag dat de brief van Geert op haar mat lag, een antwoord op haar epistel aan hem. Zijn afzender stond wel openlijk op de envelop vermeld en Shirley gooide hem op tafel alsof ze haar vingers eraan gebrand had. Een brief van Geert! Net nu ze weer vertrouwen in de toekomst begon te krijgen, kwam het verleden weer om de hoek! Maar dat had ze natuurlijk kunnen verwachten.

Als hij maar niet dacht dat ze nu een correspondentie gingen voeren, dacht Shirley met galgenhumor. Voor haar was de periode Geert definitief afgesloten.

Langzaam trok ze haar jas uit en zette water op voor koffie, het moment van het lezen van de brief zo lang mogelijk uitstellend. Op een gegeven moment had ze echt niets meer te doen en met tegenzin pakte ze de envelop van tafel. Ze kon hem natuurlijk ongeopend retour sturen, schoot het even door haar heen. Maar nee, dat zou niet eerlijk zijn. Zij had haar zegje gedaan, hij had het recht om daarop te reageren.

Plotseling resoluut scheurde ze de envelop open en pakte het beschreven velletje papier eruit. Op het puntje van haar stoel gezeten vlogen haar ogen over de regels, daarna liet ze zich tegen de rugleuning zakken, haar hoofd vol verwarde gedachten. Nog eens las ze wat hij geschreven had, deze keer rustiger om de woorden goed tot zich door te laten dringen.

Lieve Shirley, was de aanhef. *Bedankt voor je brief waarin je zo eerlijk was tegen me. Het was hard, maar ik kan niet anders doen dan je volledig gelijk geven. Er zijn geen excuses voor mijn gedrag tegenover jou. Niemand heeft het recht een ander zijn wil op te leggen, ook niet in een liefdesrelatie. Het enige wat ik tot mijn verdediging aan kan voeren is het bedrog van Evelien destijds, dat heeft me enorm aangegrepen en ik had mezelf bezworen dat dat me nooit meer zou overkomen. Zoals je van mijn moeder hebt gehoord, ben ik opgenomen in een psychiatrische kliniek en dat is het beste wat me ooit overkomen is. Voor het eerst leer ik nu met mijn problemen en gevoelens om te gaan, in plaats van ze af te reageren op een ander. Ik heb nog veel te verwerken en te leren, maar heb er alle vertrouwen in dat dat gaat lukken. Het gaat goed met me, ik hoop dat dat voor jou ook geldt. Maak iets van je leven, laat het niet te veel beïnvloeden door alles wat er tussen ons voorgevallen is. Ik weet uit ervaring hoe negatieve gebeur-*

tenissen uit het verleden hun weerslag kunnen hebben op de
toekomst. Laat dat niet gebeuren. Ik heb spijt van alles wat ik
je aangedaan heb en kan alleen maar hopen dat je het me ooit
kunt vergeven. Geert.

De brief eindigde abrupt, maar meer was er ook niet te zeggen. Lang bleef Shirley ermee in haar handen zitten, steeds opnieuw een stukje lezend. Heel langzaam leek het of haar hart weer begon te leven. Het ging goed met Geert en daar was ze blij om. Ze gunde hem het allerbeste in zijn leven en was niet verbitterd door wat hij gedaan had, het beste bewijs dat ze in staat was het achter zich te laten. Geert was niet de pure slechterik zonder geweten, die ze de laatste tijd in hem had gezien. Hij was een mens met fouten en zwakheden zoals ieder ander. Bij hem waren ze op een extreme manier tot uiting gekomen, maar daar waren verontschuldigingen voor en hij was bereid er iets aan te doen, iets wat niet van ieder mens gezegd kon worden.

Iedereen was anders en daarom bracht ook iedere relatie een risico met zich mee. Plotseling was Shirley echter bereid dat risico te nemen. Met Kevin. Ook hij was niet volmaakt, maar dat hoefde niet. Zij was zelf ook niet bepaald zonder fouten, maar ze hielden van elkaar. De periode met Geert had haar geleerd hoe het niet moest in een relatie en ze was nu in staat om het geleerde in praktijk te brengen. Dat besef drong in één klap tot haar door.

Deze brief was het teken waar ze onbewust op had gewacht, het startsein om opnieuw te beginnen. Een groot geluksgevoel doorstroomde haar lichaam.

Ineens kreeg Shirley haast. Nu ze haar besluit genomen had, kon ze niet wachten om het Kevin te vertellen. Ze verlangde er intens naar om hem te zien, om zijn armen om haar heen te voelen. Het was een moeilijke tijd geweest, maar wel de moeite waard. Haar hart en hoofd waren nu helemaal vrij voor Kevin en zo hoorde het ook. Ze hadden samen op dit moment gewacht en nu was het zo ver!

Het openbaar vervoer zou te veel tijd kosten, dus belde Shirley impulsief een taxi. Ze miste de rust om die binnen op te wachten en besloot vast buiten voor de deur te gaan staan, zodat ze zo snel mogelijk in kon stappen als hij arriveerde. Ze wenste dat ze een teletijdmachine bezat, zodat ze zich in een flits kon verplaatsen naar haar geliefde.

Op het moment dat Shirley de buitendeur opende, werd ze bijna onder de voet gelopen door Lydia en Benno, die met koffers en tassen binnen kwamen.

„Daar zijn we weer!" riep de eerste uitbundig. „We hebben het enorm naar onze zin gehad, maar nu snak ik naar echte Hollandse koffie. Heb je toevallig een pot staan?"

„Dat zou er inderdaad wel ingaan," bromde Benno.

Even aarzelde Shirley. Ze kon over een uur ook naar Kevin gaan, al wilde ze het liefst zo snel mogelijk bij hem zijn. Lydia en Benno waren haar vrienden, het minste wat ze kon doen was hen een gezellige thuiskomst bezorgen na hun vakantie. Ineens schudde ze echter vastberaden haar hoofd. Nee, ze deed het niet! Het was prima om iets voor een ander te doen, maar ze had niet voor niets besloten zichzelf niet meer weg te cijferen. In sommige gevallen ging haar eigen belang voor en dat was nu zeker het geval.

„Het spijt me," zei ze dan ook verontschuldigend. „Ik sta net op het punt om weg te gaan en dat kan niet wachten."

„Is er iets aan de hand?" informeerde Lydia meteen bezorgd.

Shirley schudde haar hoofd. „Nee, niets om je zorgen over te maken tenminste. Ik ga naar Kevin toe, ik moet hem iets vertellen."

„Iets belangrijks?" vroeg Lydia weer. Bij het zien van Shirleys stralende ogen begon ze iets te begrijpen.

„Héél belangrijk," bevestigde Shirley. „Daar is mijn taxi, ik ga. Misschien zie ik jullie straks nog, anders morgen."

„Het zal morgen wel worden," mompelde Lydia nog, maar Shirley hoorde haar niet meer.

In gespannen afwachting zat ze in de wagen, ieder rood verkeerslicht verwensend. Het gaf haar een prettig gevoel dat ze voor zichzelf gekozen had daarnet, al betrof het slechts een futiliteit. Vroeger zou ze onmiddellijk haar taxi afgebeld hebben ten behoeve van haar vrienden, tegenwoordig vond ze zichzelf ook belangrijk. En dat moest ook. Je kon onmogelijk een volwaardige relatie aangaan als je niet van jezelf hield, dat besefte Shirley voor het eerst. Een relatie moest een aanvulling zijn op wie je was en op wat je had, geen doel op zich.

De rit leek uren te duren, maar eindelijk draaide de taxi dan toch de straat in waar Kevin woonde. Gelukkig, er brandde licht, dus hij was thuis, zag Shirley. Bij de mogelijkheid dat hij er niet zou zijn had ze niet eens stilgestaan in haar zenuwen.

Bibberig drukte ze op de bel. Kevin deed meteen open, zijn ogen lichtten verwachtingsvol op bij het aanschouwen van zijn bezoekster.

„Shirley!"

„Ben ik nog welkom?" vroeg ze kleintjes.

„Jij altijd. Kom binnen."

Nerveus liep ze de bekende huiskamer in. Ineens wist ze niet meer wat ze moest zeggen en Kevin maakte het haar niet makkelijker. Eigenlijk had ze verwacht en gehoopt dat hij haar meteen zou omhelzen en dat het dan automatisch vanzelf goed zou zitten tussen hen, maar hij maakte geen aanstalten in die richting. Het eerste woord moest duidelijk van haar komen.

„Ik heb een brief gekregen van Geert," begon ze omdat ze toch iets moest zeggen. Ze haalde hem uit haar tas en overhandigde hem aan Kevin, die hem zwijgend aanpakte. „Lees hem maar."

Shirley observeerde hem terwijl zijn ogen over de dichtbeschreven regels vlogen. Wat hield ze ontzettend veel van deze man! Hierbij vergeleken waren haar gevoelens voor Geert kinderspel geweest.

Toen Kevin de brief liet zakken was zijn gezicht bleek geworden. „Dus dat kom je me vertellen?" vroeg hij. „Dat je het hem vergeeft en de draad weer op wilt pakken met hem? Nou, dan wens ik jullie veel geluk." Zijn stem klonk sarcastisch.

„Hoe kom je daar nu bij?" Shirley liep op hem toe en pakte zijn hand. „Ik kom je vertellen dat ik hem heb vergeven ja, maar meer niet. Ik kan het verleden nu achter me laten, Kevin."

Hij hield hoorbaar zijn adem in, kon nog niet geloven dat nu echt het moment was aangebroken waar hij zo intens naar had verlangd.

„Dus?" vroeg hij gespannen.

Shirley lachte zacht. „Je wilt het echt expliciet horen hè?" zei ze plagend. „Maar dat heb je ook wel verdiend." Ze legde haar handen om zijn gezicht, keek hem diep in zijn ogen en zei langzaam, maar duidelijk: „Ik hou van je, Kevin. Met heel mijn hart."

De juichkreet waarmee hij haar in zijn armen trok vulde de hele kamer.

„Eindelijk," verzuchtte hij voor zijn lippen de hare raakten.

En toen vergaten ze alles om zich heen. Alles wat in het verleden was gebeurd, schoof naar de achtergrond, het enige wat nog telde was hun diepe, oprechte liefde. Een liefde die al bewezen had verder te reiken dan een kortstondige verliefdheid.

De zon scheen uitbundig over het lege kerkhof. Hand in hand liepen Shirley en Kevin tussen de graven door. Zoveel mensen hadden hier hun laatste rustplaats gevonden, allemaal mensen met een eigen verhaal. Ook Alicia.

Met een brok in haar keel knielde Shirley bij de gedenksteen van haar beste vriendin. Zorgvuldig schikte ze de bloemen die ze meegenomen hadden in de daarvoor bestemde vaas. Ze hadden samen besloten om hierheen te gaan, om Alicia toch deelgenoot te maken van hun geluk. Ze hoorde erbij, nog steeds. Dat gevoel zou ook nooit meer overgaan.

„Kevin en ik gaan samen verder," zei Shirley zacht tegen de marmeren steen. „Dank zij jou. Jij hebt me de kracht gegeven om mijn eigen leven op te pakken, zelfs na je dood. Dank je voor alles."

De tranen stroomden over haar wangen, maar ze schaamde zich er niet voor. Blindelings tastte ze naar Kevins hand, die hem meteen vastpakte in een warme, stevige greep. Door haar tranen heen glimlachte Shirley naar hem.

„Denk je dat ze het weet, dat ze ergens, waar dan ook, op ons neerkijkt?" vroeg ze.

„Vast wel," sprak hij vol vertrouwen terwijl hij Shirley overeind hielp. „Ze heeft ons een handje geholpen, daar ben ik van overtuigd. Alicia heeft altijd gezegd dat jij en ik een leuk stel zouden vormen."

„Daar heeft ze gelijk in gekregen. Het is net of ze jou op mijn weg geplaatst heeft toen ze me zelf niet meer kon helpen."

„Wie weet. Er is meer tussen hemel en aarde dan wij mensen kunnen bevatten," filosofeerde Kevin.

Met de armen om elkaar heen geslagen liepen ze terug over het zandpad. Het ijzeren hek sloot met een zachte klik achter hen en langzaam vervolgden ze hun weg. Ondanks hun verdriet en het constante gemis van hun zus en vriendin, overheerste het geluk.

Shirley voelde zich veilig, vertrouwd en beschermd bij Kevin, maar bovenal kon ze zichzelf zijn bij hem. Shirley. Haar bijnaam van vroeger, Single Shirley, was definitief verleden tijd.

Hand in hand lieten ze het kerkhof achter zich. Samen gingen ze het leven tegemoet.

Alsnog de hoofdprijs

HOOFDSTUK 1

Zoals iedere morgen gooide Andrea van Alphen de ramen van haar slaapkamer wijd open. Dat was een vast ritueel, ondanks het vaak slechte weer.

Ze zat vol met vaste, ingeroeste gewoontes, dacht ze een beetje bitter. Ze was vierentwintig, maar soms leek het wel of ze het leven leidde van een bejaarde. Op vaste tijden opstaan, werken, eten en slapen, weinig sociale contacten en een wereld die niet veel groter was dan haar tweekamerflatje en de boekhandel waar ze al jaren werkzaam was. Eerst als hulp op de zaterdagen en tijdens vakanties, later als fulltime verkoopster, ondanks haar opleiding in de toeristische sector. Een gezapig, veilig bestaan, zonder hoogte- of dieptepunten.

Maar vandaag had ze het gevoel of alles op het punt stond te veranderen. De kruidige lentelucht die via het open raam haar woning binnendrong, leek een belofte in te houden voor de toekomst. Andrea voelde een vreemd soort opwinding over zich komen, een gevoel van spannende verwachting. Diep ademde ze de buitenlucht in. Misschien zou dit de dag worden waarop haar saaie leven zou veranderen in een spannend, afwisselend bestaan, fantaseerde ze. Zo'n dag waarop de post onverwachts leuk nieuws zou brengen en er zich achter iedere straathoek een avontuurlijke of romantische ontmoeting kon voordoen. Het zou wel eens tijd worden.

Af en toe had Andrea het gevoel of ze stikte in de voorspelbaarheid van haar leven, maar ze miste de moed en de energie om het roer om te gooien. Op deze manier was het dan wel saai, maar ook vertrouwd en veilig.

Joy, de zwart-wit gevlekte kat van Andrea, duwde aanhankelijk haar koppetje tegen Andrea's been en bracht haar bazinnetje zo weer terug naar de realiteit van alledag.

„Ach liefje, heb je honger?" Andrea tilde het dier op en aaide het zachte velletje. Joy spinde luid. Ze wist inmiddels uit ervaring dat haar vrouwtje na deze woorden de etensbakjes zou vullen.

Vlug schoot Andrea nu door het huis. Ze had haar tijd aardig verdroomd en moest zich nu haasten om op tijd op haar werk te komen. Ze waste zich, trok een zachtblauwe jurk aan met een wit vest en witte schoenen, trok haar dekbed dicht, verzorgde de poes en pakte het trommeltje met brood dat ze altijd 's avonds al klaarmaakte. Samen met Sally, haar collega en tevens vriendin, ontbeet ze op de zaak bij het genot van een kop koffie. Voor zichzelf alleen vond Andrea het te veel moeite om 's ochtends koffie te zetten en aangezien het het eerste uur over het algemeen rustig was in de winkel, was het al snel gewoonte geworden om samen te ontbijten.

Sally was er al toen Andrea precies om negen uur de winkel binnenstapte. „Had je je verslapen?" informeerde ze lachend.

„Nee, verder gedroomd na het opstaan." Andrea trok het vest uit en haalde een kam door haar korte, krullende haren. „Het was zo heerlijk buiten, ik kon me niet losscheuren van het raam."

„Het is inderdaad schitterend weer," beaamde Sally. „Ik denk dat we weinig klanten zien vandaag."

Als om haar woorden te loochenstraffen klonk op dat moment het belletje ten teken dat er iemand binnenkwam. Andrea liep de winkel in en hielp een al wat oudere vrouw een cadeautje uitzoeken voor haar kleindochter.

„Ik geloof toch dat ze deze al heeft," twijfelde de vrouw na een aantal meisjesromans uitgezocht te hebben.

Andrea zuchtte onhoorbaar. Ze kende dit slag klanten; die bleven rustig een uur zoeken om vervolgens te besluiten toch maar iets anders te kopen. „Waarom neemt u dan geen boekenbon?" stelde ze voor. „Dan kan uw kleindochter zelf haar keus maken."

„O, wat een goed idee. Doet u dat maar." De vrouw liep mee naar de toonbank. „Ja, ziet u, mijn man zorgde altijd voor dit soort dingen," zei ze vertrouwelijk. „Die was daar beter in thuis dan ik. Het valt niet mee om er na al die jaren ineens alleen voor te staan. Zijn dood kwam ook zo plotseling."

Andrea knikte plichtmatig op het verhaal van de vrouw en was blij toen ze even later de zaak verliet. Sommige mensen beschouwden verkoopsters als maatschappelijk werksters en luchtten graag hun hart tijdens het wachten in de winkel. Andrea vond het altijd moeilijk om op dergelijke opmerkingen te reageren.

De dag verliep verder rustig. In de loop van de ochtend werden de nieuwe tijdschriften bezorgd en Andrea was nog bezig met het sorteren en uitpakken daarvan op het moment dat Sally de winkel sloot voor de lunchpauze. Haar lievelingstijdschrift hield ze apart om tijdens het eten te lezen. Dat deden ze vaker, als ze er maar voor zorgden dat er geen kreukels en vlekken in kwamen. Voorzichtig sloeg Andrea het blad dan ook open. Er stond weer een prijsvraag in, zag ze. Leuk. Andrea deed aan iedere puzzel en prijsvraag mee, al had ze tot nu toe niet meer gewonnen dan een paar kleine prijsjes. Ze bleef echter hopen dat ze ooit geluk zou hebben.

„De aanhouder wint tenslotte," zei ze tegen Sally, die net binnen kwam met een paar broodjes kroket.

„Je hebt zeker weer een prijsvraag ontdekt," begreep die, haar vriendin kennende.

Andrea knikte. „Ja, een kruiswoordpuzzel met een verborgen slagzin die afgemaakt moet worden. Ik koop dit blad en dan ga ik er eens lekker voor zitten vanavond," nam ze zich voor.

„Wat zijn de prijzen?" wilde de praktische Sally weten.

„Even kijken. Een reis voor veertien dagen naar Italië, een videocamera, een tv, een fiets, een walkman en een bloemenhulde," somde ze op. „Een jaar lang iedere week een bos bloemen. Ik ga voor die reis natuurlijk, dat lijkt me wel wat. Heerlijk twee weken in de zon, dorpjes verkennen, het Gardameer overvaren…" Andrea droomde alweer weg. Ze zag zichzelf al helemaal zitten op een strandstoel, onder een felgekleurde parasol, met een cocktail in haar hand uitkijkend over de zee.

„Stel je er maar niet te veel van voor, meestal win je niks," merkte Sally nuchter op.

„Toch heb ik zo'n gevoel dat het deze keer gaat lukken." Andrea slikte de laatste hap van haar broodje door en gooide het lege zakje weg. „Vanmorgen had ik al het gevoel dat er iets te gebeuren staat en misschien is dit het wel. Het is een vingerwijzing van het lot dat ik deze prijsvraag zag."

„Welnee mens, je leest dit tijdschrift iedere week," zei Sally. Zij was een stuk nuchterder aangelegd dan haar collega. Andrea was een type dat rustig afwachtte wat er op haar weg kwam en daarbij fantaseerde over alles wat mogelijk was. „Je zou wat minder moeten dromen en wat meer moeten ondernemen. Als je graag zo'n vakantie wilt, waarom boek je er dan niet gewoon één? Je bent niet gebonden aan schoolvakanties, dus voor een klein prijsje zit je zo een eind weg in een hotel."

„Daar heb ik niet zo'n zin in in mijn eentje," wimpelde Andrea dat af.

„Datzelfde probleem heb je als je een reis wint."

„Dat is toch anders. Dan krijg je het in je schoot geworpen en maak je er dus gebruik van. Zelf een vakantie boeken is veel minder romantisch. Ze zeggen toch altijd dat je nooit datgene krijgt wat je najaagt?"

„De logica van je redenering ontgaat me volkomen," zei Sally terwijl ze opstond om de deur van de winkel weer te openen. „Desondanks wens ik je heel veel succes en geluk. Ik hoop echt dat je die reis wint, dan gebeurt er tenminste eens iets in je leven. Anders zie ik je tot aan je tachtigste op die tweekamerflat zitten, breiend achter het raam."

„Ik klaag anders niet," zei Andrea nog snel. „Mijn leven bevalt me prima zoals het is."

Maar was dat eigenlijk wel zo, vroeg ze zich later, op weg naar huis, af. Haar leven kabbelde rustig voort, maar er was geen sprake van stroomversnellingen. Als ze niet werkte zat ze meestal thuis te lezen of tv te kijken. Haar baan beviel haar wel, maar het was niet waar ze voor geleerd had. Het was vertrouwd, daarom bleef ze in die winkel hangen. Net zoals haar woonplaats vertrouwd was en haar huis. Steeds vaker bekroop haar een gevoel van onvrede. Er moest meer uit het leven te halen zijn, maar wat en hoe? Andrea schrok terug voor grote, ingrijpende beslissingen die ze zou moeten nemen om het roer om te gooien. Ze vond het al moeilijk om te besluiten wat ze 's avonds zou eten. Zoals nu.

Aarzelend bleef ze voor de snackbar staan. Een patat en een broodje hamburger, lekker en makkelijk. Of zou ze toch zelf maar wat klaarmaken? Ze had nog een krop sla en een paar tomaten liggen, herinnerde ze zich. In de vriezer lag vast nog wel iets wat ze erbij kon nemen. Ze weerstond de verleiding van de baklucht die door de open deur naar buiten kwam en liep haastig verder. Ze moest er toch ook voor zorgen dat ze haar vitamines binnenkreeg. Eenmaal thuis bleek de sla echter verlept en de tomaten gerimpeld, dus was de keus voor een pizza op bestelling gauw gemaakt. Daar zat tenslotte ook groente op, hield Andrea zich voor. Ze dacht maar niet aan het aantal kledingstukken die haar inmiddels te klein waren geworden, een stapel die steeds hoger werd. Ze wist dat ze te dik werd, maar dacht er niet bewust over na. Wat maakte het tenslotte uit? Of ze nu maat achtendertig droeg, zoals enkele jaren geleden, of maat vierenveertig, wat nu het geval was. Er was niemand waar ze aantrekkelijk voor wilde zijn en een eventuele toekomstige partner had haar maar te nemen zoals ze was.

Kijken naar een aantal soapseries op tv at ze de rijkelijk belegde pizza op. Na drie stukken zat ze eigenlijk vol, maar omdat ze het zonde vond om de rest weg te gooien at ze hem toch helemaal op.

Diezelfde avond, Andrea zat net ingespannen over haar kruiswoordpuzzel gebogen, kwam Wendy. Wendy en Andrea waren al vriendinnen sinds de lagere school en ze waren elkaar nooit uit het oog verloren, ook niet nadat Wendy Ronald had ontmoet en met hem was gaan samenwonen. Ze werkte als stewardess en vanwege haar onregelmatige werktijden zagen de twee vriendinnen elkaar niet vaak, maar als ze bij elkaar waren namen ze de draad altijd meteen weer op, ook al zat er soms maanden tussen.

„Hoi, wat ben je aan het doen?" vroeg Wendy met een blik op het tijdschrift.

„Een puzzel, maar daar heb ik nog tijd genoeg voor op andere avonden. Gezellig dat je er bent. Heb je je eindelijk weer eens van Ronald los kunnen scheuren?"

Het klonk plagend en Wendy wist dat dat ook zo bedoeld was. Andrea vond het logisch dat zowel Wendy als Sally minder tijd voor haar hadden sinds ze allebei een partner bezaten. Ondanks haar vaak eenzame bestaan claimde ze haar vriendinnen nooit.

„Ja, ik ben een paar dagen vrij en Ronald had een ouderavond. Anders had je het nog een paar weken zonder me moeten stellen," zei Wendy opgewekt.

„Dus ik heb geluk vanavond," antwoordde Andrea hartelijk.

„Fijn, dan kunnen we weer eens lekker bijkletsen."

„Dat is ook hard nodig, want ik barst van de nieuwtjes. Maar eerst koffie," commandeerde Wendy.

Andrea haastte zich om voor het gevraagde te zorgen en zette naast de thermoskan en de kopjes ook een pak chocolade koekjes op het dienblad. Tenslotte had ze visite, dus het mocht.

„Nou, vertel op," eiste ze nadat ze zich even later geïnstalleerd hadden op de bank. Joy sprong tussen hen in en gedachteloos aaide Andrea de poes terwijl ze meteen een koekje in haar mond stak.

„Oké dan. Nieuwtje nummer één: we hebben een huis gekocht."

„Dat meen je niet. Hoe komt dat zo ineens?"

„We waren die etage zat. Ronald wil graag een apart kamertje voor zijn computer en ik droom al jaren van een tuin en een grote keuken, zoals je weet," vertelde Wendy. „Heel toevallig kwamen we dit huis tegen en het was voor ons allebei liefde op het eerste gezicht. Over twee weken krijgen we de sleutel."

„Dat is zeker groot nieuws," zei Andrea. „Dus je gaat je eindelijk echt settelen?"

„Erger nog zelfs." Wendy's ogen straalden. „Geloof het of niet, maar we gaan ook trouwen."

„Néé!" Andrea schoot overeind, zodat Joy er verontwaardigd vandoor ging. „Jij en trouwen? Terwijl je altijd hebt beweerd dat een boterbriefje niet nodig is om zeker van elkaar te zijn? Dit had ik nooit verwacht. Ben je soms zwanger of zo?" Het was bedoeld als grapje, maar Wendy knikte bevestigend.

„Dat was dus nieuwtje nummer drie. Vind je het niet enig?"

„Ik probeer het tot me door te laten dringen." Andrea was oprecht verbaasd over de wending die het gesprek ineens kreeg. Wendy, vrijgevochten Wendy, ging trouwen, had een huis gekocht en werd moeder! „Meid, je hele leven staat ineens op zijn kop."

„Ik weet het en ik geniet er nog van ook. Het is niet gepland, maar daarom niet minder welkom. Door de koop van het huis zaten we te kibbelen of we niet beter konden trouwen, juridisch gezien. Een week later ontdekte ik dat ik zwanger ben, dus hebben we de knoop meteen maar doorgehakt."

„Je wordt nu dus echtgenote en moeder. Goh, wat klinkt dat burgerlijk in combinatie met jouw persoon," ontdekte Andrea terwijl ze de bekers nog eens volschonk. „Ga je je nu ook bekeren tot het huishouden?"

Wendy schoot in de lach. „Geloof dat nou maar nooit. Op die kleine etage is het nog te doen, maar zodra we in ons huis wonen huur ik echt een schoonmaakster. Ik weet wel leukere dingen te doen met mijn tijd dan boenen en soppen. Ik blijf trouwens ook gewoon werken, alleen niet meer fulltime. Volgende week heb ik een gesprek daarover met mijn chef."

Een beetje jaloers luisterde Andrea naar alle verhalen en toekomstplannen van haar vriendin. Wendy beleefde tenminste wat. Zij, Andrea, zou graag trouwen en moeder willen worden, maar het overkwam Wendy, die een dergelijke toekomst eigenlijk nooit had geambieerd.

De rest van de avond draaide het gesprek alleen maar om Wendy en alles wat haar in de nabije toekomst te wachten stond.

„Het wordt een drukke periode, maar ik heb er echt zin in. Dit weekend gaat we op zoek naar stoffering en spulletjes voor het huis, dan kunnen we meteen aan de slag als we de sleutel hebben."

„Kijk maar uit dat je niet te veel doet in jouw toestand," waarschuwde Andrea bezorgd, maar Wendy lachte haar hartelijk uit. „Ben je gek, een kind krijgen is de gewoonste zaak van de wereld. Zolang er geen problemen zijn hoef ik mezelf echt niet te ontzien. Maar laten we het nu over iets anders hebben," veranderde ze van onderwerp. „Ik wil niet zo'n bekrompen zeur worden die niet verder kan praten dan haar eigen buik. Hoe is het nu met jou?"

„We kunnen beter over jou blijven praten," meende Andrea. „Anders zijn we snel klaar. Ik maak niets mee."

Het klonk onwillekeurig nogal wrang en Wendy keek haar vriendin onderzoekend aan. Andrea zag er niet al te florissant uit, ontdekte ze. Ze zag bleek en haar ogen stonden lusteloos. Het leek ook wel of ze weer dikker was geworden de laatste tijd. Ze zou het niet snel openlijk zeggen, maar in gedachten vergeleek Wendy Andrea met een slons. Het leek wel of ze zichzelf niet de moeite waard vond om wat extra aandacht aan te besteden. Wendy besefte dat Andrea eenzaam was en zich steeds meer terugrok, maar er was weinig wat ze daartegen kon doen. Tenslotte had zij ook haar eigen, drukke, leven en ze was niet verantwoordelijk voor het geluk van haar vriendin. Andrea zou het zelf moeten doen, al kon ze haar natuurlijk wel een helpende hand toesteken.

„Laten we een keertje de stad induiken en wat nieuwe kleren voor je kopen," stelde ze spontaan voor. „Dan ga je meteen naar de kapper en maken we er een metamorfose van."

„Nee, dank je," wimpelde Andrea dat echter af. „Waarom wil iedereen me toch steeds dingen laten doen die ik niet wil? Ik weet heus wel dat ik geen bruisend leven leid, maar daar schijnt mijn omgeving meer last van te hebben dan ikzelf. Trouwens, ik heb kleren zat," voegde ze er onlogisch aan toe.

Wendy hield nog net de opmerking: Maar de helft past je niet meer, binnen. Ze had het recht niet om kritiek te uiten op haar vriendin. „Dan niet," zei ze alleen.

Wendy maakte het niet te laat die avond en zodra ze vertrokken was boog Andrea zich weer over haar puzzel. Het gevoel van verwachting dat ze die ochtend had, was nog steeds niet helemaal verdwenen en kwam weer extra sterk terug op het moment dat ze de briefkaart met de oplossing op de bus gooide. Dit moest het worden, dat voelde ze. Ze wist gewoon zeker dat ze deze keer een grote prijs zou winnen. Wellicht zelfs de hoofdprijs, de vakantie naar Italië.

Wekenlang stortte ze zich bij thuiskomst uit haar werk op de post en eindelijk, na anderhalve maand, lag er een envelop tussen van het bewuste tijdschrift. Met wild kloppend hart scheurde ze hem open, zichzelf niet eens de tijd gunnend haar jas uit te trekken.

Gefeliciteerd met uw prijs, las ze meteen. Koortsachtig vlogen haar ogen over de regels, tot ze de brief uiteindelijk moedeloos liet zakken. Een bloemenhulde, ze had een jaar lang gratis bloemen gewonnen. Weg vakantie, weg mooie dromen. Wekelijks een bos bloemen, tweeënvijftig keer. Met een minachtend gebaar verfrommelde Andrea de brief en gooide hem in de prullenbak. Bloemen! Op zich heel leuk natuurlijk, maar niet wat ze verwacht had.

Wat kon een bloemenhulde nu aan haar leven veranderen?

„Hubert, kun jij deze bos nog bezorgen? Dat is de laatste van vandaag." Vragend keek Jacob van Oldenburgh, eigenaar van zo'n twintig vooraanstaande bloemenzaken in het hele land, zijn zoon aan.

„Best hoor," antwoordde Hubert.

Hij vond het een vreemd gezicht om zijn lange, grijzende vader achter de toonbank te zien staan. Normaal gesproken bemoeide Jacob zich nooit met de directe verkoop. Hij regelde zijn omvangrijke zaken in zijn werkkamer thuis en kwam alleen in de winkels om te controleren of alles volgens zijn eisen verliep. Vanochtend was er echter een paniekerig telefoontje van de jonge, onervaren verkoopster van dit filiaal binnengekomen. Zowel de cheffin als de bezorger hadden zich ziek gemeld en aangezien het vakantietijd was en er niet op stel en sprong vervanging geregeld kon worden, hadden vader en zoon Van Oldenburgh zich tijdelijk over deze winkel ontfermt. Het jonge verkoopstertje had het druk met de klanten terwijl Jacob en Hubert de bestellingen doornamen.

„Waar moeten ze heen?" informeerde Hubert met een blik op het enorme, gemengde boeket.

„Even kijken. Andrea van Alphen," las zijn vader voor terwijl hij het adres voor Hubert noteerde. „Zij is één van de winnaressen van een bloemenhulde. Je weet wel, van dat tijdschrift dat ons daarover benaderd heeft."

„Zal wel," zei Hubert onverschillig. De zaken van zijn vader interesseerden hem niet zoveel, al was hij officieel dan onderdirecteur van de onderneming. Hij reed echter liever op zijn paard Radja en werkte alleen als het nodig was. Jacob van Oldenburgh was overigens nog veel te vitaal en te zeer verbonden met de zaak die hij eigenhandig had opgebouwd tot wat het nu was om veel werk uit handen te geven.

Hubert stak het papiertje met het adres in zijn binnenzak, pakte de bos bloemen en verdween fluitend naar zijn wagen. Het laatste ritje van vandaag, dan kon hij tenminste weer doen wat hij zelf wilde.

Gekleed in een verschoten, makkelijk zittend joggingpak trok Andrea de stofzuiger door haar woning. Het was maandag, haar vaste vrije dag. Dé dag voor de noodzakelijke huishoudelijke klussen die de rest van de week bleven liggen. Op het moment dat ze het apparaat uitschakelde drong er een vreemd geluid tot haar door. Het leek wel of er ergens een dier in nood verkeerde. Joy! Schoot het ineens door haar heen. Er was iets met Joy aan de hand! Nu ze er bewust op lette drong het klaaglijke gemiauw duidelijk tot haar door, al kon ze er niet achterkomen waar het precies vandaan kwam.

Na een grondige inspectie zag Andrea de poes uiteindelijk buiten, op een vensterbank een paar huizen verderop. Waarschijnlijk was Joy, die bang was voor de stofzuiger, in paniek het raam uitgevlucht.

„Joy! Joy, kom dan bij het vrouwtje," probeerde Andrea. Ze legde een paar kattensnoepjes op de vensterbank van haar slaapkamer, maar Joy verzette geen stap. Ze drukte zich alleen nog wat steviger tegen het raam van de buren aan. Andrea wist dat die mensen op vakantie waren, dus hulp was er van die kant niet te verwachten. Zou ze zelf? Ze monsterde de smalle vensterbank en mat met haar ogen de afstand tot aan de stoep, vier verdiepingen lager. Toch maar niet. Ze moest aan een ladder zien te komen, maar hoe? Zelf was ze niet in het bezit van zo'n ding en ze had te weinig contact met haar buren om te weten wie er wel één had. De bel klonk door het huis en hopend op hulp schoot Andrea naar de voordeur.

„Goedemorgen, een bloemetje…" begon de man die op het portiek stond. Hij kreeg niet de kans om uit te praten.

„Heeft u misschien toevallig een ladder in de wagen?" onderbrak Andrea hem haastig.

„Een ladder? Nou nee, dat behoort niet tot mijn dagelijkse uitrusting." De man bekeek haar alsof ze niet goed snik was en Andrea legde hem snel uit wat er aan de hand was. „Maak je niet bezorgd, ze komt vast vanzelf wel terug," voorspelde hij.

„Ik geloof het niet, ze is echt bang," zei Andrea somber, gedachteloos de bos bloemen aanpakkend.

Zijn wenkbrauwen schoten omhoog. „Een kat met hoogtevrees? Sorry hoor, ik wilde niet grappig zijn, maar daar heb ik nog nooit van gehoord. Enfin, ik zal kijken wat ik eraan kan doen. Waar zit hij precies?"

„Drie huizen verder, links."

„Blijf hier, ik ga op jacht voor je."

Hubert nam snel en lenig de portiektrappen weer naar beneden, terwijl Andrea operatie Joy vanuit haar slaapkamerraam volgde. Even was ze bang dat de bloemenbezorger ervandoor zou gaan, geschrokken van dat geschifte mens wat hem met zo'n onmogelijk karwei opzadelde, maar in een mum van tijd kwam hij de hoek alweer om. Dit keer was hij vergezeld van een man met een ladder. Een schilder, aan zijn outfit te zien. Snel en lenig klom Hubert omhoog, om even later met Joy in zijn arm weer af te dalen. Andrea hoorde een stevige vloek en vermoedde terecht dat Joy zijn scherpe nageltjes gebruikt had. Opgelucht knelde ze haar kat weer in haar armen

„Ontzettend bedankt," zei ze tegen Hubert. „Kom binnen, dan zal ik jodium op die krabbel doen. Heb je trek in koffie?"

„Dat heb ik wel verdiend, ja."

Geamuseerd keek hij toe hoe ze redderde met jodium, pleisters en bekers. Leuk meisje, oordeelde hij in gedachten. Tenminste niet zo opgedirkt en plaatjesmooi als zijn meeste vrouwelijke kennissen. Deze jonge vrouw zag eruit alsof haar uiterlijk haar niet interesseerde en dat vond Hubert een verademing, al zou hij zich nooit met haar op een feestje durven vertonen zoals ze er op dat moment uitzag. Onder zijn monsterende blikken was Andrea zich ineens ook pijnlijk bewust van haar oude joggingpak en slordige kapsel.

„Sorry, ik was met de schoonmaak bezig," excuseerde ze zich terwijl ze verlegen haar hand door haar haren haalde.

„Je hoeft je niet te verontschuldigen, je bent in je eigen huis," meende Hubert. „Mag ik gaan zitten?"

„Ja natuurlijk. Maak het je gemakkelijk, dan zal ik de koffie halen."

„Fijn, daar ben ik wel aan toe."

Hij lachte naar haar en Andrea vluchtte met een rood hoofd naar de keuken. Stel je niet zo aan, mopperde ze in gedachten op zichzelf. Ze was gewoonweg van slag omdat er een aantrekkelijke man in haar kamer zat. Te gek voor woorden.

Heel even overwoog ze om vlug haar slaapkamer in te schieten en wat anders aan te trekken, maar dat zou te veel opvallen. Wel kamde ze in de doucheruimte haar haren en bracht ze snel wat make-up op. Ze wilde graag een goede indruk op die man maken na dat vreemde, eerste contact.

Terwijl ze de koffie inschonk gingen haar gedachten terug naar de dag dat ze de bewuste prijsvraag had opgelost. Datzelfde gevoel van gespannen verwachting nam opnieuw bezit van haar. Ze herinnerde zich haar teleurstelling omdat haar prijs slechts bestond uit een wekelijkse bos bloemen, maar die teleurstelling was nu omgeslagen in opwinding bij het aanschouwen van de bezorger van haar prijs. Hij vond haar leuk, dat had ze wel gemerkt.

Hubert keek intussen vrijelijk rond in de schone, opgeruimde huiskamer. Gezellig, was zijn oordeel. Geen strakke designmeubelen of dure kunstvoorwerpen, maar een comfortabel bankstel, veel hout, kussens en platen. Echt een kamer om je in thuis te voelen, eentje die eruitzag alsof de bewoonster er veel tijd in doorbracht. Hij begon deze onverwachte visite steeds leuker te vinden. Andrea trok hem vanaf het eerste moment aan, waarschijnlijk omdat ze zo'n tegenstelling vormde met de vrouwen waar hij gewoonlijk mee omging. Maar dat was het niet alleen, ook de blik in haar ogen fascineerde hem. Die was onbevangen en verlegen tegelijk. En waar ter wereld vond je tegenwoordig nog een verlegen vrouw? Het zou wel eens zeer de moeite waard kunnen zijn om haar beter te leren kennen.

Joy sprong spinnend op zijn schoot, net op het moment dat Andrea weer binnenkwam.

„Zo te zien heeft ze je vergeven," lachte ze.

„Vergeven? Ze zou me dankbaar moeten zijn dat ik haar van een wisse dood heb gered." Hubert kriebelde achter Joy's oren, iets wat ze duidelijk erg waardeerde. „Je moet haar maar eens goed duidelijk maken dat ze zonder mij nog steeds angstig in die vensterbank had gezeten, al vond ze het dan niet prettig om die ladder af te gaan."

„Ik zal het haar vanavond tijdens een vertrouwelijk gesprek vertellen," beloofde Andrea. Meteen bloosde ze tot achter haar oren. Wat zei ze nou weer voor stoms?

„Doe dat," zei Hubert echter lachend zonder een spoortje spot in zijn stem. „Heb je trouwens nog meer huisdieren?"

Andrea schudde haar hoofd. „Nee, al zou ik het wel willen. Maar beesten hebben ruimte nodig en dat mis ik hier. Het liefst zou ik een paar honden willen hebben, maar dat gaat nu eenmaal niet samen met een tweekamerflat en een fulltime baan. Vroeger hadden we drie honden thuis; een bouvier, een boxer en een klein vuilnisbakkenrasje. 's Avonds en in de weekenden lieten mijn ouders en ik ze altijd samen uit, dan hadden we alledrie een eigen hond aan de lijn."

„Je bent dus enig kind," concludeerde Hubert uit dit verhaal. „Hebben je ouders de honden nog steeds?"

Weer schudde Andrea haar hoofd, deze keer lag er een trieste blik in haar ogen. „Mijn ouders leven niet meer," zei ze zacht.

Er viel even een gespannen stilte tussen hen, die Andrea opvulde door opnieuw de bekers vol te schenken uit de thermoskan. Ze schoof een pak gevulde koeken in zijn richting, maar Hubert weigerde en daarom durfde Andrea er ook niet eentje te nemen. Ze voelde er niets voor om ongegeneerd te zitten kauwen terwijl hij haar aankeek.

„Drie jaar geleden gingen ze voor het eerst op wintersport," vervolgde ze. „Er brak brand uit in het hotel waar ze logeerden en daarbij zijn ze allebei om het leven gekomen." Ze vertelde het rustig, alsof het om een paar vreemden ging, maar het was niet moeilijk te raden dat dit een ontzettende klap voor haar geweest moest zijn.

„Wat erg voor je," zei Hubert. Hij wist niet goed hoe hij moest reageren op dit trieste verhaal. Zondagskind als hij was, had hij nog nooit grote problemen gehad of voorgoed afscheid moeten nemen van mensen die hem dierbaar waren.

„Het viel niet mee, maar het is al een paar jaar geleden en ik ben er weer bovenop gekrabbeld. Ik red me prima in mijn eentje," zei Andrea opgewekter en flinker dan ze zich voelde. Altijd als het drama van haar ouders besproken werd kreeg ze de neiging om te gaan huilen, maar tegenover Hubert wilde ze zich niet laten gaan. Ze zou het vreselijk vinden als de interesse voor haar, die in zijn ogen was te lezen, zou veranderen in medelijden of, nog erger, in afschuw.

„Ik moet gaan," zei Hubert terwijl hij opstond.

„Ja, voor je baas kwaad wordt vanwege je lange wegblijven," meende Andrea te begrijpen. „Je geeft mij de schuld maar. Ik ben je in ieder geval heel dankbaar voor je reddingsactie."

„Ik ben blij dat ik het voor je kon doen." Bij de voordeur hield hij haar hand langer vast dan noodzakelijk was en keek haar daarbij recht in haar ogen. „Volgende week kom ik weer. Dit hele jaar kom ik ze iedere week brengen," beloofde hij roekeloos.

Met een flinke vaart reed Hubert in het bestelbusje van de zaak weg, onderwijl proberend zijn gevoelens op een rijtje te zetten. Deze Andrea beviel hem wel. Ze was niet echt knap, niet slank en niet geraffineerd, maar ze had iets wat hem aantrok. Iets wat zijn andere vrouwelijke kennissen niet bezaten. Wellicht was het haar eenvoud en haar ongekunstelde gedrag, zonder bestudeerde maniertjes. Zoals ze bijvoorbeeld over de dood van haar ouders praatte. Dat deed ze puur en alleen omdat het gesprek nu eenmaal die richting opging en niet om zijn medelijden op te wekken, daar was hij van overtuigd.

Hubert had ooit eens een vriendin gehad die alles wat haar overkwam dramatiseerde en opblies tot enorme proporties, om maar interessant gevonden te worden. Sindsdien had hij een enorme afkeer voor mensen die hun ellende tentoonstelden. Diezelfde vriendin had er overigens voor gezorgd dat hij tegenwoordig een ingebouwd wantrouwen had tegenover ieder meisje dat belangstelling voor hem had. Het was haar namelijk niet om hem, maar om zijn geld te doen geweest en die ontdekking had hem behoorlijk pijn gedaan. Andrea zag in hem een eenvoudige bezorger en dat wilde hij nog even zo houden.

Als hun relatie zich zo zou ontwikkelen als hij op dit moment hoopte, dan wist hij tenminste zeker dat zijn afkomst geen rol speelde.

Hoewel hij diep in zijn hart wel wist dat Andrea van een heel ander slag was, schrok hij er toch voor terug om plompverloren met de waarheid voor de dag te komen. Zijn ouders waren zeer rijke mensen en ze woonden in een enorme, vrijstaande villa met zwembad, tennisbanen, stallen met de meest kostbare paarden en het nodige personeel. Hij vroeg zich serieus af of Andrea zich wel thuis zou voelen in dat milieu en maakte zichzelf wijs dat dat ook één van de redenen was waarom hij niet meteen verteld had dat hij de zoon van de eigenaar was: hij wilde haar niet afschrikken. Zijn achternaam hoefde hij gelukkig niet te verzwijgen voor haar. De winkels van zijn vader hadden allemaal bloemennamen en zelf waren ze niet algemeen bekend, bovendien was Van Oldenburgh een naam die vaker voorkwam.

Onbewust van Huberts tegenstrijdige gevoelens zat Andrea dromerige op de bank. Het was lang geleden dat ze een man had ontmoet die zoveel indruk op haar maakte. En het was wederzijds, dat verbeeldde ze zich niet.

Een sprankje hoop nam bezit van haar. Ze wilde niet meteen na één korte ontmoeting op de zaken vooruitlopen, maar misschien, heel misschien, was dit de verandering in haar leven waar ze naar gesnakt had. Willicht was het winnen van die bloemenhulde uiteindelijk toch een veel betere prijs dan die vakantie naar Italië.

HOOFDSTUK 3

Op de trouwdag van Wendy en Ronald, drie dagen later, was het stralend weer. Wendy was een echte zomerbruid in haar wijdvallende, zachtgele japon en de eveneens zachtgele baby-roosjes, die zowel in haar kapsel als in haar bruidsboeket waren verwerkt. Ze zag er stralend uit en ondanks haar eenvoudige japon zou niemand de fout maken om haar voor één van de gasten aan te zien in plaats van voor de hoofdpersoon van deze dag.

Toch vond Andrea de outfit van haar vriendin iets te simpel. Maar ja, zij was nu eenmaal een type dat droomde van de geijkte witte trouwjurk met sluier.

„Burgerlijk," zei Wendy vrolijk.

Andrea haalde haar schouders op. „Dan maar burgerlijk, ik vind het nu eenmaal mooi. Niet dat jij er niet schitterend uitziet hoor," haastte ze zich daaraan toe te voegen. „Maar als ik zelf ooit nog eens trouw wil ik een compleet bruidstoilet, met alles erop en eraan."

„Ga dan maar vast sparen," adviseerde Wendy nuchter. „Tegen de tijd dat je een man vindt, heb je misschien net genoeg."

„O, dus je gaat ervan uit dat het nog jaren duurt voor ik mijn Mister Perfect tegenkom? Vergis je niet." Andrea's stem klonk plagend en Wendy, die voor het raam van haar ouderlijk huis ongeduldig keek of haar bruidegom al in zicht was, draaide zich met een ruk om.

„Bedoel je…? Vertel!" eiste ze. „Ik wil alles horen, tot in de kleinste details."

„Een andere keer, vandaag is het jouw dag. Ik wil alleen even kwijt dat hij ontzettend knap is," zei Andrea geheimzinnig.

Op dat moment draaide de trouwwagen de smalle straat in en Andrea haalde opgelucht adem. Gered door de bel, dacht ze cynisch. Waarom deed ze dan ook zo stom en puberaal? Na één ontmoeting hopeloos verliefd worden op een wildvreemde man, dat was iets voor vijftienjarigen. En het maken van zulke dubbelzinnige opmerkingen helemaal. Wendy dacht nu waarschijnlijk dat er heel wat aan de hand was en dat terwijl ze Hubert nog geen uur had gezien of gesproken. Was ze nu echt zo saai en wereldvreemd aan het worden dat ze een simpele ontmoeting met een aantrekkelijke man in haar verbeelding opblies tot iets bijzonders? Nou, in dat geval zou er straks helemaal niets meer te vertellen zijn, dacht ze met zelfspot terwijl ze in één van de volgwagens stapte. Dan zou Hubert er snel vandoor gaan.

Andrea probeerde haar gedachten bij de huwelijksinzegening te houden, maar kon toch niet verhinderen dat ze steeds een paar grijze, lachende ogen voor zich zag. De laatste dagen was Hubert constant in haar hoofd aanwezig, of ze wilde of niet. Hij had een enorme indruk op haar gemaakt met zijn vlotte optreden en zelfverzekerde houding. Maar misschien idealiseerde ze hem wel en zou hij enorm tegenvallen als ze hem weer zag. Nog vier dagen.

Andrea had verzocht de bloemen op maandag te laten komen, haar vrije dag. De eerstvolgende maandag stond ze vroeg op en zorgde ervoor dat om tien uur haar huis aan kant was, de koffie klaarstond en dat zij er een stuk verzorgder uitzag dan de week ervoor. Zenuwachtig liep ze rond in haar twee kamers, tot om klokslag halfelf de bel klonk. Weer had ze de vreemde sensatie dat er elektriciteit in de lucht hing op het moment dat ze elkaar aankeken, over de bos bloemen heen. Ze had het zich dus toch niet verbeeld, juichte het binnen in haar.

„Wil je even binnen komen voor een kop koffie?" vroeg ze met een verlegen glimlach.

„Daar had ik eerlijk gezegd al op gerekend." Als vanzelfsprekend liep Hubert achter Andrea aan de keuken in. „Is Joy de schrik al te boven?" informeerde hij.

„Ze durft niet eens meer naar het raam te kijken, dus het heeft wel indruk gemaakt," grinnikte Andrea. „Ga je mee naar de kamer?"

Tijdens het koffie drinken praatten ze wat over koetjes en kalfjes. Hubert prees Andrea's smaak wat betreft de inrichting van haar huis en zij vertelde hem over haar werk.

„En jij?" vroeg ze daarna. „Heb jij het nogal naar je zin in je werk? Je zult wel veel mensen ontmoeten en dan maak je meestal de gekste dingen mee." Op dat moment sloeg de klok halftwaalf en Andrea veerde geschrokken overeind. „We zijn de tijd helemaal vergeten. Ik wil je absoluut niet weg hebben, maar kun je wel zo lang wegblijven?"

„Eh nee… Ik ben vrij vandaag. Ik ben alleen gekomen omdat ik je graag terug wilde zien," verklaarde Hubert haastig.

Dat laatste was tenminste geen leugen, dacht hij schuldbewust. Het eerste in feite ook niet, want officieel was hij dan wel compagnon van zijn vader, maar veel voerde hij niet uit. Zijn vader gaf niet veel werk uit handen en Hubert vond dat allang best. Hij werkte wanneer hij er zin in had of wanneer het erg druk was, maar meestal wist hij wel leukere dingen te doen, zoals paardrijden. Hij werd uit zijn gedachten gehaald omdat Andrea nogmaals de bekers volschonk.

„Dank je." Glimlachend keek hij haar aan en Andrea voelde een hinderlijke blos opkomen. Vervelend was dat toch. „Mooie boeken heb je daar staan," zei Hubert. Hij had haar verlegenheid opgemerkt en probeerde haar nu met succes af te leiden.

Andrea ging er dankbaar op in en vertelde: „Lezen is mijn grootste hobby en dankzij mijn werk ben ik natuurlijk altijd op de hoogte van de nieuwste boeken. Vooral detectives en oorlogsboeken zijn favoriet bij mij."

„Ik zie het," knikte Hubert. Hij was bij haar boekenkast gaan staan en bekeek aandachtig de titels. Behalve de detectives en oorlogsromans, die in ruime mate aanwezig waren, vond hij ook enkele reisbeschrijvingen, waar hij in begon te bladeren.

„Als je wilt mag je ze wel lenen," bood Andrea direct aan.

„Nee, dank je," weerde Hubert af terwijl hij het boek terugzette. „Ik hou niet zo van reisbeschrijvingen. Veel liever reis ik zelf, zo'n boek blijft surrogaat voor de werkelijke belevenis van het ontdekken van vreemde landen en culturen."

„Dat klinkt alsof je het veel doet."

Meer aansporing had Hubert niet nodig om enthousiast te vertellen over steden als Parijs, Londen, New York en zelfs Lima. Verbaasd luisterde Andrea naar hem, de eerste achterdocht begon haar hart binnen te sluipen. Vreemd, hij had toch maar een baan als bezorger. Een eerzaam beroep natuurlijk, maar volgens haar bracht het toch niet zoveel op dat je er dergelijke luxe reizen van kon maken. Van wat ze uit Huberts verhalen begreep was hij niet bepaald met een rugzak langs goedkope campings getrokken.

En dan zijn kleding. Andrea had daar een goede neus voor en nu ze erop lette, viel het haar op dat hij geen confectiekleding droeg. Maar daar kon hij voor gespaard hebben, probeerde ze zichzelf gerust te stellen. Misschien had hij 's avonds nog een bijbaantje of zoiets.

Toch lukte het haar niet helemaal om die plotseling opgekomen negatieve gedachten de kop in te drukken. Het kostte haar moeite om onbevangen op zijn verhalen in te gaan. Diep in haar hart was ze zelfs lichtelijk opgelucht toen hij aanstalten maakte om weg te gaan. In haar eentje kon ze beter nadenken en alles op een rijtje zetten.

„Tot volgende week dan maar," zei Hubert bij de voordeur.

„Ben je dan weer vrij?" vroeg Andrea half lachend.

Hubert zei haastig, te haastig: „Ja ja. Ik ben iedere maandag vrij, maar omdat er vorige week twee zieken waren moest ik invallen." Ook dat was geen leugen, suste hij zijn slechte geweten. Het zou steeds moeilijker worden om Andrea de waarheid te vertellen, besefte hij.

Andrea had zijn kleur gezien en dacht er het hare van. Hij liegt, dacht ze verdrietig. Er klopt iets niet bij hem.

Ze nam koeler afscheid van hem dan ze van plan was geweest en diep in gedachten verzonken bracht ze de halve middag op de bank door, in het gezelschap van een zak zoete drop. Al kauwend overdacht ze de situatie. Er was iets vreemds met Hubert aan de hand, maar ze kon er niet precies de vinger op leggen. Hij kwam heel eerlijk en spontaan over, maar zijn gedrag klopte niet met zijn verhalen en zijn manier van doen. Hij zag eruit en gedroeg zich als een man van de wereld, terwijl hij een zeer eenvoudig baantje had.

Zou hij misschien een erfenis gekregen hebben? Dat was natuurlijk een mogelijkheid, maar wel eentje die ver gezocht was. Andrea kon zijn manier van doen gewoonweg niet rijmen met zijn werk. Maar misschien was er wel een heel logische verklaring voor en zat ze hier te piekeren voor niets.

Met een zucht gooide ze de bijna lege zak drop op tafel. Ze kwam er niet uit. Al met al had deze hoopvol begonnen dag veel van zijn glans verloren, al wist ze inmiddels zeker dat hij haar net zo leuk vond als zij hem.

„Zit je soms ergens mee?" vroeg Sally plotseling.

Andrea keek verschrikt op. „Hoezo?"

„Je bent zo stil en afwezig de laatste dagen. Het is nu de derde keer al dat ik je erop betrap dat je voor je uit staat te staren en dat is niets voor jou." Sally wierp een onderzoekende blik op haar collega, haar ogen begonnen te schitteren. „Vertel op, wie is het? Ken ik hem?" plaagde ze.

„Hoe weet jij…?" Te laat begreep Andrea dat ze met open ogen in Sally's val was gelokt en ze lachte zuurzoet met haar mee. „Oké, je hebt gelijk. Ik pieker inderdaad over een man," gaf ze toe. „Maar het is niet wat jij denkt. Er is gewoon iets vreemds, iets ongrijpbaars." Ze vertelde Sally alles wat haar dwarszat. „Hij praat en kleedt zich als een rijke man en dat klopt niet met zijn werk," besloot ze haar verhaal.

„Waarom vraag je het hem niet gewoon?" meende Sally eenvoudig.

„Ach nee, dat staat zo wantrouwig," weerde Andrea dit voorstel af. „Bovendien zijn het natuurlijk mijn zaken niet. Hij moet zelf kunnen weten wat hij met zijn geld doet zonder dat iedere vluchtige kennis hem op zijn vingers tikt."

„Hm." Sally keek peinzend voor zich uit. „Volgens mij ben jij zwaar verliefd op hem en als die gevoelens wederzijds zijn, worden het op een gegeven moment jouw zaken wel."

„Natuurlijk niet," verdedigde Andrea zich met een vuurrood hoofd. Verdorie, om het minste geringste begon ze tegenwoordig te blozen. „Hoezo?" vroeg ze daarna toch onwillekeurig.

Sally schoot in een heldere lach. „Zo moeilijk te raden is dat niet, want anders zou je je dit niet zo aantrekken en het hem gewoon recht op de man af vragen. Bovendien bloos je als de bekende pioenroos." Ze stond op om een binnenkomende klant te helpen, zodat Andrea zich niet kon verweren tegen haar veronderstelling. Vlug hielp Sally de klant en vervolgde daarna: „Het klinkt niet echt betrouwbaar. Hij kan natuurlijk inderdaad een bijbaantje hebben, maar over het algemeen verdien je daar niet veel mee. Trouwens, bijbaantjes neem je om voor iets groots te sparen of om meer financiële armslag te hebben, niet om dure maatpakken te kopen."

„Maar er moet toch een verklaring voor zijn."

„Ongetwijfeld. Ik vraag me alleen af of die verklaring je geruststelt."

Gealarmeerd door de serieuze klank in Sally's stem keek Andrea op. „Wat bedoel je?" vroeg ze scherp.

„Lees jij nooit kranten? Ik wil niemand zomaar beschuldigen, maar als ik dit zo aanhoor, gaan mijn gedachten meteen uit naar zaken die het daglicht niet kunnen verdragen. Drugs bijvoorbeeld."

Het woord bleef even loodzwaar tussen hen in hangen.

„Onmogelijk," zei Andrea beslist. „Daarvoor komt hij veel te eerlijk over. Lui die zich met dergelijke zaken bezighouden, schuwen oogcontact en daar heeft Hubert geen last van. Hij kijkt frank en vrij de wereld in."

Sally zuchtte. „Er valt met jou niet objectief over dit onderwerp te praten, dat merk ik al. Meid, als alle criminelen er onbetrouwbaar uit zouden zien, zou het leven een stuk eenvoudiger zijn. Kijk alsjeblieft uit wat je doet."

Gelukkig voor Andrea kwamen er op dat moment een paar klanten tegelijk binnen, zodat ze er niets meer op terug hoefde te zeggen. Ze had trouwens geen antwoord geweten. Verstandelijk bezien moest ze Sally gelijk geven, maar haar hart kwam ertegen in opstand. Hubert een misdadiger? Nee, dat kon niet. Ze moest toegeven dat er iets geheimzinnigs met hem was, maar ze weigerde Sally's woorden te geloven.

Onbewust van dit gesprek was Hubert die dag gaan paardrijden. Radja, zijn lievelingspaard, galoppeerde met gelijke tred over de hei en Hubert voelde zich in zijn element. Op dat moment kon hij de hele wereld aan. Mooi weer, zijn paard onder zich en een meisje met donker haar en bruine ogen die sinds kort zijn gedachten volledig beheerste en van wie hij vermoedde dat dat wederzijds was. Wat kon een mens zich nog meer wensen? Hij had er geen flauw vermoeden van wat er achter zijn rug om over hem gezegd werd, anders was hij onmiddellijk met zijn ware identiteit voor de dag gekomen. Voorlopig ging hij er optimistisch van uit dat dat allemaal vanzelf wel in orde zou komen. Wat zou Andrea er nou voor bezwaar tegen kunnen hebben dat hij rijk was? Andersom zou het volgens hem veel erger zijn.

En zo bleef hij zijn kleine toneelstukje opvoeren, onwetend van het feit dat Andrea steeds meer vraagtekens ging zetten bij zijn gedrag. In de weken die volgden stond ze meerdere malen op het punt het hem rechtstreeks te vragen, maar steeds schrok ze daar toch weer voor terug. En hoe meer hun vriendschap zich verdiepte, hoe moeilijker het werd.

Misschien zat er wel een heel drama achter, fantaseerde Andrea. Een voorname, maar failliete familie die nog teerde op de rijkdommen uit het verleden. Dat baantje als bezorger had Hubert misschien uit pure nood aangenomen, hopend op iets beters. Ze besloot het op zijn beloop te laten en af te wachten hoe de dingen zich zouden ontwikkelen. Ze ging in ieder geval steeds minder geloven van Sally's suggestie en zei dat haar ook toen die er later weer over begon.

„Zo is Hubert niet," zei ze beslist. „En kom nou niet aan met het verhaal dat ik niet zoveel mensenkennis heb, want ik ben tenslotte niet gek. Weet je, ik kan echt enorm goed met hem praten. Het is niet zo'n machofiguur die overal de draak mee steekt en waar verder geen zinnig woord uitkomt. Als je met hem praat, dwingt hij gewoon respect af. Letterlijk alles kan ik met hem bespreken, ook mijn problemen."

„Maar niet je twijfels ten opzichte van hem," zei Sally spits.

„Dat zou wel kunnen, maar ik zie er het nut niet van in. Als er iets te vertellen valt komt hij er vanzelf wel mee, daar ben ik van overtuigd."

„Je vertrouwt hem nu dus volledig, ook wat die geldkwestie betreft?"

Andrea dacht even na. „Dat zit me nog steeds dwars," gaf ze eerlijk toe. „Maar toch vertrouw ik hem. Volgens mij kan hij niet oneerlijk zijn, dat zie je aan zijn ogen."

Sally zuchtte. Voor haar was het duidelijk dat Andrea verblind was door verliefdheid en ze wist niet wat ze ervan moest denken. Ze kon alleen maar hopen dat haar vriendin besefte waar ze mee bezig was en zich niet uit pure eenzaamheid zonder meer in een relatie stortte. Ze kon Andrea nu eenmaal niet verbieden om met die man om te gaan, al zou ze dat diep in haar hart het liefste willen. Sally was niet zo goedgelovig.

Andrea bleef echter bij haar standpunt dat Hubert eerlijk en betrouwbaar was. Ze was inmiddels zoveel om hem gaan geven dat iets anders denken volstrekt onmogelijk was geworden.

HOOFDSTUK 4

„Vanavond gaan Theo en ik naar de schouwburg," vertelde Sally. Ze legde de hoorn van het telefoontoestel terug en bleef even dromerig zitten. „Theo heeft twee kaarten overgenomen van een collega wiens vrouw ziek is geworden."

„Leuk voor je," zei Andrea terwijl ze de nieuw binnengekomen boeken sorteerde. „Het gaat goed tussen jullie hè?"

Sally knikte. „Ja. Zo langzamerhand beginnen we erover te denken om samen te gaan wonen. Theo woont nog thuis, zoals je weet. Het zal voor hem een hele stap zijn om alleen met mij in een huis te wonen, hij is zoveel drukte gewend met al die broers en zussen van hem."

„Ja, je krijgt er ineens een enorme sleep familie bij. Gaat dat wel goed onderling? Geen ruzies, roddelpartijen of bemoeizieke schoonouders?"

„Gelukkig niet. Theo's ouders zijn niet meer zo jong, maar ze zijn altijd met hun tijd meegegaan, heel modern van opvattingen ook. Nee, ik mag niet klagen. Ik krijg schatten van schoonouders," vertelde Sally opgewekt.

„Fijn voor je," zei Andrea. „Het lijkt me vreselijk als je de ouders van je partner niet mag, of zij jou niet."

„Geen last van." Sally zat nog steeds naast de telefoon en keek peinzend naar Andrea. „En hoe gaat het met jou en Hubert?" vroeg ze toen.

Andrea lachte. „We zijn nog niet in het stadium van schoonouders, maar voor de rest gaat het prima. Hij is al een paar keer een avond bij me geweest en zondag gaan we uit eten. Ik zie het wel zitten tussen ons."

„Je bent hopeloos verliefd," begreep Sally. „Het heeft wel iets hè, die begintijd met vlinders in je buik en gespannen afwachting iedere keer als je elkaar ziet. Hoewel een nadere kennismaking natuurlijk ook tegen kan vallen."

„Bij ons niet." Andrea's ogen glansden. „We kennen elkaar inmiddels al aardig goed, al lopen we niet zo hard van stapel. Ik geloof echt dat Hubert dé man voor me is."

„Nou heb je natuurlijk weinig vergelijkingsmateriaal," meende Sally nuchter. „Hubert is je eerste serieuze vriend, zeker sinds het overlijden van je ouders. Kijk uit dat je geen overhaaste beslissingen neemt uit eenzaamheid. Dat is geen goede basis."

„Ik waardeer je bezorgdheid, maar ik ben prima in staat om mijn eigen liefdesleven te regelen," wees Andrea haar terecht.

„Ik bedoelde er niets vervelends mee." Sally stond op en begon te helpen met het uitpakken van de dozen. „Ik wil graag dat je gelukkig wordt."

„Maak je geen zorgen, dat ben ik al," zei Andrea.

Ze meende het. Hubert had gevoelens in haar losgemaakt waar ze het bestaan niet van vermoedde. Hij verloste haar uit haar saaie, eenzame bestaan en liet haar voelen dat ze een vrouw was. Een vrouw die het aanzien waard was. Andrea had nooit zo'n hoge dunk van zichzelf gehad, maar bij de aandacht van Hubert begon haar zelfvertrouwen te groeien. Het kwam steeds minder vaak voor dat ze een hele avond doelloos voor de tv hing met een zak chips en een lading snoep en chocola. Vreetbuien om het gevoel van onvrede binnen in haar weg te kauwen. In plaats daarvan begon ze meer tijd en aandacht aan haar uiterlijk te besteden. Ze had haar haren kort laten knippen, experimenteerde met make-up en kocht crèmes die een zachte, soepele huid beloofden. Ze was zelfs twee kilo afgevallen en dat was geen overbodige luxe voor iemand met haar gewicht.

Helaas was het te weinig om in haar blauwe pakje te passen, constateerde Andrea die zondag spijtig. Moedeloos schoof ze de verschillende kledingstukken heen en weer. Wat moest ze aan bij hun eerste, echte afspraakje? Alles wat ze leuk vond paste niet meer en waar ze nog wel in kon bestempelde ze als vormloze hobbezakken.

Ze had wat nieuws moeten kopen, besefte ze. De kleren die ze het laatste jaar aangeschaft had, bestonden voornamelijk uit broeken met een elastieken tailleband en lange, verhullende shirts en truien. Iets gekleeds bezat ze bijna niet, omdat ze toch nooit ergens heenging. Ze zou of drastisch af moeten vallen of een volledig nieuwe garderobe moeten kopen, dacht Andrea somber. Het laatste klonk een stuk aantrekkelijker, het eerste was goedkoper en bovendien gezonder.

Uiteindelijk koos ze voor een zwarte rok, dat was altijd goed. De elastieken tailleband bedekte ze met een lange blouse van felrode, dunne stof. Zo moest het maar, iets beters kon ze er momenteel niet van maken. Ter compensatie besteedde ze extra veel aandacht aan haar make-up, kapsel en sieraden, zodat ze later toch nog redelijk tevreden in de spiegel keek. De grote, bedrukte shawl die ze om haar schouders had geslagen en vast had gezet met een opvallende broche, leidde de aandacht af van haar buik, constateerde ze.

Met wild kloppend hart en een kriebelig gevoel in haar maagstreek opende ze later haar voordeur. Het eerste wat ze zag was een enorme bos bloemen die Hubert voor zijn gezicht hield.

„Hubert, gek die je bent," lachte ze spontaan terwijl ze de bos aannam. „Zijn die vast voor morgen?" informeerde ze plagend.

„Je weet wel beter." Ernstig keek hij haar aan. „Deze zijn van mij persoonlijk, uit blijdschap dat je met me uit wilt gaan."

Verlegen liep Andrea naar de keuken, blij dat ze even bezig kon zijn met het zoeken naar een vaas en het schikken van het boeket. Ze voelde zich altijd net een tiener bij dergelijke opmerkingen.

Hubert was haar nagelopen en sloeg haar verrichtingen gade vanuit de deuropening. „Wat zie je er leuk uit," complimenteerde hij haar.

Andrea bloosde. „Ach, het is een oude rok," mompelde ze. „Door die shawl lijkt het nog wat."

„Jullie vrouwen zijn hopeloos," verzuchtte Hubert. „Draai jij gemeende complimentjes altijd zo genadeloos de nek om? Het kan me niet schelen of die rok tien jaar oud is of niet, hij staat je goed. Je moet jezelf niet zo naar beneden halen."

„Sorry. Ik ben niet gewend aan complimentjes, misschien komt het daardoor," verontschuldigde Andrea zich.

„Dat kan ik me nauwelijks voorstellen. Je ziet er prima uit."

„Ik ben veel te dik."

„Nou en?" Hubert haalde zijn schouders op. „Een paar kilo minder zou je inderdaad beter staan, maar als je je goed voelt moet je daar geen probleem van maken. Je weet tenminste iets van jezelf te maken en dat is ook wat waard. De shawl is een perfecte blikvanger."

„Ik wil gaan lijnen," bekende Andrea.

Daarnet had ze nog gedacht dat het kopen van nieuwe kleding

het makkelijkste zou zijn, maar Huberts opmerkingen haalden haar over de streep. Ondanks zijn laconiek uitgesproken woorden maakte ze er uit op dat hij slanke vrouwen aantrekkelijker vond en dat was net het duwtje dat ze nodig had. Voor Hubert had ze alles over.

„Als je maar niet vandaag met je dieet begint. Ik heb een tafeltje gereserveerd in een exclusief restaurant en ik zou het jammer vinden als je het menu daar geen eer aandoet."

Hij had niets te veel gezegd, merkte Andrea toen ze een half uur later het restaurant betraden. Het was hier inderdaad zeer exclusief en meteen bekroop haar weer het onaangename gevoel dat er iets niet klopte. Waar betaalde Hubert een dergelijke luxe van? Was er een aannemelijke verklaring voor, zoals een erfenis of iets dergelijks of stak er toch meer achter? Maar als ze in Huberts lachende, eerlijke ogen keek kon ze zich niet voorstellen dat hij zich bezighield met illegale zaken. Toch kon ze het gevoel van wantrouwen niet meer helemaal van zich afzetten en ze begreep dat het tijd ging worden voor een gesprek hierover.

Vanavond nog, besloot ze flink. Alleen niet hier. Ze was nog nooit in zo'n chique restaurant geweest en misschien zou ze er in de toekomst ook nooit meer komen, dus ze ging er eerst van genieten. Stel dat Hubert inderdaad geld verdiende met zaken die het daglicht niet konden verdragen en ze een punt achter hun prille relatie zou zetten, dan had ze deze avond in ieder geval gehad, dacht Andrea praktisch.

Ze genoot van de intieme sfeer die het restaurant uitstraalde, het zachte licht en de geruisloos voortschrijdende obers. Heel iets anders dan het eetcafé waar ze geregeld kwam en wat ze ook uit eten gaan noemde. Het eten was op voortreffelijke wijze bereid en ze deed de maaltijd dan ook alle eer aan.

Op een gegeven moment schoof ze met een voldaan gebaar haar bord weg, veegde haar mond af met het linnen servet en leunde behaaglijk achterover.

„Hè, hè, dat heeft gesmaakt," zei ze genietend.

„Dat heb ik gemerkt," antwoordde Hubert droog.

Verschrikt keek Andrea op. „Heb ik erg zitten schrokken?" vroeg ze bezorgd, zichzelf verwijtend dat ze weer eens geen maat had kunnen houden. De plagende blik in zijn ogen stelde haar echter enigszins gerust.

„Je lacht me uit," zei ze beschuldigend.

„Ik zou het niet durven," beweerde Hubert. „Ik lach je toe. Geneer je maar niet, ik hou er wel van om mensen met zoveel genot te zien eten, zonder beperkingen. De meeste vrouwen die ik ken, zouden nog niet een kwart opeten en dan nog zuchten en steunen over de hoeveelheid calorieën die ze binnen krijgen."

Andrea vroeg zich af of deze woorden als compliment bedoeld waren of een bedekt verwijt inhielden over haar gewicht.

„Eten heeft nu eenmaal een onweerstaanbare aantrekkingskracht op me, zeker als het zo lekker klaargemaakt is als hier," sprak ze op verontschuldigende toon.

Hubert knikte. „Jammer toch dat de smaak van de meeste mensen zo ontwikkeld is dat ze juist datgene lekker vinden wat niet goed is. Het zou andersom moeten zijn."

Andrea hoorde toch een lichte afkeuring in zijn stem en nam zich meteen weer voor om drastisch te gaan lijnen. Niet voor Hubert, maar voor zichzelf, maakte ze zichzelf wijs. Ze wilde zich niet steeds onzeker voelen als dit onderwerp van gesprek ter sprake kwam en ze wilde zichzelf ook niet steeds verontschuldigen. Als ze maar eenmaal slank zou zijn, dan kon ze makkelijker een weerwoord geven op dit soort opmerkingen.

Diep in haar hart vond ze dat Hubert zichzelf tegensprak. Aan de ene kant beweerde hij dat hij het prettig vond als vrouwen normaal aten zonder te kieskauwen, aan de andere kant had hij al een paar keer subtiel laten merken dat hij slanke vrouwen mooier vond. En die twee dingen gingen nu eenmaal niet samen, behalve voor een select groepje bevoorrechte mensen.

Andrea durfde geen dessert meer te nemen en bestelde alleen koffie, al kon ze een zucht van spijt niet onderdrukken bij het zien van al die zoete heerlijkheden die her en der geserveerd werden. Hubert drong echter niet aan en dat sterkte haar in haar mening.

Dat werd diëten, dacht ze moedeloos. Maar met Hubert als stok achter de deur moest het lukken. Met een beetje wilskracht en een heleboel fantasie zou ze sla en worteltjes ook lekker gaan vinden.

Tegen elven verlieten ze het restaurant. Hubert sloeg zijn arm losjes om Andrea's schouder en zij leunde tevreden tegen hem aan. Heerlijk was dit. Het was lang geleden dat ze zich zo goed had gevoeld. Ze had genoten van deze avond. Sinds haar ouders overleden waren en ze noodgedwongen alleen ging wonen, had ze weinig uitstapjes gehad. Het eerste jaar had haar leven nog te veel in het teken van het verdriet gestaan en daarna was het er gewoon niet meer van gekomen. Behalve Wendy en Sally bezat ze geen vrienden of vriendinnen en ze was te verlegen en te onzeker om zelf contacten te zoeken, dus bleef ze tijdens de uren dat ze niet werkte maar in haar huis hangen. Sportverenigingen trokken haar niet en alleen op vakantie gaan was iets wat ze niet durfde, net als uitgaan. Een enkele keer toog ze nog wel eens naar de bioscoop, maar iedere keer als ze dan in haar eentje naar buiten kwam en om haar heen de stelletjes zag en mensen met elkaar hoorde praten, sloeg de eenzaamheid dubbel toe. Dan bleef ze liever thuis, dan kon ze tenminste nog tegen Joy aanpraten. De poes gaf dan wel geen antwoord, maar haar zachte, spinnende aanwezigheid gaf al een gevoel van troost.

Vroeger was Andrea nog wel eens met Sally of Wendy op stap gegaan, maar sinds die allebei een partner hadden was dat ook verleden tijd. Ze nam het hen niet kwalijk. Zo was het leven nu eenmaal, alles veranderde voortdurend. Ze kwam echter steeds meer tot de ontdekking dat ze door het vroegtijdig wegvallen van haar ouders een stuk leven had overgeslagen. Een belangrijk stuk, de periode van studeren, vrienden maken, uitgaan en lol beleven. Het laatste restje zorgeloosheid voor de volwassenheid met al zijn plichten en verantwoordelijkheden kwam. Het ongeluk van haar ouders had Andrea in één klap in die volwassenheid doen belanden, zonder aanloopperiode waarin je langzaam leerde hoe dat moest. Ze was vereenzaamd en toen ze tot het besef kwam dat haar leven saai was, miste ze de moed om dingen te veranderen.

Haar baan was vertrouwd, dus bleef ze er, ondanks haar capaciteiten en opleiding. Haar huis was vertrouwd, dus zag ze geen reden om iets anders te zoeken. Ze maakte zichzelf wijs dat haar leven haar prima beviel, maar zat ondertussen iedere avond haar negatieve gevoelens weg te kauwen met zoetigheid of chips.

Maar nu zou alles veranderen, nu was Hubert er. Die gedachte gaf haar een warm gevoel. Met hem aan haar zijde was er geen sprake meer van eenzaamheid of onvrede.

Bij haar voordeur aangekomen hief Hubert haar gezicht op, zodat ze hem aan moest kijken en in zijn ogen las ze hetzelfde wat zij in haar hart voelde. Haar bloed jaagde door haar lichaam en haar hart bonsde luid bij hun eerste zoen. Hubert nam Andrea stevig in zijn armen.

„Ik geloof dat ik hopeloos verliefd aan het worden ben," zei hij zacht. „Ik wil je heel graag beter leren kennen, Andrea. Dat gevoel heb ik al sinds onze eerste ontmoeting."

„Ik ook," bekende Andrea ademloos.

Haar ogen straalden. Dit was zo'n ongekend gevoel voor haar dat ze de hele wereld vergat. Met overgave beantwoordde ze zijn omhelzing en gewillig bood ze hem keer op keer haar lippen aan, tot hij haar eindelijk met een zucht losliet.

„Ik moet gaan," zei hij schor. „Anders laat ik je nooit meer los." Andrea aarzelde even. Zou ze? Maar nee, dat durfde ze toch niet. Ze was nog nooit zover gegaan met een man en hoewel de hartstocht bezit van haar had genomen, hield de gedachte aan haar vetrollen haar tegen om Hubert binnen te vragen. Ze zou zich niet uit durven kleden voor hem, daar was ze nog niet aan toe. Hun eerste keer moest perfect zijn, daar had ze wat meer tijd voor nodig.

Na nog een laatste zoen ten afscheid ging ze bijna zwevend haar huis binnen, zich toch meteen weer afvragend of ze er goed aan had gedaan om hem naar huis te laten gaan. Zou hij haar niet truttig vinden? In boeken, films en tijdschriften was het altijd vanzelfsprekend dat na de eerste zoen ook de rest volgde. Maar Hubert had zelf ook geen aanstalten gemaakt of hinten in die richting gegeven, stelde Andrea zichzelf gerust. Ze moest niet zo zeuren en niet zo onzeker zijn. Als ze eraan toe waren, zou het vanzelf wel gebeuren. Hubert hield van haar, het was voor hem geen avontuurtje, daar moest ze blij om zijn.

Met een gelukzalig gevoel stapte Andrea in bed, met open ogen dromend over een toekomst naast Hubert. Een toekomst met veel liefde, harmonie en een man die haar op handen droeg. Het perfecte huwelijk zou op hun naam komen te staan, daar was ze van overtuigd. Met een glimlach om haar lippen staarde Andrea in het donker. Achteraf gezien had ze toch de hoofdprijs gewonnen met die prijsvraag. Haar verwachtingsvolle gevoel van die dag had haar niet bedrogen. Hier konden geen tien reizen naar Italië tegenop!

Pas veel later realiseerde ze zich dat ze nog steeds niets van hem afwist terwijl ze zich nog zo voorgenomen had om met hem te praten. Maar ach, wat gaf het? Ze hielden van elkaar, dat was het belangrijkste. Hubert had vast een aannemelijke verklaring voor alle mysteries rondom zijn persoon. Morgen, als hij de wekelijkse bos bloemen zou bezorgen, was er tijd genoeg om te praten. Andrea was zo blij dat ze na jaren eenzaamheid een vriend had gevonden dat ze geen enkel minpuntje wilde zien.

HOOFDSTUK 5

De volgende ochtend werd Andrea al om zes uur wakker, te vol van geluk om te kunnen blijven liggen. Ze sprong uit bed, zette zoals gewoonlijk meteen de slaapkamerramen wijd open en ging direct actief aan de slag. Over een paar uur stond Hubert voor de deur, dan moest alles er piekfijn uitzien, inclusief zijzelf. Andrea gaf Joy eten, stofte haar woonkamer, verschoonde het bed, werkte de afwas weg, gaf de planten water en sopte haar toilet. Daarna ging ze zelf in de revisie, zoals ze het noemde. Een uitgebreide douche, wat make-up, een krulborstel door haar haren. Na enige aarzeling trok ze dezelfde rok aan als de avond ervoor, nu met een lichtblauwe sweater erop in de kleur van haar ogen.

Om halfelf, de tijd dat Hubert altijd kwam, schakelde ze het koffiezetapparaat aan. Alles zag er perfect uit, maar het was Andrea niet aan te zien dat ze al vier uur druk in de week was. Haar knagerige hongergevoel onderdrukte ze door een droge cracker te eten. Tenslotte wilde ze minstens vijftien kilo afvallen. Nerveus wierp ze een blik op de klok. Kwart voor elf al, Hubert was laat. Hij zou toch geen spijt hebben van gisteravond, vroeg Andrea zich bezorgd af. Of misschien was hij toch beledigd omdat ze hem niet binnen had gevraagd en was hij nu op zoek naar een makkelijker prooi, iemand die niet zo preuts was. Maar nee, als hij zo in elkaar stak had hij wel eerder pogingen ondernomen om haar in zijn bed te krijgen. Dan had hij geen vier weken gewacht met de eerste zoen. Maar waar bleef hij?

Eindelijk, een half uur later dan gewoonlijk, weerklonk de bel door haar huis. Met een zwaai opende ze de voordeur.

„Hoi, kom binnen. Ik…" begon ze. Daarna hield ze verbouwereerd haar mond en staarde naar de onbekende jongen die voor de deur stond. Hij was hooguit een jaar of twintig en had een brutaal gezicht.

„Wat een ontvangst," grijnsde hij. „Ik zou graag gehoor geven aan je uitnodiging, maar die was vast niet voor mij bestemd."

„Nee. Ja… Ik weet het niet," stotterde Andrea, want ze zag de bos bloemen die de jongen in zijn handen hield. Zo'n zelfde bos als ze iedere week kreeg. Maar waar was Hubert dan?

Voordat ze de kans kreeg om daarnaar te vragen had de jongen de bos al in haar handen gedrukt en maakte hij aanstalten om weer te vertrekken.

„Hé, wacht even!" riep Andrea toen ze haar tegenwoordigheid van geest weer terugkreeg. Hij draaide zich meteen om, blijkbaar verwachtend een fooi te krijgen. „Waarom is die andere bezorger niet gekomen? Hij is toch niet ziek of zo? Hubert van Oldenburgh," verduidelijkte ze bij het zien van zijn verbaasde gezicht.

„Hubert van Oldenburgh?" herhaalde de bezorger. Er verscheen een smalend lachje op zijn gezicht. „Nou juffie, dan heb je je mooi beet laten nemen. Dat is de zoon van de grote baas. Schatrijk en vreselijk lui, zeggen ze. Hij verveelde zich zeker dat hij voor bezorger gespeeld heeft, want zo'n lekker baantje is het niet. Hoewel…" Ongegeneerd vlogen zijn ogen over Andrea's lichaam. „Soms kom je leuke mensen tegen, dat zal hij ook wel gemerkt hebben." Met een schaamteloze grijns liep hij weg.

Zacht sloot Andrea de deur en als verdoofd bleef ze ertegenaan staan, haar verhitte gezicht tegen het koele raampje gedrukt. Heel even was haar hoofd volledig leeg, toen begon de harde werkelijkheid tot haar door te dringen. Hubert had al die tijd tegen haar gelogen! Maar waarom? Wat had hij ermee voor gehad om zich zo te gedragen?

„Hij verveelde zich zeker," had die bezorger gezegd. Natuurlijk, dat was het, dacht ze bitter. Verveling van een rijkeluiszoontje dat niets nuttigs om handen had en de hele dag liep te lanterfanten. Zij was gewoon een leuke afwisseling voor hem geweest.

Vertwijfeld vroeg Andrea zich af hoe ze zo dom had kunnen zijn. Zijn dure kleding, zijn auto, de verre reizen waar hij over vertelde, het exclusieve restaurant… Ze had het kunnen weten. Haar enige excuus was dat ze op slag verliefd geworden was op Hubert en daardoor niets negatiefs wilde zien. Doodgewoon stapelverliefd.

Maar dat is nu over, hield ze zichzelf grimmig voor. Ze was te goed om als speeltje gebruikt te worden door een rijke nietsnut. Al haar mooie toekomstplannen en roze met gouden dromen waren ineens weg. Verdwenen als uit elkaar gespatte zeepbellen. Niets wilde ze meer met hem te maken hebben! De bedrieger! Driftig veegde ze de tranen van haar wangen. Ze wilde niet huilen om zo'n waardeloos figuur.

Op dat moment galmde voor de tweede keer de bel door het huis. Andrea stond nog steeds tegen de deur geleund en automatisch deed ze open, de bos bloemen nog in haar hand. Het was Hubert die op het portiek stond. Eén blik op de bloemen en Andrea's roodbehuilde ogen zei hem genoeg: ze wist alles. Hij was er al bang voor geweest vanaf het moment dat hij wakker werd en op de wekker zag dat het al bijna kwart over tien was. Als een gek had hij zich aangekleed en was naar de zaak gereden, waar de bedrijfsleidster hem vertelde dat ze Andrea's bloemen aan de bezorger had meegegeven omdat ze dacht dat Hubert niet meer kwam.

„Andrea," begon Hubert. „Ik…"

Verder kwam hij niet. Andrea keek hem woedend aan. „Ga alsjeblieft weg, leugenaar," onderbrak ze hem. „Ik ben je smoesjes en bedriegerijen zat."

In machteloze woede gooide ze de bos bloemen naar hem toe voor ze de deur wilde sluiten, maar Hubert was haar voor. Razendsnel zette hij zijn voet tussen de deur.

„Je moet naar me luisteren," zei hij dringend. „Geef me tenminste de kans om het uit te leggen."

„Ik moet helemaal niets. Jij moet iets, namelijk weggaan," snauwde Andrea. Met ogen die vuur schoten keek ze hem aan, maar Hubert gaf niet op.

„Ik heb het recht om me te verdedigen," hield hij vol. „Je kunt me niet zomaar veroordelen en wegsturen."

Andrea zuchtte. In vredesnaam dan maar. Ze moest nog maar één keer naar zijn smoesjes luisteren, eerder ging hij toch niet weg. Misschien liet hij haar daarna met rust, dacht ze moedeloos. Ze kon niet meer.

„Kom dan maar binnen," zei ze kort. Ze liep voor hem uit de kamer in en ging zonder iets te zeggen in een stoel zitten.

„Andrea, je moet me geloven als ik zeg dat dit mijn bedoeling niet was." Er lag een smekende klank in Huberts stem. „Ik heb me vanmorgen schandelijk verslapen en ik was al bang dat Dick mijn echte status zou verraden."

336

„Ja, natuurlijk was je daar bang voor. Nu is je spelletje in één klap afgelopen," zei Andrea sarcastisch.

„Denk je echt dat het voor mij een spelletje was?" vroeg Hubert zacht. Hij stond nog steeds midden in de kamer en keek Andrea recht aan. „Wat ik je gisteren vertelde meende ik, Andrea. Ik mag je heel erg graag. Vanaf het eerste moment dat wij elkaar aankeken, bestond er iets tussen ons. Iets dat ik heel graag een kans wil geven om verder uit te groeien."

Verward sloeg Andrea haar ogen neer. „Waarom loog je dan tegen me?" vroeg ze met afgewend hoofd.

Hubert beende rusteloos door de kamer. Nu moest hij het hele verhaal vertellen, daar kwam hij niet meer onderuit. Wilde hij ook niet onderuit, alleen had hij het liever op een andere manier en op een ander tijdstip opgebiecht.

„Mijn vader bezit meer dan twintig bloemenzaken door het hele land en hij is dan ook, mede door goede beleggingen en speculaties, heel erg rijk. Nu is het zo dat je altijd heel veel aandacht van de andere sekse krijgt als je geld hebt. In onze kennissenkring ben ik een felbegeerde vrijgezel. Zonder op te scheppen kan ik rustig beweren dat iedere vrije vrouw me probeert te strikken. Al twee keer heb ik een relatie gehad waarvan ik dacht dat het serieus was, maar waarbij ik er, gelukkig op tijd, achter kwam dat het niet om mij, maar om mijn achtergrond te doen was. Misschien kun je begrijpen dat ik huiverig geworden ben om opnieuw iets met een vrouw te beginnen.

Tot ik jou tegenkwam. Jij ging er automatisch van uit dat ik een eenvoudige bezorger was en toch sloot je vriendschap met me. Ik greep deze kans met beide handen aan, wilde je graag beter leren kennen voor ik met mijn echte status naar voren kwam. Ik was echt van plan om het je vandaag te vertellen, want gisteravond kreeg ik de zekerheid dat je om mij geeft en niet om mijn geld. Jammer genoeg was Dick me voor."

Stil luisterde Andrea naar zijn verhaal. Het klonk allemaal zeer aannemelijk, moest ze toegeven. Ze kon zich er wel iets bij voorstellen, al voelde ze zich beledigd dat Hubert haar bij voorbaat al bij de schare op geld beluste vrouwen had ingedeeld. Eigenlijk had hij haar eerst uitgetest voor hij zijn gevoelens bekende. Ze zou hem nu meteen de deur uit moeten zetten, al was het maar uit trots, maar bij die gedachte overviel haar een gevoel van paniek. Ze wilde hem niet kwijt. Zonder Hubert zou ze weer al haar tijd in haar eentje thuis zitten verzuren. Ze had genoeg van de eenzaamheid. En zo erg was het allemaal niet. In plaats van een man met een eenvoudig baantje bleek hij de prins op het witte paard te zijn. Een rijke erfgenaam, het kon slechter! Hubert keek gespannen naar de stemmingswisselingen op haar gezicht. „Andrea, geloof je me?"

Heel even aarzelde ze nog. „Ja," antwoordde ze toen zacht.

In één stap was hij bij haar en trok haar in zijn armen. „Ik hou van je," zei hij eenvoudig.

Een warm gevoel doorstroomde haar, al kon ze de gedachte niet helemaal van zich afzetten dat hij dit zei als pleister op de wonde. Een soort beloning omdat ze hun relatie niet verbroken had, ondanks zijn leugens. Hoewel, hij had niet echt gelogen, zwakte Andrea zijn rol in gedachten af. Hij was al die tijd gewoon zichzelf geweest, hij had alleen iets verzwegen. Ze moest zich niet aanstellen en gewoon genieten van het feit dat hij bij haar was.

Op het moment dat zijn lippen de hare raakten, lukte het Andrea alle negatieve gedachten van zich af te zetten.

„Vanavond neem ik je mee naar mijn ouders," zei Hubert na een lange zoen. Hij ging op de bank zitten zonder Andrea los te laten, zodat ze als vanzelf op zijn schoot belandde. Even vroeg ze zich angstig af of hij niet zou schrikken van haar gewicht, maar hij vertrok geen spier.

„Vanavond?" herhaalde ze. „Moet dat echt?"

„Natuurlijk, ik wil graag dat jullie elkaar leren kennen. Ik heb ze al over je verteld."

„Woon je nog thuis dan? Weet je dat ik nog niets van je afweet? Vertellen, mannetje. Ik wil nu de hele waarheid horen."

Ze kietelde hem in zijn buik en hij kreunde.

„Daar kan ik niet tegen. Hou op, ik vertel het heus wel. Ik woon half thuis, kun je zeggen. Boven de garage is een appartement dat vroeger als gastenverblijf werd gebruikt. Drie kamers, keuken, douche en toilet. Ik heb het op laten knappen en daar mijn intrek genomen, zodat ik toch mijn privacy heb. Eten doe ik meestal bij mijn ouders."

„Aha, en de was en het schoonmaken van je kamers komen natuurlijk ook op je moeder neer?" plaagde Andrea.

„Mijn moeder? Nou, nee." Hubert kon een glimlach niet onderdrukken bij het idee van zijn elegante moeder achter een stofzuiger. „Daar hebben we personeel voor, liefje. Het wordt hoog tijd dat je met me meegaat, want ik geloof dat je niet echt weet hoe ik leef."

Andrea kreeg het lichtelijk benauwd bij zijn woorden. Ze kon zich er inderdaad geen voorstelling van maken. Onwillekeurig had ze Hubert altijd geplaatst in een gewoon gezin, maar wat hij vertelde klonk heel anders. Gastenverblijf, garage, personeel… ze hoopte dat ze daar niet uit de toon zou vallen.

„Zullen je ouders me wel accepteren?" vroeg ze. „Ik kom uit een heel ander milieu."

„Maak je daar maar geen zorgen over," verzekerde Hubert haar. „Ze zijn rijk, maar ze hebben geen verbeelding. Mijn ouders zijn ook met niets begonnen. Mijn opa heeft de zaak opgestart, maar mijn vader heeft het opgebouwd tot het concern dat het nu is en daar heeft hij hard voor moeten werken. Helaas ligt het in mijn geval anders." Hij trok een schuldbewust gezicht. „Ik ben een onverbeterlijke levensgenieter, hard werken is mij vreemd. Maar ja, mijn zus en ik zijn nu eenmaal met een gouden lepeltje in onze mond geboren."

„Je bent gewoon lui," stelde Andrea lachend vast.

„Klopt," gaf hij volmondig toe. „Maar niet te lui om jou te zoenen." Hij voegde meteen de daad bij het woord en het duurde een hele tijd voor ze weer konden praten. „Ik moet gaan," zei hij spijtig. „Het liefst zou ik de hele dag bij je blijven, maar de dierenarts komt zo voor mijn paard en daar wil ik bij zijn. Hij mankeert iets aan zijn been. Om zes uur kom ik je halen, dan eten we bij mijn ouders."

Hij wilde opstaan, maar Andrea hield hem tegen. „Wacht even. Wat moet ik vanavond aan? Ik bedoel, moet het iets gekleeds zijn of kan het ook gewoon in een spijkerbroek? Ik weet niet wat je ouders verwachten."

Ze hoopte dat hij zou zeggen dat het niets uitmaakte, dat ze zichzelf moest zijn, maar hij trok een bedenkelijk gezicht.

„Ze houden wel van een beetje decorum. Ik ook trouwens.

Spijkerbroeken vind ik typisch vrijetijdskleding, dat trek je niet aan bij de eerste ontmoeting met je aanstaande schoonouders. Doe maar een mooie jurk aan, of een rok met een net jasje."

„Zoiets heb ik niet," bekende Andrea met de moed der wanhoop. „Tenminste, niet iets wat past. Ik ben nogal aangekomen de laatste tijd."

Ze voelde zich doodongelukkig onder deze bekentenis, maar ze gaf zich liever nu bloot tegenover Hubert dan vanavond voor schut te moeten staan bij zijn familie. Ze zag er toch al zo tegen op.

Hubert wierp een blik op zijn horloge. „Ik moet nu echt gaan, maar vanmiddag gaan we samen de stad in om iets nieuws te kopen. Maak je niet druk, ik zorg ervoor dat je er piekfijn uitziet vanavond."

Na een laatste zoen vertrok hij. Andrea wist niet goed wat ze ervan moest denken. Aan de ene kant was ze blij dat hij haar wilde helpen om een goede eerste indruk te maken, aan de andere kant gaf hij haar het gevoel dat ze niet goed genoeg was zoals ze was. Maar hij wilde zelf natuurlijk ook goed voor de dag komen met haar. Je partner voorstellen aan je ouders was altijd spannend, hij was waarschijnlijk ook zenuwachtig.

Omdat Andrea bang was dat ze die avond aan tafel weer geen maat zou kunnen houden, nam ze een uitgebreide lunch. Van de zenuwen werkte ze daarna ook nog een pak gevulde koeken en een zak chips naar binnen. Ze voelde zich schuldig omdat ze zo weinig zelfdiscipline bezat, maar stelde zichzelf meteen gerust met de gedachte dat ze dat zou compenseren met de avondmaaltijd. Ze wilde absoluut niet overkomen als een veelvraat, dus kon ze er maar beter voor zorgen dat haar maag goed gevuld was voor ze naar Huberts ouders ging. De tijd ging tergend langzaam voorbij. Om iets te doen te hebben besloot Andrea Wendy op te bellen, zodat ze haar op de hoogte kon brengen van de nieuwste ontwikkelingen. Gelukkig was Wendy thuis; met haar onregelmatige werkschema was dat altijd maar afwachten. Andrea vertelde uitgebreid wat er die dag voorgevallen was, blij dat zij eindelijk eens degene was met een nieuwtje.

„En nu moet ik vanavond mee om bij zijn ouders te eten en daar zie ik vreselijk tegen op," eindigde ze.

„Waarom? Jij kunt toch ook met mes en vork eten?" was Wendy's droge commentaar. „Laat je niet intimideren hoor, je bent niets minder dan zij. We zijn tenslotte allemaal mensen en jij verdient net zo goed je eigen brood als Huberts vader."

„Alleen is zijn beleg een stuk dikker," zei Andrea somber. „Ik hou van Hubert, maar eigenlijk had ik liever gezien dat hij uit een arbeidersgezin kwam."

„Geld is anders ook niet te versmaden," meende de praktische Wendy. „Zorg dat je er goed uitziet vanavond, dat scheelt in je zelfvertrouwen. Wat trek je aan?"

„Dat weet ik nog niet. Volgens Hubert zijn zijn ouders nogal gesteld op decorum, dus het zal wel een mantelpakje of zo worden. Hubert gaat vanmiddag met me mee de stad in om iets uit te zoeken."

„Hubert?" herhaalde Wendy verbaasd. „Dan heb jij de enige man ter wereld gevonden die het niet erg vindt om kleren voor een vrouw te kopen. Waarom heb je mij niet eerst gebeld? Ik zou het gezellig gevonden hebben om met je mee te gaan."

„Hij stelde het zelf voor," vertelde Andrea. „Bovendien weet hij natuurlijk precies wat wel en niet de goedkeuring van zijn ouders kan wegdragen."

„Als je je maar niet laat beïnvloeden, je hebt tenslotte ook je eigen smaak. Op zich is er niets op tegen om je bij zo'n eerste bezoek een beetje aan te passen, maar uiteindelijk zullen ze je toch moeten nemen zoals je bent," waarschuwde Wendy.

„Als die eerste kennismaking maar eenmaal achter de rug is," meende Andrea. „De eerste indruk is het belangrijkste. O meid, ik zit hier helemaal te bibberen, weet je dat?"

„Dat had ik ook bij de ontmoeting met Ronalds ouders, dat is normaal. Als je maar niet denkt dat je minder bent omdat je geen geld hebt."

„Wel minder interessant, denk ik." Andrea zuchtte. „Ik ben en blijf een saaie piet, veel heb ik niet te melden."

„Dat komt door de omstandigheden, het is geen aangeboren karaktertrek," zei Wendy. Haar stem klonk ernstig. „Als je ouders waren blijven leven had je een heel ander leven gehad. Nu werd je gedwongen om alleen te wonen en in sneltreinvaart volwassen te worden, bovendien had je je verdriet. Het is echt geen wonder dat je de laatste jaren zo'n teruggetrokken leven hebt geleid."

„Ik denk dat daar nu verandering in gaat komen, met Hubert naast me."

„Ik hoop het echt voor je. Als ik het iemand gun om geluk te hebben, ben jij het wel," zei Wendy hartelijk.

Ze meende het uit de grond van haar hart. De laatste tijd had ze zich echt zorgen gemaakt om Andrea, die zichzelf steeds meer verwaarloosde. Het begon er echter op te lijken dat de zaken zich ten goede keerden voor haar.

„Hier is het." Hubert draaide zijn wagen een brede oprijlaan in en Andrea keek met ontzag naar de enorme tuin die zich voor haar uitstrekte en waar de zachtgeel geverfde villa zo perfect in paste. Het geheel deed warm en vriendelijk aan. Het had een huis uit een exotisch oord kunnen zijn, alleen stonden er eikenbomen in plaats van palmen.

„Lieve help, wat een huis!" zei Andrea zuchtend. „Natuurlijk heb ik vanmiddag geprobeerd om me er een voorstelling van te maken, maar dit overtreft al mijn verwachtingen."

„Uiterlijke schijn," reageerde Hubert nonchalant.

Makkelijk gezegd als je eraan gewend was, dacht Andrea bij zichzelf. Op weg hierheen waren ze meerdere landhuizen gepasseerd, maar dit was echt de mooiste die ertussen stond.

„Dat is het werk van mijn moeder," vertelde Hubert terwijl hij zijn wagen de garage inreed. „Nou ja, ze verft zelf natuurlijk de buitenmuren niet, maar alle ideeën zijn van haar, ook de tuinindeling."

„Dan heeft ze een goede smaak," complimenteerde Andrea.

Ze stapte uit en trok onwennig haar jurk recht. Voor het eerst was ze blij met haar aankoop van die middag. In ieder geval zou ze in de zalmkleurige jurk met bijpassend jasje niet uit de toon vallen in deze luxe omgeving. Het model was heel eenvoudig, maar de soepele stof viel mooi om haar lichaam en deed haar een stuk slanker lijken dan ze was. Dat mocht ook wel, het had haar een vermogen gekost. Zonder naar haar mening te vragen had Hubert haar die middag meegesleept naar een exclusieve modezaak, het soort winkel waar Andrea normaal gesproken met een grote boog omheen liep. Voor hem was zevenhonderd gulden voor een jurk waarschijnlijk een koopje, voor haar betekende het ongeveer eenderde van haar maandsalaris. En daarbovenop was nog eens de rekening van de schoonheidsspecialiste gekomen.

Maar ach, haar spaarrekening moest af en toe eens geplunderd worden, had Andrea berustend bedacht. Tenslotte gaf ze weinig geld uit aan leuke dingen voor zichzelf. En de gouden oorbellen die ze droeg had ze van Hubert cadeau gekregen.

„Om het goed te maken," had hij er ernstig bij gezegd. Met gemengde gevoelens had Andrea ze aangenomen. Ze vond het een veel te duur geschenk, tenslotte kenden ze elkaar nog maar net een maand, maar voor hem lag dat natuurlijk anders. Omdat ze niet steeds over geld wilde zeuren, had ze ze toch maar zonder kritiek aanvaard.

Voor ze het huis betraden liet Hubert haar eerst zijn eigen domein zien, het appartement boven de garage. Ook hier ademde alles een zekere luxe, ondanks de vrij sobere inrichting. Maar wat er stond en aan de muren hing, was kostbaar, wist Andrea. Ze werd steeds zenuwachtiger voor de ontmoeting met zijn ouders. Dat moest wel een stel stijfdeftige mensen zijn.

Weer had ze het mis, iets waar ze eigenlijk alleen maar blij om kon zijn. Huberts moeder was een tengere vrouw, die meteen kwiek overeind kwam bij hun binnenkomst.

„Jij moet Andrea zijn," zei ze met een prettige stem. „Fijn om je te ontmoeten, Hubert heeft al veel over je verteld. Ga zitten, mijn man is er nog niet, hij komt over een uurtje. Er waren problemen in Apeldoorn," vervolgde ze tegen Hubert.

Hij knikte onverschillig. Zijn vader zou zijn hulp heus niet nodig hebben, hij was nog prima in staat om alles zelf te regelen.

Andrea was intussen alleen maar blij dat ze de kennismaking in gedeeltes kon doen, al was mevrouw Van Oldenburgh haar heel erg meegevallen.

Ze begon zich al wat meer op haar gemak te voelen en nam met een glimlach een glas wijn van Hubert aan. De rijkelijk belegde toastjes die haar vanaf een zilveren schaal op de lage salontafel toelachten, negeerde ze wijselijk. Ze zagen er zo lekker uit dat ze bang was het er niet bij één te kunnen laten als ze eenmaal begon. Ze durfde trouwens niets te eten uit angst om op haar dure jurk te morsen. Haar glas hield ze angstvallig een stukje van zich af.

Ook de kennismaking met Huberts vader viel haar heel erg mee. Het was een grote, joviale man, die Andrea begroette alsof ze het enige was wat nog aan zijn geluk ontbrak.

„Hubert praat over niets anders meer," beweerde hij. „Het is Andrea voor en Andrea na. Ik ben blij je eindelijk te ontmoeten."

„Hè Jacob, hou op. Je maakt haar verlegen," lachte mevrouw

Van Oldenburgh terwijl ze haar man een duwtje gaf in de richting van zijn stoel. „Ga zitten, neem iets te drinken en hou vijf minuten je mond."

Andrea lachte. Ze begon zich steeds meer thuis te voelen in deze ongedwongen sfeer, die zo heel anders was dan ze zich had voorgesteld. Hubert praatte met zijn vader over de zaak en mevrouw Van Oldenburgh vroeg Andrea naar haar werk.

„Je werkt toch in een boekwinkel?" vroeg ze.

Andrea knikte. „Ja, samen met mijn collega Sally. We zijn van dezelfde leeftijd en in de loop der tijd zijn we ook vriendinnen geworden."

„Vast wel gezellig om samen met een vriendin te werken."

„We lachen inderdaad heel wat af. Bij sommige klanten kost het ons echt moeite om onze gezichten in de plooi te houden. Je houdt niet voor mogelijk wat voor mensen er soms komen. Lieve, vervelende, klagende, onbeschofte. Echt, de hele samenleving weerspiegelt zich in de mensen die dagelijks voor onze toonbank staan."

„Ik ben vroeger verkoopster geweest in één van onze bloemenzaken, dus ik weet precies wat je bedoelt," vertelde Huberts moeder. „Op een gegeven moment kwam er iedere maandag een al wat oudere vrouw vragen of we nog oude bloemen hadden die ze voor de halve prijs kon kopen. Die waren er natuurlijk nooit, want er worden in onze zaken alleen maar eersteklas bloemen verkocht, maar die klant kon echt enorm aandringen. We vonden haar eigenlijk een beetje zielig, dus na een paar weken besloten we om onder elkaar een mooie bos voor haar te kopen en die te geven. De volgende dag werd er een doos gebak bezorgd voor alle personeelsleden, omdat ze het zo lief vond van ons."

„Dan was ze waarschijnlijk goedkoper uit geweest als ze gewoon zelf die bloemen had gekocht," zei Andrea droog.

„Nou, naderhand bleek het de vrouw van de eigenaar te zijn, mijn latere schoonmoeder dus. Ze had besloten om op eigen houtje eens een onderzoek in te stellen naar de beleefdheid van de verkoopsters ten opzichte van lastige klanten. Mijn schoonvader had ooit eens het plan opgevat om daar een bureau voor in te schakelen, maar dat vond ze te duur."

Andrea lachte hartelijk om het verhaal en Hubert keek blij verrast op. Hij vond het fijn dat ze zich zo op haar gemak voelde bij zijn ouders.

„Mijn moeder is vroeger ook verkoopster geweest in één van uw zaken," vertelde Andrea toen.

Verwonderd keek meneer Van Oldenburgh haar aan. „O ja? In welke zaak?"

„In Apeldoorn, geloof ik. Ze is ermee gestopt toen ik geboren werd."

„Je achternaam zegt me niets, maar ik was toen natuurlijk nog niet zo bij de zaak betrokken als nu. Wat was haar meisjesnaam?"

„Van Dam. Paula van Dam heette ze."

„Paula van Dam!" riep mevrouw Van Oldenburgh uit. „En of ik die ken! Zij was vroeger één van mijn collega's in Amsterdam en diegene die indertijd het plan opperde om een bos bloemen voor dat arme vrouwtje te kopen."

Andrea's ogen begonnen te schitteren. „Meent u dat werkelijk? Wat leuk, wat verschrikkelijk leuk! Maar u heeft het over Amsterdam, daar weet ik niets van."

„Ze is getrouwd met Johan van Alphen en samen met hem verhuisd naar Apeldoorn, waar ook een winkel van ons was. Jammer genoeg heb ik na haar overplaatsing niets meer van haar gehoord."

„Ze heeft er vier jaar gewerkt, tot ik mijn komst aankondigde. Mijn ouders hebben daarna nooit meer een kind gekregen, maar ze waren heel gelukkig samen," zei Andrea. „Wat dat betreft is het voor hen goed geweest dat ze samen zijn gestorven, want ik geloof niet dat de één het gered had zonder de ander. Al kwam voor mij de klap natuurlijk heel hard aan."

Haar gezicht stond ineens verdrietig en Huberts moeder sloeg even hartelijk haar arm om Andrea's schouder heen. Ze begreep hoe eenzaam deze jonge vrouw moest zijn geweest toen al haar zekerheden in één klap wegvielen.

„Kom maar vaak hierheen, dat vinden we allemaal gezellig," zei ze lief.

Andrea beloofde dat maar al te graag. Plotseling had ze het gevoel dat ze met Hubert ook familie gekregen had. Een lieve, bezorgde familie, net als vroeger.

In november werd Andrea vijfentwintig jaar. Ze ging inmiddels bijna een half jaar met Hubert om en haar leven was flink veranderd in die paar maanden. Met Hubert kwam ze in gelegenheden waar ze vroeger alleen maar van kon dromen en van saaiheid of eenzaamheid was geen sprake meer. Een avond naar de schouwburg, een uitstapje wat vroeger maar hoogst zelden voorkwam, was tegenwoordig absoluut geen uitzondering meer en bij de restaurants waar Andrea nog geen jaar geleden met een grote boog omheen liep, was ze nu vaste klant. En het eten in dergelijke gelegenheden was stukken beter voor haar lijn dan de snackbar en de pizzeria waar ze gewoonlijk haar avondmaal vandaan haalde. Tien kilo was ze al afgevallen. Vergeleken bij de meeste vrouwen die ze via Hubert had leren kennen, was ze nog steeds veel te dik, maar als Andrea in de spiegel keek voelde ze zich een slanke den en was ze trots op zichzelf.

Makkelijk was het niet. Ze hield nu eenmaal van lekker eten en snoepen en eenzame avonden voor de tv waren een prima excuus om zich vol te proppen. Nu eenzame avonden bijna niet meer voorkwamen, vroeg haar lichaam toch nog om de zoetigheid en hartige hapjes die het gewend was. Bovendien waren er nu andere verleidingen. Huberts moeder hield ervan om haar gasten, inclusief haar zoon en zijn vriendin, een uitgebreide theetafel te serveren, daarbij waren er altijd de nodige borrelhapjes die 's avonds op tafel kwamen. Ook drank bevat de nodige calorieën, had Andrea ontdekt. Tegenwoordig hield ze het meestal bij mineraalwater, iets wat haar door Hubert niet altijd in dank werd afgenomen. Hij vond het ongezellig en puriteins, beweerde hij. Hij scheen niet te beseffen hoe moeilijk het was om gewicht te verliezen, maar verwachtte ondertussen wel dat ze binnen afzienbare tijd in maat achtendertig zou passen.

Maar mannen hadden daar nu eenmaal geen verstand van, vergoelijkte Andrea dat. Ze uitte nooit kritiek op Hubert. Hij had haar leven in positieve zin veranderd en daar was ze hem dankbaar voor. Uit een altijd op de achtergrond aanwezige angst hem en daarmee zijn familie kwijt te raken, paste Andrea zich volledig bij Hubert aan. Ze kwam graag bij Huberts ouders. Ze vormden een schakel naar haar verleden, naar haar moeder. Mevrouw Van Oldenburgh had Andrea enkele foto's gegeven waar haar moeder opstond, in de periode voor haar trouwen. Andrea beschouwde die als een kostbaar bezit. Haar moeder had toen ongeveer de leeftijd die zij nu had en Andrea had verrast opgemerkt dat ze veel op elkaar leken. En net als haar moeder had zij nu ook het geluk gevonden, hield ze zichzelf voor.

Diep in haar hart wist ze dat haar relatie met Hubert niet te vergelijken was met de band die haar ouders met elkaar hadden gehad, maar ze maakte zichzelf wijs dat dat in de loop der jaren vanzelf zou komen. Ze hielden van elkaar, dat was het belangrijkste. En al die kleine verschillen, strubbelingen en ergernissen zouden vanzelf overgaan, meende ze optimistisch.

Op de dag van haar verjaardag werd Andrea al vroeg wakker. Het was zondag, dus ze hoefde niet te werken, maar het lukte haar niet meer om nog in slaap te komen. Specifieke plannen had ze niet gemaakt. Hubert zou natuurlijk komen en ze verwachtte dat Wendy en Ronald in de loop van de dag wel op haar stoep zouden staan, maar dat was dan ook alles. Sally had haar gisteren al verteld dat ze niet kon komen.

Andrea maakte zich er niet druk om. Ze had de gewoonte om haar verjaardag uitgebreid te vieren afgeschaft na het overlijden van haar ouders en op de een of andere manier was het er nooit meer van gekomen om die traditie in ere te herstellen. Er waren ook steeds minder mensen om haar heen die de moeite van een feest waard waren.

Ze stond op, nam een uitgebreide douche en zocht haar kleding voor die dag uit. Iets makkelijks, besloot ze. Het aantal kledingstukken waar ze inmiddels weer inpaste was flink in aantal toegenomen, maar ze had geen zin om zich speciaal op te tutten, dus trok ze een spijkerbroek aan met een lange, wijdvallende, felgekleurde blouse.

Haar ontbijt bestond uit een schaaltje yoghurt met muesli. Dapper weerstond ze de neiging om een paar boterhammen met flink veel boter en hagelslag naar binnen te werken. Ze was jarig, dus het mocht, aarzelde ze. Toch sloot ze resoluut de ijskast. Ze had geleerd moeilijke momenten te herkennen en dit was er één van. De neiging om veel te eten kwam niet uit een hongergevoel of trek in iets zoets, maar was gewoon een reactie op het lege gevoel binnen in haar. Op dit soort dagen werd ze extra pijnlijk herinnerd aan hoe het vroeger was. Het versierde huis, het uitgebreide ontbijt, de cadeaus en haar ouders die haar toezongen, dat beeld stond op haar netvlies gebrand en vormde een schril contrast met haar eenzame verjaardagen van tegenwoordig. Het gevoel wat dat met zich meebracht, was te vergelijken met een hongergevoel en al jarenlang trachtte ze dat weg te eten.

Hubert kwam om elf uur, met een grote bos bloemen.

„Origineel," prees Andrea lachend terwijl ze ze in ontvangst nam.

„Dit is slechts een voorproefje," beloofde hij. „Je echte cadeau krijg je vanavond, ik hou er wel van om vrouwen nieuwsgierig te maken."

„Dan heb je bij mij weinig succes, dat zit niet in mijn genen," beweerde Andrea met een stalen gezicht, hoewel ze nu al knapte van nieuwsgierigheid.

„Wacht maar af. Het is iets heel speciaals. Ik weet zeker dat je er heel blij mee zal zijn."

„Kapsones."

Ze lachten naar elkaar en kropen eensgezind op Andrea's oude, maar comfortabele bank. Zo was het leven goed, besefte Andrea tevreden. Alle verschillen tussen hen, veroorzaakt door twee tegengestelde levensstijlen, vielen weg als ze samen waren.

In gezelschap van anderen was het altijd moeilijker. Huberts zus Anouk weigerde Andrea bijvoorbeeld te accepteren als mogelijk nieuw gezinslid, om de simpele reden dat Andrea niet van hun stand was, zoals ze beweerde. Ze had Andrea ronduit verteld dat ze ervan uit ging dat ze slechts een bevlieging was van haar broer en dat hij zijn gezonde verstand nog wel terug zou krijgen.

Dat soort opmerkingen en de blikken van Huberts vrienden, ondermijnden Andrea's met moeite verworven dunne laagje zelfvertrouwen, maar als Hubert bij haar thuis was, telden deze dingen niet. In Huberts omgeving voelde Andrea zich vaak de mindere, in haar omgeving waren ze gelijk.

Na de koffie stelde hij voor om een lange strandwandeling te maken. Er stond een flinke wind, perfect om lekker uit te waaien.

Andrea aarzelde. „Ik denk dat Wendy nog wel zal komen, dan staat ze voor een dichte deur."

Hubert fronste zijn wenkbrauwen. „Heb je met haar afgesproken? Nee? Dan hoef je er ook niet voor thuis te blijven zitten als je daar geen zin in hebt."

„Ik weet niet," twijfelde ze.

Het idee van een eind lopen en een paar uur buitenlucht trok haar wel aan, maar het stond niet bepaald hartelijk als Wendy voor niets zou komen. Ze was haar beste vriendin.

„Komt ze ieder jaar?" informeerde Hubert.

„Dat niet. Tenminste, ze komt wel altijd, maar niet ieder jaar op de dag van mijn verjaardag zelf. Ook wel eerder of later, afhankelijk van haar werkschema."

„Nou dan?" meende hij terecht. „Je kunt onmogelijk iedere vrije minuut thuis gaan zitten wachten of iemand het belieft langs te komen, tenslotte heb je telefoon. Als je zin hebt in een wandeling, ga dan gewoon."

„Oké, je hebt gelijk," capituleerde Andrea. „Even een paar makkelijke schoenen aantrekken."

Een uur later liepen ze langs de vloedlijn, hun armen om elkaar heen geslagen. Het was drukker dan ze verwacht hadden. Het novemberzonnetje in combinatie met de frisse wind had meer mensen naar het strand gelokt. Andrea genoot van de aanblik van een stel kinderen die uitgelaten achter elkaar aan renden en twee honden die met een bal speelden. Dit was inderdaad veel beter dan thuis achter de ramen op eventuele visite gaan zitten wachten die misschien niet eens op kwam dagen. Hubert had gelijk, ze moest meer voor zichzelf opkomen en niet altijd en eeuwig rekening met anderen houden. Haar eigen wensen waren ook belangrijk.

„Mijn moeder heeft gevraagd of we straks nog even langs komen," haalde Hubert haar uit haar gedachten. „Ze wil je graag persoonlijk feliciteren."

„Prima," antwoordde Andrea meteen, al vroeg ze zich wel even af waarom ze dan niet naar haar woning toekwamen. „Ik mag je ouders graag, dat weet je."

„Toch niet liever dan mij?" vroeg Hubert terwijl hij haar wat steviger naar zich toetrok.

„Nou…" Andrea deed of ze daar diep over na moest denken. „Jij bent het middel om bij je ouders thuis te komen, daarom ga ik met je om," plaagde ze.

„Hou je er rekening mee dat ik nog een verjaardagscadeau voor je heb? Als je zo doorgaat, krijg je dat natuurlijk nooit," dreigde hij.

„O sorry, neem me alsjeblieft niet kwalijk." Zich niets aantrekkend van de andere mensen om hen heen, vloog Andrea Hubert om zijn nek. „Vergeef me, natuurlijk hou ik het allermeeste van jou."

„Schooier."

Hij kietelde in haar zij en met een gil nam Andrea een sprong bij hem vandaag. Als jonge, onbezorgde kinderen renden ze achter elkaar aan, tot ze zich uiteindelijk hijgend tegen de duingrens aan lieten vallen.

„Dan gaan we zo eerst terug naar jouw huis, dan kun je je omkleden," stelde Hubert voor.

„Omkleden?" Andrea keek omlaag langs haar lichaam. Een spijkerbroek detoneerde misschien wel in het volmaakte interieur van Huberts ouders, maar hij was schoon en de blouse die ze erop droeg stond haar prima. Ze had helemaal geen zin om zich in een nette jurk of een pakje te hijsen.

„Je weet dat mijn ouders erg gesteld zijn op een verzorgd uiterlijk," zei Hubert.

„Ik zie er anders niet uit als een slons," gaf Andrea terug. „Trouwens, volgens mij ligt het aan jou. Jij wilt dat ik een jurk draag, jij wilt dat ik afval, jij wilt dat ik regelmatig naar de kapper en de schoonheidsspecialiste ga." Ze voelde zich steeds opstandiger worden. „Deze keer vertik ik het. Of ik ga zo, of ik ga niet. Tenslotte is het mijn verjaardag."

„Maak je niet zo druk. Ik vind het uiterlijk belangrijk ja, daar schaam ik me niet voor. De manier waarop iemand zich verzorgt, is vaak een afspiegeling van het karakter. Als jij je op deze manier in het huis van mijn ouders wilt presenteren, moet je dat zelf weten."

Hij wierp een misprijzende blik op haar broek en sportschoenen en stond op. „Ga je mee?"

Het klonk koel en Andrea, die net aan zijn wensen wilde toegeven, slikte haar woorden weer in. Hij bekijkt het maar, dacht ze opstandig. Hij zal me moeten accepteren zoals ik ben.

Zwijgend liepen ze terug naar de auto. Hun stralende, onbezorgde, verliefde stemming was als sneeuw voor de zon verdwenen. Even vroeg Andrea zich af of zo'n futiliteit het waard was om ruzie om te krijgen. Wat maakte het nou eigenlijk uit om een jurk aan te trekken als hij dat graag wilde? Ze keek even tersluiks naar zijn afwerende gezicht en schudde onbewust haar hoofd. Nee, ze deed het niet, punt uit! Ze had er gewoonweg geen zin in. Meestal gaf ze zonder meer aan Huberts wensen toe, maar nu vertikte ze het.

Tenslotte had hij haar vandaag nog duidelijk gemaakt dat ze meer voor haar eigen belangen moest opkomen, dus kon hij nu onmogelijk bezwaar maken tegen haar weigering, dacht ze grimmig.

HOOFDSTUK 7

In een niet al te beste stemming reden ze naar Huberts ouderlijk huis. Hubert zei geen woord meer dan strikt noodzakelijk was en uiteindelijk staakte Andrea haar pogingen tot een gesprek.

Gezellige verjaardag, dacht ze somber. Ze hoopte dat Hubert bij zijn ouders thuis zou bijdraaien, want zo was er weinig lol aan.

In plaats van de gebruikelijke oprit, reed Hubert deze keer achterom, via een smal weggetje vol kuilen en boven de grond uitstekende boomwortels. Andrea stootte gevoelig haar hoofd bij het nemen van zo'n obstakel.

„Au, wat doe je nou?" mopperde ze, de pijnlijke plek wrijvend.

„Sorry schat." Voor het eerst verscheen er weer een lachje op Huberts gezicht. „Ik weet dat dit niet de meest comfortabele manier is om er te komen, maar het moet vandaag even."

„Heeft dat te maken met mijn verjaardagscadeau?" vroeg Andrea. Ze leefde meteen weer op en probeerde te bedenken wat er in hemelsnaam aan de voorkant van het huis kon staan wat ze niet mocht zien.

„Zoiets ja," grinnikte Hubert. Behendig stuurde hij langs een kuil en parkeerde de wagen achter de garage.

Als hij maar geen paard voor me heeft gekocht, dacht Andrea angstig. Ze was doodsbang voor die grote beesten en begreep niet dat Hubert er plezier in had om zoveel tijd met zijn paard Radja door te brengen. Wedstrijden reed hij bijna niet meer omdat die meestal in het weekend waren en Andrea stelselmatig weigerde om mee te gaan, maar op de dagen dat zij werkte, zat hij heel wat uren op Radja's rug. Maar een paard zou niet los op de oprit staan, stelde ze zichzelf gerust. Trouwens, Hubert wist hoe bang ze was, dat zou hij haar niet aandoen. Hoewel, hij had zijn eigen specifieke manieren om zijn zin door te drijven, daar was Andrea inmiddels wel achter. Het zou haar eigenlijk niet eens zo erg verbazen als hij inderdaad een paard voor haar had gekocht, onder het motto dat ze er dan wel aan moest wennen. Hubert had vaker gezegd dat die belachelijke angst van haar volkomen ongegrond was en alleen tussen haar oren zat.

Toch niet helemaal gerust volgde ze hem door de keukendeur naar binnen, de hal door en zo naar de enorme zitkamer van de familie Van Oldenburgh. Hubert zwaaide de deur open en liet Andrea eerst naar binnen gaan.

„Surprise!" Minstens veertig mensen waren er aanwezig, veertig mensen die verwachtingsvol naar Andrea opkeken. Pas toen ze Lang zal ze leven begonnen te zingen, drong het tot haar door dat dit verrassingsfeestje voor haar bedoeld was.

Ze zag Huberts ouders, Wendy en Ronald, Sally en Theo, Huberts zus Anouk en verder tientallen mensen uit zijn kennissenkring. Sommigen daarvan herkende ze, anderen waren volslagen vreemden. Maar dat gaf niet, ze waren hier voor haar! Stuk voor stuk hadden ze de moeite genomen om haar, saaie, onbeduidende Andrea, te verrassen op haar verjaardag.

Met tranen in haar ogen wendde ze zich tot Hubert. „Heb jij…?" Hij knikte trots. „Natuurlijk. Je bent vandaag precies een kwart eeuw geworden en dat feit mag je niet ongemerkt voorbij laten gaan. Snap je nu waarom ik niet de gewone oprit nam? Het staat daar vol met wagens van je gasten."

Háár gasten! Andrea's hart zwol van trots en onder luid gejuich van de aanwezigen viel ze Hubert om de hals. „Dank je. Dank je wel," fluisterde ze.

„Geniet er maar van."

Hubert liet haar los omdat verschillende mensen Andrea wilden feliciteren. Wendy was de eerste die haar hartelijk een paar zoenen gaf.

„Meid, van harte. Ik heb je expres de laatste dagen niet gebeld, omdat ik bang was me te verspreken. Die Hubert van jou is een kanjer om zoiets te doen."

„Dank je," antwoordde Andrea automatisch. „Wat zie je er schitterend uit."

Wendy, overduidelijk zeven maanden zwanger, straalde. Ze droeg een lichtgroen positiepakje dat perfect bij haar ogen kleurde en haar buik niet verborg. Ze was in verwachting en dat mocht de hele wereld weten! Ineens voelde Andrea zich armoedig in haar spijkerbroek en felgekleurde blouse. Huberts moeder droeg een roze zijden jurk en om zich heen kijkend zag Andrea overal feestelijke, voornamelijk dure, outfits, met daarbij perfect opgemaakte gezicht en veel geglinster van sieraden. Dus daarom wilde Hubert dat ze zich eerst omkleedde, dacht

Andrea schuldbewust. Ze wenste dat ze zijn advies opgevolgd had. Heel even vloog de gedachte door haar hoofd om snel iets van haar aanstaande schoonmoeder of Anouk aan te trekken, maar een blik op hun slanke figuurtjes leerde haar dat dat niet haalbaar was. Terwijl ze de vele felicitaties in ontvangst nam, was ze zich pijnlijk bewust van haar eigen make-uploze gezicht en verwaaide kapsel en zodra ze de kans kreeg ging ze naar Hubert toe om hem te vragen of hij haar even snel heen en weer naar huis wilde rijden, zodat ze zich wat kon fatsoeneren. Hij schudde echter zijn hoofd.

„In de serre wordt momenteel het buffet neergezet, we kunnen nu onmogelijk weg," beweerde hij.

„Maar ik zie er niet uit tussen al die andere vrouwen."

„Daar kan ik niets aan doen. Toen ik je net voorstelde om je om te kleden, kreeg ik alleen maar commentaar, nu heb ik geen zin meer om weg te gaan."

„Maar ik kon toch niet weten dat je dit had georganiseerd?" riep Andrea uit.

Hij haalde zijn schouders op. „Wat maakt het uit? Ik dacht dat je voldoende zelfvertrouwen had om je uiterlijk niet zo belangrijk te vinden, dat probeerde je me tenminste duidelijk te maken op het strand. Het valt me van je tegen dat je nu opeens wel een mooie jurk aan wilt trekken alleen maar omdat de rest dat ook heeft."

Andrea zweeg. Ergens had hij gelijk, moest ze toegeven. Een uur geleden had ze nogal van leer getrokken bij zijn voorstel om zich om te kleden en hem verteld dat hij haar moest accepteren zoals ze was, ze kon het hem nu niet kwalijk nemen dat hij niet onmiddellijk bereid was om haar naar huis te brengen. En de blouse die ze droeg stond haar prima, probeerde ze zichzelf voor te houden.

Toch kon ze niet echt genieten van het feestje. Niemand liet iets merken, maar de misprijzende blik die Huberts zus Anouk op haar wierp, samen met de terloops geuite opmerking dat het niveau van de gasten in haar ouderlijk huis de laatste tijd aardig zakte, was genoeg voor veertig man.

Tijdens het uitgebreide warme en koude buffet werden haar gevoelens van onbehagen nog groter. De aantrekkelijk ogende schalen noodden uit tot veel eten, maar Andrea durfde amper een hap te nemen omdat ze het gevoel had dat iedereen op haar lette. Terwijl iedereen zich tegoed deed aan de vele lekkernijen, praatte en lachte, stond Andrea, met een knagend hongergevoel, alleen in een hoekje. Haar gasten hadden het te druk met eten en zich amuseren om op haar te letten, ook Hubert. Haar geluksgevoel op het moment dat ze zich realiseerde dat dit feest voor haar georganiseerd was, was omgeslagen in een gevoel van eenzaamheid. Ze hoorde niet in deze omgeving thuis, dacht ze verdrietig. Huberts ouders waren hele lieve mensen, bij wie ze zich prima op haar gemak voelde, maar zodra er andere mensen bij waren, zoals nu, merkte ze dat er een standsverschil was, zoals Anouk eens fijntjes opgemerkt had. Het verschil tussen haar leven en het leven van de meeste mensen hier was te groot om makkelijk te overbruggen.

Wendy en Sally, buiten Hubert en zijn ouders waarschijnlijk de enige gasten die echt voor haar waren gekomen, kwamen bij Andrea staan.

„Leuk feestje," zei Wendy waarderend. Ze droeg een bord vol heerlijkheden van het buffet, waar Andrea watertandend naar keek. „Amuseer je jezelf ook een beetje?"

„Ik vind het zo lief van Hubert dat hij dit als verrassing heeft georganiseerd," ontweek Andrea een rechtstreeks antwoord. „Ik wilde alleen dat ik iets anders aanhad."

„Ben je gek," wuifde Wendy dat luchtig weg.

„Daar let niemand op," viel Sally haar bij.

„Behalve Anouk dan." Andrea keek naar Huberts zus, die het middelpunt vormde van een groepje jongelui. „Ze vindt me te min voor haar broer en laat geen gelegenheid onbenut om me dat duidelijk te maken."

„Niets van aantrekken," raadde Sally haar aan. „Tenslotte moet er altijd iets te wensen overblijven."

„O ja? Jij en Theo lijken me anders volmaakt gelukkig. Waar schort het bij jullie dan aan?"

„Gebrek aan geld." Sally's stem klonk somber, maar haar ogen twinkelden. „We willen gaan samenwonen, maar kregen de schrik van ons leven toen we ons gingen verdiepen in de prijzen van huizen. We zijn allebei nogal makkelijk met geld, dus van

sparen is nooit veel terechtgekomen. Nu we meubels en een uit-
zet nodig hebben, hebben we daar diep spijt van," eindigde ze
lachend.

„Dat komt vanzelf wel goed," merkte Wendy op. „Ronald en ik
zijn zes jaar geleden ook begonnen op een kleine etage met
gekregen meubelstukken. Nu hebben we een huis met vijf
kamers, een badkamer en een tuin, compleet ingericht. Dat gaat
vanzelf in de loop der tijd."

„Ik hoop het," verzuchtte Sally. „Alles is schrikbarend duur."

Er ontspon zich een gesprek tussen de twee vrouwen waar
Andrea stil naar luisterde. Dat probleem hadden Hubert en zij in
ieder geval niet. Hoewel Hubert weinig uitvoerde in de zaak,
had hij een hoog salaris, plus zijn aandelen. Toen hij tijdens een
gesprek over geld eens bekende hoe hoog het bedrag op zijn
spaarrekening was, had Andrea geschrokken uitgerekend dat zij
daar een paar jaar voor moest werken. Geldzorgen zou ze met
Hubert niet snel krijgen, maar hoewel ze dat in het begin van
hun relatie een heerlijk idee had gevonden, ging het verschil in
levensstandaard haar tegenwoordig wel eens benauwen. Hun
werelden waren zo verschillend dat ze zich regelmatig afvroeg
of ze elkaar daarin wel tegemoet konden komen.

Bij Wendy en Sally leken hun relaties als vanzelf goed te verlopen, maar Andrea had vaak het gevoel dat het allemaal moeizaam verliep, hoe dol ze ook op Hubert was.

Op dat moment kwam Hubert met zekere passen door de grote
kamer op hen toelopen. „Dames, ik kom mijn vriendin ontvoe-
ren," zei hij charmant terwijl hij Andrea's hand pakte. „Ik heb
namelijk een verrassing voor haar."

„Nog een verrassing?" vroeg Andrea verbaasd.

„Je verjaardagscadeau, weet je nog?" Hij keek haar lachend aan.

„Maar ik dacht dat dit mijn cadeau was." Andrea maakte een
armgebaar naar de kamer vol mensen.

„Welnee, dit is alleen iets leuks om later op terug te kijken. Mijn
andere cadeau is iets tastbaars. Kom mee, ik wil het je graag
geven terwijl we samen zijn, niet met al die nieuwsgierige ogen
erbij."

Via de openslaande deuren voerde hij haar mee naar de stallen,
waar vier volbloed paarden stonden, voor ieder lid van het gezin

één. Onwillekeurig deinsde Andrea even terug toen Hubert stil hield voor de box van zijn eigen paard Radja. Het zien van dat enorme zwarte beest joeg haar altijd de stuipen op het lijf.

Hubert lachte zachtjes. „Je blijft er maar bang voor hè?" Zijn stem klonk teder. „Dat zul je toch eens af moeten leren, want je kunt onmogelijk tegelijkertijd met mij getrouwd zijn en tevens bang zijn voor mijn lievelingsdier."

Terwijl hij sprak haalde hij een klein doosje uit zijn zak en Andrea's hart bonsde luid. Zou het...? Het doosje was te klein voor een armband of een ketting, dus er moest haast wel een ring in zitten. Voor ze de tijd kreeg om te bedenken dat het ook een broche of een paar oorbellen kon zijn, knipte Hubert het deksel al open. Het doosje met de fluwelen binnenkant bevatte inderdaad een ring, met een rand van diamantjes die een waarde vertegenwoordigde waar je een behoorlijk huis van kon kopen, schatte Andrea. Ze hield even hoorbaar haar adem in.

„Als je tenminste met mij getrouwd wilt zijn," vervolgde Hubert ernstig. „Andrea, ik hou van je. Wil je mijn vrouw worden?"

„Ja. Ja Hubert, natuurlijk. Ik hou van je."

Het waren geen gloedvolle redevoeringen die ze tegen elkaar afstaken, maar dat deerde hen allebei niet. Het belangrijkste was de grote vraag en het korte, slechts twee letters tellende antwoord daarop. Voorzichtig schoof Hubert de ring aan Andrea's vinger, gelukkig paste hij precies. Daarna kusten ze elkaar lang en hartstochtelijk. Het was net zo romantisch als Andrea zich altijd in haar fantasie voorgesteld had.

Langzaam, met de armen om elkaar heen geslagen, slenterden ze een half uur later terug naar het huis.

„Zijn we nu verloofd?" informeerde Andrea onzeker.

„Reken maar!" Hubert lachte overmoedig en bleef even stilstaan om zijn aanstaande vrouw te kussen. „En iedereen mag het meteen weten. Dan vieren we vanavond behalve je verjaardag ook onze verloving."

„Dat scheelt je dan mooi een tweede feestje, gierigaard."

„Dat was ook mijn bedoeling. Nadat ik die ring voor je had gekocht, kon ik een verlovingsfeest niet meer bekostigen."

„Dat geloof ik onmiddellijk."

Andrea keek naar het kleinood aan haar ringvinger. De diamantjes schitterden in het schemerige licht van de ouderwetse lantaarn op het gazon. Ze kon alleen maar gissen wat de ring had gekost en vond het een angstig idee om zo'n kapitaal openlijk te dragen. Op materieel vlak was ze nooit erg verwend geweest. Diep in haar hart had ze veel liever een eenvoudige, gladde ring gekregen, maar een voorzichtige opmerking in die richting wuifde Hubert achteloos weg.

„Iedereen zou me hartelijk uitlachen als ik daarmee aan kwam zetten. Je trouwt in een familie met veel geld liefje, daar zul je je bij moeten aanpassen. Onze status brengt nu eenmaal bepaalde verplichtingen en ongeschreven gedragscodes met zich mee. Ik kan mijn verloofde onmogelijk met een gladde, eenvoudige ring laten lopen."

Andrea zweeg, hoewel ze de logica van zijn redenering niet inzag. Dat bepaalde iedereen toch zelf? Het leek erop dat ze in een wereld terechtgekomen was waarin de omgeving voor een groot deel je doen en laten bepaalde en dat beviel haar helemaal niet. Zo'n schijnvertoning waarbij naar de buitenwereld toe alles perfect moest zijn. Ze rilde even, ondanks de aangename temperatuur.

Maar haar leven met Hubert zou anders zijn, bedacht ze toen. Hij hield van haar en zou ongetwijfeld bereid zijn om compromissen te sluiten. Zij hoefde niet in zo'n enorm landhuis te wonen later, een eenvoudige bungalow of vrijstaande eengezinswoning vond ze al heel wat. Samen zou het hen heus wel lukken om alle verschillen te trotseren, meende ze optimistisch. In ieder geval moest ze nu ophouden met piekeren en genieten van deze unieke dag.

Na nog een laatste zoen gooide Hubert de openslaande deuren die naar de serre leidden wijd open en luidkeels verkondigde hij: „Mag ik even jullie aandacht? Ik heb vandaag meteen van de gelegenheid gebruik gemaakt om Andrea ten huwelijk te vragen en ze heeft ja gezegd."

Onder luid gejuich hief Hubert haar hand waaraan de ring prijkte omhoog. Onder de vele taxerende en enkele jaloerse blikken van de aanwezigen begon Andrea iets van Huberts standpunt te begrijpen. Het was toch anders geweest als ze aan al die peperduur geklede en met flonkerende sieraden getooide vrouwen een simpele ring had moeten tonen. Nu kon ze tenminste met een trots gezicht haar hand laten zien. Het ongemakkelijke gevoel over haar sportieve kleding was ineens weggevallen bij de bewondering die haar nu ten deel viel. Zelfs Anouks hatelijke opmerking dat de ring absoluut niet paste bij haar spijkerbroek en sportschoenen, deerde haar niet.

Dit moment was perfect. Haar hele leven was perfect nu ze Hubert voorgoed aan haar zijde wist.

HOOFDSTUK 8

De feestmaand ging als een roes aan Andrea voorbij. Voorheen placht ze dat soort dagen rustig in haar eentje thuis te blijven, nu kreeg ze daar geen kans voor. Minstens twee keer in de week was er wel ergens een feestje in Huberts kennissenkring of een receptie bij zakenrelaties.

Eerste kerstdag ging Andrea met de familie Van Oldenburgh mee naar een restaurant, waar een dinerdansant gehouden werd, die tot laat in de avond duurde. De zaak was overdadig versierd met drie enorme kerstbomen en de maaltijd was zeer uitgebreid.

„Ik vind het perfect geregeld zo," vertrouwde mevrouw Van Oldenburgh Andrea toe. „Geen rompslomp thuis met alle troep die erbij hoort. Op deze manier kan ik mijn personeel gerust vrij geven met de kerst zonder dat ik zelf veel werk heb."

Andrea knikte.

Voor haar waren dergelijke evenementen nieuw en ze genoot van de entourage en alle luxe. Toch betrapte ze zichzelf erop dat haar gedachten tijdens het diner vaak teruggingen naar de feestdagen van vroeger, toen haar ouders nog leefden. Haar moeder stond altijd met veel plezier uren in de keuken en geuren van gebraden vlees en appeltaart vulden het huis. Vaak maakten ze 's middags met de honden een lange wandeling en na de afwas kwamen de spelletjes op tafel.

Knus en gezellig, al was Andrea bang dat Hubert het burgerlijk zou noemen. Maar zij had altijd genoten tijdens dergelijke dagen. De hechte band die ze met haar ouders had, was op zulke momenten bijna tastbaar geweest.

Er ging geen decembermaand voorbij zonder dat ze met weemoed terugdacht aan het verleden. Zelfs dit jaar niet, ondanks al het nieuwe en opwindende wat haar plotseling in de schoot was geworpen.

Het jaar werd uitgeluid met een grootse party, die gegeven werd in een tot hotel en feestcentrum omgebouwd kasteel. Er speelde live muziek, er was overvloedig te eten en te drinken en een enorm vuurwerk om twaalf uur.

De eerste week van januari was Andrea vrij en ze ontdekte dat ze flink moe was geworden van al dat gefeest. Twee dagen lang deed ze bijna niets anders dan slapen. Hoewel ze het allemaal heel leuk had gevonden, was ze ook blij dat de drukte achter de rug was. Haar rustige, saaie leventje was de afgelopen tijd honderdtachtig graden gedraaid en het duizelde haar af en toe wel eens.

Nu de feestdagen voorbij waren, konden zij en Hubert zich storten op alle voorbereidingen voor de toekomst. Besloten was dat ze zelf een huis zouden laten bouwen en dat ze zouden trouwen zodra dat af was. Van samenwonen wilde Hubert niets weten. Dat was in zijn kringen niet gebruikelijk, had hij glashard beweerd. Andrea had er niets op tegen om te trouwen, integendeel zelfs, maar ze vond het een raar standpunt en erg kortzichtig in een milieu waar al snel iets tot burgerlijk werd bestempeld.

Sally en haar Theo zouden eind januari wel gaan samenwonen. In plaats van een huis te kopen, hadden ze een oude portiekwoning gehuurd, die ze momenteel met veel liefde en fantasie aan het opknappen waren. Wendy verwachtte die maand haar eerste kind, dus alledrie de vriendinnen stonden op een keerpunt in hun leven.

Andrea had wel eens het onaangename gevoel dat zij het slechtste af was van hun drieën, al leek dat dan van buitenaf niet zo. Maar Wendy en Ronald kenden elkaar door en door en keken reikhalzend uit naar het moment dat hun relatie een nieuwe fase in zou gaan en ze ouders werden. Hun kindje zou met open armen en vol liefde ontvangen worden. Sally en Theo waren uitbundig verliefd en begonnen vol enthousiasme aan een gezamenlijke toekomst waarbij ze zelf konden bepalen hoe ze die in zouden richten. Hun gebrek aan een forse bankrekening werd gecompenseerd omdat er ook weinig verplichtingen waren.

Andrea voelde constant de druk van de buitenwereld. In stilte trouwen, wat ze het liefste wilde, was niet mogelijk, de familie Van Oldenburgh had daarvoor te veel aanzien en te veel verplichtingen. Het kleine huis dat Andrea voor haar toekomst in gedachten had, bleek niet praktisch te zijn. Er moest ruimte zijn om feestjes te geven, genoeg luxe om ook belangrijke zakenrelaties te ontvangen en voldoende faciliteiten om diners thuis te kunnen houden.

De aanpassingen die dankzij hun totaal verschillende levens noodzakelijk waren, kwamen bijna allemaal van Andrea's kant. Ze hield van Hubert en had het graag voor hem over, maar soms vloog het haar allemaal naar de keel. Dan vroeg ze zich af of haar relatie met Hubert het waard was om zichzelf zo te verliezen in een wereld die de hare niet was. Als ze samen waren stelde ze zichzelf die vragen niet. Dan was alles goed, dan voelden ze elkaar aan en konden ze praten en lachen, maar zodra er meerdere mensen bij waren leek alles anders. Onecht.

Andrea gunde zichzelf echter geen tijd om daarover te piekeren. Dat soort dingen zouden vanzelf allemaal wel in orde komen, geloofde ze. Als ze eerst maar eenmaal getrouwd en wel in hun nieuwe huis zouden wonen. Lang zou dat niet meer duren. Hubert had al diverse bouwtekeningen laten maken en toonde Andrea regelmatig stalenboeken met de meest uiteenlopende kleuren verf, behang en tegels waar ze uit konden kiezen.

„Dit hele zachte lavendel," zei Andrea beslist terwijl ze de tegels van haar keuze aanwees. „Dat vind ik nou echt een schitterende kleur voor een badkamer, zo tegen het lichtblauw aan."

„Goed, dan nemen we die, ik vind het ook mooi," zei Hubert terwijl hij een aantekening maakte.

Ze zaten bij zijn ouders thuis. De eettafel lag bezaaid met bouwplannen, offertes en folders van verschillende bedrijven in woninginrichting.

„Je zou eigenlijk buiten de badkamer ook een douche en toilet aan je slaapkamer moeten hebben," zei Jacob van Oldenburgh.

„Welnee," wierp Andrea meteen tegen. „Dat is allemaal overbodige luxe. We hebben al een toilet en een ruime badkamer."

Hubert begon te lachen. „Liefje, neem één ding van me aan: luxe is nooit overbodig. Ik vind het niet zo'n slecht plan."

„Je kunt ook een paar meter lopen als je 's nachts naar het toilet moet," zei Andrea lichtelijk geïrriteerd.

Er werden door haar aanstaande schoonouders steeds nieuwe voorstellen gedaan waar Hubert enthousiast op inging. Vaak vroeg ze zich af waar het einde was.

„Kijk nou even." Huberts vader schoof een bouwtekening naar haar toe. „Dit ontwerp sprak jullie het meeste aan, maar de grootste slaapkamer ligt beneden en de badkamer is op de eerste verdieping."

„Nou en? Een trap oplopen voor je gaat douchen is niet het ergste wat een mens kan overkomen," zei Andrea spottend.

„Maar ook niet handig als het niet nodig is," kwam Hubert. „Zo uit de douche je bed in of andersom. Voor een uitgebreide wasbeurt gebruiken we dan het bad, maar om je even op te frissen of om je af te spoelen is dit wel makkelijk."

Andrea zuchtte. Die extra douche zou er komen, ongeacht wat haar mening was. En het zou inderdaad wel prettig en praktisch zijn, moest ze toegeven, maar de luxe in haar aanstaande huis benauwde haar wel eens. Zoals de plannen nu waren, kwam er een grote woonkamer, aparte eetkamer en slaapkamer op de begane grond, evenals een enorme woonkeuken en dus een extra douche en toilet. In de hal kwam eveneens een toilet, een diepe garderobenis en een brede wenteltrap die naar de eerste verdieping voerde, waar vier slaapkamers, een badkamer en een was- en droogruimte zouden komen. En alsof dat allemaal nog niet genoeg was, kwamen er ook nog een zolder en een verwarmde kelder bij.

„Ideaal voor je feesten," beweerde Huberts moeder. „Van zo'n kelder kun je een mooie ruimte maken die je inricht als feestzaal. Dan hou je de woonkamer altijd opgeruimd."

Van huis uit was Andrea het veel eenvoudiger gewend. Toen haar ouders nog leefden woonden ze in een kleine eengezinswoning in het centrum van de stad. Na hun overlijden verhuisde Andrea naar het op vier hoog gelegen tweekamerappartement waar ze nu nog steeds woonde. Ze begreep best dat hun aanstaande huis voor Huberts begrippen vrij eenvoudig was, maar voor haar kwam het meer in de richting van een paleis.

Wat moest ze in hemelsnaam met zes kamers, een zolder en een kelder? De portiekwoning die Sally en Theo hadden gehuurd, kon met gemak een rondedansje maken in hun toekomstige woonkamer, zo groot zou die worden. Wat moest ze daar allemaal inzetten?

Sally en Theo waren druk bezig met het opknappen van

tweedehandsmeubels, iets waar Andrea de charme wel van inzag, maar zij werd in een pasklaar, volledig gestoffeerd en ingericht huis neergezet waar verder geen rekening met haar wensen werd gehouden.

Terwijl ze luisterde naar de plannen die Hubert en zijn ouders maakten, werd ze steeds opstandiger.

„Ik neem Scheffers voor het schilderwerk," hoorde ze Hubert zeggen.

„Waarom verven we zelf niet?" gooide Andrea eruit. „Het wordt tenslotte ons huis, dan kunnen we er zelf toch ook wel wat aan doen?"

Verbaasd keek Hubert haar aan. „Maar schat, dat hoeft toch niet? We hebben geld genoeg om het te laten doen en dan krijgen we tenminste vakwerk geleverd."

„Daar gaat het helemaal niet om," reageerde Andrea ongeduldig. „Ik wil gewoon zelf ook iets doen, het gevoel dat je iets opbouwt. De voldoening smaken van eigen werk, zoals bij Sally en Theo."

„Andrea, dat meen je niet," riep Hubert vol afschuw uit. Hij wendde zich tot zijn ouders en verklaarde: „Sally is de collega van Andrea. Ze gaat volgende maand samenwonen en is nu met haar vriend bezig om een oud huis op te knappen, inclusief de gekregen en tweedehands gekochte meubels."

Andrea hoorde de neerbuigende toon in zijn stem en werd woedend. „En wat dan nog?" zei ze scherp. „Zij zijn tenminste gelukkig met elkaar."

Er viel een onheilspellende stilte na die woorden en drie paar ogen keken Andrea geschrokken aan.

„Bedankt. Dat is leuk om te horen, moet ik zeggen," zei Hubert wrang. „Moet ik daaruit concluderen dat jij niet gelukkig bent met mij?"

„Ik zou het inderdaad prettiger gevonden hebben als je uit een eenvoudiger gezin gekomen was," gaf Andrea met de moed der wanhoop toe. „Toen ik pas wist wat jouw achtergrond was raakte ik best geïmponeerd door al die rijkdom hier, maar zo langzamerhand begin ik steeds meer de nadelen te zien. Ik heb niet het gevoel dat we samen iets opbouwen, alles wordt voor ons gedaan."

Een beetje schuw keek ze naar haar aanstaande schoonouders, bang dat die beledigd zouden zijn door haar opmerking. Dat hadden ze niet aan haar verdiend.

„Denk niet dat ik niet dankbaar ben," vervolgde ze nerveus. „Het is alleen... Alles wordt zo makkelijk besloten en betaald. Ik voel me gewoon een buitenstaander als er over het huis wordt gepraat, het is vreemd voor me. Het bezwaart me ook dat jullie dat allemaal betalen. Ons huis moet kapitalen kosten."

„Dat moet je in de juiste verhoudingen zien," zei meneer Van Oldenburgh kalm "Als jouw ouders nog zouden leven, had je als huwelijkscadeau waarschijnlijk een ijskast of iets dergelijks gekregen, omdat dat voor hun inkomen een groot cadeau was geweest. Voor ons liggen de zaken nu eenmaal anders, dus krijgen jullie van ons iets wat wij niet eens zo heel erg duur vinden, maar wat in jouw ogen iets geweldigs moet zijn: een kant en klaar, volledig gestoffeerd huis. Voor ons is dat net zo gewoon als voor jouw ouders een ijskast geweest zou zijn."

„Daar heeft u gelijk in. Ik kan me ook wel in jullie standpunt verplaatsen, maar jullie niet in de mijne. Als wij straks gaan trouwen is het huis helemaal klaar zonder dat wij er zelf een aandeel in gehad hebben."

„Natuurlijk wel," wierp Hubert tegen. „Wij kiezen de bouwtekening, wij bepalen hoe het moet worden, wij zeggen waar we alles willen hebben."

„Maar we doen niets!" Andrea probeerde geduldig te blijven, maar inwendig ontplofte ze bijna. Waarom begreep hij haar nu niet? "Ik wil het gevoel hebben dat het ons huis is, iets waar we zelf aan meegewerkt hebben."

Hubert haalde zijn schouders op. „Het spijt me, maar ik begrijp niet waar je je druk om maakt. Er valt echt genoeg te doen voor we erin kunnen trekken. Als jij zo nodig wilt helpen met verven en timmeren, ga je je gang maar, ik heb geen zin om mijn handen daaraan vuil te maken. Ik ga nog even bij Radja kijken." Hij stond op en verliet de kamer, het gesprek abrupt afbrekend.

„Kijk uit dat je niet te moe wordt!" riep Andrea hem nog hatelijk na.

Ze had moeite om haar tranen binnen te houden en was dankbaar voor het feit dat Huberts ouders net deden of er niets aan de hand was. Ze kwamen niet meer op het gesprek terug en lieten Andrea rustig bijkomen. Mevrouw Van Oldenburgh pakte een borduurwerkje en haar man zette de tv aan voor een sportuitzending.

Plotseling werd de rust verstoord door Anouk, die als een wervelwind binnen kwam stormen. In haar kielzog liep een lange, blonde jongen. Onwennig keek hij in het rond.

„Mam, pap, mag ik jullie voorstellen aan mijn nieuwe vriend? Vincent Derraux. We zijn al een aantal keren uitgeweest en eh... Nou ja, we zijn hele goede vrienden geworden."

Vincent werd hartelijk begroet en als vanzelfsprekend in de kring opgenomen. Andrea had alleen haar naam genoemd toen Vincent haar een krachtige hand gaf en bemoeide zich verder niet met hem. Als hij verliefd was geworden op dat verwaande kreng, zou hij zelf ook wel niet veel soeps zijn, dacht ze onredelijk.

Anouk keek met een tersluikse blik naar Andrea en merkte als terloops op: „Vincent is de zoon van die bankdirecteur die hier twee maanden geleden is komen wonen, pap. Hij heeft een schitterend paard, zo'n mooi beest heb je nog nooit gezien."

Andrea besefte terdege dat deze opmerking voor haar bedoeld was. Anouk moest natuurlijk even laten horen dat zij wel een goede partij gedaan had. Ze besloot er niet op te reageren en pakte een tijdschrift, dat ze lusteloos doorbladerde. Haar oog viel op een kruiswoordpuzzel, zo'n zelfde als waarbij ze de bloemenhulde had gewonnen die Hubert nog steeds trouw iedere maandag bracht.

Gek eigenlijk, sinds ze een relatie met hem had, had ze niet meer meegedaan aan dergelijke prijsvragen, terwijl het vroeger een soort verslaving van haar was. Maar veel tijd om eenzaam op haar kamer door te brengen had ze tegenwoordig niet meer. Andrea pakte een pen en begon te puzzelen. Voor ze echter halverwege was kwam Hubert binnen. Hij trok het tijdschrift zonder meer uit haar handen.

„Sorry schat," fluisterde hij. „Misschien had je wel gelijk, ik kan me inderdaad niet zo makkelijk in jouw situatie verplaatsen. We praten er nog wel over, goed?" Hij gaf haar snel een zoen en stond op om iets te drinken in te schenken.

Een warm gevoel doorstroomde haar. Ondanks alles hield ze ontzettend veel van hem.

HOOFDSTUK 9

„Met boekhandel Van 't Hart," meldde Andrea zich aan de telefoon.

„We hebben een zoon!" juichte een stem aan de andere kant van de lijn. „Je spreekt trouwens met Ronald."

„Dat meende ik al gehoord te hebben," grinnikte Andrea. „Gefeliciteerd, zeg. Is alles goed? Hoe is het met Wendy?"

„Blakend. Richard is een uur geleden geboren, maar ze gedraagt zich alsof die hele bevalling al weken geleden is. Als de kraamverzorgster haar niet tegen had gehouden, had ze rustig zelf het bed verschoond."

Andrea lachte. Dat was typisch iets voor Wendy, die was altijd zo kalm en laconiek. Niets kon haar uit haar evenwicht brengen.

„Mag ze bezoek hebben?" informeerde ze.

„Van jou altijd."

Andrea raadpleegde haar horloge. Kwart over vijf, over een kwartier sloot de winkel. „Over een uur ben ik bij jullie. Misschien komt Hubert ook wel mee, ik ga hem meteen bellen."

„Prima, tot straks dan."

Ze verbraken de verbinding en Andrea toetste direct het nummer van Hubert in. „Hubert? Hoi, met mij. Heb jij straks wat te doen? Nee? Mooi, dan kun je me komen halen als je wilt. Wendy en Ronald hebben een zoon en ik heb beloofd dat we meteen even komen kijken."

„Hè Andrea, je weet dat ik er een hekel aan heb als je achter mijn rug om afspreekt. Had je mij niet eerst even kunnen bellen?" vroeg Hubert korzelig.

Perplex luisterde Andrea naar hem. „Is dat alles wat je te zeggen hebt?" informeerde ze kalm. „Wendy is al jarenlang mijn vriendin, dus als zij een baby heeft gekregen leef ik met haar mee en ga ik naar haar toe, of jij dat nu goed vindt of niet."

Even bleef het stil aan de andere kant van de lijn. „Het spijt me, je hebt gelijk," zei Hubert toen ongekend deemoedig. „Ik vind het fantastisch voor ze en natuurlijk ga ik met je mee. Neem me mijn slechte bui maar niet kwalijk. Ik heb net een daverende ruzie met Anouk achter de rug en jij was toevallig de eerste op wie ik me kon afreageren."

„Oké, dan zie ik je straks wel," zei Andrea kort.

Ze legde de hoorn terug op het toestel en bleef peinzend zitten. Het ging vaak zo de laatste weken. Hubert kon erg geprikkeld reageren als iets hem niet zinde. Meestal bood hij daarna zijn excuses wel aan, maar hij kon zich echt gedragen als een klein, verwend jongetje. Zij nam ook niet alles van hem, zodat het vaak uitliep op ruzie en stekeligheden.

Verdrietig vroeg ze zich af of dat bij iedereen zo ging als de eerste hevige verliefdheid eraf was. Maar nee, Wendy en Ronald gedroegen zich toch ook niet zo. Trouwens, ze hoefde maar aan haar eigen ouders te denken om te weten hoe een huwelijk kon zijn. Die hadden zelden ruzie en als er eens een verschil van mening was werd dat meteen uitgepraat. De belangrijkste basis van hun relatie was, behalve liefde, wederzijds respect geweest en Andrea had wel eens het gevoel dat het daaraan schortte tussen Hubert en haar.

De lange, zonnige weg van hun toekomst leek de laatste tijd steeds meer schaduwplekken te krijgen. Soms maakte dat haar angstig, aan de andere kant was ze realistisch genoeg om te beseffen dat geen enkele relatie altijd rimpelloos verliep. Als ze maar bereid bleven om ervoor te vechten.

Resoluut stond ze op. „Ik loop even snel naar de babyzaak hiernaast," zei ze tegen Sally.

„Goed, dan ruim ik vast op," beloofde die.

Andrea kocht een zachtgroen pakje en een vertederende knuffelbeer. Bij haar terugkomst in de boekhandel zat Hubert al op haar te wachten.

„Dat heb je snel gedaan," zei ze verbaasd.

„Je weet toch dat ik op de vleugelen der liefde naar je toe snel als je me roept," plaagde Hubert terwijl hij haar uitgebreid begon te zoenen.

„Welja, geneer je niet," grinnikte Sally.

Lachend liet Hubert Andrea los. „Ik had haar al een hele dag niet gezien," verontschuldigde hij zich.

„Inderdaad een eeuwigheid," plaagde Sally.

Andrea genoot van het feit dat Hubert zo vrolijk was. Zijn slechte bui was gelukkig helemaal overgedreven. Zoals hij zich nu gedroeg, zag ze hem het liefst, hoewel ze natuurlijk net zoveel van hem hield als hij somber, ernstig of kwaad was. Alleen zijn buien van het koppige, verwende jongetje kon Andrea niet velen. Op zulke momenten was hij ronduit onuitstaanbaar.

„Zeg, zullen we gaan of blijf je hier staan mediteren?" haalde Hubert haar uit haar gedachten. Hij sloeg zijn arm om haar heen. „Kom joh, Sally is al buiten. Ik heb beloofd haar even thuis te brengen."

Andrea sloot de winkel af en met de armen om elkaar heen slenterden ze naar Huberts wagen. Op ogenblikken als deze voelde Andrea zich volmaakt gelukkig, omdat het dan helemaal goed was tussen hen. Ze begrepen elkaar zonder woorden en voelden elkaar helemaal aan.

Zo hoort het te zijn, dacht ze. Zo moet het tussen een man en een vrouw. Ze wist dat het tussen haar ouders ook zo geweest was. Die twee waren altijd dolgelukkig met elkaar geweest. Andrea twijfelde er vaak aan of dat Hubert en haar ook zou lukken. Deze momenten van saamhorigheid kwamen steeds minder vaak voor en er was wreveligheid en ruzie voor in de plaats gekomen.

Bij het huis van Wendy en Ronald werd de deur al door de trotse vader opengedaan voor ze aan konden bellen.

„Hartelijk gefeliciteerd," zei Andrea warm en ze kuste hem op allebei zijn wangen.

„Dank je. Ik ga even kijken of Wendy wakker is, want daarnet sliep ze."

„Maar nu niet meer!" riep Wendy vanuit de slaapkamer.

Andrea liep naar binnen en zag haar vriendin recht overeind in bed zitten. Ze zag er stralend uit, hoewel haar witte gezicht en de wallen onder haar ogen verrieden dat ze een zware nacht en dag achter de rug had. Andrea feliciteerde haar en wendde zich daarna naar het zachtgroene ledikantje dat naast het echtelijk bed stond.

„O Wen, wat een schatje," zei ze bewonderend. „Kijk eens Hubert." Ze deed een stap opzij voor hem, maar Hubert wierp alleen een achteloze blik in het bedje.

„Ja, wel leuk," zei hij voor hij zich weer tot Ronald wendde.

„Nou, een beetje enthousiaster mag ook wel," snibde Andrea.

Verwonderd trok Hubert zijn wenkbrauwen op. „Neem me vooral niet kwalijk," zei hij sarcastisch. „Maar die hele kleine kinderen kunnen me echt niet bekoren. Kom over een paar maanden nog maar een keer terug."

Hij liep de slaapkamer uit en Andrea keek hem verbijsterd na. Wat had hij nou ineens?

Op dat moment begon Wendy te lachen. „Typisch dat iedere man hetzelfde reageert," grinnikte ze. „Ze vinden het allemaal maar eng, terwijl de vrouwen juist totaal in aanbidding zijn."

Andrea schoot ook in de lach, wat de stemming redde. De mannen kwamen weer binnen, Ronald met koffie en Hubert met klapstoelen.

„Hoe vind je onze stamhouder?" vroeg de eerste trots.

„Prachtig," antwoordde Andrea direct. „Die kleine vingertjes, die haartjes, dat neusje. Het is gewoon een wonder dat dat zo in een lichaam groeit."

Hubert trok een geringschattend gezicht, maar een blik van Wendy weerhield hem ervan om iets te zeggen. Het gaat niet goed tussen die twee, dacht Wendy verdrietig. Ze leken ogenschijnlijk zo gelukkig samen, maar om het minste geringste vlogen ze elkaar tegenwoordig in de haren. Ze gunde haar vriendin net zoveel geluk als zijzelf had, maar betwijfelde of ze dat bij Hubert zou vinden.

„Waar zit je aan te denken?" vroeg Ronald terwijl hij op de rand van het bed ging zitten en haar handen in de zijne nam.

„Aan onze zoon," loog Wendy opgewekt.

„Kom, we gaan weer eens," kondigde Hubert aan. „Ik heb wel eens gehoord dat kraamvrouwen hun rust hard nodig hebben. Ga je mee, Andrea?" Het klonk meer als een bevel dan als een vraag, toch liep Andrea, na afscheid genomen te hebben, zonder commentaar achter hem aan.

„Rij maar langs een snackbar, want ik heb inmiddels behoorlijke honger gekregen. Dan eten we het bij mij thuis wel op," stelde ze in de wagen voor.

„Een snackbar? Kunnen we niet beter naar een restaurant gaan? Ik ben nu eenmaal niet dol op dergelijke tenten."

„Maar ik wel. Het is bijna halfnegen, ik wil graag snel iets eten. Bovendien vind ik patat met een hamburger lekker."

Het water liep haar al in de mond bij de gedachte. Het was

maanden geleden dat ze zich te buiten was gegaan aan dergelijk voedsel, maar nu had ze er een onbedwingbare trek in. Ze vond het de laatste tijd toch moeilijker om op haar voedingspatroon te letten. De trek in zoetigheid sloeg tegenwoordig weer genadeloos toe, evenals de neiging om met een zak chips op de bank te hangen. Waarschijnlijk hield dat verband met de problemen binnen hun relatie, maar Andrea weigerde daar bewust over na te denken.

„Ik kan er niets aan doen dat jij snackbars beneden je stand vindt," kon ze niet nalaten nog even vinnig op te merken.

„Wie zegt dat nou weer? Ik hou er gewoon niet van. Ik mag toch zeker nog wel een eigen mening hebben?" zei Hubert wrevelig.

„Als dat niet mogelijk is, kunnen we beter uit elkaar gaan."

Het was zomaar een ondoordachte opmerking, maar er hing ineens een geladen sfeer in de wagen. Zo'n opmerking gaf toch het beste aan hoe het tussen hen gesteld was, dacht Andrea triest. Als alles goed was, flapte je er niet zoiets uit.

„Misschien kunnen we dat inderdaad beter doen," zei ze zacht. „Zoals het de laatste weken tussen ons gaat, hoeft het voor mij ook niet."

Hubert keek strak voor zich uit en reageerde niet op haar woorden. Verdrietig staarde Andrea uit het raam. Moest dit nu het einde zijn van iets wat zo mooi begonnen was? Of moesten ze op deze manier door blijven sukkelen? De ene optie was al net zo moeilijk als de andere.

Hubert stopte bij een snackbar en vroeg kortaf wat ze wilde eten.

„Niets, breng me maar naar huis," antwoordde Andrea dof. Ze bleef hardnekkig uit het raampje kijken, zodat hij de tranen in haar ogen niet kon zien. Plotseling waren zijn armen om haar heen.

„Hé gekkie, je dacht toch niet echt dat ik onze verloving wilde verbreken? Ik hou van je, Andrea."

„De laatste weken ben ik daar niet meer zo zeker van."

„Dat is maar een periode. Tijdens de rest van ons leven zullen we dat nog wel vaker hebben."

„Maar waar ligt het dan aan?" Nu draaide Andrea zich om en keek hem onderzoekend aan. „Ik weet wel dat het niet alleen aan jou ligt, maar er moet toch een oorzaak zijn. Op de één of andere manier zijn we in de situatie beland dat we elkaar verkeerd begrijpen en ieder kribbig woord een ruzie uitlokt."

Hubert haalde zijn schouders op. „Ach, hoe ontstaat zoiets? Ik ga er altijd maar vanuit dat het vanzelf komt, dus ook weer vanzelf weggaat."

„Dat is wel een heel makkelijke manier om het van je af te schuiven."

„Maar ik meen het," hield Hubert vol. „Over dit soort zaken moet je niet te veel piekeren, daar maak je het volgens mij alleen maar moeilijker mee. Iedereen heeft toch wel eens een periode dat je wat minder kunt hebben en wat sneller uit je evenwicht bent? Wij hebben dat nu toevallig allebei tegelijk en natuurlijk geeft dat botsingen, maar dat betekent niet direct dat we onoverkomelijke problemen hebben. Ik wil jou tenminste niet kwijt en ik hoop dat dat wederzijds is. Of heb jij er soms genoeg van?"

„Soms wel," gaf Andrea eerlijk toe. „Maar dat zijn momentopnames. Het merendeel van de tijd ben ik nog steeds dolblij dat jij die bewuste dag de rol van bezorger hebt overgenomen. Ik hou van je, Hubert."

„En ik van jou," gaf hij simpel terug. „Dus waar praten we eigenlijk over? Deze periode komen we ook wel weer te boven, daar ben ik van overtuigd. Kom hier, ik weet iets veel beters te doen dan ellenlange serieuze gesprekken voeren."

Hij trok haar naar zich toe en Andrea gaf zich vol overgave over aan zijn omhelzing. Hij had gelijk. De eenzame jaren die achter haar lagen hadden een tobber van haar gemaakt. Ze moest niet zo zeuren en het leven wat meer nemen zoals het kwam.

„En nu ga ik wat te eten halen," zei Hubert na een kwartier. „Wat wil je hebben?"

„Patat en een hamburger natuurlijk. Dat zit ik je net te vertellen!"

Met een glimlach keek Andrea hem door het raampje na terwijl hij de snackbar inliep.

Zacht neuriënd liep Andrea heen en weer door haar woning, alles opruimend wat ze tegenkwam. Aan de rommel in haar huis merkte ze wel dat ze tegenwoordig vaak weg was, vroeger was ze veel netter. Maar ja, vroeger bracht ze ook zoveel uren alleen thuis door dat dat wel moest. De laatste tijd had ze wel eens het gevoel dat ze alleen maar in haar eigen woning vertoefde om te slapen en zelfs dat deed ze vaak bij Hubert.

Ook deze avond gingen ze weer weg. Sally en Theo waren klaar met hun huis en hielden een inwijdingsfeestje. „Een housewarming party," zoals Sally had gezegd.

Een blik op de klok leerde Andrea dat ze op moest schieten als ze op tijd klaar wilde staan. Hubert zou haar om acht uur komen halen, het was nu kwart over zeven. Maar zichzelf optutten voor een feestje ging een stuk sneller nu ze zoveel afgevallen was, dacht Andrea trots. De tijd van urenlang wikken en wegen voor haar kledingkast was voorbij. Tegenwoordig stond bijna alles haar goed. Haar huid en haren waren ook behoorlijk opgeknapt als gevolg van het vele water drinken en het gezonde eten. Al met al had ze in nog geen jaar tijd een volledige metamorfose ondergaan, zowel uiterlijk als innerlijk. Haar hele leven was veranderd sinds de ontmoeting met Hubert, in alle opzichten.

Ze was blij dat ze indertijd aan die prijsvraag had meegedaan. Hoewel de reis naar Italië aan haar neus voorbij was gegaan en ze slechts een bloemenhulde had gewonnen, kon ze achteraf zeggen dat ze de hoofdprijs in de wacht had gesleept. Ondanks hun problemen van de laatste tijd had hun relatie haar heel veel goeds gebracht.

Samen met haar veranderde uiterlijk, was ook haar zelfrespect weer gegroeid. Dat gaf wel eens strubbelingen met de verwende Hubert, maar desondanks voelde Andrea zich daar toch een stuk beter bij. In het begin van hun relatie durfde ze amper met haar eigen mening naar voren te komen, omdat ze altijd het gevoel had dat ze toch niets voorstelde en haar stem er niet toe deed. Saaie, dikke Andrea, daar luisterde toch niemand naar! Tegenwoordig kwam ze veel meer voor zichzelf op. Waarschijnlijk was dat één van de oorzaken van hun kibbelpartijen, maar Andrea peinsde er niet over om haar mond te houden ter wille van de lieve vrede. Haar nieuwe persoonlijkheid beviel haar prima en ze had liever af en toe een flinke ruzie dan dat ze weer terugviel in haar rol van schuchter, verlegen meisje.

Precies om acht uur stond ze klaar. Ze droeg een kersrode, korte jurk met hooggehakte schoenen in dezelfde kleur. Haar haren glansden en haar lichte make-up zat perfect. Andrea voelde zich op dat moment geweldig. De wetenschap dat ze van een dik, lelijk eendje veranderd was in een slanke, knappe zwaan, gaf haar een enorme kick. Nu deed ze tenminste niet meer onder voor al die vrouwelijke kennissen die Hubert had en die ze regelmatig tegenkwam op de talloze feestjes en recepties. Het gevoel dat zij de mindere was van die vrouwen, zoals ze op hun verlovingsfeestje had gehad, zou niet snel meer bezit van haar nemen.

Om halfnegen was Hubert er nog niet en Andrea ijsbeerde onrustig heen en weer. Waar bleef hij nou? Afwezig aaide ze Joy, die, blij dat het vrouwtje weer eens thuis was, aanhalig tegen haar aankroop. Om tien voor negen belde ze ongerust naar zijn ouderlijk huis, nadat ze op zijn mobiele telefoon geen contact had gekregen.

Ze kreeg Anouk aan de lijn, die op Andrea's vraag of Hubert nog thuis was, antwoordde: „Ja, hij zit in de stallen. Radja is niet helemaal in orde."

„En laat hij mij daarvoor zitten?" vroeg Andrea ongelovig.

„Ach ja, het is maar net wie hij belangrijker vindt, hè?" zei Anouk hatelijk.

Woedend hing Andrea op, om meteen daarna de hoorn weer op te pakken en een taxi te bellen. Ze ging naar hem toe en dan kon hij kiezen wat hij wilde. Hoe haalde hij het in zijn hoofd om haar te laten barsten voor zo'n beest!

Bij het huis van haar aanstaande schoonouders aangekomen liep Andrea meteen door naar de stallen, waar ze Hubert inderdaad aantrof. Hij zat geknield bij Radja, die op de grond lag en een zieke indruk maakte. Hubert stond meteen op toen hij Andrea zag, even bevreemd naar haar outfit kijkend.

„Wat kom jij hier nou doen?" Toen sloeg hij met een hand tegen zijn voorhoofd en gaf zelf het antwoord al: „Sally's feestje! Sorry schat, dat is helemaal door mijn hoofd geschoten. Het spijt me dat ik je niet gebeld heb, maar je begrijpt dat ik nu niet weg kan."

„Ik zie niet in waarom niet," zei Andrea hoog.

„Andrea! Je ziet toch dat hij doodziek is? Ik ben de hele dag al bij hem omdat hij steeds op tijd zijn medicijnen moet hebben. Hij kan vanavond wel sterven, ik zou het mezelf nooit vergeven als ik dan vrolijk op een feestje zit."

„Een paard gaat zo snel niet dood, hoor." Onverschillig haalde Andrea haar schouders op. „We kunnen niet zomaar wegblijven bij Sally en Theo. Afspraak is afspraak."

Hubert keek naar zijn verloofde alsof hij haar voor het eerst zag. „Ik heb Radja al een paar jaar en ik weet niet of het tot je doorgedrongen is, maar ik hou van dit beest," zei hij langzaam. „Ik kan onmogelijk plezier maken terwijl hij hier dood ligt te gaan."

„Stel je niet zo aan!" Andrea stampvoette van drift. Door haar diepgewortelde angst voor paarden zag ze niet in hoe onredelijk ze was. Zelf zou ze het ook niet in haar hoofd halen om naar een feestje te gaan als Joy zo ziek was, maar zover dacht ze niet na. Zelfs terwijl hij stil op de grond lag, bezorgde Radja haar rillingen van angst. „Het lijkt wel of je meer om dat beest geeft dan om mij."

„Op dit moment in ieder geval wel, ja." Met iets van afkeer in zijn ogen keek Hubert haar aan. „Radja is nu even belangrijker voor me en dat lijkt me logisch. Ik zou er andersom trouwens ook niet over piekeren om gezellig te gaan paardrijden als jij ziek bent."

„Ik dacht dat ik op de eerste plaats kwam voor je," zei Andrea, voorbijgaand aan zijn laatste woorden. „Ik vraag het je nog één keer Hubert: ga je nu met me mee of niet?"

„Néé!" Hubert schrok zelf van de felheid waarmee hij dat zei, maar hij was absoluut niet van plan om toe te geven aan Andrea's eisen.

„Dan geef je dus meer om Radja dan om mij," stelde Andrea zacht, maar duidelijk vast. „Het spijt me, maar dat is niet wat ik me van een verloving of een huwelijk voorstel."

Terwijl ze sprak haalde ze haar verlovingsring van haar vinger en legde hem op een kist die naast haar stond. Zonder nog iets te zeggen liep ze de stal uit, verwachtend dat Hubert achter haar aan zou komen en kwaad toen bleek dat hij daar geen aanstalten toe maakte.

Verblind door tranen liep ze de lange oprijlaan af. Was dit echt het einde? Ze kon het zich niet voorstellen, maar haar trots weerhield haar ervan om terug te keren. Als hij echt van me houdt, komt hij naar mij toe, bleef ze zichzelf koppig voorhouden.

Dat gebeurde echter niet. De rest van de avond zat Andrea thuis, wachtend op een telefoontje wat niet kwam. Ook de dag erna, zondag, hoorde ze niets van Hubert. De dag verstreek zonder dat er iets gebeurde en Andrea durfde hem niet te bellen. Al haar hoop was gevestigd op de maandag, maar ook die ging voorbij zonder een levensteken van Hubert. Haar wekelijkse bos bloemen werd gebracht door de bezorger van de zaak.

Verschillende keren stond ze op het punt om de telefoon te pakken, maar even zo vaak besloot ze het niet te doen. Wat moest ze zeggen? Dergelijke persoonlijke gesprekken handelde je niet telefonisch af. Was er trouwens nog wel iets te bespreken? Huberts stilzwijgen was duidelijk. Zij had hem haar ring teruggegeven en hij had daar niets tegenin gebracht. Waarschijnlijk moest ze gewoon accepteren dat het definitief voorbij was.

Ze dacht terug aan de dag dat ze achter zijn ware identiteit was gekomen. In plaats van een arme bezorger bleek hij een zeer rijke erfgenaam te zijn. Net een sprookje, maar in tegenstelling tot sprookjes eindigde het bij hen niet met: ze leefden nog lang en gelukkig. Haar sprookje had geen happy end.

„Dus daarom zijn we niet op jullie feestje gekomen," besloot Andrea haar verhaal. Afwachtend keek ze Sally aan.

„Wat wil je nu dat ik zeg?" informeerde die voorzichtig. „Het spijt me voor je, maar ik ga niet met je mee zitten jammeren dat je zo zielig bent. Jij bent fout geweest, niet Hubert."

„Maar wat had ik dan moeten doen?"

„Je had je om moeten kleden, mij moeten bellen dat jullie niet konden komen en vervolgens samen met Hubert bij Radja moeten waken. Dat had ik tenminste gedaan in jouw plaats," zei Sally beslist.

Andrea lachte schamper. „Jij wel ja, maar ik ben nu eenmaal doodsbang voor dat beest."

„Dat heeft er toch helemaal niets mee te maken." Met een ongeduldig gebaar stond Sally op om hun koffiebekers nog eens in te schenken. „Jij houdt van Hubert, Hubert houdt van Radja. Zoals altijd is het weer de liefde waar het om draait. Of heb ik het mis? Hou je niet meer van hem en heb je dit incident als excuus gebruikt om een eind aan jullie verloving te maken? Ik weet dat het de laatste tijd niet zo lekker liep."

Andrea schudde haar hoofd terwijl ze nadacht over een eerlijk antwoord. Ze was blij dat het rustig bleef in de winkel, zodat ze even haar hart kon luchten.

„Ik hou van Hubert," zei ze toen simpel. „Onze problemen zijn niet zo diepgaand en in ieder geval niet zo hevig dat we elkaar niet meer willen zien, al gaat het inderdaad niet zo soepel en botsen we regelmatig. Ik kon het gewoon niet uitstaan dat hij dat beest belangrijker vond dan onze afspraak. Zo belangrijk zelfs dat hij er niet eens even bij stil heeft gestaan om me te bellen."

„Wat me gezien de omstandigheden logisch lijkt," zei Sally hard, maar oprecht. „Vind je jezelf nu echt zo'n bijzonder persoon dat alles en iedereen voor je moet wijken?"

Perplex keek Andrea haar vriendin aan. Het koffiekopje, waar ze net een slok uit wilde nemen, belandde met een klap terug op de tafel, zodat de koffie over de rand vloog en lelijke vlekken maakte op het lichte kleed. De twee vrouwen sloegen er geen acht op. Peilend keken ze elkaar aan.

„Je durft heel wat te zeggen," zei Andrea schor.

„Het is of dit, of je bent gewoon jaloers op de aandacht die Hubert aan zijn paard geeft." Sally's stem klonk niet beschuldigend, maar laconiek. In een hartelijk gebaar sloeg ze haar arm om Andrea heen. „Kop op, meid. Maak er geen onoverkomelijk probleem van, dat is het niet waard. Ga naar Hubert toe, zeg dat het je spijt en maak het weer goed. Ik weet zeker dat hij onmiddellijk die walgelijk kostbare ring weer aan je vinger schuift."

„Was het maar zo makkelijk," zuchtte Andrea somber. „Oké, ik weet heus wel dat je gelijk hebt en dat ik fout zat, maar het is moeilijk om de eerste stap te zetten en je ongelijk te bekennen."

„Waarom? Is het aanbieden van je verontschuldigingen zwaarder dan leven zonder Hubert omdat je te trots bent om je hoofd te buigen?"

„Hij komt vast wel naar mij toe."

Sally schudde haar hoofd. „Je bent veranderd en niet in positieve zin. De Andrea die ik ken zou het niet moeilijk vinden om de eerste stap te zetten. Trouwens, de Andrea die ik ken zou het niet in haar hoofd halen haar verloving te verbreken voor zoiets. Die zou begrip gehad hebben voor haar vriend. Je bent hard geworden."

„O, dank je." Met een verbolgen gezicht draaide Andrea haar hoofd weg.

„Graag gedaan," zei Sally nuchter.

Ze stond op en liep de winkel in omdat er een klant binnenkwam. Toen ze een kwartier later weer terugkwam, zat Andrea nog net zo. Het gerinkel van de telefoon verbrak de gespannen stilte die tussen de twee vriendinnen hing. Sally nam op en overhandigde de hoorn even later aan Andrea.

„Je aanstaande schoonmoeder. Ze klinkt nogal nerveus."

Met een angstig voorgevoel pakte ze de hoorn aan. Er zou toch niets met Hubert gebeurd zijn? "Hallo," zei ze hees.

„Andrea, Hubert heeft een ongeluk gehad," viel mevrouw Van Oldenburgh direct met de deur in huis. „Hij is vanochtend tijdens een ritje van zijn paard gevallen en met zijn voet in de stijgbeugel blijven hangen, waarna hij nog een stuk is meegesleurd."

„O nee! Hoe erg is het? Leeft hij nog?" vroeg Andrea geschrokken.

Vanuit haar ooghoeken zag ze Sally verschrikt opkijken, maar ze sloeg er geen acht op. Met ingehouden adem wachtte ze het antwoord af.

„Ja," hoorde ze tot haar immense opluchting. „Er is geen direct levensgevaar, maar het ziet er nogal ernstig uit."

„Wat heeft hij dan?"

„Dat weten we nog niet. Ze zijn nu met hem bezig, maar in ieder geval is er iets met zijn benen. Wij zitten in het ziekenhuis. Kun jij ook hierheen komen?"

„Ja, natuurlijk," antwoordde Andrea zonder nadenken.

Ze verbrak de verbinding en bracht verslag uit aan Sally terwijl ze haar tas pakte en haar jas aantrok.

„Natuurlijk moet je naar hem toe," was Sally het met haar eens. „Ik red me hier wel. Heb je een strippenkaart of moet ik een taxi voor je bellen?"

„Ja, doe dat maar. Ik weet niet eens welke bus ik moet hebben." Verslagen liet Andrea zich op een stoel zakken. „O Sally, als hij maar niet doodgaat!"

„Vast niet," sprak Sally kalmerend. „Je schoonmoeder zei toch dat er geen levensgevaar was?"

„Misschien wilde ze door de telefoon niet te veel zeggen. Ze vroeg niet voor niets of ik wilde komen, waarschijnlijk krijg ik in het ziekenhuis pas de hele waarheid te horen."

„Maak je nou niet zo druk en haal je geen dingen in je hoofd die niet aan de orde zijn. Geen levensgevaar is geen levensgevaar. Zoiets ziet er meestal veel ernstiger uit dan het uiteindelijk blijkt te zijn."

„Zou je denken?"

„Ik weet het zeker," zei Sally optimistisch, maar met een zwaar hart. Ze kon alleen maar hopen dat ze gelijk had. „Probeer niet te veel te piekeren. Wat hem ook mankeert, hij heeft er niets aan als jij als een nerveus wrak aan zijn bed zit."

De rit naar het ziekenhuis leek uren te duren. Na bij de receptie gevraagd te hebben waar ze moest zijn, arriveerde Andrea in de wachtkamer waar Huberts ouders zaten.

„Gelukkig dat je er bent," zei mevrouw Van Oldenburgh direct. Ze zag er vermoeid uit en het was voor Andrea de eerste keer dat ze haar zag zonder perfect in model gekapt hoofd.

„Hoe is het met hem?" vroeg Andrea angstig.

„Hij wordt nu klaar gemaakt voor een operatie aan zijn benen," vertelde Huberts vader. „Die zijn allebei op verschillende plaatsen gebroken. Voor de rest valt het mee, volgens de dokter. Hij heeft een lichte hersenschudding en diverse blauwe plekken en schaafwonden omdat hij een stuk is meegesleurd. Die benen zijn het ergste, daar konden ze nog geen voorspellingen over doen."

„Dus... Dat betekent dat hij misschien nooit meer kan lopen!" Andrea ging zitten en keek meneer en mevrouw Van Oldenburgh verslagen aan. „Wat vreselijk voor hem, hij is altijd zo sportief."

Mevrouw van Oldenburgh knikte met tranen in haar ogen.

„Laten we niet op de zaken vooruitlopen," zei haar man echter. „Voor hetzelfde geld loopt hij over een tijdje weer vrolijk rond en zitten jullie jezelf hier op te fokken voor niets."

„Laten we het hopen," verzuchtte Huberts moeder.

Ze toonde moedig een waterig glimlachje en spontaan pakte Andrea haar hand vast. Ze hield van deze mensen en begon ze steeds meer te beschouwen als haar ouders. Vooral mevrouw Van Oldenburgh had een speciaal plekje in haar hart, waarschijnlijk omdat ze een schakel vormde naar haar eigen moeder.

„Op wiens paard reed hij eigenlijk en hoe is het met Radja?" vroeg Andrea ineens.

„Op Anouks paard," antwoordde Huberts moeder. „Radja begint gelukkig op te knappen. Volgens de dierenarts heeft hij de crisis gehad en wordt hij weer helemaal beter. Hubert heeft drie dagen en nachten bij hem gezeten en besloot een ritje te maken om wat frisse lucht op te snuiven. Met dit als resultaat," eindigde ze triest.

„Maar wat is er dan precies gebeurd?"

„Dat weten we niet," zei meneer Van Oldenburgh. „Het paard kwam alleen terug, dus zijn we Hubert gaan zoeken. Hij was bij bewustzijn toen we hem vonden, maar wel erg verward. Uit wat hij zei, was niet echt een samenhangend verhaal te maken. Waarschijnlijk heeft zijn slaapgebrek van de afgelopen dagen ook wel een rol gespeeld."

En mijn gedrag van zaterdagavond, dacht Andrea schuldbewust. Ze zei daar echter niets over. Ze kreeg niet de indruk dat Huberts ouders op de hoogte waren van alles wat zich tussen hen had afgespeeld en ze wilde ze niet nog meer van streek maken. Het deed er ook niet meer toe. Alle kibbelpartijtjes en strubbelingen vielen in het niet bij het besef dat Hubert nu gewond en hulpeloos op een operatietafel lag. Nu kon ze wel openlijk toegeven dat het haar schuld was en dat ze zich die bewuste zaterdag onmogelijk had gedragen. Gelukkig was het nog niet te laat om het goed te maken. Ze hadden geluk gehad, er was nog steeds een toekomst voor hen samen.

Zwijgend, alledrie verdiept in hun eigen gedachten, wachtten ze het einde van de operatie af. Pas tegen de avond kwam er een dokter naar hen toe.

„De operatie is gelukt," zei hij meteen bij het zien van de drie gezichten die hem verwachtingsvol aankeken. „Het was een enorm karwei, maar alles zit weer op zijn plaats. Er zijn stalen pennen in zijn benen gezet die ervoor moeten zorgen dat dat ook zo blijft. U moet er wel rekening mee houden dat het maanden gaat duren voor er sprake is van enig herstel."

„Maar het komt wel goed?" vroeg meneer Van Oldenburgh gespannen. „Ik bedoel, hij zal wel weer kunnen lopen?"

„Daar kan ik nog heel weinig van zeggen," antwoordde de arts eerlijk. „Dat zal de tijd moeten leren, ik kan geen voorspellingen doen op de lange termijn."

„Maar wat denkt u?" drong meneer Van Oldenburgh aan.

„Meneer, ik begrijp dat u bezorgd bent en een positief antwoord van mij wilt horen, maar ik kan daar echt nog geen definitieve uitspraken over doen. Het hangt van zoveel factoren af. In ieder geval zijn de benen niet verbrijzeld. We hebben alle breuken aan elkaar kunnen zetten en dat is al heel wat, voor de rest moeten we afwachten. Hij wordt naar een kamer gebracht en dan mag u even bij hem. Een verpleegster komt u halen als het zover is. Sterkte."

Met een kort knikje liep de arts weg en begon het wachten opnieuw, nu op het moment dat ze hem mochten zien. Andrea sloot haar ogen. Het beeld van Hubert in een rolstoel verscheen meedogenloos op haar netvlies. Ze moest moeite doen om haar opkomende tranen binnen te houden. Ze mocht nu niet huilen.

Ze moest sterk zijn voor Hubert, hij had haar nodig.

Een uur later werden ze door een vriendelijke verpleegster naar Huberts kamer gebracht. „Hij is bijgekomen uit de narcose, maar slaapt nu weer," vertelde ze. „Blijft u niet te lang?"

Met zijn drieën keken ze neer op de slapende Hubert. Hij zag er weerloos uit met de dekenboog die zijn gehavende benen verborg en zijn witte gezicht met de schaafplek onder zijn oog. Mevrouw Van Oldenburgh kon haar emoties niet langer bedwingen.

„O, mijn jongen," snikte ze terwijl ze zijn hand vastpakte. „Kijk hem nou liggen Jacob, wat vreselijk!"

„Maak je niet zo overstuur," suste haar man. „Hij leeft nog, hou dat voor ogen."

„Maar als hij nu nooit meer kan lopen?"

„Daar moet je niet aan denken. Voor zover ik Hubert ken, gaat hij alles op alles zetten om dit ongeluk te boven te komen."

Zijn stem klonk kalmerend. Andrea had bewondering voor de manier waarop hij zich sterk hield voor zijn vrouw, al kon ze aan de wanhopige blik in zijn ogen zien dat hij er zelf niet veel vertrouwen in had. Het was dan ook een erbarmelijke aanblik. Ze trilde bij de gedachte hoe Hubert zich moest voelen als hij wakker werd en de waarheid tot hem door zou dringen.

„Ik blijf bij hem," zei ze vastbesloten. „Die verpleegster kan me nog meer vertellen met haar opmerking dat we niet te lang mogen blijven. Als hij wakker wordt, moet er iemand bij hem zijn. Een vertrouwd gezicht, geen onbekende verpleegster."

„Dat zal best wel mogen, tenslotte ligt hij alleen en heeft niemand er verder last van. Ik maak het zo wel in orde voor je," beloofde Jacob van Oldenburgh. „Kom Elise, dan gaan wij naar huis. Te veel drukte is ook niet goed voor hem."

„Ik wil hier blijven tot hij wakker wordt," stribbelde zijn vrouw tegen.

„Niets ervan," sprak hij echter beslist. „Andrea blijft bij hem, hij is niet alleen. Als zijn aanstaande vrouw is zij daar de meest aangewezen persoon voor. Bel je ons meteen als hij wakker wordt of als er veranderingen in zijn toestand optreden?"

„Natuurlijk," verzekerde Andrea hem.

Ze was dankbaar voor zijn begrip en voor zijn doortastende

optreden. Ze wilde alleen zijn met Hubert, met hem praten zodra daar de mogelijkheid voor was. Hoe graag ze zijn ouders ook mocht, ze had er geen zin in om de ruzie tussen haar en Hubert uit te praten in hun bijzijn. Dat was iets tussen hen tweeën.

Ze nam afscheid van het echtpaar Van Oldenburgh en nestelde zich in de stoel naast Huberts bed. Dezelfde verpleegster van daarnet kwam haar een kop koffie brengen die ze dankbaar aanvaardde. Als ze ooit aan een kop sterke, hete koffie toe was, was het nu wel. Urenlang zat ze stil naast zijn bed, met gemengde gevoelens. Ze verlangde naar het moment dat hij zijn ogen zou openen en ze hun ruzie konden bijleggen, aan de andere kant was ze blij met iedere minuut die hij sliep. Omdat rust belangrijk was voor zijn herstel.

Pas in de loop van de avond sloeg Hubert zijn ogen open. Hij bleef heel stil liggen en zei niets, zodat het nog even duurde voor het tot Andrea doordrong dat hij echt wakker was.

„Hoe voel je je?" vroeg ze zacht.

„Beroerd," was het korte antwoord. Andrea wilde zijn hand pakken, maar Hubert trok hem weg. „Wat doe jij hier?" vroeg hij.

„Wachten tot jij wakker zou worden. Je hebt een zwaar ongeluk gehad, Hubert."

„Dat weet ik. Mijn benen zijn gebroken, maar ik ben niet seniel." Hij staarde somber naar de dekenboog en Andrea zuchtte. Hij zou het haar niet makkelijker maken, besefte ze. Dit verliep niet zoals het altijd in films ging, dat de twee geliefden elkaar ontroerd in de armen vielen en alle problemen oplosten in het heerlijke besef dat ze nog samen waren, dat er een toekomst was.

„Hubert, het spijt me van zaterdag," zei ze ten slotte na een lange stilte. „Je had gelijk, ik had geen enkel recht om me zo te gedragen."

„Ben je daar de laatste uren pas achter gekomen?" informeerde hij cynisch. „Klinkt dit niet een beetje als het geijkte verhaal in een romannetje? Man en vrouw maken ruzie, man krijgt ongeluk, waarna vrouw tot bezinning komt en bittere tranen huilt van spijt."

„Nee. Eigenlijk wist ik diezelfde avond al dat ik fout geweest was," bekende Andrea eerlijk, expres voorbijgaand aan de spottende toon waarop hij sprak.

„Maar het is schijnbaar niet in je hoofd opgekomen om dat ook aan mij te vertellen. Ik heb twee lange dagen zitten wachten, Andrea. Angstig om Radja en verdrietig om jou. Waar bleef je?"

„Ik hoopte dat jij naar mij toe zou komen."

„Waarom zou ik dat doen? Jij zat fout, dat zeg je net zelf."

Andrea slikte moeizaam. Dit gesprek ging een hele andere kant op dan ze verwacht had. „Het spijt me echt," zei ze nogmaals. „Wat kan ik nog meer zeggen of doen om je daarvan te overtuigen?"

„O, ik geloof je wel, maar je bent te laat met je excuses."

„Wat bedoel je: te laat?" Gealarmeerd keek ze hem aan.

„Precies wat ik zeg."

Vermoeid sloot Hubert even zijn ogen. Dit kostte hem meer moeite dan hij verwacht had. Hij hield van Andrea, maar ze had hem diep gekwetst met haar houding. Hij wist zelf ook heel goed dat de problemen in hun relatie niet alleen aan haar te wijten waren, maar haar gedrag bij het verbreken van de verloving was de druppel geweest. Als ze eerder haar spijt had betuigd, hadden ze het misschien nog uit kunnen praten, nu had hij andere dingen aan zijn hoofd om zich druk over te maken.

„Ik heb er geen zin meer in," zei hij langzaam. „Er is net een ruzie te veel geweest tussen ons."

„Dat kun je niet menen." Wanhopig staarde Andrea hem aan. „Je kunt niet zomaar een eind aan onze verloving maken!"

„Ik? Als ik me goed herinner had jij dat al gedaan."

„Maar dat meende ik ook niet. Ik handelde uit kwaadheid, in een opwelling."

„Ik niet. De laatste dagen heb ik er lang en veel over nagedacht, Andrea. We houden van elkaar, maar liefde alleen is niet genoeg. Er zijn te veel verschillen tussen ons, we kibbelen om alles."

„Dat is maar een periode, dat heb je zelf gezegd."

„Een periode die te lang duurt en met onze laatste ruzie als sluitstuk."

Er viel een diepe stilte, waarin Andrea koortsachtig nadacht. Dit kon niet, dit was een boze droom, juist nu hadden ze elkaar nodig. Hubert had háár nodig.

„Ik heb niet de hele middag en avond aan je bed gezeten om uiteindelijk dit te horen," zei ze onlogisch. „Ik wilde het uitpraten en goedmaken."

Hubert schudde zijn hoofd. "Ik kan het gewoon niet aan op dit moment. Ten eerste onze verschillende levenswijzen wat tot botsingen leidt, alle irritaties tussen ons, ten tweede jouw absurde eisen zaterdagavond en ten derde dit ongeluk. Ik wil geen energie verspillen aan een slechte relatie terwijl ik diezelfde energie nu hard nodig heb om weer beter te worden. Onder andere omstandigheden hadden we het misschien nog goed kunnen maken, maar nu mis ik de moed om er vol tegenaan te gaan. Ik heb andere dingen aan mijn hoofd. Het spijt me als ik je pijn doe, maar zo liggen de zaken nu eenmaal."

„Dus dit was het? Het was leuk zo lang het duurde, maar nu kan je me niet meer gebruiken?"

„Dat klinkt wel erg cru."

„De waarheid is hard." Andrea stond op. „Zal ik je dan nu maar bedanken voor de leuke tijd en je sterkte wensen voor de toekomst?" zei ze sarcastisch.

„Niet zo Andrea, alsjeblieft." Hubert strekte zijn hand naar haar uit en onwillekeurig greep ze hem vast. „Laten we zonder kwade woorden uit elkaar gaan, het is allemaal al moeilijk genoeg."

„Maar ik wil niet dat er een einde aan komt," zei ze wanhopig. „Ik wil bij je blijven, je steunen, naast je staan bij alle problemen die je de komende tijd tegenkomt."

„Ik heb geen behoefte aan medelijden," zei hij hard.

„Dat heeft niets met medelijden te maken, dat is liefde."

„Dat kan ik niet meer geloven." Moedeloos schudde hij zijn hoofd. „Als je echt van me gehouden had, was je meteen teruggekomen, maar je hebt me alleen gelaten op een moment dat ik je hard nodig had. Nu zit je de hele dag aan mijn bed omdat je je schuldig voelt en omdat je vindt dat dat zo hoort."

„Als je er zo over denkt valt er inderdaad niets meer te zeggen," zei Andrea schor.

Het begon tot haar door te dringen dat ze hem ontzettend diep gekwetst had. Te diep om het met een simpel excuus goed te maken. Haar ondoordachte en trotse houding had haar haar levensgeluk gekost.

Ze liep naar de deur. „Ik heb een grote fout gemaakt, dat geef ik toe, maar de straf die ik er nu voor krijg staat daar niet mee in verhouding," zei ze nog voor ze de gang inliep. „Mijn enige beweegreden om vandaag bij je te zijn, was liefde. Ik hoop dat je dat nog eens gaat beseffen."

Met een nauwelijks hoorbare klik sloot ze de deur achter zich. Haar hoofd was een warboel. Ze kon nog maar nauwelijks bevatten wat Hubert allemaal gezegd had. Maar één ding was duidelijk: hij wilde haar niet meer. Het was voorbij. Voorgoed.

De lange, schemerige ziekenhuisgang grijnsde haar somber tegemoet. Net zo somber als haar toekomst. Wat moest ze nu zonder Hubert? Hij had haar leven weer zin gegeven na de moeilijke, eenzame jaren sinds het wegvallen van haar ouders. Zonder hem bleef er niets meer over wat de moeite waard was. Maar misschien kwam hij nog tot bezinning en ontdekte hij dat hij haar niet kwijt wilde. Misschien had hij het juist uitgemaakt om haar te sparen. Er bestond een kans dat hij invalide zou blijven, misschien was dat de grondslag van zijn beslissing. Hij wilde het haar natuurlijk niet aandoen om met een gehandicapte man samen te leven, dacht Andrea hoopvol. In dat geval was er nog een kans dat het goed zou komen. Ze moest de moed nog niet opgeven.

Wanhopig klemde ze zich vast aan iedere strohalm die ze kon bedenken.

Dagenlang wachtte Andrea op een telefoontje van Hubert met de mededeling dat hij haar toch niet kon missen. Ze had zich ziek gemeld op haar werk en deed weinig anders dan lusteloos op de bank hangen en eten. Veel eten. Het lege gevoel dat ze had sinds het laatste gesprek met Hubert, probeerde ze te compenseren met brood, chips, koek en chocola.

Het hielp niet. Alle lekkernijen ter wereld konden dat knagende gevoel niet verdrijven. Maar de zoete of juist zoute smaak en het constante kauwen boden toch enige troost. Het was een vorm van afleiding, dus at Andrea gestaag door. Dat dat weer ten koste zou gaan van haar inmiddels slanke figuur, interesseerde haar niet. Niets kon haar meer schelen. Zonder Hubert was haar leven leeg.

Bij ieder telefoontje sprong ze hoopvol op, maar iedere keer was het Sally of Wendy die belden. Na een week had Hubert nog niets laten horen en langzaam begon ze bang te worden dat hij alles gemeend had. Dat hij haar echt niet meer wilde.

Toen haar wekelijkse bos bloemen bezorgd werd, huilde Andrea urenlang. Moest het echt zo eindigen? Het was zo mooi begonnen. Direct bij hun eerste ontmoeting had het geklikt en die wederzijdse aantrekkingskracht had geleid tot een verloving. Dat kon toch niet ineens van de baan zijn? Twee weken geleden hadden ze nog de bouwtekening van hun toekomstige huis bekeken!

Ondanks alles wat Hubert gezegd had, bleef Andrea hopen. Hij had een zwaar ongeluk gehad, het was niet denkbeeldig dat hij niet helemaal helder was geweest tijdens hun gesprek. Die klap op zijn hoofd toen hij de grond raakte, kon van invloed zijn geweest.

Zo, balancerend tussen hoop en vrees, bracht Andrea haar dagen door. Ze weigerde aan de toekomst te denken en leefde van minuut tot minuut.

Acht dagen na het ongeluk weerklonk 's avonds de bel door het huis. In de verwachting dat het Wendy zou zijn, slofte Andrea naar de deur. Het waren echter Huberts ouders die op het portiek stonden. Meteen vonkte er weer wat hoop in haar hart.

Hubert durfde zelf niet meer te bellen en had zijn ouders gevraagd om als bemiddelaars op te treden! Ze kon zich voorstellen dat de stap te moeilijk voor hem was, tenslotte had ze zelf tien dagen geleden ook in de situatie verkeerd dat ze tientallen keren op het punt had gestaan zijn nummer te draaien, om het uiteindelijk toch niet te doen.

„Mogen we binnenkomen?" vroeg mevrouw Van Oldenburgh toen Andrea hen aan bleef staren.

Geschrokken deed ze een stap opzij. „Ja natuurlijk. Sorry." Ze ging hen voor naar de kamer. „Hoe is het met Hubert?"

„Naar omstandigheden redelijk," antwoordde meneer Van Oldenburgh. „Over een volledig herstel valt nog niets te zeggen, maar hij houdt zich sterk. Zelf is hij ervan overtuigd dat hij ooit weer kan lopen zonder hulpmiddelen."

„Natuurlijk. Ik had niets anders van hem verwacht," zei Andrea met een glimlach. „Hij is nu eenmaal zo koppig als een ezel."

Huberts ouders lachten niet om het grapje. Een beetje ongemakkelijk keken ze elkaar aan.

„Het spijt ons dat we niet eerder gekomen zijn," nam meneer Van Oldenburgh weer het woord. „Ik vrees dat we je onze verontschuldigingen aan moeten bieden. Toen Hubert ons vertelde dat het uit was tussen jullie, namen we automatisch aan dat... eh..."

„Dat jij het uitgemaakt had omdat je niet met een invalide man wilde trouwen," vulde zijn vrouw kalm aan. „Ja, laten we het maar gewoon zeggen zoals het is. Eerlijk gezegd waren we woedend op je."

„Dat kan ik me voorstellen," zei Andrea na die woorden verwerkt te hebben. „Heeft hij inmiddels verteld hoe het werkelijk zit?"

„Zo'n beetje. Hij heeft gezegd dat jullie ruzie hadden, maar niet waar het over ging. In ieder geval is hij niet van plan om het bij te leggen," vertelde Huberts moeder.

„Niet? Echt niet?" Andrea, die tot nu toe midden in de kamer was blijven staan, liet zich op een stoel zakken.

„Had je dat verwacht dan?" Met medelijden in haar blik keek mevrouw Van Oldenburgh naar de vrouw die ze als haar schoondochter beschouwde.

„In ieder geval gehoopt," antwoordde Andrea eerlijk. Triest staarde ze voor zich uit. „Het is allemaal mijn schuld."

„Problemen in een relatie worden maar zelden veroorzaakt door slechts één persoon," merkte meneer Van Oldenburgh rustig op.

„Maar die ruzie... Vorige week kregen we hoogoplopende ruzie, door mijn schuld. Uit pure woede heb ik hem toen mijn ring teruggeven. Na dat ongeluk wilde ik het goedmaken, maar volgens Hubert was het te laat. Hij zag het niet meer zitten. Daarnet, toen ik jullie zag staan, hoopte ik dat hij van gedachten veranderd was."

Het echtpaar Van Oldenburgh wisselde een snelle blik. Hubert was nogal vastbesloten geweest toen hij over de verbroken verloving had gepraat.

„Wat dat betreft kunnen we je geen hoop geven," zei zijn vader dan ook eerlijk. „Daar zijn we niet voor gekomen. We wilden weten hoe het met je was. Maandenlang ben je bij ons over de vloer gekomen en we beschouwden je al echt als onze dochter. We kunnen nu niet ineens doen alsof je niet bestaat omdat jullie ruzie hebben."

„Daar ben ik blij om," zei Andrea eenvoudig. „Zelf zat ik daar ook al mee in mijn maag. Ik durfde niet naar jullie toe. Willen jullie iets drinken?"

Onverwachts werd het nog een gezellige avond, hoewel het een vreemd idee was dat ze nu in één kamer zaten terwijl ze officieel niets meer met elkaar te maken hadden. Andrea zou deze mensen missen, dat wist ze nu al. Misschien zouden ze nog een tijdje contact houden, maar in de loop der tijd zou dat toch verwateren. Zo ging het nu eenmaal in het leven. Ooit zou Hubert met een andere vriendin thuiskomen, die dan net zo hartelijk onthaald zou worden als bij haar was gedaan. Zelf kwam ze misschien ook nog wel eens iemand anders tegen die haar gelukkig kon maken, al kon ze zich daar nu nog niks bij voorstellen. Ze kon trouwens alleen maar hopen dat ze het dan wat aanstaande schoonouders betrof net zo goed zou hebben. Ze hield van Huberts ouders.

Dat was nog een ander vervelend aspect van het verbreken van hun verloving. Het was al erg genoeg dat ze zonder Hubert verder moest, maar met hem raakte ze ook zijn ouders, zijn vrienden en hun gevarieerde leven kwijt. In plaats van etentjes, feestjes en recepties bij te wonen, zou ze voortaan weer eenzaam thuis zitten. Terug naar af, zo voelde dat. Maar nu nog erger dan een jaar geleden. Toen wist ze niet beter en was ze redelijk tevreden met haar gezapige leven, nu had ze echter van een ander bestaan geproefd. Een leven vol afwisseling en met veel sociale contacten. Onwillekeurig rilde ze even.

„Wat ga je nu doen?" vroeg mevrouw Van Oldenburgh alsof ze haar gedachten kon raden.

Andrea haalde haar schouders op. „Niets. Ik kan hem niet dwingen om onze verloving weer voort te zetten, terwijl dat eigenlijk het enige is wat ik wil. Ik ga maar gewoon door met werken en ademhalen." Het klonk wrang, dat hoorde ze zelf.

„Mag ik je een advies geven? Ga iets heel anders doen. Zoek een andere baan, andere woonruimte, bouw een nieuw leven op waarin je niet steeds herinnerd wordt aan het verleden. Zoek uitdagingen in plaats van hier in je eentje te zitten verzuren." Mevrouw Van Oldenburgh lachte verontschuldigend. „Misschien vraag je je af waar ik me mee bemoei, maar uit eigen ervaring weet ik dat een mens snel in zelfmedelijden verzandt. Dat moet je zien te voorkomen, neem je leven in eigen hand. Jouw geluk hangt niet af van Hubert, dat moet je zelf maken."

Andrea knikte. Ze hoefde alleen maar aan de afgelopen week te denken om te weten dat Huberts moeder gelijk had. Als ze zo door bleef gaan, zou er weinig meer overblijven van de oude Andrea. Dan veranderde ze in no time in een dik, saai, verbitterd mens. Geen aanlokkelijk toekomstbeeld.

Het afscheid later op de avond was hartelijk. Mevrouw Van Oldenburgh zoende Andrea op allebei haar wangen, haar man trok haar even tegen zich aan.

„Ik ben blij dat de lucht tussen ons opgehelderd is," zei hij ernstig. „We hebben de hele week met een naar gevoel gezeten. We konden ons niet voorstellen dat jij zo berekenend was en gelukkig is dat ook niet zo."

„We houden contact hoor. Je blijft altijd welkom bij ons, ondanks alles," zei mevrouw Van Oldenburgh dringend.

Andrea beloofde het en zwaaide het echtpaar na met heel wat

om over na te denken. Huberts moeder had gelijk, besefte ze. Het beste was om haar leven radicaal om te gooien. Dingen doen waar ze haar aandacht bij nodig had, in plaats van het werk in de boekwinkel wat ze na al die jaren wel kon dromen. Tenslotte had ze een goede opleiding in het toerisme gevolgd, daar moest toch iets in te vinden zijn.

Plotseling leek het heel aanlokkelijk. Een andere baan, verhuizen naar een onbekende stad, een nieuwe vriendenkring opbouwen. Het zou wel een uitdaging zijn. Al haalde niets het natuurlijk bij een leven aan Huberts zijde. Maar daar moest ze niet bij stil blijven staan, hield Andrea zichzelf voor. Ze moest naar de toekomst kijken, niet verzanden in het verleden. Met Hubert had ze een mooie tijd gehad, maar nu was dat voorbij.

„Aan iedere situatie zit iets positiefs," placht Wendy altijd te zeggen. Andrea deed haar best, maar het enige positieve wat ze kon vinden in haar verbroken verloving was het feit dat ze Anouk niet meer hoefde te zien.

Nu, dat was in ieder geval iets, dacht ze terwijl ze een grimas naar zichzelf trok in de spiegel. Daarna bekeek ze zich aan alle kanten. Ze zag er goed uit. Stukken beter dan een jaar geleden. Ze was jong, gezond, aantrekkelijk, intelligent en zelfstandig. Ze had geen man nodig om gelukkig te zijn. Ondanks deze dappere gedachten huilde Andrea zich die avond in slaap. Al haar hoop op een verzoening was nu definitief vervlogen, daar kon geen enkele positieve gedachte iets aan veranderen.

Het viel niet mee om alles te veranderen. De wil was wel aanwezig bij Andrea, maar alleen goede wil was niet genoeg. Na ettelijke mislukte sollicitaties begon ze de moed bijna te verliezen. De grote organisaties wilden haar niet. Haar opleiding was prima, maar alweer enkele jaren geleden. Het gebrek aan ervaring brak haar op. Eén van de reisbureaus waar ze solliciteerde maakte haar pijnlijk duidelijk dat een veel jongere, dus goedkopere, kracht konden aannemen met dezelfde kwalificaties.

Er waren genoeg gebieden waar Andrea wel werk in zou kunnen vinden, maar nu ze toch eenmaal voor veranderingen in haar leven stond, wilde ze een baan die haar echt aantrok. Bij de boekhandel was ze destijds gewoon blijven hangen omdat dat

een vertrouwde omgeving was. Inmiddels was ze sterker geworden, had ze meer zelfvertrouwen gekregen en was ze op zoek
naar een uitdaging. Bovenal wilde ze werk wat haar helemaal op
zou eisen, zodat ze geen tijd meer had om te piekeren over
Hubert.

Ze had niets meer van hem gehoord en koesterde ook geen
hoop meer.

Met zijn ouders had ze af en toe nog contact, maar als bij
afspraak verzwegen ze dan alledrie het onderwerp Hubert. Hij
was definitief verleden tijd, daar probeerde ze in te berusten.
Makkelijk was dat niet, vooral omdat samen met Hubert haar
sociale leven ook verdwenen was. Mensen waar ze maandenlang gastvrij onthaald was, zag ze niet meer en uitgaan in haar
eentje trok haar niet aan. Andrea wist dat ze nog steeds bij Sally
en Wendy terechtkon, maar die wilde ze niet te veel lastigvallen
met haar problemen. Sally en Theo woonden nog maar zo kort
samen, die hadden genoeg aan elkaar en Wendy en Ronald gingen helemaal op in hun ouderschap. Wendy belde wel regelmatig en vroeg dan steeds plichtsgetrouw hoe het met haar ging,
maar meteen daarna begon ze over de kleine Richard te praten.
Dat was een onderwerp waar ze geen genoeg van kon krijgen.
Omdat Andrea daar begrip voor op kon brengen zei ze er niets
van, maar ze kon hevig verlangen naar de lange, vertrouwelijke
gesprekken die ze vroeger met haar vriendin had gevoerd.

Ze voelde zich eenzamer dan ooit, iets wat aan haar uiterlijk te
merken was. De maat veertig die ze met veel moeite veroverd
had, was alweer uitgegroeid tot een dikke vierenveertig, de
zachte huid van haar gezicht vertoonde de laatste tijd weer
opvallend veel puistjes en haar glanzende haren werden doffer
en stugger. Alle mooie, nieuw aangeschafte kleren hingen doelloos in de kast, de joggingbroeken en lange, verhullende truien
hadden hun plaats weer ingenomen.

Na iedere mislukte sollicitatie troostte Andrea zichzelf met bergen calorierijk voedsel. Het maakte haar niet eens zoveel uit
wat het was, als ze maar kon kauwen. Repen chocola hadden de
macht om het verdriet voor heel even op de vlucht te jagen, zakken chips compenseerden het gebrek aan gezelschap. Andrea
wist dat ze op de verkeerde weg was en dat ze weer terugviel in

haar vroegere, onbevredigende bestaan, maar het was allemaal zo zwaar. Iedere dag was een strijd. Het kostte haar steeds meer moeite om op te staan en haar dagtaak te vervullen. Tijdens de avonden en haar vrije dagen lag ze lusteloos op de bank of in bed, te moe om iets te ondernemen. Het verdriet om haar verbroken verloving drukte als een loden last op haar schouders. Constant vroeg ze zich af hoe het met Hubert ging. Ze verlangde naar hem. Ze wilde naast hem staan in deze ongetwijfeld moeilijke periode in zijn leven. Hem helpen, opbeuren en troosten tijdens zware momenten. In plaats daarvan zat ze zich in eenzaamheid af te vragen hoe het met hem ging. Nog steeds vloog ze bij iedere deurbel en ieder telefoongerinkel overeind, met altijd die valse hoop op de achtergrond van haar gedachten. Zo ook die ene avond in april. Andrea lag languit op de bank naar een programma op tv te kijken dat haar helemaal niet interesseerde toen onverwachts haar deurbel weerklonk. Met bonzend hart deed ze open, teleurgesteld constaterend dat het weer niet Hubert was die voor de deur stond, maar Sally.

„Ik heb een baan voor je," viel ze direct met de deur in huis.

Andrea's interesse was meteen gewekt. „Waar? Als wat? Vertel," zei ze gespannen. In tegenstelling tot haar lusteloze houding van even daarvoor, ging ze nu op het puntje van haar stoel zitten. Eindelijk weer eens iets positiefs, dat kon ze wel gebruiken.

„Mijn moeder heeft een zus en haar zoon, mijn neef dus, bezit een bungalowpark in Gelderland," begon Sally te vertellen. „Om de één of andere reden, ik weet echt niet wat er aan de hand is, zit hij opeens met te weinig personeel, een ramp natuurlijk zo vlak voor het seizoen. Ik hoorde dat van mijn tante en moest meteen aan jou denken. Volgens haar neemt hij je onmiddellijk aan als je solliciteert."

„Als wat dan?" vroeg Andrea voor de tweede keer. „In een bungalowpark heb je zoveel verschillende banen."

„Ja, dat weet ik niet hoor. Hier is zijn telefoonnummer, bel hem voor informatie." Sally overhandigde Andrea een briefje. „Ik heb hem al jaren niet gezien of gesproken, dus meer weet ik er ook niet van. Ik vertel je alleen wat mijn tante gezegd heeft. Bel hem nou meteen, dan schenk ik wat te drinken voor ons in."

Discreet trok Sally zich terug in de keuken, maar Andrea maakte nog geen aanstalten om de telefoon te pakken. Lang staarde ze naar het stuk papier met de summiere informatie. Bungalowpark Bosoord, Raymond Veldman, met daaronder een telefoonnummer.

Zou dit het zijn? Zou haar leven na het draaien van dit nummer voor de tweede keer binnen een jaar een drastische wending ondergaan? Ze hoopte het met heel haar hart. Ze voelde dat ze aan het afglijden was, maar op de een of andere manier miste ze de moed en de discipline om dat proces tegen te gaan. Dit kon wel eens precies de impuls zijn die ze nodig had. Er moest in ieder geval snel iets veranderen, voor ze helemaal geen fut meer had om nog enig initiatief te tonen.

Net op het moment dat Andrea haar hand uitstak naar de telefoon kwam Sally de kamer weer binnen. „En?" vroeg ze.

„Ik moet nog bellen," bekende Andrea.

„Heb je dat nog niet gedaan? Ben ik daarvoor zo lang in je keuken gebleven?" zei Sally verontwaardigd.

Ze wilde zich weer omdraaien, maar Andrea hield haar tegen. „Blijf alsjeblieft hier als ik bel. Ik kan wel een beetje steun gebruiken. Trouwens, je moet me troosten als hij me afwijst," zei ze met een grimas.

„Stel je niet zo aan. Hij mag zijn handjes dichtknijpen als jij bij hem wilt komen werken."

„Misschien is hij alleen maar op zoek naar personeel voor de schoonmaakploeg of naar serveersters in het restaurant."

„Dan had mijn tante dat wel gezegd, tenslotte heb ik haar verteld welke opleiding je gedaan hebt. Nou niet meer zeuren en bellen." Zonder plichtplegingen trok Sally het papiertje uit Andrea's hand en toetste het nummer in, waarna ze de hoorn teruggaf. „Zet hem op," fluisterde ze nog snel.

Verbouwereerd luisterde Andrea naar de mannenstem die zich aan de andere kant van de lijn meldde.

„Eh... Goedenavond," stotterde ze. „U spreekt met Andrea van Alphen. Ik heb uw telefoonnummer gekregen van uw nichtje Sally. Ze zei dat u op zoek bent naar personeel."

„Ja, dat klopt." Zijn stem klonk sympathiek en Andrea voelde zich wat rustiger worden. „Dan moet u de Andrea zijn waar mijn moeder over gesproken heeft, de collega van Sally. Ik weet al precies wat voor diploma's u heeft, dus dat gedeelte kunnen we overslaan. Voelt u er iets voor om hier te komen werken?"

„Dat ligt eraan wat voor soort werk u te bieden heeft," zei Andrea. Haar zelfvertrouwen groeide bij ieder woord.

„Sorry, ik meende dat dat u al bekend was. Officieël ben ik op zoek naar iemand die de receptie bedient en die activiteiten organiseert en begeleidt," vertelde Raymond. „Als ik heel eerlijk ben moet ik er echter aan toevoegen dat er ook regelmatig andere werkzaamheden bij komen kijken. Dit is niet zo'n groot vakantiepark en in geval van nood verwacht ik van mijn personeel dat ze overal bijspringen. Het is hard werken en beslist geen baan van negen tot vijf."

„Heerlijk, precies wat ik nodig heb," zei Andrea uit de grond van haar hart.

Er klonk een geamuseerd lachje. „Dat klinkt positief. Zullen we een afspraak maken dat u langskomt om het park te bekijken voor u een definitieve beslissing neemt?"

„Prima. Zeg maar wanneer."

Ze spraken af voor de eerstvolgende zondag, zodat Andrea er niet speciaal een vrije dag voor hoefde te nemen. Beleefd verbrak ze het gesprek, om daarna een uitgelaten rondedansje te maken.

„Dit wordt het, ik voel het," riep ze.

„Natuurlijk, dat zei ik toch?" Sally gaf haar een hartelijke klap op haar schouder. „Het park moet heel mooi zijn, volgens mijn tante. Trouwens, mijn ouders zijn er ook wel eens geweest. Het is niet al te groot, maar wel gezellig en met voldoende vertier, zeggen ze."

„Ken jij het zelf niet?" wilde Andrea weten.

Sally schudde haar hoofd. „Nee, ik heb nooit de eer gehad. Raymond is ook nog niet zo lang eigenaar. Een jaar of acht, denk ik. Hij begon ermee in de periode dat ik volwassen werd en niet meer met mijn ouders meeging op vakantie, maar met vriendinnen. Dan ga je natuurlijk niet in Gelderland zitten. In die tijd maakte ik de Spaanse kusten onveilig."

„Daar kan ik me iets bij voorstellen, ja," grinnikte Andrea. „Maar je kent Raymond, dus ik wil alles over hem weten."

Ze schonk de glazen nog eens vol en luisterde aandachtig naar alles wat Sally wist te vertellen over haar aanstaande werkgever en zijn vrouw Mandy, met wie hij samen het park runde.

Het weinige wat Sally ervan wist, klonk in ieder geval goed, meende Andrea. Het trok haar enorm aan om in een kleine ploeg te werken en er gezamenlijk voor te zorgen dat de gasten het naar hun zin hadden. Zo'n relatief klein vakantiepark moest het tenslotte hebben van de service die ze boden om zodoende te kunnen concurreren met allerlei grote parken, die meestal veel meer faciliteiten bezaten.

Nou, aan haar zou het niet liggen, dacht ze tevreden. Ze voelde zich super gemotiveerd en verlangde ernaar om aan de slag te gaan. Eindelijk gloorde er weer een lichtpuntje in de verte.

Met wild kloppend hart van verwachting arriveerde Andrea bij het bungalowpark, dat er vriendelijk en uitnodigend uitzag in het prille lentezonnetje. De bomen begonnen uit te lopen en hier en daar stonden struiken al in bloei, de kleuren van de bloemen in fel contrast met het lichte groen van de blaadjes. Het was nog redelijk vroeg in de morgen en vrij rustig.

Op haar gemak bekeek Andrea het gebouw waar de receptie in was gevestigd, met daarnaast een woonhuis. Van Raymond en Mandy, vermoedde ze. Het zag er allemaal goed onderhouden uit. De gebouwen waren schoon, de gordijnen voor de ramen hagelwit en het houtwerk strak in de verf, evenals de slagboom die moest verhinderen dat er te veel verkeer in het park kwam. Zowel rechts als links van de inrit stonden grote borden die verkondigden dat dit bungalowpark Bosoord was. Dé plek voor een relaxte vakantie, stond er met kleine, vuurrode letters onder geschreven.

Alles wat Andrea zag, beviel haar direct. Ze kon alleen maar hopen dat de kennismaking met Raymond en zijn vrouw niet tegen zou vallen, want ze zou hier dolgraag willen werken. Na de eerste aanblik was ze al verkocht.

Zou hier haar toekomst liggen? Met liefde wilde ze haar vertrouwde appartementje opzeggen om zich hier in deze landelijke omgeving te vestigen. Als er tenminste woonruimte voor haar was. Voor het eerst drong het tot haar door dat dat wel eens een probleem kon vormen. Het park lag tussen twee kleine dorpjes in, ze kon zich niet voorstellen dat daar woonruimte beschikbaar was. Maar wellicht had Raymond daar bepaalde voorzieningen voor, stelde ze zichzelf gerust. Hij wist tenslotte waar ze woonde en dat het niet haalbaar was om iedere dag op en neer te reizen. Als er geen kamer of zo voor haar beschikbaar was, zou hij haar niet hebben laten komen voor een sollicitatie.

Met zekere passen liep Andrea naar de receptie. Een bord op de voordeur meldde dat dit gebouw op zondag open was van tien tot twaalf uur.

„Mevrouw Van Alphen," zei de man achter de balie direct bij

haar binnenkomst. „Kijk niet zo verbaasd. Ik heb heus niet stiekem een foto van u gezien, maar u stond buiten alles zo intens op te nemen dat het niet kon missen."

„O jee, was het zo opvallend?" vroeg Andrea verlegen.

„Nogal ja," zei hij geamuseerd terwijl hij haar een stevige hand gaf. „Raymond Veldman."

„Andrea van Alphen. Zeg alsjeblieft gewoon Andrea."

„Als jij Raymond zegt. We gaan hier niet zo formeel met elkaar om. Zoals ik je door de telefoon al vertelde is het hier een klein park en we zorgen er met zijn allen voor dat alles soepel draait. Iedereen met zijn eigen taak, maar met een flexibele instelling. Jouw voornaamste taak wordt, als je hier wilt komen werken tenminste, het bemannen van de receptie en het organiseren van de activiteiten. Bingo, kaartavonden, speurtochten, je kent dat wel. Er is een recreatieteam aanwezig, jij krijgt daar de leiding over." Hij wierp een blik op zijn horloge. „Het is nu kwart over elf. Om twaalf uur sluit de receptie en zal ik je alles laten zien. Wil je nu eerst koffie?"

„Graag," accepteerde Andrea.

Ze had al uren niets gehad en verlangde naar iets te drinken. Het liefst iets warms, want ondanks het uitnodigende zonnetje was het koud buiten.

Raymond wees haar een tafeltje met vier stoelen in een hoek achter de balie, net uit het zicht van eventuele binnenkomende gasten. „Onze koffiehoek. Er klinkt een belletje als er iemand binnenkomt, dus dan weet je wanneer je naar de balie moet."

Andrea sloeg hem gade terwijl hij bezig was aan de koffieautomaat. Hij maakte een nerveuze indruk op haar. Gejaagd. De wallen onder zijn ogen verrieden dat hij de laatste tijd weinig nachtrust had genoten en zijn manier van doen bewees een vorm van stress. Zijn nijpende personeelstekort zou daar wel debet aan zijn, vermoedde Andrea. Zoals Sally het haar voorgesteld had, zat Raymond te springen om extra krachten.

Bij de rondleiding die Andrea later kreeg, was daar echter niets van te merken. Het winkeltje, dat ook op zondag een paar uur open was, leek goed bemand, evenals het restaurant en de snackbar. In de grote zaal waar de meeste activiteiten plaatsvonden en waar de gasten ook terechtkonden voor een kop koffie en een praatje, zaten eveneens twee medewerkers van het park. Behalve Raymond zelf zag niemand eruit alsof het nou zo bijzonder druk was. Wat haar opviel, was de saamhorigheid onder het personeel en de gemoedelijke sfeer.

„We zijn een grote familie," zei Raymond nadat ze daar een opmerking over gemaakt had. „Dat moet ook wel, we vormen een team en zorgen er samen voor dat alles draait. Overigens is het wel zo dat ik duidelijk de baas ben, om dat onsympathieke woord maar eens te gebruiken. Iedereen heeft inspraak, maar ik neem de beslissingen en heb de leiding. Samen met jou straks, als je nog steeds wilt."

„Heel graag," antwoordde Andrea.

„Fijn," zei hij tevreden. „Zullen we in het restaurant gaan lunchen? Dan nemen we meteen wat zaken door."

Raymond leidde haar naar het kleine restaurant en bestelde koffie en diverse broodjes. Het brood was vers en dik belegd. Andrea kreeg steeds meer zin om hier te komen werken, al waren een aantal dingen haar nog niet helemaal duidelijk. Van een personeelstekort had ze nog niets gemerkt. En waar was Raymonds vrouw Mandy? Ze durfde er niet goed naar te vragen, tot hij begon te praten over huisvesting.

„Er is een klein probleempje," zei hij. „De meeste mensen die hier werken komen uit de buurt. Ik heb een huis achter het park voor de seizoenskrachten die te ver weg wonen om heen en weer te reizen, maar dat is al vol. Met de beste wil van de wereld kun je daar niet meer bij, of je zou genoegen moeten nemen met een slaapplaats op de bank en dat lijkt me niet erg comfortabel."

„Dat begrijp ik niet," zei Andrea. Ze legde haar bestek neer en keek hem recht aan. „Van Sally heb ik begrepen dat je een tekort aan mensen hebt, maar nu zeg je zelf dat dat niet het geval is. Ik begin de indruk te krijgen dat er hier speciaal voor mij een baantje gecreëerd is omdat ik hard aan iets anders toe ben. Erg aardig van jullie, maar in dat geval bedank ik voor de eer."

„Hoe kom je daar nu bij?" vroeg hij geschrokken. „Ik kan natuurlijk niet oordelen over wat Sally gezegd heeft, maar ik heb wel degelijk op korte termijn een receptioniste nodig."

„Volgens Sally neemt je vrouw meestal de receptie voor haar rekening."

Zijn gezicht veranderde. Het was alsof er een koel masker overheen getrokken werd. De donkere ogen die haar net nog onbevangen aan hadden gekeken, stonden nu afwerend. „Dit jaar niet," zei hij kortaf.

Een onverklaarbaar gevoel van medelijden welde in Andrea op. Er was iets aan de hand met die Mandy, dat was overduidelijk. Misschien was ze wel ernstig ziek of zo. Dat zou in ieder geval zijn vermoeide uiterlijk verklaren. Je hoefde geen expert te zijn om te zien dat Raymond het op dat moment niet makkelijk had en het feit dat ze Mandy nog niet ontmoet had, gaf ook te denken.

Andrea boog zich over het tafeltje heen naar hem toe. „Ik wil hier heel graag komen werken," zei ze spontaan. „Mits je een betere slaapplaats voor me hebt dan een bank."

Zijn gezicht verhelderde alweer. „Wat dacht je van een ruime, zonnige zitslaapkamer met gebruik van keuken en sanitair? Eten doe je overigens hier in het restaurant."

„Klinkt goed. Is het hier ergens in het dorp?"

„Nee, bij ons thuis." Door het raam wees Raymond naar het huis aan de oprit, dat vanuit het restaurant goed te zien was. „Je moet het eerlijk zeggen als je het liever niet doet."

Andrea haalde haar schouders op. „Waarom niet? Als het me hier bevalt, kan ik altijd op zoek gaan naar zelfstandige woonruimte in de buurt."

„Mooi, dat is dan geregeld." Raymond lachte, wat zijn ietwat stuurse gezicht meteen een stuk aantrekkelijker maakte. „Dan heet ik je hierbij van harte welkom in bungalowpark Bosoord. Op een prettige samenwerking dan maar."

Hij hief zijn koffiekopje naar haar op en Andrea beantwoordde dat gebaar. Een warm gevoel stroomde door haar lichaam. Het was gelukt! Ze had een baan gevonden waarop ze zich helemaal kon toeleggen. Eindelijk kon ze een streep zetten onder het verleden. Niet alleen onder de periode met Hubert, maar ook onder haar jeugd. Haar eenzame jaren waren voorbij, een nieuwe fase brak aan.

Andrea had het gevoel dat ze nu pas, op haar vijfentwintigste, volwassen werd. Voor het eerst nam ze haar leven in eigen hand, in plaats van af te gaan zitten wachten wat er gebeurde en zich mee te laten drijven op de stroom.

Tijdens de treinreis terug naar huis had ze heel wat te overdenken. Haar hoofd tolde van alle indrukken die ze die dag had opgedaan en van de namen van alle mensen waar ze aan voorgesteld was. De enige grote onbekende was Mandy. Maar zij moest wel een ontzettend groot kreng zijn om het nog te verpesten, meende Andrea optimistisch.

Er moest nog ontzettend veel geregeld worden, maar met een onvermoede energie, die Andrea al lang niet meer gevoeld had, zette ze haar schouders eronder.

Meneer Van 't Hart, de eigenaar van de boekwinkel, betreurde het dat Andrea wegging. „Je werkt hier al zoveel jaren. Op je zestiende ben je begonnen als hulpje voor de zaterdag, weet je nog?" zei hij glimlachend.

Andrea knikte. Dat was een fijne tijd geweest. Haar ouders leefden nog en ze bezat een hele sleep vrienden en vriendinnen. Later werd alles anders, maar het werk in de winkel was gebleven. Zonder veel hoop op een bevestigend antwoord had meneer Van 't Hart gevraagd of ze na haar opleiding fulltime in dienst wilde treden en Andrea, die net alleen was komen te staan, had deze kans om in haar vertrouwde omgeving te blijven met beide handen aangegrepen. Nu begreep ze dat dat een verkeerde keuze was geweest. Juist op dat moment had ze iets anders moeten gaan doen in plaats van in een hoekje weg te kruipen en het echte leven aan haar voorbij te laten gaan. Maar gedane zaken nemen nu eenmaal geen keer en ze was blij dat ze nu alsnog de kans had gekregen om iets anders aan te pakken, al was het jammer dat daar weer eerst een groot verdriet aan vooraf moest gaan. Nog steeds wilde ze niets liever dan naar Hubert toegaan en hem desnoods smeken om het nog een keer te proberen, hoewel het nieuwe leven dat haar wachtte ook lonkte. Nog twee weken, dan begon ze met haar nieuwe start.

Na rijp beraad had Andrea besloten haar appartement voorlopig aan te houden. Op het park zou ze ongeveer hetzelfde salaris verdienen als in de winkel, terwijl haar inwoning en eten gratis waren. Het personeel kon drie maaltijden per dag in het restaurant nuttigen. Als het haar onverhoopt niet zou bevallen in haar werkkring, had ze tenminste een plek om naar terug te keren. Ze vond het een angstig idee om alle schepen achter zich te verbranden. Sally had beloofd om af en toe in het huis te kijken en eventuele post door te sturen. Ook Joy, Andrea's kat, zou naar Sally verhuizen. Het ging Andrea aan haar hart, maar ze was blij dat het beestje een goed huis kreeg. Haar meenemen naar het park was onbegonnen werk. Waarschijnlijk zou Joy er binnen de kortste keren vandoor gaan. Nu ze eenmaal besloten had haar huis aan te houden, scheelde dat een heleboel werk. Haar kamer bij Raymond en Mandy was gemeubileerd, dus ze kon hier alles gewoon laten staan. Ze hoefde zich ook niet het hoofd te breken over wat ze allemaal wel of niet mee moest nemen. Spullen waarvan ze achteraf tot de ontdekking kwam dat het toch wel handig zou zijn om bij zich te hebben, kon ze op haar vrije dagen gewoon ophalen. Toch bleef er nog genoeg over om te doen. Andrea ruimde al haar kasten op en gooide overbodig geworden spullen weg. Ze regelde automatische afschrijvingen voor de maandelijks terugkeren lasten en zegde haar telefoon op, verder besteedde ze een dag aan het aanschaffen van een nieuwe garderobe. Ze kon onmogelijk achter de receptie staan in oude joggingbroeken, verwassen spijkerbroeken en slobberige shirts.

Een week voor haar vertrek verstuurde ze adreswijzigingen. Lang twijfelde ze of ze er ook eentje moest sturen naar de ouders van Hubert. Ze wilde hen in ieder geval op de hoogte stellen van haar nieuwe plannen, maar zo'n kaartje was zo onpersoonlijk. Opbellen durfde Andrea echter niet, omdat ze niet wist of Hubert inmiddels weer thuis woonde. Hij bezat weliswaar zijn eigen appartement, maar dat lag boven de garage, dus met zijn gebroken benen niet makkelijk te betreden. Ze kon zich voorstellen dat hij voorlopig weer zijn intrek had genomen in het landhuis van zijn ouders en was bang hem aan de telefoon te krijgen. Uiteindelijk schreef ze een lange brief naar zijn moeder, waarin ze beschreef wat voor werk ze ging doen en waar ze ging wonen. Waarschijnlijk zou het verstandiger zijn om het contact radicaal te verbreken, maar dat wilde Andrea niet. Het echtpaar Van Oldenburgh had haar ouders nog gekend, ze vormden een schakel naar haar verleden.

Zes dagen later kreeg ze antwoord. Gehaast scheurde Andrea de envelop open, verlangend naar nieuws over Hubert. Zou hij al ontslagen zijn uit het ziekenhuis? Zou hij alweer kunnen lopen? Had hij nog geen spijt van het verbreken van hun verloving? Mevrouw Van Oldenburgh repte in haar brief echter met geen woord over haar zoon. Ze feliciteerde Andrea met haar nieuwe baan, wenste haar sterkte en succes voor de toekomst en sprak de hoop uit dat ze in het park datgene zou vinden wat ze zocht. Ik heb bewondering voor de manier waarop je je leven weer hebt opgepakt, schreef ze verder. Jij redt het wel Andrea, je bent ster. Schrijf ons alsjeblieft nog eens hoe het in je nieuwe woonplaats vergaat. We vinden het altijd fijn om van je te horen.

De brief was kort en eindigde vrij plotseling. Andrea draaide het velletje papier een paar keer om, maar hoe ze ook zocht, ze kon echt geen woord over Hubert vinden. Teleurgesteld verfrommelde ze het papier tot een prop, die ze achteloos op tafel gooide. Waarom schreef ze nu helemaal niets over Hubert. Ze wilde zo graag weten hoe het met hem ging. Misschien had ze er zelf naar moeten vragen. Gewoon achteloos, in een ps of zo. Zoals je naar een vage kennis informeert. Later streek Andrea de brief toch weer glad en stopte hem in haar schrijfmap in één van de koffers die klaarstonden. Ze wilde dit laatste restje contact dat haar overgebleven was van de tijd met Hubert niet kwijtraken. Ondanks de drastische beslissingen van de laatste weken, ontdekte ze dat ze toch met enkele draadjes aan het verleden bleef hangen.

Goed voer voor psychologen, dacht ze wrang terwijl ze koffie zette en een grote slagroomtaart aansneed. Sally, Theo, Wendy en Ronald zouden die avond komen. Haar laatste avond in dit huis. Daar moest ze niet te lang bij stil blijven staan, want dan sprongen de tranen in haar ogen. Hier had ze Hubert leren kennen, hier was hun romance opgebloeid en hier had ze bittere tranen van verdriet vergoten. Hè bah, nu moest ze ophouden voor ze alsnog alles weer terugdraaide! Andrea was blij toen de bel overging en Wendy en Ronald binnenkwamen.

„Waar is Richard?" vroeg ze teleurgesteld toen ze zag dat ze met zijn tweeën waren.

„Thuis, mijn moeder past op," vertelde Wendy. „Het is zo'n gedoe om hem mee te nemen, meestal brult hij dan alles bij elkaar omdat hij zijn eigen bedje mist. Nu heeft hij zijn rust, mijn moeder vindt het heerlijk om met hem bezig te zijn en wij kunnen genieten van een avondje zonder gehuil, het is voor iedereen veel prettiger zo."

„Behalve voor mij dan, ik had hem graag willen zien," zei Andrea.

Wendy fronste haar wenkbrauwen. „Dan zul je naar ons toe moeten komen. Ik ga niet eindeloos met mijn kind slepen ter wille van anderen," zei ze geïrriteerd.

Verbaasd keek Andrea haar aan. Dit was geen normale reactie voor de altijd zo laconieke Wendy. Ze zag er ook slecht uit, alsof ze maandenlang niet behoorlijk geslapen had.

„Ga lekker zitten, dan schenk ik een bakje koffie voor je in," zei ze dan ook zonder te reageren op die onredelijke opmerking.

„Graag. Sorry hoor," verontschuldigde Wendy zich. „Ik heb gewoon mijn dag niet. Op mijn werk loopt het momenteel ook niet zo lekker en dat wreekt zich thuis."

„Is het niet te druk voor je, het combineren van het moederschap met je baan?" informeerde Andrea voorzichtig. Ze wist dat dit voor veel moeders een teer punt was.

„Soms wel," bekende Wendy. „Het zou allemaal wel gaan, als hij maar niet zoveel huilde. Helaas zijn we vergeten om er een aan/uit knop op te maken."

Ze schoten alledrie in de lach. Zo kende Andrea haar vriendin tenminste weer. Een avond vrij van al haar verplichtingen deed haar zichtbaar goed. Tegen de tijd dat Sally en Theo arriveerden, zat ze er al wat meer ontspannen bij en het werd een gezellige avond.

„Nou Andrea, op je toekomst dan maar," zei Theo op een gegeven moment terwijl hij zijn glas hief.

„Dank je." Andrea keek naar de vertrouwde gezichten om haar heen. „Ik zal jullie missen," zei ze.

Het was een vreemd idee dat ze vanaf nu Sally niet meer iedere dag zou zien en dat ze niet meer onverwachts een bliksembezoekje bij Wendy af kon steken wanneer ze daar zin in had. Maar het contact zou blijven, troostte ze zichzelf. Ze bezat dan wel niet veel vriendinnen, maar met de twee die ze had, was de band zo sterk dat die niet zomaar verbroken kon worden. Zeker niet door de luttele afstand van een paar honderd kilometer.

„We zullen elkaar best nog vaak zien," zei Sally alsof ze haar gedachten raadde. „We komen deze zomer gewoon met zijn vieren naar bosoord voor een vakantie."

„Hè ja," verzuchtte Wendy meteen. Bij het woord vakantie lichtte haar vermoeide gezicht op. „Wij hebben nog helemaal geen plannen voor dit jaar, ik vind het een goed idee."

„Dat zal dan wel pas in het najaar worden. Van Raymond heb ik begrepen dat alles allang volgeboekt is voor de zomer," merkte Andrea op.

„Maar Sally is familie van de eigenaar, dus hij heeft vast nog wel een plekje," lachte Ronald.

„Ja, op de bank in het personeelsverblijf," zei Andrea, gedachtig haar gesprek met Raymond. „Maar mocht er nog een annulering komen, dan reserveer ik het betreffende huisje onmiddellijk voor jullie," beloofde ze overmoedig.

„Kapsones. Je moet er nog beginnen en nu wil je de dienst al uitmaken," riep Theo dan ook.

Andrea grinnikte. „Ik beheer de receptie, dus dergelijke zaken vallen ook onder mijn afdeling. Jongens, de volgende toost is op jullie gezamenlijke vakantie. Denk eraan, dat ik jullie aan die belofte hou!"

Weer gingen alle glazen de lucht in. De stemming werd steeds beter. Ongeveer ieder kwartier verzonnen ze wel weer iets anders waarop gedronken moest worden, zodat Andrea lichtelijk beneveld haar bed in stapte die nacht. Het was later geworden dan ze gepland had, maar het was dan ook te gezellig geweest om op te breken.

Ze had verwacht dat ze deze laatste nacht in dit huis geen oog dicht zou doen, maar dankzij de alcohol, waar ze niet aan gewend was, viel ze als een blok in slaap. Ze droomde van Hubert, die haar in het bungalowpark achterna zat met de vraag of ze alsjeblieft met hem wilde trouwen, terwijl Raymond aan het eind van het bospad naar haar wenkte. Toen ze hem eenmaal bereikt had, losten allebei de mannen in het niets op en bleef Andrea eenzaam achter in een donker, verlaten bos. Terwijl ze sliep drupten de tranen door haar gesloten oogleden op haar hoofdkussen. De natte plekken op haar sloop waren als stille getuigen van Andrea's zware strijd.

HOOFDSTUK 13

„Ah, jij moet Andrea zijn. Mijn opvolgster."

Andrea, die net haar spullen uit had gepakt en nu zoekend in de onbekende keuken rondkeek naar attributen om koffie te zetten, keek verbaasd op bij het horen van die spottende stem. In de deuropening stond een jonge vrouw. Aan haar kapsel, dat in slordige pieken langs het gezicht viel en het korte nachtjaponnetje met bijbehorende duster, kon Andrea zien dat ze net uit bed kwam, ondanks het late tijdstip. Maar zelfs net uit bed was deze vrouw een schoonheid. Haar ogen waren helderblauw en contrasteerden mooi bij het koperkleurige haar. Het gezicht, dat ze enigszins naar Andrea opgeheven hield, toonde een gave huid zonder puistjes of oneffenheden. Op slag voelde Andrea zich een lompe, lelijke boerentrien. Zelfs in haar beste tijd had zij er niet zo uitgezien! Ze begreep dat dit Mandy was, Raymonds vrouw. Ze stak haar hand naar haar uit en stelde zich formeel voor.

„Neem me niet kwalijk dat ik zo vrijpostig in je keuken bezig ben, maar Raymond had gezegd dat ik kon maken wat ik wilde. Als ik had geweten dat jij thuis was had ik het wel eerst aan je gevraagd."

Mandy wuifde deze verontschuldiging luchtig weg. „Ga gerust je gang. Schenk voor mij ook maar in nu je toch bezig bent. Dat is het minste wat je kunt doen nadat je me wakker hebt gemaakt."

Andrea keek verbaasd op haar horloge. Tien over halfeen, ze ving de geringschattende blik van Mandy op.

„Niet iedereen houdt ervan om vroeg naar bed te gaan en vroeg weer uit de veren te komen," zei die.

„Nee. Sorry, het zijn mijn zaken ook niet."

„Daar heb je gelijk in. Ik wil mijn koffie graag zwart, zonder suiker."

Ze liep de keuken uit en Andrea vroeg zich af of ze verwachtte dat ze haar de koffie soms ergens zou komen serveren. Nou, dat vertikte ze dus. Dat mens had haar wel eens mogen vertellen waar de filters lagen, dacht ze terwijl ze verder ging met haar zoektocht. Nog voor het apparaat zijn werk helemaal gedaan had kwam Mandy weer terug. Haar natte haren hingen nu los geborsteld op haar rug en de nachtkleding was vervangen door een comfortabel, velours huispak, dat strak om haar slanke lichaam sloot. Ze was zonder meer heel erg aantrekkelijk. Andrea werd steeds nieuwsgieriger naar de reden waarom Mandy haar werk in het park niet voortzette. Zo te zien mankeerde haar niets, al was dat natuurlijk niet altijd aan de buitenkant toonbaar. Misschien was ze zwanger en moest ze rust houden. Maar nee, dat zou Raymond niet op zo'n grimmige toon verteld hebben dan ze haar werk niet meer deed. Of hij moest geen kinderen willen en had nu het gevoel dat hij voor het blok werd gezet, fantaseerde Andrea terwijl ze de vrouw tegenover haar aan de keukentafel tersluiks bekeek.

„Bevalt het je hier?" vroeg Mandy opeens nadat ze stilzwijgend haar kopje leeg had gedronken en een sigaret had gerookt.

Andrea schrok op uit haar gedachten. „Daar kan ik nog weinig over zeggen. Het park is in ieder geval heel mooi," antwoordde ze. „Ik heb er zin in om aan de slag te gaan."

„Ach ja, als je ervan houdt om opgesloten te zitten in een gat als dit en het niet vervelend vindt om als duvelstoejager gebruikt te worden door de gasten, dan is het hier niet onaardig," zei Mandy. Ze schudde haar haren naar achteren en schoof haar lege kopje naar Andrea toe. „Mag ik er nog één?"

Het lag Andrea op het puntje van haar tong om te vragen of ze zelf geen handen aan haar lijf had, maar ze hield zich in en stond zwijgend op om de koffiepot te pakken. Mandy was haar gastvrouw. Ze mocht hier gratis zo lang wonen als nodig was, dus ze moest er het beste van zien te maken. Niet dat ze van plan was om alles te nemen uit dankbaarheid voor haar onderdak, maar meteen de eerste dag al ruzie om zoiets onbenulligs was het andere uiterste.

Ook het tweede kopje koffie werd in stilte genuttigd. Andrea was blij toen ze zich met goed fatsoen kon terugtrekken. Boven nam ze haar tijdelijke kamer in ogenschouw. Hij was groot en niet ongezellig met die lichte meubels en vrolijk gebloemde gordijnen, maar ze miste iets. Planten, wist ze opeens. Een stel grote planten zou de ruimte een stuk huiselijker maken. Ze was vandaag nog vrij, die tijd zou ze besteden om haar kamer helemaal in orde te maken. Als ze eenmaal aan het werk was zou daar weinig tijd voor overblijven, vermoedde ze. Ze stopte haar portemonnee in haar tas en liep naar de receptie, waar ze Raymond wist.

„Alles uitgepakt?" informeerde hij hartelijk.

„Ja, maar ik wil er graag wat planten neerzetten. Mag dat?"

„Natuurlijk, het is jouw kamer. Je mag er alles doen wat je wilt, zolang je de boel maar niet sloopt." Hij lachte aantrekkelijk naar haar en Andrea bloosde. Verward herinnerde ze zich haar droom van die nacht, waarin hij haar wenkte. Mijn hemel, waar dacht ze aan? Raymond was getrouwd en zij hield nog steeds van Hubert. Ze moest zich geen gekke dingen in haar hoofd halen.

Desondanks kon ze niet ontkennen dat Raymond indruk op haar had gemaakt. Hij was een doorzetter, iemand die met eigen handen een bloeiend bedrijf had opgebouwd en hard werkte om daar een succes van te maken. Heel anders dan Hubert, die flie-refluitend door het leven ging en zich vermaakte op kosten van zijn vader. Hij had een enorme bankrekening, maar deed er niets voor. Terwijl Andrea naar de bushalte liep die Raymond haar gewezen had, betrapte ze zichzelf op deze negatieve gedachten over haar ex-verloofde. Het begon erop te lijken dat ze bezig was over hem heen te komen, hoewel haar hart nog steeds samenkromp als ze aan hem dacht. Het beeld van de Hubert zoals ze hem had leren kennen, vrolijk, een tikkeltje gemak-zuchtig en charmant, stond op haar netvlies gebrand.

In het dorp aangekomen was het niet moeilijk om de enige bloe-menzaak te vinden. Het was een grote winkel, waar behalve bloemen en planten, ook een groot assortiment vazen, potten en tuinartikelen te koop was.

„Ja, van alleen de verkoop van bloemen zouden we het niet red-den," lachte de oudere man achter de toonbank toen Andrea haar bewondering voor de zaak uitsprak. „Dit is een dorp, de meeste mensen hebben volop bloemen in hun eigen tuin. Flats zijn hier nu eenmaal niet te vinden. Houdt u van bloemen?"

„Ik ben er dol op," antwoordde Andrea naar waarheid.

Deze woorden bezorgden haar meteen weer associaties met Hubert en de bloemenhulde die ze gewonnen had. Die prijs had haar leven inderdaad veranderd, maar op een andere manier dan ze indertijd gehoopt had. Ze schudde die gedachte van zich af en maakte haar keus uit het grote aanbod.

„U krijgt er van mij een mooie bos bloemen bij," zei de man terwijl hij zorgvuldig vier grote en drie kleinere planten inpakte. Hij pakte een bos zachtroze anjers uit een emmer en wikkelde die in cellofaan. „Service van de zaak. Denkt u dat het zo mee gaat of zal ik het aan het eind van de middag langsbrengen?"

„Misschien als u een doos of zo heeft?" aarzelde Andrea. Ze vond het een aardig aanbod, maar het liefst wilde ze haar aankopen meteen een plekje geven in haar kamer.

De man liep naar achteren en kwam terug met twee grote, stevige tassen waar alles precies in kon. „U brengt ze maar een keertje terug als u weer in de buurt bent," zei hij.

Vrolijk gestemd begon Andrea aan de terugweg. Wat ging het er in zo'n kleine plaats toch een stuk gemoedelijker aan toe dan in een stad. Waar zij vandaan kwam was het ondenkbaar dat een winkelier zomaar een bos bloemen cadeau gaf en twee tassen in bruikleen aanbood. Die man wist niet eens haar adres, maar hij vertrouwde er zonder meer op dat hij zijn eigendommen wel weer terugkreeg.

De bushalte was gelukkig vlak voor de inrit van het bungalowpark, zodat ze niet ver hoefde te lopen met de zware tassen. Met een zucht van opluchting zette Andrea ze even later naast haar bed. Ze wilde Mandy een vaas voor haar bloemen vragen, maar harde stemmen die van beneden opklonken, hielden haar tegen. Aarzelend bleef ze staan, haar hand op de deurknop. Het leek erop dat Raymond en Mandy ruzie hadden, dus kon ze beter even wachten met haar verzoek. Vervelend dat zij hier getuige van moest zijn. Op dat moment voelde Andrea zich een indringer in het huis en miste ze haar eigen woning waar ze met niemand rekening hoefde te houden. Ze probeerde de luide stemmen te negeren, maar dat ging niet zo makkelijk.

„Acht vent, barst!" hoorde ze Mandy op een gegeven moment duidelijk roepen toen de deur van de huiskamer openging. „Begraaf jij je hier maar lekker in dat stomme park van je! De rest kan je toch niets schelen!"

Meteen daarop klonk een harde klap van de deur die dicht gesmeten werd, direct gevolgd door een zelfde klap van de buitendeur. Door het raam zag Andrea Mandy met woeste bewegingen in haar auto stappen en het pad afscheuren.

Wat moest ze hier nu mee? Het was haar inmiddels wel duidelijk dat er iets behoorlijk scheef zat in het huwelijk van Raymond en Mandy. Ze vroeg zich af of ze op zijn aanbod van een kamer ingegaan was als ze dit had geweten. Waarschijnlijk niet, want ze voelde er weinig voor om tussen de strijdende partijen in te zitten. Nog afgezien van het feit dat ze een buitenstaander was en er niks mee te maken had, deed het haar ook pijnlijk herinneren aan de ruzies met Hubert. Het beste zou zijn als ze Raymond en Mandy zo veel mogelijk ontliep, ook al was ze hier dan te gast, besloot Andrea.

Ze wachtte een half uurtje tot ze vermoedde dat Raymond weer aan het werk was en liep toen aarzelend naar beneden. Ze zou zelf maar op zoek gaan naar een vaas, want ze vond het zonde om die mooie bloemen te laten verdrogen. Tot haar schrik vond ze Raymond in de keuken. Hij keek betrapt op bij haar binnenkomst.

„Was jij al die tijd thuis?" vroeg hij onzeker.

Andrea knikte. „Ja, ik heb jullie ruzie gehoord. Het spijt me."

„Mij ook," zei hij wrang. „Niet dat je er getuige van was, maar de situatie op zich."

Hij manoeuvreerde onhandig met een voorverpakt schaaltje vleeswaren en sneed zich even later in zijn vinger bij een poging een broodje open te snijden.

„Laat mij maar even," bood Andrea haastig aan. Ze duwde hem met zijn vinger onder de koude kraan en smeerde en belegde twee broodjes voor hem.

„Dank je. Ik vrees dat ik niet zo handig ben," zei hij met een grimas.

„Ik dacht dat je altijd in het restaurant van het park at."

„Meestal wel, maar vandaag besloot ik gezellig met mijn vrouw thuis te lunchen." Hij maakte een moedeloos gebaar met zijn handen. „Je ziet wat er van die gezelligheid terechtgekomen is."

Andrea zweeg. Ze vond het moeilijk om op dergelijke opmerkingen te reageren. Ze vroeg of het goed was dat ze voor zichzelf ook wat te eten maakte en schoof even later met een bord tegenover hem aan tafel. Hij at met lange tanden van zijn broodje, er lag een gepijnigde blik in zijn ogen.

„Trek het je niet te veel aan. In de beste huwelijken komen dit soort dingen voor," zei ze toen toch. Het was een vreemde situatie, maar ze voelde zich wonderlijk op haar gemak in het gezelschap van Raymond.

„Bij ons is het tegenwoordig meer gewoonte dan uitzondering," zei Raymond somber. „We begrijpen elkaar gewoon niet meer. Mandy snapt niet dat het werk op het park vaak voor onze persoonlijke belangen komt, zeker in het hoogseizoen. Op haar beurt verwijt ze me dat ik haar verwaarloos en meer om mijn werk geef dan om haar."

Het verhaal van een slechte relatie in een notendop, dacht Andrea.

„Hoe lang spelen dit soort problemen al tussen jullie?" informeerde ze voorzichtig.

Hij liet een kort, bitter lachje horen. „Te lang. Van mijn droom om samen dit park op te bouwen is niets meer over. Mandy is van de ene op de andere dag gestopt met haar werkzaamheden. Daarom had ik zo hard hulp nodig."

„Als ik dit geweten had was ik niet op je aanbod ingegaan," flapte Andrea eruit. „Van die kamer, bedoel ik. Eerlijk gezegd voel ik er niet veel voor om steeds getuige te moeten zijn als jullie elkaar verwijten naar het hoofd gooien. Ik voel me daar niet bepaald prettig bij."

„Maak je daar maar geen zorgen over." Raymond stond op, zijn bord schoof hij met een gebaar van afkeer van zich af. „Mandy gaat bij me weg. Volgende week komt haar nieuwe woning leeg en vertrekt ze."

Zonder op een weerwoord te wachten, beende hij de keuken uit. Andrea bleef verbijsterd achter. Ze was hier wel midden in een crisis beland! Mandy was niet erg sympathiek op haar over gekomen, dus eigenlijk was ze er niet rouwig om dat ze zou gaan verhuizen, maar het idee dat ze hier dan alleen achterbleef met een verdrietige en wellicht verbitterde man, stond haar minder aan. Ze was niet bang voor hem en wat andere mensen ervan zouden denken dat ze samen in één huis woonden kon haar ook niet schelen, maar gezellig was anders. Ze had gehoopt bij een leuk stel te komen wonen en zodoende wat aanspraak te hebben, in plaats daarvan zat ze tussen twee strijdende partijen in. Tijdelijk, tenminste. Maar ze vroeg zich af wat erger was: Raymond en Mandy samen, of Raymond alleen.

Zuchtend begon Andrea de spullen van de lunch op te ruimen. Als Raymond maar niet van haar verwachtte dat zij straks de rol van schoonmaakster op zich nam, als enige vrouw in huis. Ze was wel in een rare situatie terechtgekomen. Als iemand haar dit drie maanden geleden voorspeld had, was ze vast en zeker in lachen uitgebarsten. Ineens grinnikte ze terwijl ze, met een vaas, terugging naar haar eigen kamer. Ze had iets anders gewild met haar leven. Afwisseling en uitdagingen. Nou, dat had ze in ieder geval gekregen!

Gelukkig voor Andrea beviel het werk in het park haar uitstekend, iets wat de subtiele speldenprikken van Mandy en de vaak norse buien van Raymond compenseerde. Het computersysteem van het bungalowpark was eenvoudig te bedienen, het beheren van de receptie had ze snel onder de knie en het begeleiden van het recreatieteam vond ze alleen maar leuk. Aan de receptie werkte ze nauw samen met Raymond, voor de activiteiten had ze vooral te maken met Christina en Oscar, een pas getrouwd stel dat in een klein huisje net buiten het dorp woonde. Ze stortten zich met enthousiasme op hun werk en kwamen regelmatig met originele ideeën. Andrea's fantasie reikte op dat gebied niet zo ver, maar ze stemde met veel van hun plannen in, mits het praktisch bezien haalbaar was en de kosten niet te hoog werden. Op haar zesde werkdag opperde Christina het plan om een Italiaanse thema avond te houden in de ontmoetingsruimte achter het restaurant.

„Hoe stel je je dat voor?" vroeg Andrea geïnteresseerd.

„We hangen de Italiaanse vlag op, versieren de zaak in dezelfde kleuren en serveren Italiaanse hapjes en drankjes. We zouden zelfs aan de gasten kunnen vragen of ze zich kleden in de traditionele kleuren," vertelde Christina enthousiast.

„Hm, het klinkt niet gek. Werk op papier maar een plan uit, dan kunnen we het er eens over hebben," zei Andrea.

„Dat plan bestaat al," bekende Christina. „Ik heb het al eens aan Mandy voorgelegd, maar die wees het af. Even onder ons gezegd: zij hield stug vast aan bingo- en klaverjasavonden. Een enkele keer was er eens een dansfeest, maar dan had je het wel gehad."

Andrea keek bedenkelijk. „En wat zegt Raymond ervan? Als hij het met Mandy eens was, zie ik het nu niet zitten om een hele andere koers te varen zonder het er eerst met hem over te hebben."

„Raymond heeft zich nooit veel met het recreatieteam bemoeid. Zolang er geen klachten van de gasten komen, vindt hij alles goed."

Andrea keek op haar horloge. Nog tien minuten, dan was het tijd om te lunchen en sloot de receptie een paar uur. Het administratieve gedeelte van haar functie luisterde niet zo nauw wat tijd betrof. Dat kon ze ook 's avonds doen.

„Zullen we samen gaan lunchen?" stelde ze voor. „Dan nemen we het plan door. Vanavond zal ik Raymond erover polsen, dan weet ik tenminste hoe de opzet is en wat de kosten ongeveer bedragen."

„Oké, dan zie ik je straks in het restaurant."

Andrea handelde een klacht af van een gast die last had van een verstopt toilet, verkocht een paar ansichtkaarten aan een jong kind en beantwoordde een aantal telefoontjes voor ze de receptie afsloot en tevreden naar het restaurant slenterde. Ze hield van dit werk. Geen ene dag was gelijk aan de andere, iets wat in de boekhandel wel het geval was geweest. Ook de variatie in werktijden beviel haar prima. Behalve de uren die de receptie open was, was ze in principe nergens aan gebonden. Ze kon zelf bepalen wanneer ze de rest van het werk deed, als het maar op tijd klaar was. Ze vond het prettig om het overdag wat rustiger aan te doen om dan 's avonds lekker door te werken. Ten eerste omdat ze dan minder snel gestoord werd en ze haar aandacht er beter bij kon houden, ten tweede omdat ze zo de gespannen sfeer in het huis ontliep en ten derde omdat er dan minder lege uren overbleven om over Hubert te piekeren. Overdag was er aanspraak en afleiding genoeg.

Al met al had ze het hier prima getroffen, al bleef het jammer dat Raymond en Mandy zoveel problemen hadden. Maar zonder die problemen was zij, Andrea, hier niet geweest, realiseerde ze zich ineens. Dan had Mandy gewoon haar werk in het park gedaan en had zij nu nog steeds avond aan avond voor de tv gehangen, zich troostend met veel te veel eten. Daar had ze nu geen enkele behoefte meer aan. Hoewel ze volgens iedere tabel zeker vijftien kilo te zwaar was, voelde ze zich lichamelijk prima en ze had er alle vertrouwen in dat dat geestelijk ook snel weer het geval zou zijn. In deze omgeving leek de tijd die ze samen met Hubert door had gebracht onwerkelijk en lang geleden.

Christina zat al te wachten toen Andrea in het restaurant arriveerde. Tijdens het verorberen van de smakelijke lunch praatten ze over koetjes en kalfjes, daarna kwam Christina's werkmap op tafel. Ze toonde Andrea een volledig uitgewerkt plan, inclusief een kostenberekening.

„Het is natuurlijk altijd afwachten hoeveel mensen er op zo'n avond afkomen, maar in principe moeten we hier een leuke winst op kunnen pakken," vertelde ze enthousiast. „En als het een succes is, kunnen we het iedere maand herhalen. Desnoods met iedere keer een ander land als uitgangspunt."

„Het klinkt goed," moest Andrea toegeven. „Alleen denk ik dat we er behalve de hapjes, drankjes en muziek nog iets aan toe moeten voegen. Dia's over het betreffende land bijvoorbeeld of een minicursus volksdansen. Dan zijn de mensen er wat meer bij betrokken."

„Dat is het!" riep Christina uit. "Prima idee van jou. Ik ken wel iemand die daar verstand van heeft en ons wil helpen. Ik vind het prettig om met jou samen te werken, weet je dat? Jij denkt tenminste mee en veegt niet ieder nieuw plan zonder meer van tafel."

„Dat is mijn werk," zei Andrea schouderophalend.

„Werk en werk is twee," meende Christina echter. „Ik wil niet roddelen over Mandy, maar zij is erg traditioneel ingesteld wat betreft de recreatie. Over Mandy gesproken. Moet je nu eens zien."

Andrea draaide zich om naar het raam en volgde met haar ogen Christina's uitgestoken wijsvinger. Van hieruit hadden ze een goed zicht op het huis en de scène die zich daar afspeelde. Mandy was bezig koffers in haar auto te laden terwijl Raymond er met een kwaad gezicht bijstond. Ze konden niet horen wat er gezegd werd, maar aan de blikken te zien die de twee mensen elkaar toewierpen, kon dat niet veel fraais zijn. Mandy gooide haar portier met een klap dicht en reed met piepende banden weg, Raymond bleef achter. Er sprak zo'n eenzaamheid uit zijn houding dat Andrea's hart overliep van medelijden met hem. Ze begreep hoe hij zich nu moest voelen, tenslotte had ze kortgeleden zelf iets dergelijks meegemaakt.

„Sorry, ik moet even naar hem toe," verontschuldigde ze zich.

Ze wist de blikken van vele mensen op zich gericht terwijl ze naar hem toeliep, maar daar trok ze zich niets van aan. Raymond had op dat moment behoefte aan troost, dat wilde ze hem niet onthouden vanwege de mogelijke kritiek van buitenstaanders.

Hij keek niet eens op toen ze naast hem kwam staan. Zijn ogen staarden in de verte, naar de richting waarin Mandy verdwenen was.

„Ik ben haar kwijt," zei hij dof. „Ze is weg, Andrea. Vertrokken."

„Ik weet het. Kom mee naar binnen, dan kunnen we erover praten als je dat wilt."

Hij bleef echter hoofdschuddend staan. „Wat heeft dat voor nut? Praten brengt haar niet terug en dat is het enige wat ik wil. Ik hou van haar. Je kunt toch niet begrijpen wat ik nu voel."

„Dat kan ik wel," zei Andrea zacht. „Mijn verloving is pas verbroken. Ik weet wel dat dat niet hetzelfde is als een scheiding, maar mijn verdriet is niet minder dan het jouwe."

Raymond draaide zich om en keek haar aan. De radeloze blik in zijn ogen begon langzaam te verdwijnen. „Je hebt gelijk, we gaan naar binnen," zei hij.

Langzaam liepen ze naast elkaar de inrit op. Zijn hand rustte licht op haar schouder en Andrea voelde een onverklaarbare verbondenheid met deze man. Ze deelden hetzelfde soort verdriet, dezelfde eenzaamheid.

Zwijgend zette Andrea sterke koffie terwijl Raymond als een zombie op de bank zat. Zijn schouders hingen moedeloos naar voren, zijn kin was op zijn borst gezakt. Er straalde een enorme verlatenheid en wanhoop van hem af.

„Hier." Andrea stootte hem zacht aan en overhandigde hem een beker.

„Dank je." Hij huiverde. Zijn handen sloten zich stevig om de hete mok heen.

„Wil je erover praten?"

Raymond schudde zijn hoofd. „Nu niet, later misschien. Ik kan nog amper bevatten dat ze echt weg is, dat ze haar woorden waar heeft gemaakt. Al die tijd hoopte ik dat het slechts loze dreigementen waren." Er welde een droge snik in zijn keel op, maar meteen had hij zichzelf weer in bedwang. „Laat me maar even alleen."

Stil liep Andrea het huis uit. Ze wist wel bijna zeker dat Raymond zich, eenmaal in zijn eentje, niet langer zou beheersen. Waarschijnlijk zat hij nu al te huilen. Ze hoopte dat zelfs voor hem. Een flinke huilbui kon enorm opluchten en emoties losser maken. Waarom zou dat voorrecht alleen voor vrouwen gelden?

Ze toog weer aan het werk, maar haar gedachten waren er niet helemaal bij, die vertoefden in het huis. Het mooie, grote huis waarvan één van de gasten eens had gezegd dat je toch wel wensloos gelukkig moest zijn als je dat bezat. Maar zelfs in mooie huizen woonden verdriet en ellende samen met vreugde en geluk.

De rest van de dag vertoonde Raymond zich niet meer in het park. Andrea maakte zich zorgen om hem, maar dwong zichzelf tot na het avondeten te wachten voor ze weer naar het huis ging. Ze was er ongewild bij betrokken, maar in principe waren het haar zaken niet. Ze wilde zich niet opdringen.

Ze vond Raymond in dezelfde houding als waarin ze hem die middag verlaten had, alsof hij al die uren niet bewogen had.

„Hoi," groette ze geforceerd opgewekt. „Zit je hier nog? Ik miste je vanmiddag al."

„Alsof dat park me nu nog iets kan schelen," zei hij dof.

Andrea ging tegenover hem zitten. „Stel je niet zo aan," zei ze hard.

Verbaasd keek hij op. Een dergelijke toon had hij niet verwacht. Hij had er stilletjes op gerekend dat Andrea hem zou beklagen en troosten. „Maar ik meen het. Vergeleken bij Mandy is het park me niets waard."

„Daar had je dan eerder aan moeten denken. Vorige week zei je nog dat dat de hoofdreden was van jullie verwijdering, omdat jij volgens Mandy je werk boven haar stelde."

„Misschien had ze daar wel gelijk in. Vanmiddag heb ik eindelijk de tijd gehad om na te denken en als ik eerlijk ben moet ik zeggen dat ik fouten heb gemaakt. Misschien overdreef Mandy wel eens met haar beweringen, maar ik had haar serieus moeten nemen in plaats van haar beschuldigingen onder tafel te vegen. We hadden samen naar oplossingen moeten zoeken voor onze problemen. Ik begin nu te beseffen dat ik haar te veel aan haar lot heb overgelaten."

„Ga naar haar toe en vertel haar dat," raadde Andrea hem aan. „Misschien is het nog niet te laat, Raymond."

„Dat is het wel. Ze heeft een ander, iemand die wel naar haar luistert en wel aandacht aan haar schenkt."

Hij sprak op een berustende toon, maar Andrea zag dat zijn vuisten gebald waren en zijn mond grimmig vertrok. Het liefst zou ze nu haar armen om hem heen willen slaan en hem troosten zoals een moeder doet als haar kind zich bezeerd heeft, maar ze bleef zitten waar ze zat. Hij moest hier toch alleen doorheen, het zelf verwerken.

„Dan zul je je erbij neer moeten leggen," zei ze nuchter. „Dat klinkt makkelijk, maar veel keus heb je niet. Je helpt niemand ermee als je je onderdompelt in zelfmedelijden, het leven gaat door."

„Dat klinkt inderdaad makkelijk," sneerde Raymond. „Zoiets komt altijd uit de mond van iemand die daar zelf geen ervaring in heeft. Jij zou toch beter moeten weten."

„Na mijn verbroken verloving heb ik maandenlang niets anders gedaan dan me zielig voelen en me volstoppen met eten, maar daar ging ik me echt niet beter door voelen. Pas toen ik de kans kreeg om hier te komen wonen en werken, knapte ik op. Daarom weet ik juist uit ervaring hoe belangrijk het is om bezig te blijven en je gedachten te verzetten," zei Andrea. Ze stond op. „Jij hebt zeker nog niets gegeten? Ik zal een paar eieren voor je bakken."

Ondanks dat Raymond mompelde dat hij geen trek had verdween Andrea toch naar de keuken om iets voor hem klaar te maken. Ze bakte eieren met kaas en tomaten en smeerde er een paar boterhammen bij. Hij snoof toen ze even later met het volle bord weer binnenkwam.

„Dat ruikt toch wel erg lekker. Ik geloof dat ik inderdaad honger heb," gaf hij toe.

Terwijl hij at besprek Andrea de plannen van Christina om een Italiaanse avond te houden. „Ben je het ermee eens?" vroeg ze.

„Het kan me eerlijk gezegd momenteel niet schelen. Ik zei je toch net al dat het me niets meer uitmaakt?" viel hij nijdig uit.

Kalm keek Andrea hem aan, niet onder de indruk van zijn boze toon. „Zo moet je vooral doorgaan, dan heb je over een tijdje geen park meer over," zei ze spottend.

„Nou en?" Hij haalde met een onverschillig gebaar zijn schouders op en nu werd ze kwaad.

„Praat niet zo stom! Je had twee dingen in je leven die belangrijk waren: Mandy en het bungalowpark, je levenswerk. Het ene ben je al kwijtgeraakt, moet je het andere door je eigen lakse houding nu ook verliezen? Dan heb je straks niets meer over en dat heb je dan helemaal aan jezelf te wijten. Is dat het je waard?"

Met een pijnlijke uitdrukking op zijn gezicht keek hij haar aan. „Je bent wel hard," zei hij.

„Dat is alleen maar realisme. Ik wilde dat de mensen in mijn omgeving wat harder tegen mij waren geweest toen ik zelf de moed liet zakken. Geloof me, dat had me heel wat ellende gescheeld."

Ineens begon hij te lachen. „De vrouw met ervaring. Nee, kijk niet zo boos naar me, ik bedoelde het niet denigrerend. Ik beloof je dat ik morgen weer aan het werk zal gaan, nu wil ik er echter even niets over horen."

„Je bekijkt maar wat je doet," zei Andrea terwijl ze opstond. „Ik ga naar bed. Welterusten."

Ze wilde langs hem heen lopen, maar hij pakte onverwachts haar hand vast. „Bedankt," zei hij welgemeend. „Voor alles. Je goede zorgen, je advies. Ik ben blij dat je hier bent komen wonen." Hun ogen vonden elkaar en heel licht streek hij even met een wijsvinger over haar wang. „We hebben het allebei niet makkelijk gehad. Misschien kunnen we elkaar in de toekomst een beetje troosten."

Andrea bleef doodstil staan. „Hoe bedoel je dat?" vroeg ze behoedzaam met wild kloppend hart.

„Gewoon zoals ik het zeg. Samen eten, praten, elkaar wat gezelligheid geven."

Een zucht van verlichting ontsnapte haar. Gelukkig, ze had veel meer achter zijn woorden gezocht dan hij voor ogen had. Meteen kwam de gedachte in haar op dat het wellicht helemaal niet erg zou zijn om in zijn armen te liggen en zijn lichaam tegen het hare aan te voelen. Het was al zo lang geleden...

Ze bedwong de plotseling opkomende neiging om hem een zoen te geven. Verward ging ze naar haar eigen kamer. Haar lichaam verlangde naar Raymond, maar ze droomde die nacht van Hubert.

Naarmate de tijd verstreek, werd het steeds drukker in bungalowpark Bosoord. Zodra de eerste schoolvakanties begonnen was er geen huisje meer onbezet. Andrea was inmiddels zo ver ingewerkt dat dat geen probleem vormde. Alsof ze nooit anders gedaan had stond ze de gasten te woord, loste kleine en grote problemen op en zorgde er samen met Oscar en Christina voor dat de gasten op een prettige manier vermaakt werden. Van verschillende vaste bezoekers van het park had ze complimentjes gekregen over het recreatieprogramma, dat tegenwoordig uitgebreider en gevarieerder was dan ooit. Vooral de voetbalwedstrijd dames tegen heren was een succes geworden, helemaal toen de dames als winnaars uit de strijd naar voren kwamen. Dat zij met zijn vijftienen in het veld stonden tegen slechts elf heren, verhoogde de pret alleen maar. Ook het experiment met de thema avond was geslaagd. Inmiddels was er al een Franse variant geweest en waren ze bezig met de voorbereidingen voor een Spaanse avond.

Andrea genoot van haar werk. Ze had het gevoel dat ze hier haar plek gevonden had, al trok haar hart nog steeds naar haar oude woonplaats en de mensen die ze daar had achtergelaten. Ze was nu eenmaal niet zo avontuurlijk aangelegd. Het was voor haar een hele stap geweest om naar een andere provincie te verhuizen. En dat in een tijd waarin mensen met gemak van land of zelfs werelddeel wisselen, dacht ze spottend bij zichzelf. Ze was bezig met een brief aan Wendy en probeerde daar haar gevoelens in te verwoorden.

Ik voel me hier helemaal thuis en toch mis ik alles wat achter me ligt, schreef ze. Jullie, mijn huis en zelfs mijn baan. Voor geen geld ter wereld zou ik mijn bestaan hier weer in willen ruilen voor het werk in de boekwinkel, maar ik denk er met weemoed en soms zelfs een beetje heimwee aan terug. Gek hè? Misschien komt het omdat in die tijd alles zo ongecompliceerd was. Saai, maar wel probleemloos. Hier ben ik constant bezig met oplossingen zoeken voor zowel grote als kleine problemen. Je houdt niet voor mogelijk met welk soort verzoeken en klachten de gasten mijn receptie bezoeken. Veel kansen om hier in te dutten, zoals vroeger, krijg ik niet.

Ze legde haar schrijfblok op tafel en liep naar de keuken om wat te drinken in te schenken. Raymond kwam handenwrijvend binnen.

„Zo, ook weer opgelost," zei hij opgewekt.

„Waren er problemen?" informeerde Andrea.

Ze pakte een fles cola en twee glazen, die ze mee terugnam naar de kamer. Ze voelde zich inmiddels helemaal op haar gemak in het huis en hoefde nergens meer naar te zoeken of om te vragen. Ze maakte niet eens veel gebruik van haar eigen kamer, maar zat meestal in de huiskamer beneden. Soms samen met Raymond, maar ook vaak alleen omdat hij ook 's avonds zijn werkzaamheden had.

„Ach, problemen is een groot woord," antwoordde hij op haar vraag. „Er waren plotseling twee ziekmeldingen in de bar, zodat ik bij moest springen. Gelukkig heb ik Edwin en Lars van het restaurant zo gek gekregen om een paar uur extra te werken en in te vallen. Ik had mezelf namelijk een vrije avond beloofd."

„Die had je dan ook wel nodig. Sinds Mandy weg is ben je dag en nacht in touw, ondanks je eerdere beweringen dat het park je niets meer kon schelen."

„Zullen we het niet over Mandy hebben?" verzocht hij op koele toon. „Ik probeer haar namelijk te vergeten."

Dat lukt je nooit, dacht Andrea, maar ze hield wijselijk haar mond en pakte haar schrijfmap weer op. Met haar benen onder zich gevouwen op de comfortabele bank, schreef ze verder. Er hing een ontspannen sfeer in de kamer. Hoewel het nog niet donker was had Andrea de dikke overgordijnen gesloten en een paar schemerlampjes aangeknipt. Een zacht muziekje op de achtergrond vulde de stilte op.

„Wat doe je?" vroeg Raymond.

„Ik schrijf een brief aan mijn vriendin Wendy."

Hij begon te lachen. „Wat heerlijk ouderwets. Waarom verstuur je je epistels niet via het internet?"

„Omdat ik dat veel te onpersoonlijk vind," zei Andrea.

Ze legde haar map en pen weg. Ze had Raymond inmiddels aardig goed leren kennen en begreep dat hij nu behoefte had aan gezelschap en wat praten. Die brief had geen haast, die kon ze morgen of overmorgen ook wel afmaken.

„Het internet en e-mail vind ik erg handig voor zakelijke post, maar niet voor vriendschappelijke relaties. Schrijven vind ik juist fijn. Op papier kun je je gevoelens veel beter onder woorden brengen dan op een beeldscherm."

„Dat ligt eraan wat je schrijft," lachte hij. „Ik schrijf zelden brieven, maar als het wel eens voorkomt, kom ik nooit verder dan de obligate tekst: met mij gaat het goed, hoe gaat het met jou."

„Dat is een gebrek aan fantasie. Ik vrees dat mijn brieven een stuk dieper gaan dan de oppervlakte," zei Andrea.

Er viel even een stilte, waarin Raymond de glazen nog eens bijvulde.

„Mis je je vrienden erg?" vroeg hij toen.

„Ja," antwoordde Andrea zonder nadenken. „Ik mis alles uit mijn verleden, hoewel ik niet terug zou willen. Waarschijnlijk zou ik prima materiaal zijn voor een psychiater, ik hang van tegenstrijdigheden aan elkaar."

„Dat zal wel meevallen. Je hebt daar vijfentwintig jaar gewoond tegen een paar maanden hier. Het zou veel vreemder zijn als je geen enkele gedachte meer aan vroeger zou wijden. Je hele leven ligt daar. Werk, vrienden, je ex-verloofde."

„Zullen we het niet over mijn ex-verloofde hebben?" verzocht Andrea, expres dezelfde woorden gebruikend als hij een paar minuten geleden.

Hij grinnikte. „Oké, ik vat de hint. Je probeert hem natuurlijk te vergeten."

„Nou, als dat zou kunnen." Andrea zuchtte en sloeg haar armen om haar opgetrokken benen.

„Het is moeilijk hè?" zei Raymond met begrip in zijn stem.

Ze knikte alleen, bang dat ze zich niet meer in zou kunnen houden als ze ging praten. De laatste tijd voelde ze steeds vaker de behoefte om eens heel hard en heel lang te huilen. Raymond zag het aan haar gezicht en begon expres over iets anders.

„De familie Hoogenkamp heeft hun vakantie geannuleerd vanwege een plotseling sterfgeval," zei hij.

„Ach, wat sneu," ging Andrea daar direct op in. „Dat is toch dat gezin dat twee huisjes naast elkaar wilde hebben?"

„Klopt. Als er dus eventueel nog mensen bellen met de vraag of er plaats is, dan weet je ervan. Het gaat om een vierpersoons en een zespersoonsbungalow."

Bij zijn laatste woorden veerde Andrea overeind. „Misschien willen Sally en Theo en Wendy en Ronald één of twee weken komen. Zou je dat goed vinden?"

„Liefje, het maakt mij absoluut niet uit wie erin komt. Denk je dat ze dat willen?"

„Ik heb het ze al min of meer beloofd in geval van een annulering," bekende Andrea.

„In dat geval kan ik zeker geen nee zeggen," plaagde hij. „Bel ze morgen maar, dan hou ik nog wel even een slag om de arm als er iemand wil boeken. Ik zou het ook wel leuk vinden om Sally weer eens te zien."

„Je bent een bovenste beste baas," prees Andrea hem.

„O ja? Misschien wil ik Sally alleen maar zien om haar uit te foeteren over de receptioniste die ze op mijn dak heeft gestuurd. Dat vervelende mens die…"

Verder kwam hij niet. Andrea schoot omhoog en deed een

onverhoedse aanval op hem. Genadeloos kietelde ze zijn buik, tot hij kronkelend op de grond lag.

„Vraag genade," eiste ze.

„Nooit!"

Plotseling maakte hij een draaiende beweging. Andrea, die hier niet op bedacht was, deinsde achteruit, maar hij greep haar polsen vast en trok haar naar zich toe. Hun gezichten waren vlak bij elkaar.

„Hier moet je voor boeten," zei Raymond zacht.

Zijn rechterhand gleed naar haar nek en met een licht dwingende beweging hield hij haar vast terwijl zijn lippen de hare raakten. Andrea gaf zich helemaal over. Eindelijk voelde ze weer een paar sterke armen om zich heen, lippen die de hare beroerden, strelende handen op haar lichaam. Haar bloed kookte en ze protesteerde niet toen Raymond met zijn handen op verkenningstocht ging onder haar kleding. Een siddering van genot kroop over haar rug. Ze wist wat er ging gebeuren als ze hem zijn gang liet gaan, maar maakte geen aanstalten om hem tegen te houden. Dit voelde goed. Langzaam begon Raymond de knopen van haar blouse los te maken, maar halverwege staakte hij zijn bewegingen.

„Wil je dit echt?" vroeg hij ernstig.

„Waarom niet?" fluisterde ze terug.

„Omdat het consequenties kan hebben voor de toekomst. Ik wil geen nieuwe verplichtingen aangaan. Mandy…"

„St." Andrea legde hem het zwijgen op door teder haar hand over zijn mond te leggen. „Niet praten, geniet van het moment. Er is geen verleden en geen toekomst, alleen maar het hier en nu."

„O, Andrea."

Met een kreun liet hij zich op haar zakken, de zoen die volgde zat vol hartstocht.

Later, toen Raymond sliep en Andrea klaarwakker naast hem lag in het brede bed, vroeg ze zich af of het liefde of lust was die hen naar deze daad had geleid. Ze wist het niet. Met gemengde gevoelens keek ze naar het vertrouwde en tegelijk vreemde hoofd op het kussen naast haar. Ze mocht hem heel erg graag, maar wilde ze ook een relatie met hem die verder strekte dan vriendschap? Was ze verliefd op hem? Geen verplichtingen, had hij gezegd. Maar wat niet was, kon komen. Waarom zou hun relatie niet uit kunnen groeien tot een diepe, wederzijdse liefde? Dat zou vele voordelen hebben en een heleboel zaken makkelijker maken. Ze hield van het werk op het park en zou met liefde samen met Raymond de boel leiden. Ze stelde zich haar toekomst voor aan de zijde van Raymond, als echtpaar het bungalowpark runnend. Het was geen onaantrekkelijk toekomstbeeld, toch ontbrak er iets aan. Hardnekkig verscheen het gezicht van Hubert voor haar ogen. Nee, daar wilde ze nu niet aan denken. Nu niet en later ook niet. Hubert was voltooid verleden tijd. Ze moest zich richten op de toekomst. Wellicht een toekomst met Raymond.

Het was vreemd om de dag erna weer samen te werken met de wetenschap van wat er tussen hen was voorgevallen in haar achterhoofd. Raymond deed net of er niets gebeurd was. Tijdens het werk deelde hij geen betekenisvolle knipoogjes uit, maakte geen enkele toespeling of dubbelzinnige opmerking, raakte haar niet aan. Zelfs niet heel subtiel, zelfs niet in de beslotenheid van het kantoortje achter de receptie. Voor de andere personeelsleden leek er niets veranderd, maar 's avonds en 's nachts, binnen de vier veilige muren van het huis, transformeerde Raymond van werkgever naar passionele minnaar.

Praten over hun relatie of over de toekomst deden ze niet. Alles was nog precies hetzelfde en tegelijkertijd was er niets meer hetzelfde. Het kostte Andrea moeite om op zakelijke toon met Raymond over het werk te praten terwijl de gedachte dat ze ieder intiem plekje van zijn lichaam kende haar afleidde.

Toch vervulde ze haar baan met nog meer enthousiasme dan voorheen. Misschien zou dit ooit allemaal van haar worden in de toekomst, als vrouw van de eigenaar. Misschien. Als Raymond tenminste ooit over Mandy heen zou komen en als zij in staat zou zijn om Hubert te vergeten. Dat was het doel dat Andrea voor ogen hield en waar ze hard aan werkte om het te bereiken.

HOOFDSTUK 15

„Ben je gelukkig?" vroeg Wendy.

Zij en Ronald hadden gehoor gegeven aan Andrea's uitnodiging en vertoefden sinds twee dagen in het park voor een periode van drie weken. Sally kon zich zo lang niet vrijmaken, maar had beloofd om in ieder geval een paar dagen te komen logeren. Aangezien Richard in een ledikantje sliep, was er plaats genoeg in de vierpersoonsbungalow.

„Ik heb mijn plek hier gevonden. Dit werk vind ik fantastisch om te doen," ontweek Andrea een rechtstreeks antwoord.

„Dat vroeg ik niet," wees Wendy haar terecht.

Andrea haalde diep adem en liet de lucht weer langzaam tussen haar lippen verdwijnen. „Laten we zeggen dat ik tevreden ben."

„Denk je nog vaak aan Hubert?"

„Hè Wen, hou op. Ik doe alle mogelijke moeite om hem uit mijn gedachten te bannen en dan begin jij met je kruisverhoor."

„Ik vroeg het me alleen maar af," zei Wendy kalm. „Je kunt nog zo ver weg vluchten, je hart neem je altijd mee."

„Nou, ik heb momenteel wel iets anders aan mijn hoofd dan Hubert."

In een plotseling opkomende behoefte haar vriendin in vertrouwen te nemen over alles wat haar bezighield, trok Andrea haar mee een zijpaadje in van het bos waar het bungalowpark in gelegen was. Op het hoofdpad waar ze wandelden kwamen ze veel gasten tegen en ze wilde niet het risico lopen dat iemand haar zou horen.

„Toen ik net zei dat ik alle moeite deed, bedoelde ik ook letterlijk álle mogelijke moeite," zei ze geheimzinnig. „En niet alleen met mijn hersens."

Ze kleurde bloedrood bij deze bekentenis. Wendy begreep onmiddellijk wat ze bedoelde.

„Jij en Raymond," combineerde ze snel.

Andrea knikte, niet eens verbaasd dat Wendy genoeg had aan haar summiere opmerking. Ze kenden elkaar al zo lang.

„Kan ik je feliciteren of loop ik dan te ver op de zaken vooruit?" Wendy keek Andrea onderzoekend aan. „Ik bedoel, je ziet er best goed uit, maar niet als iemand die de liefde van haar leven gevonden heeft."

„Ik weet het niet Wen, ik weet het werkelijk niet." Andrea nam plaats op een boomstronk en speelde gedachteloos met de grassprietjes die eromheen stonden. „We kunnen goed met elkaar overweg, werken prima samen en daarnaast is er dan het lichamelijke aspect."

„En dat is genoeg?" vroeg Wendy.

„Ach, misschien komen we ooit aan dat punt. We hebben tijd genoeg om dat rustig uit te zoeken, er is voor ons allebei niemand die op ons wacht."

„Ook Hubert niet?"

„Hubert wil me niet meer, dat heeft hij me pijnlijk duidelijk gemaakt," antwoordde Andrea kortaf.

„Maar je houdt nog steeds van hem." Het was een constatering, geen vraag en Andrea reageerde er niet op. „Hoe denkt Raymond er eigenlijk over? Weet hij van je gevoelens voor Hubert af?" hield Wendy aan.

„Raymond vertoeft met zijn gedachten meer bij zijn vrouw dan bij mij, dus tegenover hem hoef ik me zeker niet schuldig te voelen over wat er in mijn hart omgaat. We hebben geen verplichtingen tegenover elkaar."

„Jullie gaan alleen maar met elkaar naar bed," concludeerde Wendy.

„Juist. En dat voelt goed. Lichamelijke bevrediging is beter dan niets. Trouwens, dat zei ik net al, wie weet wat de toekomst brengt," zei Andrea terwijl ze opstond en weer terugliep naar het hoofdpad. „Nu hebben we genoeg over mij gepraat. Vertel liever hoe het met jou gaat. Je ziet er beter uit dan een paar maanden geleden."

„Zo voel ik me ook. Ronald en ik hebben altijd het plan gehad om minstens vier kinderen te krijgen, maar daar moet ik nu even niet aan denken. Dat eerste half jaar met Richard was een uitputtingsslag. Nu hij leert kruipen en minder huilt gaat het beter, maar ik zou het niet graag overdoen."

„Na zo'n ervaring kan een tweede alleen maar meevallen," troostte Andrea optimistisch. „Vergeet niet dat je nu alles tegelijk had. Trouwen, zwanger, verhuizen, een andere baan. Een mens zou van minder stapelgek worden."

„Ja, dat is wel zo, maar voorlopig schuiven we de plannen voor een broertje of zusje voor Richard nog maar even voor ons uit. Ik ga eerst eens genieten van ons gezin zoals het nu is. Het heeft moeite genoeg gekost om onze relatie weer een beetje op de rails te krijgen."

„Die van jullie?" Andrea trok ongelovig haar wenkbrauwen op. „Dat meen je niet! Jullie zijn het meest happy stel dat ik ken."

„Dan is het maar goed dat je ons drie maanden geleden niet hebt gezien, toen Ronald driftig bezig was zijn koffers te pakken en ik hem hysterisch toeschreeuwde dat hij vooral moest gaan en dat ik hem absoluut niet nodig had."

„Wendy! Waarom heb je dat nooit geschreven of verteld?"

„Jij was bezig een nieuw leven op te bouwen, je had wel wat anders aan je hoofd. Trouwens, dit zijn geen zaken die je makkelijk aan de grote klok hangt. Ik was niet bepaald trots op mezelf," zei Wendy serieus.

„Het zal anders niet alleen aan jou gelegen hebben," meende Andrea.

„Voor het grootste deel wel. Ik was zo vreselijk moe dat ik niets meer kon hebben en hele dagen liep te snauwen. Daarbij kwamen de huilbuien van Richard nog eens. Urenlang lag hij te krijsen, maar zodra Ronald thuiskwam en zich met hem bezighield, veranderde hij in de liefste baby die je je maar voor kunt stellen. Achteraf is dat begrijpelijk, want zijn huilen was alleen een reactie op mijn nerveuze gedoe, maar toen ik ermiddenin zat beschouwde ik het echt als verraad. Kun je nagaan hoe ver ik heen was dat ik mijn echtgenoot en baby van een complot beschuldigde!"

Wendy lachte, maar het klonk niet echt vrolijk. „Ronald en ik zijn door een hel gegaan. Gelukkig gaat het nu een stuk beter, maar het had weinig gescheeld of ik had hier nu ook in mijn eentje gezeten, bewerend dat Ronald me niet meer wilde hebben."

Andrea had stil naar het verhaal geluisterd. Ze begreep de boodschap die Wendy haar mee wilde geven. „Jullie situatie is niet te vergelijken met die van ons. Ten eerste waren we niet getrouwd en ten tweede waren er diverse redenen om een punt achter onze relatie te zetten, van beide kanten. Soms is alleen liefde niet genoeg."

„Ik hoef niet precies te weten wat er voorgevallen is tussen jullie, ik probeer je alleen duidelijk te maken dat er een weg terug kan zijn."

Andrea schudde haar hoofd. „Niet bij ons. We hielden van elkaar, maar de verschillen waren te groot. Niet alleen in levensstijl, maar ook in levensopvattingen. Het ging gewoon niet. Ik ben alleen dankbaar dat we dat ontdekt hebben voordat we getrouwd zijn."

„In dat geval hoop ik dat jij en Raymond ooit heel gelukkig met elkaar worden," zei Wendy.

„Dat hoop ik ook."

Andrea betrapte zichzelf erop dat haar gevoel niet in overeenstemming was met haar woorden. Ze kreeg echter geen kans om daarover na te denken, want één van de gasten stormde op haar af.

„Kom alstublieft mee! Er is een ongeluk gebeurd in de speeltuin!"

Zonder zich te bedenken rende Andrea achter de man aan. Een steeds groter groeiende menigte stond om een kind van een jaar of zes heen. Zijn beentje lag in een vreemde hoek onder hem, maar dat was niet het ergste. Het jongetje had het ook duidelijk benauwd. Met angstige ogen keek hij om zich heen, snakkend naar adem.

„Ga allemaal opzij!" snauwde Andrea terwijl ze naast het kind ging zitten. Voorzichtig tilde ze zijn bovenlichaam iets op, zodat hij meer lucht kreeg. „Is er al een ambulance gebeld?"

„Komt eraan," hoorde ze Raymond kort zeggen. Hij voegde zich naast haar en hielp haar het kind vast te houden. „Weet je zeker dat hij niet stil moeten blijven liggen?"

„Dan stikt hij. Kan iemand me precies vertellen wat er gebeurd is?"

Eén van de omstanders drong naar voren. „Hij is van de glijbaan afgevallen. Het ging allemaal heel snel, maar ik zag het toevallig gebeuren. Hij klapte met zijn borst op het klimrek."

Andrea knikte. Zoiets vermoedde ze al. Waarschijnlijk had één van de ribben zich in een long geboord. De broeder van de ambulance, die even later arriveerde, complimenteerde haar om haar snelle optreden, want de kans dat het jongetje zou stikken was niet denkbeeldig. Hij moest ook zittend vervoerd worden.

De moeder van het jongetje stond naast de ambulance, duidelijk in paniek. „Net nu mijn man er niet is!" herhaalde ze steeds.

„Ik ga mee naar het ziekenhuis," besloot Raymond met een blik op de vrouw. „Kun jij hier waarnemen?"

Hoewel het haar vrije dag was, stemde Andrea daar meteen in toe. Dit was nu eenmaal overmacht.

Het werd een drukke dag. Het voorval had veel indruk op Andrea gemaakt en het kostte haar moeite om haar aandacht op het werk te concentreren, bovendien kwamen er constant mensen informeren hoe het met het kind was. Tot overmaat van ramp brak één van de serveersters van het restaurant haar pols en kon Andrea zo snel geen vervanging regelen, zodat ze zelf bijsprong. Pas om halfelf die avond arriveerde ze bij het huis, tegelijk met Raymond.

„Kom je nu pas terug?" vroeg ze verbaasd.

„Ik heb de vader van dat jongetje opgehaald. Hij was voor een paar dagen naar huis gegaan vanwege een crisis op zijn werk. Zijn wagen staat momenteel in de garage en hij was zo over zijn toeren van mijn telefoontje dat ik het niet verantwoord vond om hem met het openbaar vervoer te laten komen."

„Niet bepaald een kalme, stressbestendige familie," zei Andrea met galgenhumor terwijl ze naar binnen liep en zich zonder meer op de bank liet vallen. Ze was doodop. „Hoe gaat het nu met dat kind?"

„Redelijk. Zijn rib had zijn long beschadigd, daar is hij meteen aan geopereerd. Zijn rechteronderbeen is gebroken, maar niet gecompliceerd. Hij begon alweer wat praats te krijgen toen ik wegging."

„Ach ja, kinderen zijn zo flexibel." Andrea geeuwde zo hartgrondig dat de tranen in haar ogen sprongen.

„Jij niet," grinnikte Raymond dan ook. „Ben je op stap geweest of zo?"

„Man, was het maar waar. Annet van het restaurant is uitgegleden en heeft haar pols gebroken, dus ik heb vanavond serveerster gespeeld."

„Geen wonder dat je zo moe bent," schrok Raymond. „Heb je tijd gehad om te eten?"

„Geen trek."

„Natuurlijk wel, kom, ga lekker liggen, dan maak ik iets te eten voor je klaar. Laat mij maar eens voor je zorgen."

Hij legde haar benen op de bank, stopte een kussen in haar rug en warmde een blik soep op. Andrea liet zich zijn zorgzaamheid heerlijk aanleunen. Net een echtpaar, schoot het door haar hoofd.

„Raymond, hoe zie jij ons over pakweg twee jaar voor je?" vroeg ze impulsief.

Hij fronste zijn wenkbrauwen. „Wat bedoel je met ons? Ik dacht dat ik je duidelijk had verteld dat we geen verplichtingen tegenover elkaar hebben. Onze verhouding is wat mij betreft geen echte relatie, ik ben niet verliefd op je."

„Maak je niet bezorgd, ik ook niet op jou," zei Andrea vinnig terug.

Hij ging naast haar op de bank zitten en pakte haar hand vast. „Sorry, ik wil je geen pijn doen, maar ik wil ook geen valse verwachtingen bij je wekken."

„Dat doe je ook niet, maar ik denk verder dan vandaag. We kunnen toch niet jaar in, jaar uit op deze manier door blijven gaan?"

„Zo ver denk ik niet," zei hij kortaf. „Luister Andrea, al vanaf mijn tienerjaren ben ik verliefd op Mandy. Er is nooit een andere vrouw in mijn leven geweest en er zal ook nooit een andere vrouw komen. Mijn leven en mijn toekomst zijn leeg zonder haar. Zo leeg dat een ander dat nooit op kan vullen."

Andrea zweeg. Ze wist dat hij nog van Mandy hield, maar had nooit vermoed dat het zo diep zat. Met deze ene zin maaide hij al haar toekomstverwachtingen weg. Het gekke was dat ze er niet eens rouwig om kon zijn. Het voelde zelfs een beetje als een opluchting. Met die gedachte in haar achterhoofd kroop ze tegen hem aan. Hij had behoefte aan troost en zij kon ook wel een paar armen om zich heen gebruiken.

Het gesprek met Wendy had haar meer aangegrepen dan ze aan zichzelf wilde toegeven. Haar komst naar het park had de gedachte aan Hubert weer aangewakkerd, bijna alsof hij lijfelijk aanwezig was. Ze vroeg zich af of het haar ooit zou lukken om hem uit haar hoofd en hart te krijgen.

De volgende ochtend werd ze vroeg wakker. Raymond lag met zijn rug naar haar toe en Andrea ontdekte dat er minstens een halve meter ruimte tussen hen in zat. Ze glimlachte een beetje triest voor zich uit. Dit was een subtiel verschil met haar relatie met Hubert. Als ze naast hem wakker werd, lagen ze altijd innig omstrengeld. Maar van Hubert hield ze, voor Raymond voelde ze slechts sympathie en vriendschap. Een verschil dat in kleine dingen tot uiting kwam.

Tweehonderd kilometer van het bungalowpark vandaan, staarde Hubert van Oldenburgh somber voor zich uit. De enorme tuin om het landhuis van zijn ouders stond in volle bloei, maar zijn starende ogen zagen geen bloemen of struiken. Het enige wat hij zag was het gezicht van Andrea, een beeltenis die maar niet van zijn netvlies wilde verdwijnen. Hij miste haar meer dan hij iemand wilde bekennen.

Ach Andrea... Hij hield nog steeds van haar, maar hun relatie was nooit echt soepel verlopen, ondanks de onweerstaanbare aantrekkingskracht die ze vanaf de eerste ontmoeting voor elkaar hadden gevoeld. Zij had gevoelens in hem los gemaakt die hij nooit eerder had gehad. Gewoon door te zijn wie ze was. Lief, ongecompliceerd en eenzaam. Een eenzaamheid die hij op had willen lossen door haar zijn wereld in te trekken. Waarschijnlijk was hij daarmee zijn doel voorbij geschoten. De verschillen tussen hen waren groot. Niet onoverkomelijk, maar te groot om in een korte tijd op te lossen. Hij had haar uit haar vertrouwde bestaan gerukt en de wereld aan haar voeten gelegd. Met de beste bedoelingen, maar met een averechtse uitwerking. Andrea had zich al die tijd aangepast aan hem, andersom had hij daar geen moeite voor gedaan. Hij had zich nooit ingeleefd in haar gevoelens.

Waarom zag hij dat nu pas in, nu het te laat was? Hij was haar kwijt, door zijn eigen schuld en zijn eigen koppigheid. Als hij ergens spijt van had, dan was het van het feit dat hij haar los had gelaten na zijn ongeluk. Maar het had geen nut om daarover te blijven piekeren, dat was verleden tijd. Hij kon zich beter op zijn werk storten nu hij hersteld was van die val van het paard. Het was een zware tijd geweest, maar de doktoren hadden hem bijna volledig genezen verklaard. Een marathon lopen zou hem nooit lukken, maar hij liep tenminste weer. Er was veel om dankbaar voor te zijn, daar kon hij beter aan denken.

Een nadeel van zijn herstel was dat hij, toen de intensieve revalidatietherapie achter de rug was, alle tijd had om te piekeren, dus had hij zich verdiept in de zaken van zijn vader. Tenslotte was hij in naam onderdirecteur van het bedrijf, het werd tijd dat hij die titel eens ging verdienen.

Hubert werd uit zijn gedachten gehaald door zijn moeder, die de kamer inkwam.

„Hé jongen, jij hier?" zei ze verrast. „Heb je jezelf een vrije dag gegund?"

„Ja, het was rustig op de zaak. Ik wilde die tijd benutten om mijn spullen die hier nog liggen naar mijn eigen appartement te brengen."

„Maar je werd afgeleid door het mooie uitzicht," meende zijn moeder te begrijpen. „De tuin ligt er schitterend bij hè?"

Hubert knikte bevestigend, hij zei maar niet dat hij er niets van gezien had. Hij verzamelde wat boeken en tijdschriften die hier nog lagen van de periode dat hij weer bij zijn ouders ingetrokken was, na het ongeluk. Zijn eigen woning, boven de garage, kon hij toen onmogelijk betreden in zijn rolstoel.

„Dan ga ik maar weer," zei hij, dralend bij de deur.

„Wil je niet een kopje thee?" bood zijn moeder aan.

Ze keek peinzend naar haar zoon, die hier gretig op inging. Hij was eenzaam, besefte ze. Zijn familie en vriendenkring, hoe uitgebreid ook, konden hem het gemis van Andrea niet vergoeden. Mevrouw Van Oldenburgh schonk twee kopjes thee in en sneed een paar plakken van een cake af. Zoals ze gewend was, serveerde ze het op een zilveren dienblad, maar Hubert merkte niet eens dat zijn moeder weer voor hem stond. Hij was opnieuw in gedachten verzonken.

„Je mist haar hè?" vroeg ze zacht.

Hubert schrok op. Hij vroeg niet eens over wie ze het had, maar antwoordde bevestigend. „Hoe weet jij dat?" vroeg hij toen. „Ik praat nooit over Andrea."

„Dat is één van de redenen," antwoordde zijn moeder droog.

„Een moederoog ziet scherp, Hubert. Waarom ga je niet naar haar toe om het uit te praten?"

„Alsof ze daar op zit te wachten," zei hij schamper.

„Wie weet. Jullie waren verloofd, hadden trouwplannen. Ik geloof nooit dat Andrea je vergeten is. Ze hield echt van je, dat is niet zomaar over."

„Daar gaat het niet om." Hubert brandde zijn mond aan de te hete thee en zette zijn kopje met een klap terug op tafel. „We passen gewoon niet bij elkaar."

„Daar heb ik nooit iets van gemerkt," zei mevrouw Van Oldenburgh kalm.

„Ach mam, we hadden constant kibbelpartijen en meningsverschillen. Die laatste ruzie was de druppel, toen realiseerde ik me dat er te veel verschillen tussen ons waren."

„Verschillen zijn er om opgelost te worden, jongen. Als er maar genoeg liefde aanwezig is."

Heel even brak er een glimlach door op het strakke gelaat van Hubert. „Dat was geen probleem. Al direct bij onze ontmoeting sprong er een vonk over en dat gevoel is alleen maar sterker geworden."

„Ga dan naar haar toe," drong zijn moeder aan. „Praat met haar. Tenslotte heb je niets te verliezen."

„Ik denk niet dat het nut heeft. Zelfs als het goed komt, slaan we waarschijnlijk binnen de kortste keren weer aan het ruziën. Onze verloving is niet voor niets beëindigd mam. Dat hebben we niet voor ons plezier gedaan."

„Inmiddels is er aardig wat tijd overheen gegaan en is er heel wat gebeurd. Een half jaar geleden was jij een verwend jongetje zonder enig verantwoordelijkheidsgevoel. Nee, spreek me maar niet tegen, want het is echt zo."

„Ik wilde je helemaal niet tegenspreken, je hebt gelijk," zei Hubert met een glimlach. Zijn moeder zei de dingen altijd recht voor zijn raap.

„Nu ben je echter veranderd," ging ze onverstoorbaar verder. „Je hebt een zware strijd gestreden en bent daar als overwinnaar uitgekomen. Andrea heeft het ook moeilijk gehad, maar zij is evenmin bij de pakken neer gaan zitten. Ieder voor zich zijn jullie volwassen geworden. Volwassen genoeg om je te realiseren dat al die kleine strubbelingen er niet meer toe doen."

„Zou je denken?" vroeg Hubert onzeker.

„Ik weet het zeker. Het feit dat je nog steeds om haar treurt zegt me genoeg, want er lopen zat jonge vrouwen rond die naar je gunsten dingen."

„Maar het is helemaal niet gezegd dat Andrea ook nog om mij geeft."

Mevrouw Van Oldenburgh glimlachte. „Lieve schat, waarom denk je dat ze mij nog steeds schrijft? Dat doet ze niet voor niets, het is het laatste draadje wat ze heeft in jouw richting." Ze maakte een hoofdbeweging naar het antieke bureau, waar een aantal papieren op lag. „Ze heeft me gisteren nog een brief gestuurd. Excuseer me nu even, ik moet naar de keuken toe."

Ze liep de kamer uit, hopend dat haar kleine hint succes zou hebben. Hubert bleef achter met een vage hoop in zijn hart. Er zat wel iets in de beweringen van zijn moeder. Andrea en hij waren allebei gegroeid door de gebeurtenissen. Bij de gedachte dat het mogelijk nog niet te laat was, bonkte zijn hart luid. Zou hij? Het was in ieder geval het proberen waard. Als het niets werd kon hij er tenminste definitief een punt achter zetten, maar dan hoefde hij zichzelf later niet te verwijten dat hij er niet alles aan gedaan had. Ze konden op zijn minst met elkaar praten.

Als een magneet werd hij naar het bureau getrokken, waar de brief van Andrea lag. Hij had zijn moeder heel goed begrepen. Hubert maakte geen aanstalten om het epistel te lezen, zijn ogen zochten meteen de afzender. Daar stond het telefoonnummer. Heel even aarzelde hij nog, toen toetste hij resoluut de cijfers in die onder aan de brief vermeld stonden.

„Ik heb vanochtend het laatste lege huisje verhuurd," zei Raymond een dag later. Andrea had een bezoek gebracht aan het jongetje dat zo ongelukkig gevallen was en Raymond had gedurende die tijd het beheer van de receptie van haar overgenomen. „Je weet wel, die tweede geannuleerde bungalow van de familie Hoogenkamp, naast de bungalow waar je vriendin momenteel verblijft."

„Die zespersoons," herinnerde Andrea zich. „Komt er een groot gezin in?"

„Nee, een man alleen," antwoordde Raymond achteloos.

Hij draaide zich om, zodat ze de pretlichtjes in zijn ogen niet kon zien. Hij had een onverwachts lang gesprek met Hubert gevoerd en hoopte dat het weer in orde zou komen tussen hem en Andrea. Hij gunde haar dat geluk van harte, al wist hij nu al dat hij haar vreselijk zou missen. Meer dan ze besefte.

„Hij komt vanmiddag al," zei hij nog voor hij naar buiten ging.

Andrea trok haar jas uit en toog aan haar werk. Vreemd, dat iemand halverwege de week een bungalow betrok, maar dat waren haar zaken niet. Onkundig van wat haar die dag te wachten stond, hielp ze de gasten die met klachten of voor informatie aan de balie kwamen. Het was regenachtig weer, veel mensen informeerden naar de mogelijkheden voor overdekt vertier. Een kwartier later dan gewoonlijk sloot ze af voor de lunch, die ze vandaag bij Wendy in het huisje nuttigde.

„Je bent laat," begroette haar vriendin haar.

„Het was druk. Met dit weer zoeken de mensen naar andere mogelijkheden om zich te vermaken en dan ben ik de aangewezen persoon om ze daarbij te helpen." Andrea kietelde Richard in zijn bolle buikje. De grote baby beloonde haar met een stralende lach. „Wen, wat is dit toch een schatje."

„Dat zou je twee maanden geleden niet gezegd hebben," grijnsde Wendy, „toen brulde hij constant de hele boel bij elkaar. Maar gelukkig is die periode voorbij."

Andrea onderschepte de liefdevolle blik die Wendy en Ronald met elkaar wisselden. Het zat wel goed tussen die twee, wist ze. De liefde die ze voor elkaar voelden, was sterk genoeg om moeilijkheden te overwinnen. Was dat bij haar en Hubert ook maar zo geweest. Nee, niet aan denken. Andrea concentreerde zich op Richard, die het prachtig vond om paardje te rijden op de knieën van deze tante. Zo'n kindje te hebben, dacht Andrea verlangend. Een klein, afhankelijk wezentje dat overgeleverd was aan de zorgen van de ouders. Een nieuw mens, ontstaan uit de liefde van twee mensen. Hoe zou een kind van Hubert en haar samen eruitzien? Hè verdorie, nu dacht ze alweer aan Hubert. Ze scheen het niet te kunnen laten vandaag.

Niet bepaald opgevrolijkt wandelde ze even later terug. Het geluk van dat kleine gezinnetje deed haar weer extra beseffen hoe uitzichtloos haar eigen situatie was.

In tegenstelling tot de ochtend bleef het nu rustig in de receptie. Andrea benutte die rust door wat achterstallige administratie weg te werken en aantekeningen te maken voor het recreatieprogramma. Samen met Oscar en Christina was ze bezig een grootscheepse speurtocht uit te zetten in de omgeving en dat vergde heel wat voorbereiding.

Om kwart voor drie die middag arriveerde Hubert bij het bungalowpark. Door de glazen wand zag hij Andrea geconcentreerd bezig met haar werk. Zijn adem stokte. Daar was ze! Het liefst zou hij nu meteen naar binnen stormen om haar in zijn armen te nemen, maar hij wist zich te beheersen. Behoedzaam opende hij de deur, waardoor binnen de zoemer overging. Andrea legde direct haar pen weg en stond op, zoals altijd wanneer er iemand de receptie binnenkwam. De gasten gingen voor alles, was haar stelregel. Met een glimlach op haar gezicht liep ze naar de balie, maar ze verstijfde toen ze zag wie er binnengekomen was.

„Hubert!" Ze wist niet of ze het schreeuwde of fluisterde.

Als in een droom zag ze hem naderen. Met een intense blik nam ze zijn verschijning in haar op. Hubert! Hij was hier! Heel zacht en aarzelend begon het te zingen in haar hart.

Zwijgend stonden ze tegenover elkaar, allebei niet bij machte om een woord uit te brengen. Voor de tweede keer weerklonk de zoemer van de deur. Nu was het Raymond die binnenkwam. Met een snelle blik nam hij de situatie in ogenschouw. Dit moest de onbekende ex-verloofde zijn, dat kon niet anders.

„Ah, je bent er," zei hij dan ook opgewekt. „Andrea, neem de rest van de dag maar vrij. Ik hou de receptie wel open."

„Maar... Ik..." stotterde ze. Niet begrijpend keek ze van de één naar de ander. De twee mannen in haar leven, de enige twee waarmee ze verder was gegaan dan een kus. Ze vond het een pijnlijke situatie, maar toen ze in Raymonds begrijpende ogen keek, begon er iets te dagen bij haar. „Jij wist hiervan," constateerde ze.

Raymond knikte. „Hubert is diegene die de bungalow heeft gehuurd," verduidelijkte hij. Hij gaf haar zacht een duwtje in haar rug. „Ga met hem mee, praat erover."

Als in trance deed Andrea wat hij zei. Met een wezenloos gevoel liep ze naast Hubert, die nog steeds geen woord had gezegd, de deur uit. Het leek wel of haar hoofd met watten was gevuld. Dit was zo onverwachts, ze kon het nog niet bevatten. Zwijgend sloegen ze een stil bospad in. Hun lichamen raakten elkaar niet, maar beiden voelden de warmte van de ander. Diezelfde aantrekkingskracht van hun eerste ontmoeting was er weer, ze durfden er echter geen van tweeën aan toe te geven. Andrea wachtte af wat Hubert zou zeggen, hij zocht naar woorden om het gesprek te openen.

„Je bent dikker geworden," zei hij uiteindelijk onbeholpen. Het was de stomste opmerking die hij kon maken.

Andrea ontwaakte uit haar verdoving. Ze bleef midden op het pad staan, haar ogen flikkerden. „Als het je niet bevalt donder je maar weer op!" zei ze hard.

„O nee, zo bedoel ik het niet!" Geschrokken pakte Hubert haar arm vast. „Het was een compliment. Ik ben er juist blij om, want dit figuur hoort bij je. Zo heb ik je leren kennen, zo ben ik van je gaan houden." Hij haalde diep adem en gooide er toen meteen de reden van zijn komst uit: „En zo hou ik nog steeds van je!" Hij keek haar diep in haar ogen en Andrea voelde haar knieën slap worden.

„Echt?" vroeg ze zacht.

„Waarom denk je dat ik hier ben?" was zijn wedervraag terwijl hij haar in zijn armen nam.

Ademloos kusten ze elkaar. En nog eens. En nog een keer, alsof ze alle verloren tijd in wilden halen.

„O, Hubert," zei Andrea een half uur later met een diepe zucht.

Gelukkig nestelde ze zich tegen hem aan. „Je hebt geen idee hoezeer ik hiernaar verlangd heb."

„Niet half zoveel als ik," verzekerde hij haar. „Ik ben altijd van je blijven houden, ondanks alles."

Weer vergaten ze alles om zich heen tijdens een lange kus. De drie kinderen die in de verte langsliepen en giechelden om het schouwspel, merkten ze niet eens op, zo verdiept waren ze in elkaar. Hubert hield Andrea stevig tegen zich aan. Hij kon nog niet geloven dat het allemaal zo soepel verliep. Dit had hij gehoopt, maar niet verwacht. Hij had zich ingesteld op lange gesprekken, in plaats daarvan lag de vrouw waar hij van hield vol overgave in zijn armen. Hij was nog nooit zo gelukkig geweest als op dat moment.

„We moeten praten," zei Andrea even later echter. Ze probeerde zich voorzichtig los te maken uit zijn omhelzing, maar die kans gaf hij haar niet.

„Niet nu. Praten kunnen we ons hele leven nog, nu wil ik genieten."

Andrea gaf daar maar al te graag aan toe, maar onverbiddelijk kwam het beeld van Raymond in haar gedachten. Wat er tussen hen gebeurd was kon ze niet verzwijgen voor Hubert, al was de verleiding groot. Angstig vroeg ze zich af of hij nog zo teder en liefdevol zou zijn als hij de waarheid wist.

„Hubert, alsjeblieft. Hoe heerlijk dit ook is, we kunnen niet zonder meer de draad oppakken en verder net doen of er niets is gebeurd de tussenliggende maanden," zei ze moeilijk.

„Lieve schat, moet jij nu altijd verstandig zijn?" vroeg hij met een klein lachje. „Ik kan je zien, voelen, kussen. Dat vind ik momenteel het belangrijkste. De rest telt even niet, dat komt vanzelf wel."

„Maar ik moet je iets bekennen." Resoluut deed ze een paar passen opzij. „Ik kan hier niet mee doorgaan voor je hebt gehoord wat ik te zeggen heb."

„Maar wat is er dan?" Ongerust keek hij haar aan. „Zeg het me dan maar als je dat nodig vindt, maar besef wel dat het mij niet uitmaakt. Wat er ook is, ik laat je niet meer gaan. Niet nu ik je weer gevonden heb en weet dat jij ook nog van mij houdt."

Met heel haar hart hoopte Andrea dat hij zijn woorden waar zou maken, maar ze vreesde het ergste. Even twijfelde ze nog. Ze kon nog terug, ze hoefde het hem niet te vertellen. Ze wist echter dat het dan altijd tussen hen in zou blijven staan. In het verleden had ze al genoeg fouten gemaakt wat hun relatie betrof, ze kon niet aan de gang blijven. Het was voor haar onmogelijk om met een leugen te leven.

„Het gaat om Raymond," begon ze langzaam, zoekend naar woorden. Ze keek naar Hubert, die leunend tegen een boom haar bekentenis afwachtte. „Ik ben met hem naar bed geweest," flapte ze er toen rechtstreeks uit. „Niet één keer, maar vaker. Zijn vrouw was weggegaan, hij voelde zich eenzaam... Ik ook trouwens. We hebben elkaar getroost. Ik miste jou zo ontzettend, al zul je dat nu waarschijnlijk niet meer geloven. Raymond was in staat dat gemis een beetje te compenseren."

Ze keek langs Hubert heen bij het vertellen van haar verhaal. Ze zou het niet kunnen verdragen om de blik in zijn ogen te zien veranderen van liefdevol naar afkeer. Ze was echter niet voorbereid op zijn kalme reactie.

„Ik ben blij dat je de moed had om dit te vertellen, maar ik wist het al," zei hij rustig.

„Hè?!" Haar ogen verwijdden zich. Op dat moment begaven haar trillende knieën het echt. Met een smak belandde ze op de natte bosgrond. Hubert was onmiddellijk bij haar.

„Liefje, wat doe je nu? Kom hier. Zie je wel dat ik je vast moet houden?"

„Je wist het?" vroeg Andrea dociel zonder op zijn plagerijtje in te gaan. Haar hersens werkten op volle toeren. „Raymond heeft het verteld," wist ze opeens.

Hubert knikte. „Straks praten we verder," zei hij resoluut. „Je bent helemaal nat en vies, ik wil het niet op mijn geweten hebben dat je ziek wordt. We gaan de sleutel van mijn bungalow halen, dan zitten we rustig en hebben we privacy. Je had gelijk daarnet, we hebben heel wat te bespreken. Al zou ik natuurlijk liever iets anders doen," voegde hij daar plagend aan toe.

„Ben je dan niet boos op me?" vroeg Andrea kleintjes.

„Boos? Je weet niet wat je zegt. Ik ben woedend op mezelf omdat ik je ooit heb laten gaan. Kom op schat, welke kant moeten we op?"

„Rechtdoor, linksaf, tweede rechts," wees Andrea. „Jouw bungalow is hier om de hoek, ik wacht daar wel tot je met de sleutel komt."

Voor geen prijs wilde ze nu Raymond onder ogen komen met Hubert aan haar zijde. Ze rilde. Ze zag zichzelf al onder Raymonds blik om de sleutel van het huisje vragen, wie weet wat hij daarvan zou denken. Ze vond de hele situatie al moeilijk genoeg. Als ze ook maar één seconde had kunnen vermoeden dat Hubert bij haar terug zou komen, was ze nooit iets met Raymond begonnen. Toch had ze er geen spijt van, hoe tegenstrijdig dat ook klonk. Op het moment dat het gebeurde, had het volkomen logisch en vanzelfsprekend geleken. Ze mocht Raymond heel erg graag en had een prettige tijd met hem gehad, maar hij haalde het nu eenmaal niet bij Hubert.

Kleumend wachtte Andrea bij de bewuste bungalow. Vanuit het huisje van Wendy en Ronald kwam geen enkel teken van leven en daar was ze alleen maar blij om. Ze had niet geweten hoe ze alles even snel uit had moeten leggen. Het duurde vrij lang voor Hubert terugkwam. Behalve de sleutel had hij ook een tas boodschappen bij zich.

„Proviand," verklaarde hij. „Ik ben namelijk niet van plan om dit huisje vandaag nog te verlaten."

„En hou je mij als gijzelaar?" vroeg Andrea lachend. Haar gevoel voor humor begon weer terug te komen.

„Absoluut," verzekerde hij haar.

Eenmaal binnen begon hij meteen te redderen. De tas bleek ook houtblokken voor de open haard te bevatten en weldra verspreidde zich een behaaglijke warmte door het huisje.

„Het enige wat we missen is een vacht voor de open haard," merkte Hubert op.

„Daar weet ik wel iets op." Andrea pakte een deken van het tweepersoonsbed en spreidde die op de grond uit. „Zo goed?" Ze strekte zich languit op de geïmproviseerde vacht en keek toe hoe Hubert koffie inschonk en er een scheut cognac doorheen deed om warm te worden. „Je loopt weer goed," zei ze. „Is het heel erg moeilijk geweest?"

„Een hel," antwoordde hij kort. „Maar ik heb er wel van geleerd. Ik weet nu dat er niets vanzelfsprekend is in het leven. Je moet overal voor vechten en hoe meer je ervoor knokt, des te waardevoller wordt het. Dat geldt ook voor relaties. Ik had je nooit mogen laten gaan, hoewel het achteraf misschien toch goed is geweest. We hebben allebei van deze periode geleerd." Hij liet zich naast haar op de grond zakken en trok Andrea's hoofd tegen zijn borst aan.

„Ik heb altijd gehoopt dat je tot deze ontdekking zou komen, maar niet meer verwacht. Het duurde zo lang," zei ze zacht.

„De eerste maanden heb ik de gedachte aan jou bewust verdrongen. Al mijn energie ging in mijn herstel zitten. Pas later, toen mijn leven stukje bij beetje weer normaal werd, besefte ik hoezeer ik je miste. Ik kan je niet vertellen hoe gelukkig ik ben nu ik weet dat jij ook nog van mij houdt."

„Ondanks Raymond?" Andrea draaide zich om en keek hem onderzoekend aan.

„Ondanks Raymond," bevestigde hij. „Ik heb vanmorgen een lang gesprek met hem gevoerd door de telefoon en hij heeft me precies verteld hoe de zaken er wat jullie betreft voor staan. Het is een fijne vent. Ik had nooit gedacht dat ik dat ooit nog eens van mijn rivaal zou zeggen," voegde hij daar lachend aan toe.

„Hij is nooit jouw rivaal geweest," verzekerde Andrea hem. „Ik was met mijn lichaam bij hem, maar met mijn hart bij jou."

Ze kuste hem en liet zich toen weer met een zucht van tevredenheid tegen het veilige, vertrouwde plekje van zijn borst zakken. Wat heerlijk dat dit weer kon! Nu realiseerde ze zich pas echt goed hoe ze hem gemist had. Raymond was een povere vervanger geweest.

„Ben je er niet kwaad om?" informeerde ze toch wat onzeker.

„Het was best wel even een dreun," bekende Hubert. „Maar hoe kan ik je iets kwalijk nemen? Ik had je zelf weggestuurd. Toen ik me dat eenmaal realiseerde, werd het makkelijker te accepteren. Als je maar weet dat je van nu af aan alleen van mij bent. Ik vind Raymond erg sympathiek, maar jij bent voltooid verleden tijd voor hem"

„Ik kan niet zomaar weglopen hier. Het minste dat ik aan hem verplicht ben, is dat ik het seizoen afmaak. Na de schoolvakanties is het een stuk rustiger, dan redt hij het wel alleen."

„Natuurlijk, dat is logisch. Ik bedoelde alleen maar dat ik het niet prettig vind als je bij hem blijft wonen."

„Daar kan ik me wel iets bij voorstellen. Goed, ik zoek iets anders," beloofde Andrea.

Ze stond op om de bekers nog eens te vullen. Ze was inmiddels weer heerlijk warm geworden, maar peinsde er niet over om het plekje bij de haard te verlaten. Het was veel te zalig om in Huberts armen te liggen. Praten, vrijen en simpelweg gelukkig zijn. Hij had de bungalow voor de komende twee weken gehuurd, dus gedurende die tijd hoefde ze zich geen zorgen te maken over een dak boven haar hoofd. Daarna zag ze wel weer verder, desnoods ging ze alsnog voor de korte tijd die er over-bleef op de bank in het personeelsverblijf. Of misschien wilde één van de andere medewerkers met haar ruilen. Raymond zou daar vast geen bezwaar tegen maken. Hij had bewezen dat hij haar het geluk gunde zonder aan zichzelf te denken.

„Na het zomerseizoen kom ik naar huis," zei Andrea.

„Het kan me niet snel genoeg gaan. We trouwen zo snel moge-lijk. Tenminste... Als jij het daar ook mee eens bent," bond Hubert in.

Andrea lachte. „Jongen, ik wil niets liever. Alleen ben ik niet van plan om jouw privéhuisvrouw en gastvrouw te spelen. Het wer-ken hier aan de receptie is me fantastisch goed bevallen, zoiets wil ik blijven doen. Bij ons in de buurt zijn ook genoeg vakan-tieparken waar ik een kansje kan wagen."

„En als ze je daar niet willen hebben, koop ik desnoods een eigen park voor je," beloofde Hubert overmoedig.

Schaterend liet Andrea zich op haar rug vallen, hem met zich meetrekkend. „Je bent hartstikke gek, weet je dat?" zei ze teder.

„Ja, gek op jou."

Terwijl zijn mond gretig de hare zocht, bedacht Andrea dat ze een half jaar geleden heel anders gereageerd zou hebben op zijn opmerking. Toen zou ze kwaad geworden zijn en geroepen heb-ben dat hij niets van haar begreep. Nu vond ze het alleen maar roerend lief. Hij was in staat om inderdaad een bungalowpark voor haar te kopen als ze dat wilde. Zolang zij maar gelukkig was, dat was zijn drijfveer.

En dat was ze. Zo, in zijn armen, was er niets meer te wensen. Een paar uur lang was de hele wereld volmaakt.

Waarschijnlijk zouden ze nooit zo'n reclamestel vormen waarbij alles van een leien dakje ging en de partners in opperste harmonie samen leefden, maar dat gaf niet. Als ze maar samen waren. Een paar dagen geleden had Andrea nog tegen Wendy gezegd dat liefde alleen soms niet genoeg was, nu wist ze dat ze ongelijk had met die bewering.

Hubert en zij waren het levende bewijs van een stel dat niet zonder elkaar kon leven, ondanks de vele verschillen.

Het zomerseizoen liep ten einde. Andrea had haar laatste werkdag erop zitten en pakte haar koffers in. Hubert zou haar over een half uur komen halen. De afgelopen weken had ze inderdaad in het personeelsverblijf gelogeerd terwijl één van de kelners zo lang bij Raymond was ingetrokken.

„Zo, ben je klaar voor vertrek?" klonk zijn stem ineens achter haar.

Andrea draaide zich met een ruk om. „Je laat me schrikken, ik was ook zo in gedachten verdiept." Snel propte ze nog een make-uptasje en wat tijdschriften in haar schoudertas. „Dat was alles."

„Komt Hubert je halen?" vroeg Raymond.

Ze knikte. Dit was de eerste keer sinds Huberts terugkomst dat ze alleen met Raymond was en ze voelde zich onverklaarbaar verlegen tegenover hem.

Raymond kwam naar haar toe en legde zijn handen op haar schouders. „Zorg dat je gelukkig wordt," zei hij ernstig. „Wat er ook gebeurt en wat er ook voor moeilijkheden komen, blijf altijd met elkaar praten. Heus, dat is enorm belangrijk. Sleep hem er desnoods aan zijn haren bij. Ik wilde dat Mandy dat gedaan had." Zijn gezicht stond verdrietig, zoals altijd wanneer hij over Mandy praatte.

„Ga naar haar toe," zei Andrea zacht. „Praat het uit, je weet nooit waar het goed voor is."

„Ze heeft een ander."

„Dat denkt ze van jou waarschijnlijk ook, terwijl je zelf wel beter weet. Probeer het tenminste, je hebt niets te verliezen."

„Dat is waar. Misschien volg ik je raad wel op." Heel teder raakte Raymond even haar wang aan. „Ik zal je missen."

„Het spijt me dat het van zo'n korte duur was, maar ik ben blij dat je me aangenomen hebt. Je hebt me meer geholpen dan je zelf beseft." Door het raam zag Andrea Huberts wagen aan komen rijden. Spontaan sloeg ze haar armen om Raymonds nek en zoende hem op allebei zijn wangen. „Bedankt voor alles."

Zonder achterom te kijken liep ze naar buiten. Hubert sprong al uit zijn wagen.

„Eindelijk! Deze laatste dagen hebben vreselijk lang geduurd," riep hij.

„Wat een enthousiasme!" plaagde Andrea. „Ik dacht dat je het wel lekker rustig vond zonder mij."

„Absoluut niet. Je wordt thuis door iedereen met open armen ontvangen."

„Behalve door Anouk dan."

Hubert wuifde die opmerking luchtig weg. „Die trekt nog wel eens bij. En zo niet, dan is er ook geen man overboord. Tenslotte moet er iets te wensen overblijven."

Ondertussen had hij haar koffers achter in de auto gelegd en hielp haar met instappen. Bij de manoeuvre bleef de riem van haar schoudertas aan de hendel van het raampje hangen. De tijdschriften, die Andrea er daarnet achteloos ingepropt had, vielen op de grond. Eén daarvan bleef open liggen op de bladzij van de maandelijkse prijsvraag. Hoofdschuddend raapte Hubert ze op.

„Ga me nou niet vertellen dat je nog steeds meedoet aan dergelijke wedstrijden," bromde hij. „Wat kun je daar nou helemaal mee winnen?"

Lachend keek Andrea naar hem op. „De hoofdprijs," zei ze simpel. „Weliswaar via een lange omweg, maar uiteindelijk heb ik toch de jackpot gewonnen!"